外傷初期診療ガイドライン JATEC 改訂第6版

Japan Advanced Trauma Evaluation and Care

監　修：一般社団法人 日本外傷学会，一般社団法人 日本救急医学会
編　集：日本外傷学会外傷初期診療ガイドライン改訂第6版編集委員会

編集協力：公益社団法人 日本麻酔科学会，一般社団法人 日本脳神経外傷学会，
　　　　　一般社団法人 日本骨折治療学会，一般社団法人 日本小児救急医学会，
　　　　　公益社団法人 日本産科婦人科学会，一般社団法人 日本救急放射線研究会，
　　　　　一般社団法人 日本 Acute Care Surgery 学会，一般社団法人 日本熱傷学会，
　　　　　一般社団法人 JPTEC 協議会

へるす出版

※本書にはe-ラーニングを利用するためのアクセス権（巻末添付）が付いています．これは特定非営利活動法人 日本外傷診療研究機構（JTCR）によって運営されているJATECコース受講に際してのプレラーニング用教材であり，本書の内容の理解を深めるためのものです．
　具体的な利用方法については，本書巻末の「JATEC™コースの受講にあたって」をご覧ください．

改訂第6版　序文

外傷初期診療ガイドラインを世に送り出して18年，今回で6回目の改訂を重ねることになる。同時に開催してきたJATECコースは2020年3月末で544回，述べ17,266名の医師が受講している。そもそも外傷診療におけるpreventable trauma deathの回避，質の保証された外傷診療の普及を目指して本書が執筆され，その実効性を確かなものにするために模擬診療をベースにしたJATECコースの受講を推奨してきた。「生理学的評価と蘇生を最優先する」とするJATECのエッセンスは，疾病を含むすべての救急患者に対する救急診療に通用し，現在では救急の診療手順のひな形になっている。

例えば，日常の診療において「〇〇歳，男性，△△の受傷で救急来院，primary surveyではA，Bには異常はないもショック症状を呈し，FASTで腹腔内にフリースペースを認め…」といった診療の流れが定着してきた。かつては，初期診療の手順もプレゼンテーションも標準化されたものがなく，そのため第三者によるpeer reviewも容易ではなかった。標準化された診療手順が普及したことで，治療の振り返り，検証等がしやすくなり，診療の質を維持することができるようになった。

今回の改訂では，新しい知見を取り入れると同時に『外傷専門診療ガイドラインJETEC』との棲み分けを行い，本書が救急の診療指針であると同時にコース受講の参考書となるよう一層の工夫を図った。新しい知見は，カテゴリー別にClinical Question（CQ）を設け，それぞれのCQに対するエビデンスを収集して，執筆グループと編集委員とでその内容を精査し，採否を決定した。初版から積み重ねてきた中核となる記述を維持しつつ，新たなエビデンスを採用した。

改訂部分は随所にわたるが，輸液制限と早期輸血療法をより鮮明にしたことが重要な変更点の一つである。成人での初期輸液による循環評価は，その投与量を1L（小児：20mL/kg）に絞り，さらに循環が破綻している場合には，初期輸液の反応をみるまでもなく，蘇生的な止血術と大量輸血プロトコルを発動することを強調した。また，受傷早期（1時間以内，遅くとも3時間以内）のトラネキサム酸投与を推奨に加えた。その他，チーム医療の重要性，気道管理を安全に行うための工夫，FASTに留まらない超音波検査の活用，GCS評価法の変更，抗凝固薬服用の危険性などについて新たな知見を加え，内容の充実を図った。

さて，第6版への改訂にあたり，JATECコースとの一体感を持たすべく，本書とコース教材の共通化，さらには事前学習の充実を図る計画をたて改訂作業に入った。このような折，新型コロナウイルス感染拡大によるJATECコース開催中断が余儀なくされ，コロナ禍，コロナ後のコースのあり方が喫緊の課題となった。検討を重ねた結果，本書とコース教材との紐付けを行うにあたり，コース受講までの事前学習に重点を置き，そのために本書の充実とコースカリキュラムの簡素化を図ることになった。その例が，本書の随所に見られるQRコードである。QRコードから該当記事に関連する動画や講義を視聴していただき，記述内容を理解しやすくなるよう工夫した。事前学習を強化したことにより，コースではハンズオンを基本にした意思決定のトレーニングに力点を置くことになる。

最後に，執筆者，資料収集や高閲の一端を担っていただいた編集協力者，関連する学術団体の査読者およびJATECコースのインストラクターや責任者等，本章の改訂にご協力くださったすべての皆様に，感謝の意を表します。

2021年1月19日

外傷初期診療ガイドライン改訂第6版編集委員長
（一般社団法人　日本外傷学会前代表理事）
横田順一朗

監 修
一般社団法人 日本外傷学会，一般社団法人 日本救急医学会

編 集
日本外傷学会外傷初期診療ガイドライン改訂第6版編集委員会

編集委員長
横田順一朗

編集委員
安達　晋吾，阿南　英明，天野　浩司，犬飼　公一，大友　康裕，荻田　和秀，織田　　順，
亀田　　徹，木村　昭夫，久志本成樹，黒住　健人，齋藤　大蔵，坂本　哲也，阪本奈美子，
佐々木　亮，佐々木淳一，髙山　隼人，常俊　雄介，鶴田　良介，冨岡　譲二，中田　康城，
藤田　　尚，船曳　知弘，本間　正人，山田　元彦，横堀　將司

(＿＿＿＿：編集幹事)

編集協力
公益社団法人 日本麻酔科学会（川前　金幸，松島　久雄）
一般社団法人 日本脳神経外傷学会
　（頭部外傷治療・管理のガイドライン 作成委員会，刈部　博）
一般社団法人 日本骨折治療学会（石井　桂輔，野田　知之，宮本　俊之）
一般社団法人 日本小児救急医学会（井上　信明，伊原　崇晃）
公益社団法人 日本産科婦人科学会（小谷　友美）
一般社団法人 日本救急放射線研究会（船曳　知弘）
一般社団法人 日本 Acute Care Surgery 学会（大友　康裕）
一般社団法人 日本熱傷学会
一般社団法人 JPTEC協議会（松田　　潔，安田　康晴）
TEAMLAB BODY株式会社

安心院康彦，荒木　　尚，有嶋　拓郎，五十嵐　勉，池田　弘人，井戸口孝二，井上　貴昭，
岩瀬　弘明，岩田　充永，梅澤　裕己，遠藤　　彰，奥田　拓史，加地　正人，加藤　　宏，
金子　直之，川井　　真，川嶋　隆久，川原　加苗，岸本　正文，北野　光秀，清住　哲郎，
久保山一敏，黒木　尚長，河野　元嗣，今　　明秀，坂下　惠治，櫻井　　淳，佐々木　勝，
篠原　一彰，新藤　正輝，末廣　栄一，杉本　勝彦，杉山　　誠，鈴木　　卓，住田　　亮，
竹上　徹郎，田中　啓司，田中　秀治，田中　　裕，丹正　勝久，角山泰一朗，土居　正和，
東平日出夫，富田　啓介，中江　竜太，中川　宏治，中川　雄公，中谷　壽男，中野　　実，
中原　慎二，中山　晴雄，並木　　淳，根本　　学，長谷川有史，畑田　　剛，林　　寛之，
林　　峰栄，林　　宗博，林　　靖之，原　　義明，春成　伸之，益子　一樹，益子　邦洋，
松井恒太郎，松浦　謙二，松岡　哲也，松田　　潔，松村　洋輔，松本　　尚，水島　靖明，
溝端　康光，箕輪　良行，宮内　雅人，三宅　康史，六車　　崇，本島　卓幸，本村　友一，
森下　幸治，森野　一真，森村　尚登，八木　正晴，薬師寺泰匡，八ツ繁　寛，柳川　洋一，
山口　芳裕，山下　典雄，山田　哲久，横田　裕行，横田　茉莉，吉野　篤人，吉矢　和久，
和田　剛志，渡部　広明（五十音順）

序文（初版）

わが国の外傷診療について

　外傷診療の質の向上には，まず急性期に「防ぎえる死亡」を回避することが最大の課題である。救命後の良好な機能予後と質の高い社会復帰も，その多くの要素は初期治療の是非に依存している。このため，外傷患者の初期診療にあたる医師の責任はきわめて重要である。日常の救急医療現場では多様な診療科の医師が外傷患者の初期治療にあたっている。しかしわが国では，重症外傷患者の初期治療に関して卒前・卒後教育が十分でなく，外傷診療の質向上のためには外傷診療の研修を充実させることが急務である。

　「不慮の外因死」は日本人の死亡原因の第5位に位置するが，10代，20代では1位を占めている。将来ある若者や働き盛りの年齢層の死亡は，米国などの社会コストという観点が大きく医療計画を支配する国々では，きわめて重要な社会問題と認識され，外傷による死亡や後遺症を減少させるため，癌や心臓病をはるかに上回る多額の費用と多くのエネルギーが使われている。一方，残念ながらわが国では従来から医療関係者，行政，一般市民にこのような認識が乏しく，そのため病院前，病院を問わず外傷診療の質に大きな地域間格差が生じている。また，進んでいる地域といえども米国など外傷先進国に大きく遅れをとってきたのが実情である。

　外傷診療の質を保証するには，救急医療としての外傷診療システムの構築とこれに関与する医療従事者の診療技術の向上が必須である。診療システムでは病院前救護，救急病院の診療体制，その中で対応する医療チームのあり方，適切な紹介転送と安全な病院間搬送など，外傷特有の救急医療体制の充実が大前提となる。そこには共通言語となる統一された診療理論の存在が必要となる。

　残念ながらわが国には，診療に従事する医師はもとより，救急隊員や院内の医療従事者に提供できる標準的な診療指針がない。また，診療技術の面では重度外傷や多発外傷に対して高度な診療が展開できる外傷専門チームの活動が不可欠である。わが国の多くの施設では，複数診療科の医師が集結しても外傷診療に精通した医師が存在しないため，系統だった治療ができない。このため，各診療科の優れた技量が外傷治療に十分生かされないばかりか，かえって診療現場を混乱させている。この背景には細分化した診療科の問題と外傷患者を集中して診療にあたる専門施設が少ないことが挙げられる。

外傷診療研修コースの開発について

　外傷診療では複数診療科にわたる集学的な治療戦略が必要であり，診療に携わる全ての医師に標準的な診察手順，蘇生，全身管理，処置や手術の優先順位の判断など包括的な診療能力が求められる。このためには充実した実地修練や実践に即した教育・研修が必要となる。しかし，救急医療の現場では教育より診療を優先しなければならないこと，技術力を必要とする処置が多いこと，さらに一施設での症例数が必ずしも多くないことなどから，実地修練には限界がある。これを補完する意味でoff-the-job trainingが必須となる。かねてより日本外傷学会では外傷研修コース開発委員会を設け，off-the-job trainingとしての外傷研修のあり方を検討してきた。その結果，外傷研修を受講者の対象で大きく2つに分けることにした。外傷診療の手順や最低必要な処置を研修する「外傷診療研修コース」と専門性の高い診療技術を研鑽する「外傷外科研修コース」である。「外傷診療研修コース」は外傷診療に従事する全ての医療スタッフを対象にした共通言語となることを目標とし，「外傷外科研修コース」は外傷外科医や外傷診療の専門医育成を目的とすることにした。初期診療の標準化が医療現場に定着してこそ専門性の高い研修が可能となる。そのため，最初に「外傷診療研修コース」を開発することとした。

JATECガイドラインについて

　「外傷診療研修コース」開催に先立ち，外傷診療の理論的な構築が不可欠となる。外傷初期診療の教育プログラムとしてAmerican College of Surgeons, Committee on Trauma（ACS COT）が展開するAdvanced Trauma Life Support®（ATLS®）が存在する。標準的な診療理論の代表例であるが，以下のような理由でわが国独自の教育プログラムを開発することとなった。

　日本外傷学会ではATLS®の導入に関して，ACS本部，ACS日本支部および日本外科学会などと数年来，折衝を重ねてきた。その結果，導入先の国の外科主要学会（わが国の場合，日本外科学会）が受け皿となること，商標，およびコース開始時に米国からの講師派遣に関わる経費が多額になること，コースの内容の変更は一切許されないことなどの制限因子に加えて，わが国の受け皿である日本外科学会には本コース導入の意志がないことなどから，ATLS®のわが国への導入を断念せざるを得なかっ

たからである。

わが国の救急体制や卒後教育に応じた独自の外傷診療研修が望まれるが，整合性のない教育プログラムは将来かえって混乱をきたす。そこで，ATLS®を導入しえないヨーロッパの各国が進めている独自の研修コースやマニュアルがあり，この開発方法を参考とした。これはヨーロッパ外科学会が中心となって展開するEuropean Course on Trauma Care；ECTCであり，「ATLS®受講を理想とするが，現状ではECTCをその国のスタンダードにしよう」とするものである。したがって，日本外傷学会もATLS®導入を制約するのではなく，わが国の現状に即した標準化プログラムを作成することにした。この標準化プログラムをJapan Advanced Trauma Evaluation and Care（JATEC）と称し，研修コースを展開するための教材として本書を出版するに至った。

JATEC外傷初期診療ガイドラインは，学術論文や成書などでオープンとなっているATLS®の診療理論を参考にし，わが国の診療実態を反映させて作成した。また，先に述べたECTCや英国のTrauma Care Manual（Ian Greavesら編集，London，Arnold）など世界中の成書や最近の論文も参考にした。本書はわが国で外傷診療に専従する第一線の医師団によって執筆され，日本外傷学会と日本救急医学会の専門家によって査読を受けた。

「外傷診療研修（JATEC）コース」について

外傷初期診療は救急医療の重要な一角をなす。このためJATECコースを日本救急医学会と連携して開催することにした。本書の作成，改訂を日本外傷学会が行い，JATECコースの企画・運営を日本救急医学会が担っている。JATECコースについては本書の中でカリキュラムの一部を紹介するが，本書を熟読のうえJATECコースを受講してほしい。JATECコースは外傷患者を診察する機会のある全ての医師を対象とする研修コースである。JATECコースは，従来の講演やセミナーとは異なり，ケースシナリオや実技指導を中心とし，少人数を対象に行う体験学習である。JATECコースでは日常診療で遭遇する様々なケースシナリオを用意し，臨床現場を想定して外傷患者の診察と処置を一人一人に実践していただく。成書やマニュアルのみでは得難い，迅速な判断能力と実践的な技術習得が可能となるはずである。

本書の利用にあたって

本書は外傷診療の基本理念，診察の手順および初期治療に必要な処置など外傷の初期診療に関する基本的な事項を網羅してある。外傷診療の標準化を目指して「外傷初期診療ガイドライン」と命名した。診療の質的向上を期待し，日常の診療に活用していただきたいからである。しかし，実際には診療機能や救急医療体制の相違から，本書通りには展開ができないこともある。JATECが指導するFASTなど諸検査や手技が現在の保険診療の枠内に収まらないこともある。また，本書は研修用教材として作成されたものであるが，診療ガイドラインとして医事紛争や医療訴訟時の判断材料に利用される可能性がある。最良の診療は日進月歩であり，ガイドラインといえども議論の余地は絶えず存在する。したがって，本書を鵜呑みにするのではなく，規範とすべき努力目標の一つとして捉えていただきたい。本書の内容を踏襲するかどうかの判断は，実際に診療にあたる医師の裁量に委ねられていることを最後に申し添える。

目　次

第1章　初期診療総論 — 1

初期診療理論 　1
- Ⅰ 外傷急性期の病態　1
- Ⅱ 急性期病態と死因　1
- Ⅲ 初期診療の原則　2
- Ⅳ 生命維持と蘇生　2
- Ⅴ 初期診療手順の構成　3
  - 【用語について】　4
- Ⅵ 外傷診療におけるチームワーク　4

初期診療の実際 　5
- Ⅰ 患者受け入れの準備　5
- Ⅱ Primary survey と蘇生　6
  1. 第一印象の把握　6
  2. 初療室収容後の対応とABCDEアプローチ　6
     - A：気道評価・確保と頸椎保護　6
     - B：呼吸評価と致死的な胸部外傷の処置　7
     - C：循環評価および蘇生と止血　8
     - D：生命を脅かす中枢神経障害の評価　10
     - E：脱衣と体温管理　10
  3. モニター，検査および処置　12
     1) モニタリング　12
     2) Primary surveyにおける画像診断　12
     3) 血液検査　12
     4) 尿道留置カテーテルと胃管　12
  4. Primary surveyと蘇生のまとめ　13
- Ⅲ 転院の判断または医師の応援要請　13
- Ⅳ Secondary survey　13
  1. 「切迫するD」に対する頭部CT検査の優先　14
  2. 病歴の聴取　14
  3. 身体の診察　14
     1) 頭部・顔面　14
     2) 頸　部　15
     3) 胸　部　16
     4) 腹　部　16
     5) 骨盤・生殖器・会陰・肛門　18
     6) 四　肢　18
     7) 背　面　19
     8) 神経系　19
  4. 検　査　20
  5. 感染予防　21
     1) 創処置　21
     2) 破傷風予防　21
     3) 抗菌薬の予防的投与　21
  6. 見落としチェック　21
  7. 穿通性外傷におけるsecondary surveyについての補足事項　21
  8. Secondary surveyのまとめ　22
- Ⅴ 根本治療　22
- Ⅵ 根本治療のための転院の判断または医師の応援要請　22
- Ⅶ Tertiary survey　23
  1. 患者が症状を訴えない状況　23
  2. 仰臥位では症候が出現しにくい状況　23
  3. 早期には症候が出現しにくい損傷　23
  4. 医師の注意を引く隣接臓器損傷が存在する場合　23

まとめ 　23

診療1-1　初期診療 Primary surveyと蘇生 — 25

診療1-2　初期診療 Secondary survey — 26

第2章　外傷と気道・呼吸 — 27

はじめに 　27
- Ⅰ 呼吸生理学と外傷に伴う病態　27
- Ⅱ 気道・呼吸の観察　27
- Ⅲ 酸素投与　28
- Ⅳ 気道確保の種類　28
- Ⅴ 簡便な気道確保　29
  1. 用手的気道確保　29
     1) 下顎挙上法　29
     2) あご先挙上法　29
     3) 下顎引き上げ法　29

2. エアウエイ 29
      1) 口咽頭（経口）エアウエイ 29
      2) 鼻咽頭（経鼻）エアウエイ 30
   3. 口腔内吸引・異物除去 30
Ⅵ 確実な気道確保 30
   1. 適応 30
   2. 確実な気道確保のアルゴリズム 30
   3. 確実な気道確保におけるピットフォール 30
   4. 気管挿管 31
      1) 経口気管挿管 31
      2) 経鼻気管挿管 33
   5. 外科的気道確保 34
      1) 輪状甲状靱帯切開
         （surgical cricothyroidotomy） 34
      2) 輪状甲状靱帯穿刺
         （needle cricothyroidotomy） 34
      3) 気管切開 35
Ⅶ 声門上器具による気道確保 35
   1. ラリンゲアルマスクエアウエイ
      （laryngeal mask airway；LMA） 35
   2. アイジェル 35
   3. ラリンゲアルチューブ
      （laryngeal tube airway；LTA） 35
   4. コンビチューブ 35
Ⅷ 換気法 36
   1. バッグ・バルブ・マスク換気法 36
      1) 適応 36
      2) 合併症 36
      3) 手技（二人法） 36
   2. 気管挿管・輪状甲状靱帯切開後の換気法 36
      1) カプノグラムによるモニタリング 36
      2) バッグ・バルブの使用 36
      3) 人工呼吸器の使用 36
      4) 陽圧換気時の注意点 36

おわりに 36

技能2-1　外科的気道確保 ─── 38
   気道・呼吸の観察の要点 38
   確実な気道確保のアルゴリズム 38
   Step 1：確実な気道確保の適応基準 39
   Step 2：気道緊急ありの場合 39
   Step 3：非気道緊急において挿管困難が
           予測される場合 39
   Step 4：非気道緊急において挿管困難が
           予測されない場合 40
   挿管困難予測　LEMON 40
   緊急外科的気道確保法 40
   外科的気道確保に必要な解剖 41
   輪状甲状靱帯切開の手技 41
   輪状甲状靱帯穿刺の手技 42
   気道確保法後の確認事項 42

第3章　外傷と循環 ─── 43
はじめに 43
Ⅰ ショックの定義と病態 43
   1. 出血性ショック 43
      1) 大量血胸 43
      2) 腹腔内出血 44
      3) 後腹膜出血 44
      4) 長管骨骨折による出血 44
      5) 軟部組織損傷に伴う出血 44
      6) 外出血 44
   2. 非出血性ショック 44
      1) 閉塞性ショック 44
      2) 心原性ショック 45
      3) 血液分布異常性ショック 45
Ⅱ ショックの認知 46
   1. 早期認知のための観察項目 46
      1) 皮膚所見 46
      2) CRT（毛細血管再充満時間） 46
      3) 脈 46
      4) 意識レベル 47
      5) 血圧 47
      6) 動脈血ガス分析 47
   2. 出血性ショックの重症度 48
      1) ClassⅠ：15％までの出血 48
      2) ClassⅡ：15～30％までの出血 48
      3) ClassⅢ：30～40％までの出血 48
      4) ClassⅣ：40％を超える出血 48
   3. ショックの臨床症状を修飾する因子 48
      1) 年齢 48
      2) 運動選手 48
      3) 妊娠 48
      4) 薬物 48
      5) 低体温 48
      6) ペースメーカー 48

Ⅲ ショックの評価と対応　48
1. 外出血の止血　49
2. 輸液療法　49
   1) 輸液路の確保　49
   2) 輸液の種類　49
   3) 初期輸液　49
3. 輸血療法　50
4. 補助的な止血療法　51
5. ショックの原因検索と処置　51
   1) ショックの原因検索法　51
   2) ショックでの処置　52
6. 循環の安定化におけるその他の処置　52
   1) 保温　52
   2) 薬物療法　52
7. 循環管理の指標　53
   1) 尿量　53
   2) 酸塩基平衡　53
   3) 血清乳酸値　53
   4) 超音波検査　53
   5) 中心静脈圧　53

参考①：生理学と出血　53
参考②：蘇生を目的とする手術　54
  1. ダメージコントロール戦略　54
     1) Damage control surgery（DCS）　55
     2) Permissive hypotension, restrictive fluid resuscitation　56
     3) Hemostatic resuscitation　56
  2. 大動脈遮断法　56
  3. 蘇生的開胸術（RT）　57

技能3-1
ショックの認知と対応　60
  1. ショックの認知　"SHOCK"…血圧に頼らない！　60
  2. ショックへの対応 "FIX-C"　60

技能3-2　FAST　61
  1. FAST（Focused Assessment with Sonography for Trauma）　61
  2. 超音波装置による気胸の検索　62

技能3-3　IOI（骨髄内輸液）　63
  1. 適応と禁忌　63

  2. 穿刺部位の選択における注意点　63
  3. 準備　63
  4. 手技　63
  5. 合併症，その他　64

第4章　外傷と意識障害　65

はじめに　65
Ⅰ 外傷による意識障害の原因　65
Ⅱ 意識障害患者の評価　65
  1. GCSによる判定　66
     1) Eye opening（E：開眼）　67
     2) Verbal response（V：言語音声反応）　67
     3) Best motor response（M：最良の運動反応）　67
     4) 小児における判定　67
  2. 瞳孔所見　67
  3. 片麻痺　68
  4. Cushing現象　68
  5. 「切迫するD」の判断　68
  6. 「切迫するD」への対応　68
  7. GCSの限界　69
Ⅲ 鑑別診断の進め方と対応　69
まとめ　69

技能4-1
意識レベル評価の実際　71
  1. GCSの評価手順　71
  2. 圧迫刺激部位　71
  3. 判定時のポイント　71
     1) Eの判定　71
     2) Vの判定　72
     3) Mの判定　72
  4. 切迫するDを判断したら　73

第5章　胸部外傷　75

はじめに　75
Ⅰ 疫学　75
Ⅱ 解剖　75
Ⅲ 病態　76
Ⅳ 初期診療　76
  1. Primary surveyと蘇生　76
     1) 身体所見のとり方と蘇生　76
     2) 画像診断　77

3）Primary survey で同定すべき
　　致死的胸部外傷　　　　　　　　77
2. Secondary survey　　　　　　　　81
　1）身体所見　　　　　　　　　　81
　2）画像診断　　　　　　　　　　81
3. 根本治療を必要とする胸部外傷　　83
　1）胸部大動脈損傷　　　　　　　83
　2）気管・気管支損傷　　　　　　84
　3）肺挫傷　　　　　　　　　　　86
　4）鈍的心損傷　　　　　　　　　86
　5）横隔膜損傷　　　　　　　　　87
　6）食道損傷　　　　　　　　　　87
　7）気　胸　　　　　　　　　　　88
　8）血　胸　　　　　　　　　　　88

技能5-1　胸部外傷のX線診断 — 91

1. 気管・気管支　　　　　　　　　91
2. 胸腔と肺実質　　　　　　　　　91
3. 縦　隔　　　　　　　　　　　　91
4. 横隔膜　　　　　　　　　　　　92
5. 骨性胸郭　　　　　　　　　　　92
6. 軟部組織　　　　　　　　　　　92
7. チューブと輸液ライン　　　　　92
8. X線写真の再評価　　　　　　　92
9. 読影の練習　　　　　　　　　　93
　症例1　　　　　　　　　　　　　93
　症例2　　　　　　　　　　　　　93
　症例3　　　　　　　　　　　　　93

技能5-2　緊張性気胸に対する
　　　　　胸腔穿刺・胸腔ドレナージ — 94

1. 胸腔穿刺　　　　　　　　　　　94
2. 胸腔ドレナージ　　　　　　　　94

技能5-3　心嚢穿刺 — 96

1. 目　的　　　　　　　　　　　　96
2. 適　応　　　　　　　　　　　　96
3. 禁　忌　　　　　　　　　　　　96
4. 必要物品　　　　　　　　　　　96
5. 方　法　　　　　　　　　　　　96
6. 合併症　　　　　　　　　　　　97
7. 手術適応　　　　　　　　　　　97

第6章　腹部外傷 — 99

はじめに　　　　　　　　　　　　　99
Ⅰ　疫　学　　　　　　　　　　　　99
Ⅱ　解　剖　　　　　　　　　　　　99
1. 体表と腹壁　　　　　　　　　　99
2. 腹腔と後腹膜　　　　　　　　　99
Ⅲ　病　態　　　　　　　　　　　　100
Ⅳ　初期診療　　　　　　　　　　　101
1. Primary survey と蘇生　　　　　101
2. Secondary survey　　　　　　　　101
　1）受傷機転および既往歴の聴取　101
　2）身体所見　　　　　　　　　　102
　3）カテーテル類の留置と性状観察　103
　4）血液検査　　　　　　　　　　103
　5）画像診断　　　　　　　　　　103
　6）その他の診断手技　　　　　　106
Ⅴ　治療方針　　　　　　　　　　　107
1. 開腹術の適応　　　　　　　　　107
2. Damage control surgery（DCS）　109
3. 非手術療法（NOM）　　　　　　109

第7章　骨盤外傷 — 113

はじめに　　　　　　　　　　　　　113
Ⅰ　疫　学　　　　　　　　　　　　113
Ⅱ　解　剖　　　　　　　　　　　　113
1. 骨盤の機能解剖とバイオメカニクス　113
2. 骨盤周囲の血管・神経　　　　　114
3. 骨盤内臓器　　　　　　　　　　115
Ⅲ　分　類　　　　　　　　　　　　116
1. 安定型骨盤骨折　　　　　　　　116
2. 不安定型骨盤骨折　　　　　　　116
　1）部分不安定型（回旋不安定型）　116
　2）完全不安定型（回旋＋垂直不安定型）　116
3. 寛骨臼骨折　　　　　　　　　　117
Ⅳ　病　態　　　　　　　　　　　　117
Ⅴ　初期診療　　　　　　　　　　　117
1. Primary survey と蘇生　　　　　117
　1）骨盤骨折の診断　　　　　　　117
　2）蘇生としての止血法　　　　　117
2. Secondary survey　　　　　　　　119
　1）骨盤部の診察　　　　　　　　119
　2）画像診断　　　　　　　　　　119

3. 根本治療　120
　　　　1）骨折に対する治療　120
　　　　2）合併損傷の治療　120
　Ⅳ　骨盤開放骨折　120
　まとめ　120

技能7-1　骨盤外傷への対応　123

　　1. 不安定型骨盤骨折の骨折型と
　　　出血量の関係　123
　　2. 骨盤X線読影の手順　124
　　3. 骨盤X線読影のポイント　124
　　　　1）Primary surveyでの読影　124
　　　　2）Secondary surveyでの読影　124
　　4. 骨盤骨折X線写真の例　125
　　5. 骨盤骨折に対する止血アルゴリズム　126
　　　【参考】病院前での簡易骨盤固定具装着適応　126
　　6. 簡易骨盤固定具の解除基準　127

第8章　頭部外傷　129

　はじめに　129
　Ⅰ　疫　学　129
　Ⅱ　解　剖　129
　　　【参考1】脳ヘルニア　130
　　　【参考2】頭蓋内圧（ICP）と脳灌流圧（CPP）　130
　　　【参考3】各部の脳機能　131
　　　【参考4】髄液に関する知識　131
　Ⅲ　病　態　132
　　1. 一次性脳損傷と二次性脳損傷　132
　　2. Coup injuryとcontre-coup injury　132
　　3. Talk & deteriorate　133
　Ⅳ　分　類　133
　　1. 頭蓋骨骨折　133
　　　　1）円蓋部骨折　133
　　　　2）頭蓋底骨折　133
　　2. 局所性脳損傷　133
　　　　1）脳挫傷　134
　　　　2）急性硬膜外血腫　134
　　　　3）急性硬膜下血腫　134
　　　　4）外傷性脳内血腫　134
　　3. びまん性脳損傷　135
　　　　1）脳振盪　135
　　　　2）びまん性軸索損傷　135
　　　　3）外傷性くも膜下出血　135

　　　　4）びまん性脳腫脹　136
　　4. 外傷性頭蓋内血管損傷　137
　　5. 穿通性脳損傷　137
　　6. 外傷性てんかん　137
　Ⅴ　初期診療　137
　　1. Primary surveyと蘇生　137
　　2. Secondary survey　137
　　　　1）身体所見のとり方　137
　　　　2）CT検査のタイミングと読影のポイント　138
　　　　3）単純X線撮影　138
　　　　4）MRI検査　139
　　　　5）脳血管撮影，CTA，MRA　139
　Ⅵ　重症度別対応　139
　　1. 重症頭部外傷　139
　　　　1）呼吸管理　139
　　　　2）循環管理　140
　　　　3）体　温　140
　　　　4）凝固障害への対応　140
　　　　5）頭蓋内圧管理　140
　　　　6）抗凝固薬のリバース　141
　　　　7）手術治療　141
　　2. 軽症・中等症頭部外傷　141
　　　　1）診　断　141
　　　　2）治　療　143
　　　【参考5】スポーツ脳振盪への対応　143
　　　【参考6】子ども虐待と頭部外傷　143
　　　【参考7】頭部外傷における転院　143
　　　【コラム：JATECにおける
　　　　中等症・軽症頭部外傷の定義の考え方】　144

技能8-1　頭部CT読影の基本　147

　　1. 重症度に応じたCTの適応　147
　　2. 系統的読影　147
　　3. Densityの変化　147
　　4. 典型的所見　147
　　5. 重要所見　148
　　6. 見落としやすい所見　148
　　7. 参　考　148

第9章　顔面外傷　149

　はじめに　149
　Ⅰ　解　剖　149
　Ⅱ　病　態　149

Ⅲ Primary surveyと蘇生	150
Ⅳ Secondary survey	150
1. 骨　折	150
1）診　察	150
2）骨折の種類	152
3）骨折の画像診断	154
4）骨折の治療	154
2. 皮膚・軟部組織損傷	154
1）診　察	154
2）皮膚・皮下創傷	155
3）神経損傷	156
4）耳下腺（管）・眼瞼・涙道損傷	156
5）鼻中隔血腫	156
参考：眼外傷	156
1. 眼外傷における用語	156
2. 眼科的診察	156
1）視　力	156
2）瞳孔所見	156
3）眼球運動所見	157
4）視野所見	157
5）眼　圧	157
6）画像診断	157
3. 処置と治療	157
1）化学損傷	157
2）開放性眼球損傷	158
3）眼窩損傷	158
4）脳神経損傷	158

第10章　頸部外傷 ————— 159

Ⅰ 解　剖	159
Ⅱ 病　態	160
Ⅲ Primary surveyと蘇生	160
Ⅳ Secondary survey	161
Ⅴ 創傷処置と治療方針	161
Ⅵ 主な損傷の特徴	161
1. 喉頭・気管損傷	161
2. 頸動脈損傷	162
3. 頸静脈損傷	162
4. 食道損傷	162
5. 腕神経叢損傷	162

第11章　脊椎・脊髄外傷 ————— 163

はじめに	163
Ⅰ 疫　学	163
Ⅱ 解　剖	163
1. 脊　椎	163
2. 脊　髄	163
Ⅲ 病　態	164
1. 脊椎損傷	164
1）上位頸椎損傷（環椎後頭関節〜C2/3椎間）	166
2）中下位頸椎損傷	167
3）胸・腰椎損傷	167
2. 脊髄損傷	169
1）完全脊髄損傷と不完全脊髄損傷	169
2）非骨傷性頸髄損傷	169
Ⅳ 脊髄損傷の機能評価	170
1. 神経学的高位の診断	170
2. 麻痺の重症度	170
Ⅴ 初期診療	170
1. Primary surveyと蘇生	170
【神経原性ショック（neurogenic shock）と脊髄ショック（spinal shock）】	170
【D：中枢神経評価】	172
2. Secondary survey	172
1）身体所見	172
2）画像診断	172
Ⅵ 治療指針（整形外科的治療）	173
Ⅶ 脊椎の保護	174
1. 頸椎装具	174
2. バックボード	174
Ⅷ 頸椎固定解除基準	174

技能11-1　頸椎画像診断 ————— 177

1. 読影の注意点	177
2. 読影の手順	177
A：Alignment　4つのライン	177
B：Bone　骨	178
C：Cartilage　軟骨	178
D：Distance of soft tissue　軟部組織の距離	178

第12章　四肢外傷 ————— 179

はじめに	179
Ⅰ 解　剖	179
Ⅱ 病　態	179
Ⅲ 初期診療	179

1.	Primary surveyと蘇生	179
2.	Secondary surveyにおける診断	180
	1）受傷機転の聴取	180
	2）身体の診察	180
	3）画像検査	180
3.	注意すべき四肢外傷	181
	1）開放創	181
	2）剝皮創	181
	3）開放骨折	182
	4）動脈損傷	182
	5）末梢神経損傷	183
	6）外傷性四肢切断（轢断）	184
4.	Tertiary survey	184

Ⅳ　処置の手技　184
1. 整復　184
2. 副子による外固定　184
3. 四肢ターニケットの解除基準　184
   【参考】病院前のターニケット装着　185

Ⅴ　注意すべき合併症　185
1. 脂肪塞栓症候群　185
   1）病態　185
   2）診断と治療　185
2. 筋区画症候群（コンパートメント症候群）　186
   1）病態　186
   2）診断と治療　186
3. 圧挫症候群（crush syndrome）　186
   1）病態　186
   2）診断　186
   3）治療方針　187

Ⅵ　多発外傷に合併した長管骨骨折の治療戦略　188
まとめ　188

第13章　熱傷・電撃傷　191

はじめに　191
Ⅰ　病院前救護と受け入れ準備　191
Ⅱ　Primary surveyと蘇生　192
A：気道の評価　192
B：呼吸の評価　192
C：循環の評価　192
D：中枢神経障害の評価　192
E：脱衣と体温管理　192

Ⅲ　Secondary survey　192
1. 病歴などの聴取　193
2. 重症度評価　193
   1）熱傷深度の評価　193
   2）熱傷面積の評価　193
   3）熱傷重症度の判定　193
   4）気道損傷と合併症の評価　194

Ⅳ　熱傷初期輸液　194
Ⅴ　電撃傷（electrical injury）　196
Ⅵ　病院間搬送　196

第14章　小児外傷　197

はじめに　197
Ⅰ　疫学　197
Ⅱ　解剖学的特徴と生理学的特徴　197
1. 解剖学的特徴　197
   1）頭部　197
   2）頸部　197
   3）上気道　197
   4）胸部　198
   5）腹部　198
   6）骨盤・四肢　198
2. 生理学的特徴　198
   1）呼吸器系　198
   2）循環器系　198
   3）中枢神経系　198
   4）体温調節　199
   5）体重とバイタルサインの基準値　199

Ⅲ　Primary surveyと蘇生　200
第一印象の把握　200
A：気道評価・確保と頸椎保護　200
   1）気道評価・確保　200
   2）頸椎保護　203
B：呼吸評価と致死的な胸部外傷の処置　203
C：循環評価および蘇生と止血　203
   1）循環評価　203
   2）輸液路の確保　203
   3）輸液製剤の選択と準備　205
   4）初期輸液　205
   5）出血源の検索と止血　205
   6）徐脈への対応　205
D：生命を脅かす中枢神経障害の評価　205
E：脱衣と体温管理　205

Ⅳ　Secondary survey	205
1.　検査時の鎮静	206
2.　部位別にみた特殊性	206
1）頭部外傷	206
2）胸部外傷	207
3）腹部外傷	209
4）骨盤・四肢外傷	209
5）脊椎・脊髄外傷	209
Ⅴ　子ども虐待	210
1.　初期診療における虐待への疑い	210
2.　乳幼児の虐待による頭部外傷の特徴	211
3.　法的な対応	211

第15章　高齢者外傷 — 213

はじめに	213
Ⅰ　疫　学	213
Ⅱ　高齢者外傷の特殊性	213
1.　身体の加齢による影響	213
2.　併存疾患の影響	214
3.　服薬の影響	214
Ⅲ　初期診療	214
1.　Primary survey	214
2.　Secondary survey	214
3.　Tertiary survey	214
Ⅳ　高齢者に特徴的な損傷	214
1.　頭部外傷	214
2.　肋骨骨折	216
3.　骨盤骨折	216
Ⅴ　高齢者虐待	216
Ⅵ　治療目標	216

第16章　妊婦外傷 — 219

はじめに	219
Ⅰ　解剖と生理	219
1.　妊娠期間の区分	219
2.　解　剖	220
1）妊娠初期	220
2）妊娠中期	220
3）妊娠後期	220
3.　生　理	220
1）呼吸・循環の変化	220
2）血液の再分配	221
3）凝固系の活性化	221
4）細胞性免疫能の低下	221
Ⅱ　初期診療	221
1.　Primary surveyと蘇生	221
1）気道確保（A）	222
2）呼吸と換気（B）	222
3）循環（C）	222
4）中枢神経（D）	222
5）体温と体表所見（E）	222
6）胎児の評価と転送の判断（F）	222
【参考】死戦期帝王切開	223
2.　Secondary Survey	223
1）内診・クスコ診（G：gestational state）	223
2）血圧と採血再評価（H：hypertensive disorder & hematology）	223
3）腹部診察・超音波検査（I：imaging）	224
4）待機か分娩／帝王切開か経腟分娩（J：judgement）	224
3.　胎児に関する留意点	224
4.　根本治療	224
Ⅲ　母体受傷機転と胎児の予後	224
1.　腹部鈍的外傷	225
2.　腹部穿通性外傷	225
3.　熱傷・電撃傷	225
4.　転倒・転落	225
Ⅳ　外傷診療における妊娠に特有な病態	225
1.　胎盤早期剝離（早剝）	225
2.　子宮破裂	225
3.　母児間輸血症候群	226
Ⅴ　放射線	226
Ⅵ　薬　剤	227
1.　妊娠初期	227
2.　妊娠中期以降	227
まとめ	227

第17章　画像診断 — 229

Ⅰ　X線検査	229
1.　Primary surveyにおける評価	229
2.　Secondary surveyにおける評価	229
Ⅱ　CT検査	229
1.　CTの適応	229
2.　CT撮影における注意点	230
3.　CT撮影の実際	230
1）撮影の適応	230

2）撮影の方法　230
4. 画像の描出：階調と再構成　232
　1）ウィンドウ幅とウィンドウレベルの設定　232
　2）多断面再構成画像
　　（multiplanar reconstruction；MPR）　233
5. 外傷CTの読影　233
　1）読影の第1段階　233
　2）読影の第2段階　233
　3）読影の第3段階　233
Ⅲ　MRI検査　233

技能17-1　外傷CTの読影── 235

1. 読影の第1段階FACT（focused assessment with CT for trauma）　235
2. 読影の第2段階　237
　1）血腫，血管外漏出像および仮性動脈瘤　237
　2）その他　239
3. 読影の第3段階　239
4. 読影の第1段階（FACT）の練習　240
　症例1　30歳代の男性；
　　　　交通外傷（バイク運転手）　240
　症例2　60歳代の男性；重量物落下　240
　症例3　40歳代の女性；墜落外傷　240
　症例4　20歳代の女性；
　　　　交通外傷（乗用車助手席）　240

第18章　超音波検査の活用── 241

はじめに　241
Ⅰ　気道　241
1. 気管挿管の確認　241
2. 輪状甲状靱帯の同定　241
Ⅱ　呼吸　242
1. 気胸の評価　242
2. 肺挫傷の評価　243
Ⅲ　循環　244
1. 血胸の評価　244
2. 腹腔内出血の評価　244
3. 心嚢液の評価，超音波ガイド下心嚢穿刺　245
4. 簡易心臓超音波検査による循環動態の評価　245
5. 超音波ガイド下静脈路確保　246
Ⅳ　骨折　246
まとめ　246

第19章　受傷機転── 249

はじめに　249
Ⅰ　緊急度・重症度評価の指標　249
Ⅱ　損傷の発生メカニズム　249
1. 外力の作用部位に生じる損傷　250
2. 外力の作用部位以外に生じる損傷　250
　1）骨性要素による介達外力　250
　2）減速作用機序（加速度の作用）　250
　3）角加速度の作用　251
　4）内圧伝播　252
Ⅲ　外傷の分類　252
Ⅳ　受傷機転からみた損傷の特徴　253
1. 交通事故　253
　1）車両乗車中の事故　253
　2）自動二輪車・原動機付自転車乗員の事故　255
　3）自転車乗員の事故　256
　4）歩行者の事故　256
2. 墜落　256
3. 刺創　256
4. 銃創　257
5. 杙創　257
6. 爆傷　258
7. 挟圧外傷　258
Ⅴ　受傷要因となる内因性疾患　259

第20章　病院前救護── 261

はじめに　261
Ⅰ　医療機関の選定と
　　メディカルコントロール　261
Ⅱ　病院前救護の担い手　261
1. 自治体消防　261
2. 海上保安庁，都道府県警察，自衛隊　261
3. 医療機関スタッフ
　（ドクターカー・ドクターヘリ）　262
Ⅲ　JPTECに基づく外傷病院前救護活動　262
1. JPTECで強調されている概念　262
　1）ロード＆ゴー　262
　2）脊椎運動制限　262
　3）Trauma bypass　262
2. 現場活動の手順　262
　1）状況評価　262
　2）初期評価　262

3) 全身観察 263
4) 詳細観察 266
5) 継続観察 266
6) 病院前の輸液 266
7) 外傷に特化した処置 266
3. 緊急度・重症度の評価と医療機関選定
（オーバートリアージの容認） 266
4. 医療機関への連絡 267

第21章　複数患者への対応 ── 269
はじめに 269
I 複数患者の受け入れ準備 269
1. System/Switch（組織・体制） 269
2. Staff（人員） 270
3. Structure/Space（場所） 270
4. Stuff/Supply（資器材） 270
5. Security（保安・安全） 270
II トリアージ 270
III 診療の進め方 271
IV 地域としての対応 272

第22章　病院間搬送 ── 273
はじめに 273
I 診療能力の把握 273
1. 自施設の診療能力の把握 273
2. 他施設の診療能力の把握 273
II 病院間の連携 273
III 搬送にかかわる医師の責務 273
1. 紹介医師 273
2. 受け入れ医師 274
IV 転院の判断 274
1. Primary surveyと蘇生の段階 274
 1) 蘇生を完結する決定的処置が行えない場合 274
 2) 脳神経外科的な対応ができない場合 274
2. Secondary survey後の段階 274
3. 入院後の経過中 275
V 搬送手段の選択 275
1. 陸路搬送 275
2. 空路搬送 275
VI 病院間搬送の実際 277
1. 転院の説明とインフォームドコンセント 277
2. 転院依頼と情報提供 277
3. 搬送要員への情報提供 277

4. 記録とチェックリスト 277
5. 搬送開始直前の観察と準備 277
6. 搬送中の患者管理 277
7. 偶発的な事故に対する対策 278
VII 今後の課題 278

Appendix

Appendix 1
感染症対策 ── 282
はじめに 282
I 外傷初期診療における抗菌薬の使用法 282
1. 予防的抗菌薬投与の原則 282
2. 頭部外傷に対する予防的抗菌薬投与 282
3. 胸腔ドレナージを必要とする胸部外傷に
対する予防的抗菌薬投与 283
4. 腹部外傷に対する予防的抗菌薬投与 283
5. 四肢外傷に対する予防的抗菌薬投与 284
6. 皮膚・軟部組織損傷に対する予防的
抗菌薬投与 284
II 破傷風予防 284
1. 破傷風とは 284
2. 破傷風予防の要点 284
参考：外傷初期診療におけるCOVID-19対策 286
【COVID-19が否定できない場合の初期診療】 286

Appendix 2
鎮痛・鎮静薬の使用 ── 289
I 処置時の鎮痛・鎮静 289
1. 最小限鎮静 289
2. 中等度鎮静 290
3. 深鎮静 290
II 小児・高齢者への鎮痛・鎮静の注意点 290

Appendix 3
外傷疫学 ── 292
I 死亡者数 292
II 外傷患者数 293
III 救急医療と外傷患者 294
IV 重症外傷の実態 294

Appendix 4
外傷の重症度評価 — 296

- Ⅰ 重症度評価の意義 　296
- Ⅱ 重症度評価の指標 　296
  1. 生理学的指標 　296
     1) Revised Trauma Score（RTS） 　296
     2) Pediatric Trauma Score（PTS） 　296
  2. 解剖学的指標 　296
     1) Abbreviated Injury Scale（AIS） 　296
     2) Injury Severity Score（ISS） 　298
  3. 統合指標 　298
     1) Trauma and Injury Severity Score（TRISS） 　298

Appendix 5
外傷症例登録制度と日本外傷データバンク（JTDB） — 301

Appendix 6
JATEC コース概要 — 302

- Ⅰ JATEC コースの運営 　302
- Ⅱ JATEC コース受講の意義 　302
- Ⅲ JATEC コースインストラクター取得までの流れ 　302

Appendix 7
外傷診療と法的知識 — 303

- Ⅰ 診療の法的根拠 　303
  1. 緊急事務管理 　303
  2. 診療の義務 　303
  3. 患者の承諾 　303
- Ⅱ 医師の届出義務 　303
  1. 異状死体の届出 　303
     1) 異状死体とは 　303
     2) 異状死体への対応 　303
  2. 虐待患者の届出 　304
  3. 乱用薬物に関する届出 　305
  4. その他の届出 　305
- Ⅲ 守秘義務 　305
- Ⅳ 救急における妨害行為 　306
  1. 暴　言 　306
  2. 暴　行 　306
  3. 暴行・脅迫による金品要求など 　306
- Ⅴ 証拠の保管と警察への情報や資料の提供 　306
  1. 記録と写真 　307
  2. 着衣や所持品など 　307
  3. 血液・尿など 　307
  4. 病状照会への対応 　307
- Ⅵ 診療にかかわる書類 　307
  1. 診療録 　307
  2. 診断書 　307
  3. 医療照会に対する回答文書 　308

Appendix 8
重要な用語・略語 — 309

- 用　語 　309
- 略語と暗記法 　312

索　引 　313

巻末：JATEC™ コースの受講にあたって

※本書にはe-ラーニングを利用するためのアクセス権（巻末添付）が付いています。これは特定非営利活動法人 日本外傷診療研究機構（JTCR）によって運営されているJATECコース受講に際してのプレラーニング用教材であり，本書の内容の理解を深めるためのものです。具体的な利用方法については，本書巻末の「JATEC™ コースの受講にあたって」をご覧ください。

動画配信について

本書に関連した，79本の動画がご覧いただけます。

各項にあるQRコード（二次元バーコード）をスマートフォンやタブレットなどで読み取ってください（各動画の内容・QRコードの掲載箇所については，次頁「動画一覧目次」を参照）。

なお，すべての動画をご覧いただけるポータルサイトがございます（https://www.jtcr-jatec.org/jatec/login/movie）。巻末のシリアルナンバーを入力のうえ，ご利用ください。

〔 注 意 点 〕

1．スマートフォンやタブレットなどで動画を再生する場合，多額のパケット通信料が請求されるおそれがありますので，ご注意ください。
2．動画はダウンロードして保存することはできません。
3．動画の公開は2025年3月末までを予定しています。

動画一覧目次

第1章　初期診療総論

動画1　初期診療総論　2

診療1-1　初期診療 Primary surveyと蘇生

動画2　Primary surveyとsecondary survey　25

第2章　外傷と気道・呼吸

動画3　喉頭鏡による直視下経口気管挿管　31
動画4　ビデオ喉頭鏡を用いた挿管　31
動画5　輪状甲状靱帯切開　34，41（技能2-1）
動画6　輪状甲状靱帯穿刺　34，42（技能2-1）

技能2-1　外科的気道確保

動画7　外科的気道確保　38

第3章　外傷と循環

動画8　心嚢液貯留例
　　　　　　45，61（技能3-2），97（技能5-3）

技能3-1　ショックの認知と対応

動画9　ショックの認知と対応　60

技能3-2　FAST

動画10　FAST　61
動画11　モリソン窩液体貯留例　61
動画12　右大量血胸例　61
動画13　脾周囲液体貯留例　61
動画14　膀胱周囲液体貯留例　61
動画15　EFAST　62
動画16　EFAST（正常）　62，82（第5章）
動画17　EFAST（気胸）　62，82（第5章）
動画18　症例で学ぶEFASTの実際　62

技能3-3　IOI（骨髄内輸液）

動画19　IOI（骨髄内輸液）　63
動画20　骨髄路確保の手技　64

第4章　外傷と意識障害

動画21　外傷と意識障害（呼吸・循環安定化）　65
動画22　Cushing現象　68
動画23　切迫するDの判断と対応　68

技能4-1　意識レベル評価の実際

動画24　GCSによる意識レベルの評価　71

第5章　胸部外傷

動画25　胸部外傷の特徴　75
動画26　フレイルチェスト　78
動画27　緊張性気胸の発生機序と病態　80
動画28　胸腔ドレナージ後の手術の適応　81
動画29　胸部大動脈損傷　83
動画30　横隔膜損傷　87

技能5-1　胸部外傷のX線診断

動画31　胸部X線写真（PS）　91
動画32　胸部X線写真（SS）　91
動画33　胸部大動脈損傷（縦隔）　92
動画34　読影の練習：胸部X線①　93
動画35　読影の練習：胸部X線②　93
動画36　読影の練習：胸部X線③　93

技能5-2　緊張性気胸に対する胸腔穿刺・胸腔ドレナージ

動画37　胸腔穿刺の手技　94
動画38　胸腔ドレナージの手技　94

技能5-3　心囊穿刺

動画39	心囊穿刺	96
動画40	心囊穿刺の手技	96

第6章　腹部外傷

動画41	膵損傷	105

第7章　骨盤外傷

動画42	骨盤の基礎知識	113
動画43	シーツラッピング	118
動画44	サムスリングの装着	118
動画45	創外固定	118

技能7-1　骨盤外傷への対応

動画46	骨盤X線読影：基本編	123
動画47	骨盤X線読影：実践編	125
動画48	安定型骨盤骨折	125
動画49	前後圧迫型骨盤骨折	125
動画50	側方圧迫型骨盤骨折	125
動画51	完全不安定型骨盤骨折	125
動画52	寛骨臼骨折	125
動画53	骨盤外傷に対する止血法	126
動画54	簡易骨盤固定法	126

第8章　頭部外傷

動画55	脳ヘルニア	130
動画56	頭蓋内圧-容量曲線とCBF自動調節能	131
動画57	一次性脳損傷と二次性脳損傷	132
動画58	急性硬膜外血腫と急性硬膜下血腫	134
動画59	びまん性軸索損傷	136
動画60	頭部CT検査のタイミング	139

技能8-1　頭部CT読影の基本

動画61	頭部CT読影の基本	147

技能11-1　頸椎画像診断

動画62	頸椎X線の読影	177

第17章　画像診断

動画63	外傷CTの読影：総論	
		233, 235（技能17-1）

技能17-1　外傷CTの読影

動画64	外傷CTの読影：具体的な方法	235
動画65	急性硬膜外血腫	235
動画66	腸腰筋血腫	236
動画67	腸間膜血腫	237
動画68	外傷性くも膜下出血と大脳鎌に沿った急性硬膜下血腫	237
動画69	後咽頭間隙の血腫	237
動画70	肺挫傷の肺内血管外漏出像	238
動画71	椎骨動脈損傷	239
動画72	腹腔内遊離ガス	239
動画73	読影の練習：FACT①	240
動画74	読影の練習：FACT②	240
動画75	読影の練習：FACT③	240
動画76	読影の練習：FACT④	240

第18章　超音波検査の活用

動画77	超音波検査による気胸の評価①	243
動画78	超音波検査による気胸の評価②	243
動画79	超音波検査による気胸の評価③	243

JATEC™コース受講と本書の活用について

　JATEC™コースの受講申し込みの手続きは，『改訂第6版 外傷初期診療ガイドラインJATEC』発行後しばらくの間は，『改訂第5版』の規定で行います。診療にかかるエビデンス等も『改訂第5版』に準拠した内容でコースを開催いたします。

　本書発行後一定期間を経たのちに，本書に準拠した形で新しいJATEC™コースを開催いたします。受講手続きには，従来と同様巻末にあるシリアルナンバーによる受講予備登録が必要です。『改訂第5版』をすでにお持ちの方は，そちらのシリアルナンバーでも受講予備登録は可能です。ただし，『改訂第6版』に準拠した新しいJATEC™コースでは，旧コースで指導していた内容の多くを動画化し，診療上必要な基本的な知識については事前学習していただくようにしました。したがって，JATEC™コース受講に際して，本書の熟読，とくにQRコードで紐づけされた動画教材の視聴を強く推奨します。この教材はJATECホームページ（https://www.jtcr-jatec.org/index_jatec.html）からもご覧いただけます。

　なお，『改訂第5版』で新JATEC™コースを受ける場合，『改訂第6版』における改訂の要点およびQRコードで紐づけされた動画教材の視聴は，JATECホームページのログイン画面より，所有する書籍のシリアルナンバーを用いて閲覧できます。

　本ガイドラインと連動したJATEC™コースでは，実臨床を想定した模擬診療を通して，外傷初期診療の基本を身につけていただきます。コース受講に期待する最大の目標は，外傷患者をpreventable deathに至らせないよう自らが蘇生の必要性を認知し，蘇生できることです。JATEC™コースでは，蘇生に必要な手技の習得と診療の手順を左右する意思決定に力点を置くため，診療に必要な解剖や生理はもちろん，外傷による病態と蘇生の原則については事前に習熟することを受講の前提とします。

　本ガイドラインは外傷初期診療にかかる最新の知見を周知する役割に加え，JATEC™コース受講の事前学習，コース教材および復習のツールとして活用いただくことを期待しています。

　最後に，JATEC™コース改定に伴う手続きの詳細や変更の時期については，JATECホームページでお知らせします。

★補足

　外傷診療には外傷後に生じる生体反応の理解はいうに及ばず，解剖学的な知識も不可欠です。本ガイドラインの教材作成にあたり，TEAMLAB BODY株式会社の使用許可をいただき，"3D Human Anatomy"の画像を活用しています。同アプリは解剖学習にも優れ，医師の監修もなされていますので，その利用を推奨します。

第1章 初期診療総論

要約

1. 最初に生理学的徴候を主眼に，迅速かつ的確に患者の生命危機を把握する（primary survey）。
2. 適切な救急処置で生命危機を回避する（蘇生）。
3. 生命の安全を確保したうえで，全身を系統的に検索して損傷をみつける（secondary survey）。
4. 自己および自施設の診療能力の限界を超えていると判断すれば，応援医師の要請や転院を図る（応援要請と転院）。
5. 根本治療や経過観察を行う過程で，損傷の見落としがないか繰り返し診察する（tertiary survey）。
6. 外傷診療は多職種の医療従事者によるチーム医療である。

初期診療理論

I 外傷急性期の病態

　外傷とは，機械的外力により身体組織が損傷される傷病である。損傷された臓器や組織の特性によって，その固有の機能が損なわれるだけでなく，全身の生命を維持する生理学的機能に影響が及ぶ。すなわち，応力の作用点やその大きさ（受傷機転）と損傷を受けた部位の解剖特性により生理学的機能の障害が生じ，生体の代償反応とが相まって急性期の病態が形成される。例えば，腸腰部に加わった外力により骨盤骨折を生じその周囲組織が破壊された場合，骨盤としての役割が障害され歩行できなくなる。同時に，骨折端や内腸骨動静脈から大量に出血が生じ，これを代償する交感神経系の亢進で頻脈，皮膚蒼白や冷汗が現れ，いわゆるショック状態を呈する。外傷による病因を「受傷→損傷→生体反応」として単純化し，結果として生じる生体反応を外傷急性期の病態としてとらえると理解しやすい。

II 急性期病態と死因

　生体の代償反応が生命維持の限界を超えると死に至る。外傷による死亡の原因は，受傷直後から早期にかけては中枢神経障害もしくは大出血が多く，その後は感染や臓器不全が多い。古典的には，①現場・病院前死亡，②出血死が主体となる早期死亡，および③臓器不全による晩期の死亡に時間的分布からみたピークがあるといわれてきた[1]。しかし，近年は晩期死亡が減少し，早期死亡のピークが短縮してきている[2]。これは，外傷予防，病院前救護と搬送，初期診療の標準化および早期治療の改善が進んだためと推定されている[3]。感染などの合併症による死亡が制御されるようになっても，外傷死亡の大半が受傷後早期に多いことに変わりはなく，病院前救護や初期診療，外傷専門診療への期待は大きい。

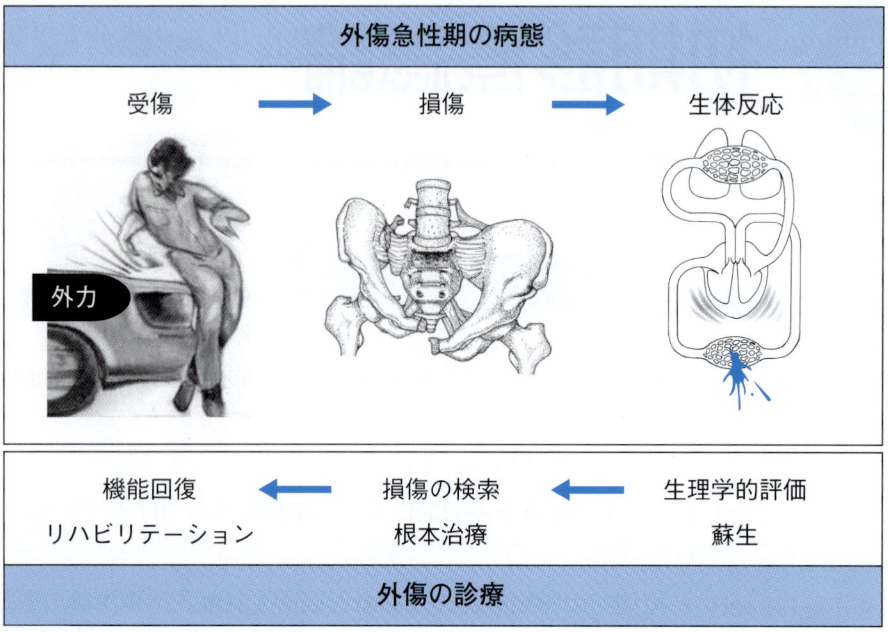

図1-1 外傷急性期の病態と診療プロセス

III 初期診療の原則

交通外傷や墜落事故などの高リスク受傷機転が作用した場合，損傷部位や破損の大きさを直ちに評価することは困難である．損傷の評価よりもむしろ目前の症候から病態を把握し，その改善を図りつつ，生理学的機能障害の評価および損傷検索へと進めるほうが効率的である．すなわち病因論を逆手にとり，「生体反応→損傷→修復」を想起して診療を進めるのが外傷診療のプロセスである（図1-1）．

とくに急性期の死亡を回避するためには，代償反応が生命維持の限界を超えそうなことを早期に認知し，医学的介入を行わなければならない．このため初期診療では，次の原則を遵守することが求められる．

①生命を脅かす病態への対応を最優先する
②最初に生理学的徴候の異常を把握する
③確定診断に固執しない
④時間を重視する
⑤不必要な侵襲を加えない

これは「重症度」よりも「緊急度」を重視したものである．「緊急度」は生命を脅かす状況に陥るまでの時間的猶予の程度で，生理学的徴候から病態を把握することにより得られ，診療手順の優先順位を決める指標となる．一方，「重症度」は確定診断や死亡率，合併症，後遺症の頻度や罹病期間などから最終的に判断されるものであり，初期の診療手順を決める指標には適さない．

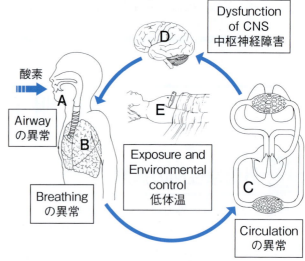

図1-2 生命維持の仕組みと障害

IV 生命維持と蘇生

生命を脅かす生理学的徴候の把握のためには，生命維持の生理と蘇生の手順を整理しておく必要がある．図1-2のように，生命は大気中の酸素を体内に取り込み，全身に供給する一連の仕組みによって維持される．とくに中枢神経への酸素供給が維持されることで，気道・呼吸・循環を介する生命維持のための輪が形成される．この輪のどの部分が障害を

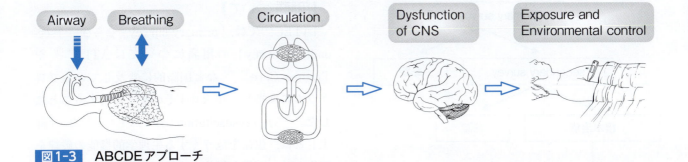

図1-3　ABCDEアプローチ

受けても，生命維持は直ちに困難になる。

障害を受けた場合は，直ちにこの連鎖を立て直さなければならないが，支持療法の順番は酸素の流れに従うのが理論的である。すなわち空気を吸い込む気道が最初であり，次に呼吸系，循環系，中枢神経系の順となる。

現時点での医療レベルで支持療法が簡便かつ確実であるのは気道・呼吸系に対してであり，次に循環系である。上気道閉塞による窒息は急速に心停止に至るが，気道を開通させるだけで救命できる。人工呼吸や胸腔ドレナージなど呼吸系に対する蘇生は，迅速かつ根本的に行い得る。これに対し，止血や輸液・輸血などの循環系に対する蘇生はより複雑で時間を要する。以上より，蘇生の順番を気道の開通（Airway），呼吸管理（Breathing），循環管理（Circulation）とするのは合理的である。

残念ながら，生命を脅かす中枢神経障害（Dysfunction of central nervous system）に初期診療の段階で確実に対処することは困難である。しかし，気道・呼吸・循環の安定化は，頭蓋外因子による中枢神経系の二次損傷を回避することにつながるため，中枢神経障害に対する支持療法の一つとなる。もっとも大切なことは，脳の二次損傷を防ぐために低酸素症と低血圧（循環不全）を回避することである[4]。低血圧の場合には，頭部外傷の致死率は倍増する。低血圧と低酸素症を合併した場合には約3倍の致死率となる[5)〜7)]。収縮期血圧90 mmHg以下は，脳の二次損傷を引き起こす重大な因子である。また，気道・呼吸・循環の安定化に加えて，生命を脅かす中枢神経障害を早期に把握しておくことで，頭部外傷に対する迅速な根本治療に有利となる。

着衣のままでは以上のA・B・C・Dの評価と蘇生は困難であるため，着衣を取り全身を露出（Exposure）させる必要がある。一方，外傷患者は，脱衣などによる熱放射に加え，ショック時の熱産生の低下，大量輸液や輸血などにより容易に低体温をきたす。低体温に陥ると，生理的な代償機構が破綻して蘇生に対する反応が低下し，生命予後が著しく悪くなる[8)9)]。診療の早期より低体温を回避することが不可欠であるため，生理学的徴候としての体温の評価と保温（Environmental control）も重要となる。

以上をまとめ，蘇生の根幹としてのA・B・Cに，生命を脅かす中枢神経障害（D）と全身の露出と保温の重要性（E）を加えて，外傷初期診療における国際的に共通した概念としてABCDEアプローチが定型化されている（図1-3）。外傷患者を救命するためには，生命維持のための生理機能に基づいたアプローチが重要であり，最初にABCDEの異常を把握し，この順に蘇生を行う。この最初の手順を外傷初期診療における「primary survey」と「蘇生」と呼ぶ（次頁【用語について】参照）。

V 初期診療手順の構成

Primary surveyと蘇生により，生命維持を保障したうえで，各身体部位の損傷を系統的に探し出し，根本治療の必要性を決定する。これを外傷初期診療における「secondary survey」という。Primary surveyが蘇生を必要とする病態を見つけ出すために生理学的評価を用いるのに対し，secondary surveyでは損傷を診断するための解剖学的評価に主眼を置く。治療を要する損傷をすべて探し出すことが初期診療の第二の目標であり，この手順を標準化したのが外傷診療のsecondary surveyと考えてよい。これには以下の三つの情報が重要な鍵を握る。

第一の情報は，生体に加わった外力の部位とエネルギーの大きさ（受傷機転）である。

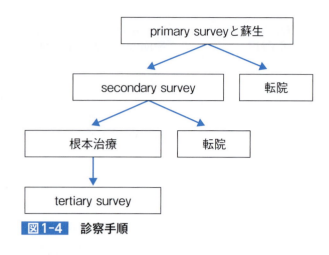

図1-4　診察手順

第二の情報は症候や身体所見である。診察では一般に，主訴を手がかりとして関連する部位の身体診察を行うことが多い。しかし，外傷患者の場合，意識障害があると主訴が不明確となり，また複数の損傷部位があると主訴の原因となる損傷部位と危機的な損傷部位とが一致しないこともまれではない。そのため主訴にとらわれずに，全身くまなく系統的に身体の診察を行う必要がある。したがって，secondary surveyでは，先に受傷機転を念頭に置き，系統立った身体診察を行うことを原則としている。これに画像診断や血液検査などの補助診断検査を組み合わせて，臓器損傷の診断，治療方針の決定を行う。

最後に，第三の情報として，既往歴，服用薬，アレルギー歴，年齢など診療上の危険因子を聴取することは，通常の診療と同様である。

外傷初期診療においては，診療中の患者が，常に自身の診療技量や自施設の対応能力を超えていないかどうか，応援医師や転院が必要かどうかを早い時期に判断する。例えば，緊張性気胸に対する胸腔ドレナージなど自施設での処置で生命を脅かす危険を回避できる場合もあるが，緊急手術を行えないため蘇生を完了できないことがある。このようなときにはでき得る蘇生を継続しつつ，応援医師の要請や転院を図る。またsecondary surveyにおいても，見つけ出した損傷に対する根本治療のために，適切な診療科への紹介や転院を行う。自施設での対応が可能であれば，根本治療や経過観察を行い，その過程で見落としを回避する検索，すなわち「tertiary survey」を行う（図1-4）。

【用語について】

JATEC™では，「primary survey」ならびに「secondary survey」の用語についてはATLS®[10]やTrauma Care™[11]など国際的に普及しているプログラムに準拠し，和訳せずそのまま使用することにした。一方，「resuscitation」は「蘇生」とした。「蘇生」とは，生命を危うくする生理学的機能の破綻を回復させ，正常な機能を維持することである。これには気道確保，呼吸管理，止血や輸液，輸血による循環管理，二次性脳損傷を回避する管理が含まれ，心肺停止患者に行う心肺蘇生よりはるかに広い意味をもつ。また，「根本治療」は「definitive therapy」に相当し，一定の確立された方法で行う治療法を指す。通常secondary surveyで見つけ出した損傷に対して行うが，後述するように，primary surveyと蘇生に引き続き行う場合もある。さらに，身体診察は「physical examination」に相当する。「tertiary survey」は，根本治療の終了時や入院経過観察中に，損傷の見落としを回避するために行う再診察を意味する（図1-4）。

VI 外傷診療におけるチームワーク

外傷診療では一人の患者に対して複数の医師，および看護師を中心としたコメディカルが協働して業務にあたる。したがって，初期診療から根本治療の決定までいずれの診療段階でも，チームとしての評価と状況認識，意思決定が求められる。JATEC™では，医師が1人であっても円滑な診療が実施できるように定型的アプローチを推奨しているが，一緒に対応する看護師や研修医，臨床検査技師，および診療放射線技師などとのチームワークの良否は診療の質に大きく影響する。どのような診療体制であっても診療チームのチームワークを活用し，それぞれのメンバーが有する能力を相乗的に利用することによりチーム全体の診療能力を高めることが必要となる。

チームの診療能力を高めるためには，まずは指揮系統と役割分担が明確化されていなければならない。とくに複数の医師が初期診療に携わる場合には，リーダーとなる医師を明確にし，帽子や腕章などで誰にでも認識できるようにしておく。そのうえで，看護師や研修医に指示を出す際には「誰が」「何

をするのか」をはっきりと指示する。また，チームメンバーを有効に機能させるためには，患者搬入までにそれぞれの役割分担を明確化し，患者搬入後も作業が1人に集中していないか，抜けている作業はないか気を配ることが求められる。

また，チーム医療では，情報の収集と共有化が無駄なく実施されなければならない。すべてのメンバーが共通した診療手順のもと，役割を分担しながら情報を収集し，集めた情報をチーム全体で共有して，リーダーが最終の意思決定を行う。外傷初期診療ではJATECが共通言語であり，共通した診療手順となる。その反面，2人が同じ情報を確認する，意思決定に必要のない情報を伝えるといった行為は，チームパフォーマンスを低下させる原因となる[12]。

上記のチーム医療を実現するためには，チームリーダーのリーダーシップに加え，チーム内の良好なコミュニケーションの確立が不可欠となる。とくにコミュニケーションはチーム医療の根幹にかかわるもので，単にどのように話すかだけでなく，コミュニケーションの質，話しやすい雰囲気づくりまでも意識する必要がある。また，リーダーとしての医師の役割も重要である。チームの状況を見極めながら今何をすべきかを明確にし，役割分担，情報の収集と共有，意思決定を進め，迅速で的確な外傷初期診療を実践することが外傷診療の質の向上につながる。

初期診療の実際

I 患者受け入れの準備（表1-1）

病院前救護にあたる救急隊員には，JPTEC™として標準化された救護・搬送法ならびに病院選定基準が普及している（第20章「病院前救護」，p262参照）。したがって，収容する病院側の医師も彼らの活動内容に精通し，継続する形で病院内の初期診療を行う。救急隊もしくは救急指令室からの電話連絡には医師自らが対応し，緊急度が高いと評価されるロード＆ゴーの適応であれば簡潔な情報のみで直ちに収容を受諾する。

JPTEC™では第一報として，ロード＆ゴーの対象か否か，受傷機転（Mechanism of injury），損傷部位（Injury site），現場でのショック状態やロード＆ゴーの適応理由となった症状や所見（Signs），応急処置（Treatment）の情報を搬送先医療機関へ速やかに伝えるよう救急隊員に指導している。これらの情報項目は英語の頭文字をとり「MIST」と呼ばれる。バイタルサインなどより詳しい情報は，病院への搬送中に第二報として聴取する。その場合でも，簡潔で必要最低限の情報交換にとどめる。必要であれば救急隊員への助言も行う。

患者の搬前に病院前情報を共有し，診療の方針を立て，役割分担を決めるなどのブリーフィングを行うことが重要である。

表1-1　患者受け入れの準備

- ホットラインで医師が直接対応
- 簡潔な情報（MIST）で受け入れ決定，助言
- スタッフの招集とブリーフィング（情報共有や役割分担など）
- 蘇生用具一式と加温した輸液類
- 各種モニター
- ポータブルX線撮影装置と超音波診断装置
- 感染に対する標準予防策

蘇生を直ちに開始できる初療室を確保し，気道確保に必要な器具，18G以上の太い静脈留置針および骨髄内輸液針，加温してある細胞外液補充液，各種モニター類を準備する。また，応援医師や応援看護師・技師には緊急時には招集する旨を事前に連絡する。初期診療にはポータブルX線撮影装置と超音波診断装置が必須であり，常設していない施設はこれらを初療室へ移動させておく。超音波診断装置は電源を入れ，起動させておく。医師や看護師は，感染に対する標準予防策として，ガウン，手袋，マスク，眼を保護するゴーグルなどを着用する（図1-5）。患者のなかには到着時にアルコールや薬物服用により乱暴な態度をとる者があり，診療にあたる医療チームの安全が求められる。このような患者に対しては，抑制帯や鎮静目的の薬物などを使用し，患者自身と自分を含む医療スタッフを危害から守る。

医師および医療スタッフは，救急自動車が停車する位置まで患者を出迎える。患者への接触後，後述

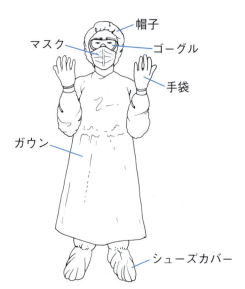

図1-5 標準予防策

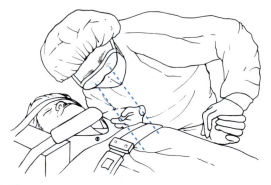

図1-6 第一印象の把握
話しかけながら発語の様子を観察し，気道（A）の異常または中枢神経障害（D）の有無を評価する．前頸部や胸部に目をやり，息づかい（B）を観察する．手で末梢の皮膚や脈を触れ，循環（C）と体温（E）を観察する

する方法で速やかに第一印象を得る．酸素投与がなされていれば継続する．バックボードに固定された患者はそのまま病院のストレッチャーに移す．複数患者が運ばれてきた場合には，初療室に入れる前におのおのの患者の緊急度によって，入室ならびに診療の優先順位を決定する．

II Primary survey と蘇生

ABCDEアプローチでprimary surveyを行い，異常を認知した場合には直ちに蘇生を行う．Primary surveyは，以下に記載するように教育指導や説明上ABCDEをこの順に確認していく線形アルゴリズムとなるが，臨床現場ではこれらを可及的同時に把握し，総合的に蘇生の要否を判断する．蘇生を医師が1人で行う場合には，ABCDEの優先順位に従い一つひとつ解決する．能力のある医師が複数いる場合には同時進行でよいが，リーダーは優先順位の高い異常を放置しないよう統括する．

◆ 1. 第一印象の把握

第一印象の把握は，患者を救急自動車から初療室へ移すまでの短時間で行う．本格的な蘇生は初療室の処置台に移してから開始する．患者に接ししだい，簡便な方法でA・B・C・D・Eを素早く評価して，緊急度を「第一印象」として把握する（図1-6）．具体的には，「わかりますか？」「お名前は？」などと話しかけ，通常の発声がなければ気道（A）の異常または意識障害（D）と判断する．呼びかけと同時に前頸部や胸部に目をやり，呼吸（B）を観察する．速いか遅い，もしくは浅表性で努力様の場合は異常と判断する．一方，並行して手で末梢の皮膚や脈を触れ，循環（C）と体温（E）を感じとる．末梢が蒼白で冷たく，脈が触知しにくい場合には循環（C）に異常があるものと判断する．体幹も冷たければ，低体温の可能性がある．

以上のように，初療担当のリーダー医師は五感を働かせてA・B・C・D・Eの異常の全体像を短時間で感じとり，周りの医療スタッフに伝え，「詳細なABCDEアプローチと蘇生」を急ぐ必要性をチームで共有する．

◆ 2. 初療室収容後の対応とABCDEアプローチ

Primary surveyではチーム医療のもと，ABCDEアプローチに従い診療を進める．初療室に収容した後，リザーバ付きフェイスマスクを用いた高濃度酸素投与，モニター類の装着，末梢静脈ルートの確保と輸液，ポータブルX線撮影やFASTの準備，脊椎固定の解除，脱衣などの一連の処置を，リーダーの指示のもと速やかに開始する．

A：気道評価・確保と頸椎保護

第一に，気道閉塞の有無を調べ，必要であれば直ちに気道確保を行う．

呼吸の状態を「見て」，音を「聴いて」，空気の出入りを「感じて」，気道の状態を評価する．陥没呼吸，

シーソー呼吸や気管牽引は上気道閉塞の所見である。このような所見がなくても，顔面・口腔に創傷や腫脹，熱傷，異物または出血などを認める場合，血液やその他の分泌物などによる口腔内の異常音，喘鳴，嗄声を認める場合，空気の正常な出入りが感じられない場合などでは，気道閉塞の可能性がある。

気道が閉塞もしくは閉塞するおそれがある場合には，気道を確保する。用手的には頸椎の動揺を最小限に抑えるために下顎挙上法で行う。エアウエイの使用は用手法の補助と位置づける。吸引操作を併用し，異物があれば除去する。それでも無呼吸，死戦期呼吸などの気道緊急の場合や，気道が閉塞しているもしくは閉塞する危険性が高い場合，確実な気道確保を速やかに行う。これ以外の場合でも，低酸素血症や低換気状態である場合や，ショックや意識障害が重篤な場合にも確実な気道確保が必要となる。

確実な気道確保法として最初に試みるべきは経口気管挿管である。挿管が困難な場合は，気道確保のアルゴリズムに従い，輪状甲状靱帯切開などの外科的気道確保を採用する（第2章「外傷と気道・呼吸」，p34参照）。挿管困難が予測されなければ，薬剤を用いてdrug-assisted intubation（DAI）を施行する。

初療時の外傷患者には頸椎損傷が隠れているものとして頭部，頸椎は愛護的に扱い，頸椎カラーの装着を継続する（第11章「脊椎・脊髄外傷」，p174参照）。頸部の観察や気道確保を行う場合は，用手的に正中中間位で頭部を保持し，頸椎カラーの前面のみを外す（図1-7）。Primary surveyと蘇生中は頸椎保護に努めるが，決して必要な気道確保を犠牲にしてまで頸椎保護が優先されることはない。

B：呼吸評価と致死的な胸部外傷の処置

気道確保後，低酸素血症または低換気状態であれば，補助換気を行う。ただし陽圧換気に先立ち，気胸（緊張性気胸を含む）に対する処置を優先する。

呼吸の評価は身体診察と経皮的動脈血酸素飽和度（SpO_2）とで行う。身体診察の基本は視診，聴診，触診および打診である。すなわち，胸郭の動きと頸部から胸部にわたる体表の創傷を「見て」，左右の呼吸音を「聴いて」，胸郭全体や皮下気腫を「触って」，さらに打診により鼓音・濁音を調べる。視診では，呼吸数，胸郭運動の左右差，胸壁の変形・動揺などに着目するが，胸部のみならず頸部も同時に

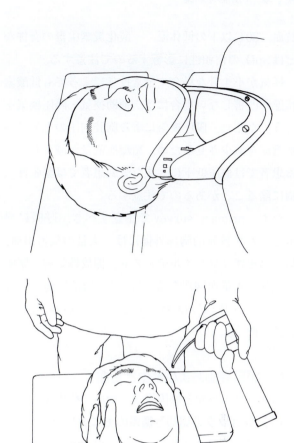

図1-7 頸椎の保護

評価する。頸部では胸鎖乳突筋など呼吸補助筋使用の有無を観察する。また胸部の挫創や，穿通性損傷の有無を視認する。不穏で安静が保てないときは，呼吸困難や低酸素血症に陥っていることがあるため注意を要する。この際，循環評価の所見である気管偏位と頸静脈怒張の有無も観察しておく。胸壁動揺や胸郭運動の左右差は，視診のみでは不確かであり，両手を胸壁に当てて感じとる。触診では圧痛や肋骨骨折時のコツコツする感触，皮下気腫などを観察する。打診では，鼓音や濁音を同定する。聴診では，両側の呼吸音の確認に加え，気胸や血胸に伴う左右差，気道内の病変や異物に伴うゼイゼイという音，あるいは心臓弁の異常や心囊液貯留を示唆する心音異常などを確認する。また穿通創がある場合は空気の出入りの有無を観察する。

呼吸数およびSpO_2は必ず確認し，記録する。SpO_2が呼吸（B）機能評価のもっとも信頼できる指標となるが，ヘモグロビン（Hb）濃度が5 g/dl以下の

貧血，30℃以下の低体温，一酸化炭素中毒の合併などはSpO$_2$の信頼性に影響するので注意する。

換気が不十分な場合や酸素投与によっても低酸素状態が改善しない場合には，補助換気・陽圧換気を行う。ただし，陽圧換気による胸腔内圧の上昇は静脈還流を減少させるため，循環血液量が減少している患者では血圧低下に，また気胸患者では緊張性気胸に陥ることがあるので注意する。

なお，primary surveyで注意すべき，呼吸に異常をきたす致死的胸部外傷には，大量の気道出血，肺挫傷を伴うフレイルチェスト，開放性気胸，緊張性気胸，大量血胸がある（第5章「胸部外傷」，p77参照）。A・B・Cの評価中に絶えずこれらの外傷を念頭に置く。

C：循環評価および蘇生と止血

ショックの認知と原因検索を行い，蘇生する。

（1）ショックの認知と循環のモニタリング

外傷では，起こり得るショックの大部分を出血性ショックが占め，治療面からみると緊急度，重症度とも高い。出血によらないショックの鑑別として緊張性気胸と心タンポナーデによる閉塞性ショックが重要である。

出血性ショックでは血圧低下も一つの指標ではあるが，血圧のみに頼らず，皮膚所見，脈拍，毛細血管再充満時間（capillary refill time；CRT）および意識レベルなどをもとに総合的に判断する。

ショックを早期に認知する方法は以下のとおりである。

- 皮膚所見：ショックの認知では視診が重要である。蒼白は低灌流による末梢血管の収縮を示唆する。皮膚の色調が濃く，観察しにくい場合は粘膜や爪でみる。冷汗による湿潤はショックの所見である。なお，暗紫色（チアノーゼ）は低酸素血症を意味するため，再度，A・Bを評価する。
- 脈の観察：橈骨動脈など末梢の脈をまず確認する。脈を触れなければ重症のショックである。次いで弱いか強いか，速いか遅いか，整か不整かをみる。弱い促迫した脈は，通常低容量を示している。一般的に成人で脈拍数120／分以上は出血性ショックを考える。小児では160／分以上，乳児では180／分以上，逆に高齢者では90／分以上（第15章「高齢者外傷」，p215参照）を指標とする。ただし，脈拍数が正常であることは，必ずしも循環血液量が正常であることを意味しない。とくに，高齢者，スポーツ選手，妊婦，βブロッカーやジゴキシン，カルシウムチャネルブロッカーなどの服用患者，低体温患者やペースメーカー装着患者などは，低容量でも頻脈を呈しにくい。
- 意識レベル：相当量の出血があっても脳血流は保たれるため意識は消失しない。むしろショックの初期には不安，不穏，攻撃的な態度といった精神の変調状態が現れる。無反応や昏睡は自己調節機構を超えた脳低灌流状態を意味し，心停止寸前の危険な状態である。

循環のモニタリングとしては血圧，脈拍数，血清乳酸値，酸塩基平衡，尿量などが指標となる[13]。血圧はモニターとして不可欠であるが，出血量が相当量に達するまで収縮期血圧は低下しないため，血圧のみを頼りにしてはならない（第3章「外傷と循環」，p46参照）。通常は収縮期血圧が90 mmHg以下になるとショック状態と判断してよいが，高齢者ではより高い血圧（100 mmHg未満）でショックと判断する必要がある。また，超音波診断による下大静脈径も指標になるという報告がある[14]。動脈血ガス分析から酸素化の状態やアシドーシスの評価が可能となるため，A・B・C評価の段階で採取することが望ましい。

（2）外出血の止血

外出血は直ちに滅菌ガーゼ，手指で直接圧迫して止血する。必要であれば出血部位より近位で動脈を圧迫する。圧迫で出血を制御できない場合にのみ止血帯を使用する。止血鉗子による盲目的な止血も避ける。ただし，頭皮の大出血は圧迫のみでは止血が困難なことがあり，迅速な縫合やステイプラーを用いた創閉鎖がしばしば必要となる。頭皮クリップの使用は頭皮からの出血の一時的な制御に役立つ。

また，口腔・鼻腔からの大量出血には，確実な気道確保を行ったうえでガーゼパッキング，ベロックタンポン，バルーンカテーテルなどによって止血を行う。

（3）静脈路の確保と輸液・輸血

輸液路の第一選択は，上肢への少なくとも2本の

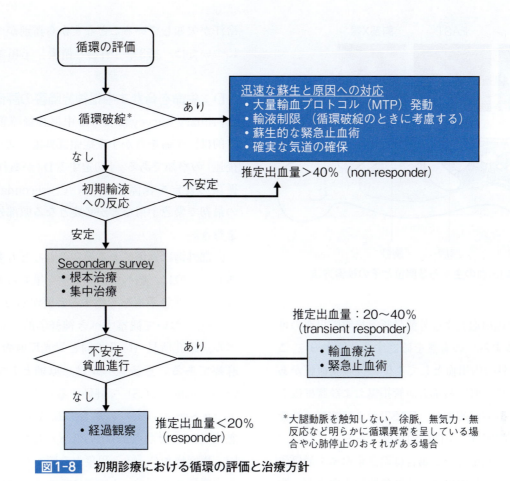

図1-8　初期診療における循環の評価と治療方針

太い末梢路（18G以上，できれば14〜16G）である。とくに骨盤や下大静脈の損傷が疑われる場合は，下肢からの末梢路は避けることが望ましい。ただし，ショックをはじめとする危機的状況で，末梢静脈の確保が困難な場合，骨髄内輸液路や中心静脈路により輸液路を確保する。静脈路を確保する際に，輸血の準備や検査のための採血を行う。輸液は，39℃に加温した糖を含まない細胞外液補充液を用い，急速投与する。

初期輸液での輸液投与量や速度については明確な根拠はないものの，漫然と過剰に細胞外液補充液を投与することの危険性が示唆されている。投与量はプレホスピタルを含め成人では1L，小児では20 ml/kgを目安として急速輸液を行い，循環の反応を観察して治療方針を決定するといった方法が推奨される（図1-8）。外傷患者に対して行う最初の輸液は，低容量に対する治療であると同時に，治療方針を決定する羅針盤の役割をもっている。循環の安定化の指標は，血圧，脈拍に加え，皮膚色調，CRT，意識レベル，酸塩基平衡，血清乳酸値，尿量などで総合的に判断する（第3章「外傷と循環」，

p50参照）。初期輸液に反応しない場合には，輸血の準備を開始するとともに，手術やIVRなどによる緊急止血術を早急に開始する。1分でも無駄にすることなく止血術を迅速に開始することを最優先とし，過大な輸液負荷を行わないように注意する[15)〜17)]。赤血球液（RBC）に加えて早期からFFPを投与することが重要で[18)]，これらの血液製剤が迅速かつ継続的に供給されるよう院内で手順書（massive transfusion protocol；MTP）を定めておく[19)]。なお，出血性（循環血液量減少性）ショックではカテコラミン使用は原則として禁忌である。炭酸水素ナトリウムはルーチンには使用しない。

（4）出血源の検索と止血

初期輸液を開始するとともに出血源の検索を行う。ショックに至る出血源の同定では，身体診察から推定できる外出血や長管骨骨折を除けば，体幹部の内出血として胸腔，腹腔，後腹膜腔の3部位に焦点を当て検索を行う。これらの検索には画像診断が必要となる。すなわち，単純X線撮影（胸部，骨盤）と簡易超音波検査であるfocused assessment with sonography for trauma（FAST）を組み合わせて，

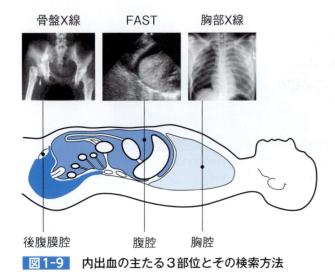

図1-9 内出血の主たる3部位とその検索方法

血胸，腹腔内出血および骨盤骨折（後腹膜出血の可能性を示唆する）の有無を確認する（図1-9）。この3部位以外の内出血として高位の後腹膜血腫がある。とくに膵，腎，腹部大血管損傷および腰椎破裂骨折に伴う後腹膜出血は，FASTおよび胸部・骨盤X線では確認困難な第四の内出血である。

初期輸液に反応しない場合は緊急止血術を最優先とする[20)21)]。胸腔内出血では緊急開胸止血術が，腹腔内出血では緊急開腹止血術が原則として第一選択となる。また骨盤骨折に伴う後腹膜出血では，止血のために経カテーテル動脈塞栓術（transcatheter arterial embolization；TAE）や簡易骨盤固定が行われる。

初期輸液で安定しsecondary surveyや根本治療に進んだ場合，あるいはICUや病棟に入室した場合でも，再び循環が不安定になれば緊急止血術を最優先する（図1-8）。

(5) 非出血性ショックの検索と蘇生

出血で説明のつかないショックでは，緊張性気胸と心タンポナーデの可能性を考える。心タンポナーデはFASTで診断し，心嚢穿刺か熟練した救急医や外科医による剣状突起下心膜開窓術，あるいは緊急開胸術による心膜切開で解除する。心嚢穿刺は16Gか18Gの長針を用いて行うが，少量でも血液が引けると一時的にタンポナーデを解除できる。ただし，ほとんどの場合には根本治療としての手術的治療が必要となる。

脊髄損傷では神経原性ショックをきたすが，この場合は低血圧に比して頻脈を認めないか，むしろ徐脈となっている。四肢または下肢に麻痺を認める，冷汗が欠如していることなどから鑑別がつく（対処については，第3章「外傷と循環」，p46参照）。

D：生命を脅かす中枢神経障害の評価

Primary surveyにおける中枢神経障害の評価の目的は，生命を脅かす重症頭部外傷（切迫するD：後述）の察知である。「切迫するD」があれば，呼吸・循環の安定を保障したうえで，secondary surveyの最初で緊急手術などが必要となる頭部外傷の検索を行う。

頭部外傷は外傷による死亡のもっとも多い原因であり，一般に，脳ヘルニア徴候を呈する頭蓋内占拠性病変は緊急手術を考慮する必要がある。Primary surveyにおいて観察すべき神経学的所見は意識レベル，瞳孔所見（瞳孔不同と対光反射の有無），片麻痺である。意識レベルは，原則としてGlasgow Coma Scale（GCS）で評価する。GCS合計点が8以下（JCSが30以上）の場合，意識レベルが急速に悪化（GCS合計点2以上の低下）した場合，瞳孔不同，片麻痺やCushing現象から脳ヘルニアが疑われる意識障害の場合，JATECでは「切迫するD」と表現する。

低酸素血症や循環不全による酸素供給の減少で二次性脳損傷が生じると，頭部外傷の予後はいっそう悪くなる。意識障害があると頭部外傷への懸念にとらわれ，その診断・治療が呼吸・循環の安定より優先されがちであるが，これは誤りである。

「切迫するD」と判断した場合でも，頭蓋外因子による二次性脳損傷を防ぐため気道や呼吸機能，循環動態の安定を再確認したうえで，脳神経外科医のコールと頭部CT検査の準備を依頼する（図1-10）。

E：脱衣と体温管理

A・B・C・Dとほぼ並行して，全身の衣服を取り活動性の外出血や開放創の有無をみる。着衣は四肢，体幹の前面で切り（図1-11），体幹前面がすべて観察できるようにする。背面の観察はsecondary surveyで行うことを原則とするが，循環動態が不安定でかつ背面から血液が滴るような場合は，この時点で観察する。

受傷現場の環境温，輸液の影響や脱衣で急激に体温が低下する。衣服が水や体液で濡れていると体温が下がりやすいので，できるだけ早く除去し，乾い

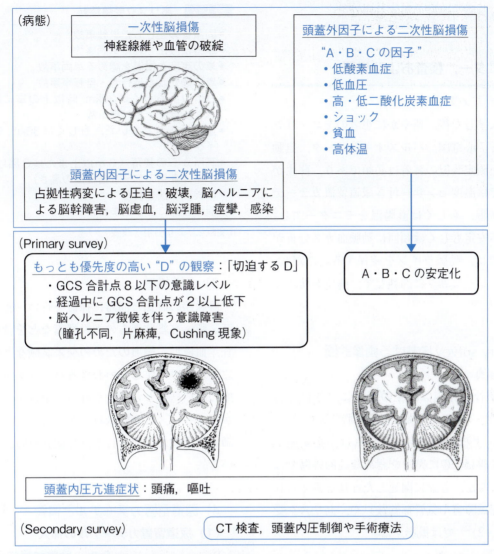

図 1-10 頭蓋内損傷の病態と診療の手順

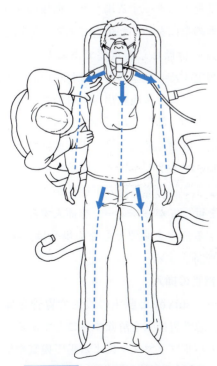

図 1-11 脱衣時の鋏の入れ方

た布で覆う。低体温は出血傾向を助長し，代謝性アシドーシス，凝固異常とともに生命を脅かす危険因子となる。したがって，診療の早期から蘇生の妨げにならない方法で保温に努める。また，体温測定は必須であるが，鼓膜温のほうが腋窩温より信頼性が高い。蘇生を必要とする患者では，直腸温や膀胱温のモニターを可及的早期に開始する。

保温の工夫には，以下のような方法がある。

①体表保温（passive external rewarming）：覆布，毛布などでの被覆。体表の血液・体液の清拭。濡れたガーゼ・シーツの交換など。

②体表加温（active external rewarming）：温水灌流ブランケット，温熱空気ブランケットや放射加温器の使用。室温を高くするなど。

③深部加温（active core rewarming）：加温輸液，加温輸血，加温加湿酸素の吸入，胃・膀胱の温

水洗浄，胸腔・腹腔の温水洗浄など。

◆ 3．モニター，検査および処置

1）モニタリング

初療室へ入室した後，速やかに患者のモニタリングを開始する。心電図，パルスオキシメータ，自動非観血的血圧測定装置の装着は必須であり，蘇生が必要な患者では温度センサー付き尿道留置カテーテルによる膀胱温，もしくは直腸温をモニターする。循環動態が不安定もしくは頻回に動脈血ガス分析が必要な患者では，動脈ラインを確保する。ただし，動脈のカニュレーションに固執して，蘇生を妨げてはならない。

2）Primary surveyにおける画像診断

(1) X線写真

胸部および骨盤X線は蘇生の指針になり得るので，初療室でポータブル撮影を行う。胸部X線はA・B・C・Dのいずれかに異常を認めれば，必ず撮影する。骨盤X線は，Cに異常を認める鈍的外傷では絶対適応となるが，骨盤に関連した疼痛を訴えられない状況（意識障害や気管挿管後）や，高リスク受傷機転（表1-2）[22)]では撮影する。

(2) FAST

FASTとは，心囊，腹腔および胸腔の液体貯留の検索を目的とした迅速簡易超音波検査法をいう。ショックの原因となる大量血胸，腹腔内出血，心タンポナーデの検索が可能のため，Cに異常を認める患者に対しては必須の検査である（技能3-2「FAST」，p61参照）。超音波を用いて気胸を診断することも可能であるため，FASTはCに異常を認めなくても，ショックに陥る可能性のある損傷を除外する意味でルーチンに行う。さらに時間をおいて再評価し，繰り返して行うことが重要である。液体貯留とともに気胸の診断を行う方法はextended FAST（EFAST）と呼ばれる[23)]（第5章「胸部外傷」，p77参照）。EFASTは状態の落ち着いたsecondary survey以降に行うことを原則とするが，気胸が疑われる患者で気管挿管を要する場合にはprimary surveyで行ってよい。

表1-2　高リスク受傷機転

- 同乗者の死亡した単独事故
- 車外に放出された車両事故
- 車の高度な損傷を認める車両事故
- 車に轢かれた歩行者・自転車事故
- 5m以上もしくは30km/時以上の車に跳ね飛ばされた歩行者・自転車事故
- 運転手が離れていた，もしくは30km/時以上のバイク事故
- 高所からの墜落（6m以上または3階以上を目安，小児は身長の2～3倍程度の高さ）
- 体幹部が挟まれた
- 機械器具に巻き込まれた

〔文献22)より引用・改変〕

3）血液検査

静脈路の確保と同時に採血を行い，血算，電解質，肝・膵・筋細胞からの逸脱酵素などを含む生化学検査，血液型，輸血のための交差試験などの検査を緊急でオーダーする。いわゆるパニック値など，緊急度の高い結果から報告される仕組みを導入することが望ましい。日本臨床救急医学会は日本救急検査技師認定機構と共同で日本救急検査技師認定を行っている。

4）尿道留置カテーテルと胃管

(1) 尿道留置カテーテルの挿入

Primary surveyと蘇生の段階で尿道留置カテーテルの挿入を必要とする状況は，Cの異常の指標として尿量をモニターする場合と，血尿の存在から出血源検索の糸口をつかむ場合である。尿量は全身の臓器灌流の指標として重要であるため，15～30分ごとに測定する。血尿の存在は腎を中心とした泌尿器系の損傷による後腹膜出血の可能性を示唆し，出血源の検索の一助となる。挿入する前には，外尿道口の血液・陰囊血腫・会陰部皮下血腫などの有無を視診で確認するとともに，直腸診で前立腺の高位浮動も確認する。尿道損傷の可能性がある場合には尿道造影を行ってからバルーンを挿入する。なお，循環に対する蘇生を必要としない場合は，secondary surveyで挿入する。

(2) 胃管の挿入

Primary surveyと蘇生の段階で胃管を挿入する目的は，急性胃拡張を解除することである。とくにバッグ・バルブ・マスクによる陽圧換気や気管挿管を行った後は，急性胃拡張がBやCの異常に関与す

表1-3 Primary surveyにおいて蘇生が必要となる主たる損傷・病態

損傷・病態	英語表記と暗記法*	異常を認める項目**	蘇　生
心タンポナーデ	T：Cardiac tamponade	C	心嚢穿刺・心嚢開窓術・止血
気道閉塞	A：Airway obstruction	A・B	確実な気道確保
フレイルチェスト	F：Flail chest	B	確実な気道確保・陽圧補助換気
緊張性気胸	X：Tension pneumothorax	B・C	胸腔穿刺・胸腔ドレナージ
開放性気胸	X：Open pneumothorax	B・C	創閉鎖・胸腔ドレナージ
大量血胸	X・M：Massive hemothorax	B・C	胸腔ドレナージ・止血
腹腔内出血	A：Abdominal hemorrhage	C	止血
後腹膜出血・骨盤骨折	P：Pelvic fracture	C	止血・創外固定
「切迫するD」	D：Dysfunction of CNS	D	A・B・Cの安定化による二次性脳損傷の回避
低体温	H：Hypothermia	E	加温

*「TAFな3XMAPでDH（代打）」と記憶する（massive hemothoraxはMおよびXとして重複）
**Primary surveyにおけるABCDE項目

る可能性があるため胃管を挿入しておくことが望ましい。そのほかの場合は，原則的にsecondary surveyで挿入の要否を判断する。高度の顔面骨骨折や頭蓋底骨折では，鼻孔から挿入すると胃管が篩骨板を貫き頭蓋内に進む危険性があるので，特別な理由がないかぎり，経口的に挿入する。

◆ 4．Primary surveyと蘇生のまとめ

Primary surveyではABCDEアプローチを実施し，気道閉塞，肺挫傷を伴うフレイルチェスト，開放性気胸，緊張性気胸，大量血胸，心タンポナーデ，大量腹腔内出血，大量後腹膜出血（骨盤骨折が主たる原因）などの致命的な問題に遭遇すれば，先に進むことなくその時点で蘇生を行う（表1-3）。「切迫するD」では，A・B・Cを安定させて頭蓋外因子による二次性脳損傷を回避してから頭部CT検査を施行する。ただしこの頭部CTの撮影は，secondary surveyにおける最初の検索という位置づけとなる。

III　転院の判断または医師の応援要請

Primary surveyと蘇生を繰り返し患者の安定化を目指すが，必要な治療が自施設の対応能力を超える場合は，蘇生を継続しながら病院間搬送を行う。以下のような場合が考えられる。
(1) 循環の安定化のために，緊急手術もしくは緊急TAEが必要であるが自院で対応できない場合。
(2) 呼吸・循環の安定化はできたが，「切迫するD」があり，自院で対応ができない場合。この場合，頭部CT検査に時間を費やしてはならない。

上記（1）（2）の状況では時間経過とともに救命の可能性が減じていく。したがって，1分でも早く必要な治療を行う必要がある。

通常の転院では，診療情報提供書（紹介状），画像検査の記録媒体への出力，血液検査所見などの検査結果の印刷や，各種記録類を準備してから実施されるが，上記の状態では治療の遅れを招くことのないよう，まずはSBARに準じるなど要点のみを簡潔に伝えたうえで患者転送を優先する（表22-5，p277参照）。診療情報提供書，各種の検査結果や記録類は後ほど準備して送る手順をとることで，治療の遅れを回避すべきである（第22章「病院間搬送」，p277参照）。

同時に，患者転送を受ける医療機関側も上記の手順に従う。

IV　Secondary survey

Secondary surveyはprimary surveyの完了と蘇生の継続により，A・B・Cが安定していることを確認してから開始する。

1. 「切迫するD」に対する頭部CT検査の優先

Primary surveyで「切迫するD」と判断した場合，脳ヘルニアをきたす頭蓋内占拠性病変の診断を優先し，secondary surveyの最初に頭部CTを撮影する。CT検査に行く前には，患者の気道・呼吸・循環が安定していることを再確認する。CT室への搬送時には患者の状態を頻回に観察し，異変があれば直ちにA・B・Cの確認を行い，蘇生が必要な場合には無理にCT検査を続行せず，いったん初療室に引き返す。患者の状態に異変がなければ頭部CT検査を行い，緊急手術が不要と判断されればその後，以下に述べる通常の手順でsecondary surveyを継続する。

「切迫するD」がなければ，病歴の聴取から開始し，以下に示す手順で診察を進める。Secondary surveyの過程において，病態の変化時や体位変換時，皮下気腫や腹腔内貯留液の出現など重要な所見を認めた際には必ずバイタルサインを再度チェックして，悪化傾向が認められればABCDEアプローチを繰り返し，必要に応じて蘇生を行う。

2. 病歴の聴取

病歴聴取は，迅速・簡潔に行う。患者から聴取できない場合は，救急隊・家族・関係者から可能な範囲で聴取する。

聴取する内容は以下のとおりである。

- Allergy：アレルギー歴
- Medication：服用中の治療薬
- Past history & Pregnancy：既往歴，妊娠
- Last meal：最終の食事
- Events & Environment：受傷機転や受傷現場の状況

各項目の頭文字をとってAMPLEと覚える。患者の病態や損傷部位は，受けた外力の種類，方向ならびにエネルギーの強さで規定される。表1-2に示す受傷機転では，重篤な外傷が生じている可能性がある。また，侵襲に弱い患者因子（表1-4）を把握することにより，重症化する危険性を認識する。

3. 身体の診察

診察は抜けのないように身体前面（腹側）を，頭

表1-4 侵襲に弱い患者因子

- 高齢者
  65歳以上で収縮期血圧110 mmHg未満 軽度の外傷
- 小児
- 血液疾患，抗凝固薬服用中患者の頭部外傷
- 20週以降の妊婦
- 既往症に考慮が必要（心疾患，呼吸器疾患，透析患者，肝疾患，薬物中毒，糖尿病などが病態・病院選定に影響する可能性がある場合）

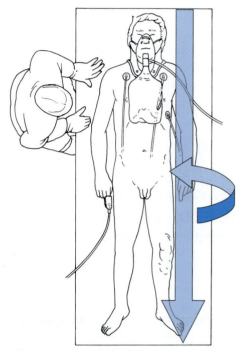

図1-12 系統的な身体検査
身体所見は頭から爪先まで，さらに背面も漏れのないように系統的に行う

から足の爪先まで行う。原則的に各身体部位の「孔」は必ず観察する。次いで後面（背側）を検索した後，再度，神経学的所見を詳細に調べる。各部位の診察は，訴えを聴取しつつ，視診，聴診（可能な部位のみ行う），触診（打診も含む）の順に，「見て」「聴いて」「触って」を合言葉に進める（図1-12）。

1) 頭部・顔面

緊急性が高いと認識すべき所見は，頭蓋骨陥没骨折，頭蓋底骨折，顔面骨骨折，気道確保の妨げとなるような開口障害，窒息の原因となるような異物・出血・血腫，眼外傷，口・咽頭外傷，歯牙損傷，視力障害，眼球運動異常などである。まず頭痛，視力低下，複視，聴力障害，咬合障害などの訴えがないかを聴く。

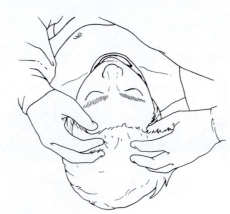
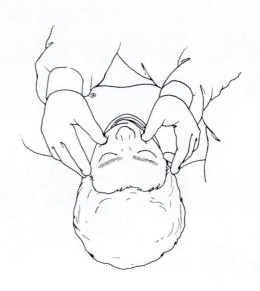

図1-13　頭部・顔面の触診

視診では，創傷のほか，頭蓋底骨折の間接所見である眼窩周囲の皮下血腫（パンダの眼徴候あるいは，raccoon eye，black eye）や耳介後方の皮下血腫（Battle's sign）を確認する。ただし，これらの所見は受傷早期には必ずしも出現しない。顔面の開放創では，涙管，唾液腺管，三叉神経や顔面神経などの損傷にも注意を払う。頭部・顔面には眼窩，口鼻腔，外耳道など「孔」が多く，出血や髄液漏がないかを必ず視診する。血液をガーゼや濾紙に滴下し，二重の輪になるかどうかを確認する（ダブルリング試験，第8章「頭部外傷」，p137参照）。眼損傷の有無についても注意深く観察する。また，耳鏡を用いて鼓膜も診察する。頭髪内の損傷に対しては必要に応じて剃髪して観察するが，眉毛は修復の際に重要な位置の目印となるため剃るべきではない。

触診では，とくに頭髪の中に隠れた創傷がないか，陥没骨折はないか，頸椎を動揺させることなく丁寧に診察する（図1-13）。顔面骨骨折の有無をみるには，眼窩上・下縁，頬骨，鼻骨など突出した部分を左右比較しながら触診する（図9-3, 4, p151参照）。上顎・下顎については咬合状態を観察したうえで，歯槽部を触診し，歯列異常，歯槽・顎骨の動揺・変形を調べる。鼻骨骨折や変位のない頬骨骨折，眼窩縁骨折などは，初期診療で確定診断することは困難な場合が多く，後述のtertiary surveyが必要である。

鼻腔損傷に伴う出血や組織塊は，気道閉塞をきたす原因になるので注意する。また，気管挿管を必要とする場合に備えて，開口障害の有無も検索する。

2）頸　部

緊急性が高いと認識すべき損傷は，喉頭・気管損傷，頸動脈損傷である。頸部の診察では，必ず介助者に頭部を正中中間位で保持させたうえで頸椎カラーを愛護的に外して，前頸部から診察を始める（図1-14）。まず，疼痛，頸部絞扼感，咽頭違和感，咳，血痰などの訴えを聞き，同時に嗄声の有無を評価する。次いで腫脹，挫傷，穿通創（詳しくは後述），血腫，ベルト痕などを視診する。聴診では頸動脈雑音などを，触診では圧痛，皮下気腫，頸動脈の振戦などを検索する。これらの所見は，喉頭・気管損傷，頸動静脈損傷，食道損傷といった生命にかかわる損傷を意味するのできわめて重要であり，鈍的外傷では造影CT検査や気管支鏡，内視鏡，超音波ドップラー，血管造影などさらなる検索を必要とする。頸動脈の内膜損傷の徴候は，初診時にはとらえることが難しく，数時間・数日後に閉塞所見が明らかとなる場合がある。

続いて後頸部を診察する。この間も用手的に頸椎保護は継続する。疼痛，運動痛，運動制限などの局所所見に加え，頸髄損傷を示唆する四肢のしびれ，麻痺，呼吸困難などの訴えがないかを問診する。後頸部の視診は後の背部観察時に行う。ここでは，触診で棘突起の圧痛の有無を中心に検索する。頸椎の著しい痛みを訴えるのであれば触診は慎重に行い，他の頸髄損傷の所見，すなわち腹式呼吸，持続勃起，運動／感覚麻痺などから総合的に損傷を評価する。また，徐脈や低血圧の有無を再度モニターで確認し，状況に応じて輸液の速度を速めるなどの対処をして

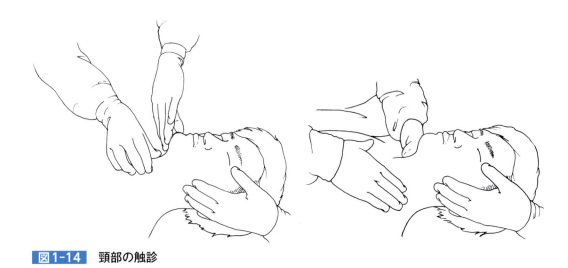

図1-14　頸部の触診

おく。頸椎・頸髄損傷を疑う症状や所見がある場合や，頭部外傷で正確な所見がとれない場合は，頸椎CTを必ず撮影する。CT検査ができない場合は頸椎X線3方向（意識障害などにより不可能な場合は2方向でもよい）を撮影するが，下位頸椎の評価が不十分となりがちである。頸椎・頸髄損傷が明らかな場合は，全脊椎の非連続領域に約10％の確率で脊椎損傷を合併することに留意する。

一側上肢の麻痺があれば，腕神経叢損傷を疑うが，意識レベルが低下した患者では診断するのが困難であるため，受傷機転や付随する鎖骨骨折や肩甲骨骨折，鎖骨下動脈損傷の存在から腕神経叢損傷を疑う。

Secondary surveyを続行している間は，原則として再度頸椎カラーを装着しておく。Secondary survey終了後の頸椎固定解除の基準や画像診断の選択については，第11章「脊椎・脊髄外傷」（p174）を参照されたい。

3）胸　部

緊急性が高いと認識すべき損傷は，肺挫傷（pulmonary contusion），胸部大動脈損傷（aortic disruption），気管・気管支損傷（tracheobronchial tree injury），鈍的心損傷（blunt cardiac injury），食道損傷（esophageal rupture），横隔膜損傷（diaphragmatic injury），血胸（hemothorax），気胸（pneumothorax）などである。これらをPATBED2Xとして記憶する。胸部の診察には，鎖骨部の検索も必ず含める。呼吸困難，胸背部痛，血痰の有無などを問診したのち，視診で創傷や穿通創，打撲やベルト痕，呼吸様式，胸郭変形および頸静脈の状態などを評価する。聴診はsecondary surveyにおいても重要であり，呼吸音は両側の中腋窩線や鎖骨中線など2カ所以上で聴取し左右を比較する。とくにすでに胸腔ドレーンが挿入されている患者では，吸引器の不具合，チューブの位置異常や屈曲などから再度気胸が増大することもあるため，繰り返し聴診する。打診は聴診とともに必ず施行し，鼓音・濁音を調べ，左右差を検索する。触診では，握雪感（皮下気腫），肋骨・胸骨の圧痛や変形，軋音を調べる。圧痛をみる際には，まず胸骨中央部を押し，次いで両側の胸郭を圧迫し，痛みがあるようなら，肋骨を1本ずつ腹側から背側まで触診して，痛みの位置を確かめる（図1-15）。

ここで胸部X線を再度見直し，詳細に読影する（読影方法は第5章「胸部外傷」，p81参照）。胸部X線が診断の手がかりとなる胸部外傷として胸部大動脈損傷，気管・気管支損傷，肺挫傷，血気胸，横隔膜損傷などがある。少量の気胸や血胸の有無も胸部X線のみならず超音波検査を併用して確認する（EFAST）。12誘導心電図を必ず施行し，何らかの異常があれば鈍的心損傷を疑い，その後も心電図モニターを継続し，必要に応じて心臓超音波検査などさらなる検索を進める。鈍的外傷ではまれであるが，食道損傷の存在も忘れてはならない。以上にあげた損傷が疑われれば，胸部造影CT検査などさらなる検索が必要となる。

4）腹　部

緊急性が高いと認識すべき損傷は，進行する腹腔

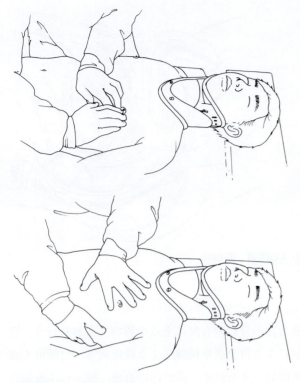

図1-15 胸部の触診

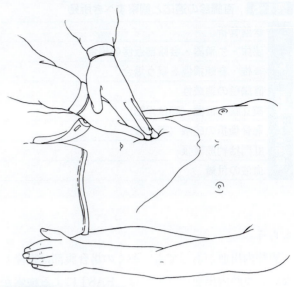

図1-16 腹部の触診

表1-5 厳重な腹部の診察，経過観察が必要な状況

臨床症状	腹痛，イレウス症状，腹部所見の異常
受傷機転	ハンドル外傷，腹部の強打
損傷部位	横隔膜近傍の体表損傷，腹部のシートベルト痕，タイヤ痕
合併損傷	下位肋骨骨折，骨盤外傷
腹部所見がとり難い患者	頭部外傷，頸髄・胸髄損傷の合併
	アルコール摂取
	薬物中毒
	他部位の痛みが強い
	気管挿管による呼吸管理時
検査所見	アシドーシスの進行
	貧血の進行
	炎症反応の悪化（白血球数の増加，CRP上昇）
	肝酵素の上昇
	アミラーゼ値の上昇
	その他検査所見の異常

内出血と腹膜炎である。とくに消化管損傷（後腹膜穿破を含む），膵損傷，尿路損傷は見逃しやすいので注意する。腹部の診察では疼痛の有無，性状と部位を問診し，創傷，打撲，シートベルト痕，腹部膨隆の有無などを視診し，腸雑音を聴取する。打診で腸内ガスの確認（とくに急性胃拡張）と大量の腹腔内出血の有無を推定し，触診で圧痛，反跳痛，筋性防御を確認する（**図1-16**）。ただし，これらの診察所見は急性腹症のときほど信頼性はないため，繰り返し所見をとることにより正診率を上げるように心がける。

さらに**表1-5**のような状況下では，より積極的な腹部の検索が必要となる。循環動態の安定が得られているのを再確認できれば，腹部造影CT検査などによるさらなる検索を行う。ただしコンサルトする時期を逸さず，腹部外科医には早期から関与して

第1章 初期診療総論

表1-6 直腸診の適応と観察すべき所見

適応	骨盤骨折
	泌尿・生殖器・会陰部近傍の損傷
	脊椎・脊髄損傷を疑う場合
観察する所見	直腸壁の連続性
	前立腺の位置（高位浮動）
	恥骨骨折の感触（双合診）
	肛門括約筋緊張
	血液の付着

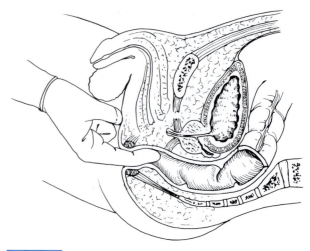

図1-17 直腸診

もらう。

　腹腔内出血があっても，多くの場合腹部は膨隆しない。腹腔内出血の診断には，FASTによる検索が感度も高く，患者にとっても非侵襲的である。よってFASTは必ず繰り返し施行し，新たな出血や出血の増大を認めた場合には，バイタルサインを再評価する。バイタルサインに異常があれば，再度A・B・Cを評価し，Cに異常があれば，開腹などの積極的な止血術の必要性を考慮する。バイタルサインが安定しているなら，腹部造影CT検査で出血源，出血量を精査する。

　管腔臓器や膵損傷の診断にはいくつかの落とし穴が存在する。受傷早期には腸雑音は消失しない。明確な腹膜刺激症状がない場合もあれば，逆に腹腔内出血のみでも筋性防御を呈する場合がある。また十二指腸，結腸や直腸の後腹膜への穿孔，膵・尿路損傷では，腹膜刺激症状が乏しい場合がある。さらに意識障害や脊髄損傷のある患者では，腹部所見自体をほとんどとることができない。ただし，このような状況下においても，6時間以内に開腹術の要否を判断しないと，患者の予後を著しく悪化させる可能性が高くなる。腹部造影CT検査は，管腔臓器損傷の診断に有用である。諸検査にもかかわらず管腔臓器損傷を否定できない場合には，診断的腹腔鏡検査や診断的腹腔洗浄法などを考慮する。

5) 骨盤・生殖器・会陰・肛門

　緊急性が高い損傷は，運動器としての骨盤骨折（寛骨臼骨折など）と骨折に伴う合併損傷（後腹膜出血，尿路・直腸損傷）などである。骨盤骨折の診断では，原則として単純X線撮影を優先する。骨盤単純X線写真で骨折が明らかでない場合は，転位のわずかな骨折や腸管ガスのため判読が困難な骨盤輪

後方部の骨折の有無に重点を置いて診察を行う。問診による自発痛や視診による肢位異常，打撲痕や皮下出血，下肢長差，開放創の有無，触診による仙骨部〜仙腸関節部などの骨盤後方部を含めた圧痛や叩打痛の有無，そして他動的に股関節を外内旋させての股関節部〜恥骨・坐骨部にかけての疼痛の有無を診察する。Primary surveyで骨盤単純X線写真を撮影していない場合は，上記の身体所見から，撮影の必要性を判断する。

　次いで原則的に患者の承諾のもと，生殖器，会陰，肛門の診察を施行する。視診で創傷，打撲痕，会陰・陰嚢付近の皮下血腫，外尿道口出血，腫脹などを検索する。適応（表1-6）がある場合には，直腸診を忘れないよう施行する。直腸診では直腸粘膜の連続性・出血，圧痛の有無，前立腺の高位浮動感などが重要な観察項目であり，直腸損傷，腹膜炎，後部尿道損傷を見逃さないようにする（図1-17）。また，脊髄損傷の有無をみるために肛門括約筋の緊張度合いも調べる。尿道留置カテーテルは，前述したように必ず尿道損傷の徴候である前立腺の高位浮動がないことを確認してから挿入する。

6) 四 肢

　緊急性が高いと認識すべき損傷は，血管損傷，切断肢，開放骨折，広範囲の軟部組織損傷，脱臼，筋区画症候群などである。

　意識清明で協力的な患者では，痛みの場所と程度を聴取する。視診，触診で変形，腫脹，皮膚の色調変化，打撲痕，擦過傷，開放創の有無，圧痛部位と

その程度や関節内血腫の有無を確認する。明らかな変形や腫脹，血腫を疑わせる皮膚の色調変化，強い圧痛や関節内血腫を認める部位では，骨折や脱臼を疑い，自他動運動を制限したうえで単純X線撮影を行う。変形や腫脹，圧痛，関節内血腫を認めなければ自動運動を指示し，疼痛や可動域制限なく動かすことができれば，骨折，脱臼および重篤な軟部組織損傷は否定できる。疼痛のために自動運動が制限される場合は，再度触診で疼痛の局在を調べ，X線撮影を行う。単純X線写真で異常を認めなければ軟部組織損傷と診断されるが，すべての骨傷が単純X線写真で描出されるとは限らない。軟部組織損傷のなかで筋断裂や腱断裂は，触診上異常な陥凹を呈する。また，単純X線写真上異常のない関節内血腫は靱帯損傷を疑わせる。

意識障害患者や非協力的で訴えが信頼できない患者では，疼痛や圧痛以外の身体所見から四肢の損傷を検索する。受傷早期には骨折があっても腫脹が明らかでない場合もあり，繰り返し身体所見をとる必要がある。

開放創があればその汚染度と深達度を評価する。筋膜を越える開放創がある場合は，外来では深部までの観察を行わず，創縁の消毒と滅菌ガーゼによる被覆のみを行い専門医にコンサルトする。

四肢末梢動脈の拍動を確認し，CRTを検査する。ショック症状を認めない患者における，末梢動脈拍動の減弱（左右差）や消失，CRTの延長は，動脈損傷を疑わせる所見である。四肢末梢の急性阻血症状としては，脈拍の減弱あるいは消失（pulselessness）以外に，冷感（poikilothermy），蒼白（pallor），疼痛（pain），感覚異常（paresthesia），運動麻痺（paralysis）に注意する。とくに冷感，蒼白，疼痛および脈拍の減弱消失は，阻血後早期に認められる所見である。感覚異常や運動麻痺は神経および筋細胞の虚血性変化を意味し，可及的速やかに血行が再開されなければ重篤な機能障害に陥る。血管損傷が疑われる場合には血管造影が必要であり，血管外科医やIVR医にも相談する。

前述した末梢循環と同時に，感覚・運動機能を評価する。感覚異常には，感覚鈍麻や感覚脱失以外に感覚過敏があり，神経損傷や虚血による末梢神経障害を示唆する。運動機能は徒手筋力検査で評価する。

著しい疼痛と局所の腫脹を伴っていれば筋区画症候群を疑う。また，初期の段階では末梢動脈拍動に異常をきたさないので注意する（第12章「四肢外傷」，p186参照）。

7）背　面

前面の診察ののち，背面全体の診察を行う。背面全体の創傷，出血，変形の有無を確認して，触診で変形や圧痛の有無を検索する。背面を観察する方法は，全脊椎を軸にして丸太を転がすように行うlog roll法と，仰臥位のまま全身を持ち上げるflat lift法があり，患者の状態，損傷部位，施行できる人数により選択する（図1-18）。いずれもリーダーが声をかけて合図することにより協働して行い，患者に不要な外力を与えないようにする。不安定型骨盤骨折ではlog roll法は避ける。背面観察の前後で必ずバイタルサインの確認を行う。脊髄損傷が疑われる場合には，背面観察よりも後述する神経学的診察を優先させる。

8）神経系

Secondary surveyでの神経学的診察は，primary surveyより詳細に行う。意識・瞳孔・四肢の神経学的所見などに変化がないかを再度確認する。「切迫するD」が出現すればA・B・Cの再確認をしたうえで頭部CTを撮影し，脳神経外科医をコールする。

GCS合計点が9～13の場合には，呼吸・循環が安定していれば，原則的に全例secondary surveyにおいて頭部CTを撮影する。ただし，他の部位に重大な損傷がある場合には，優先順位に注意しなければならない。

GCS合計点が14のすべての患者，GCS合計点が15でも受傷歴が不明，前向性健忘や逆向性健忘，頭蓋骨骨折，激しい頭痛，嘔吐，痙攣などの危険因子（表8-2，p139参照）がある場合にはsecondary surveyにおいて頭部CTを撮影する。GCS合計点が15で上記を認めない場合は，危険因子である出血性素因，薬物/アルコール摂取，脳神経外科手術の既往，外傷前の痙攣を問診し，他の身体状況との兼ね合いにおいて頭部CT検査の時期を判断する。脊髄損傷がある場合は損傷の高位レベル，麻痺の程度を神経学的に明らかにする。

	log roll法	flat lift法
必要人数	3人以上	6人以上
観察のしやすさ	しやすい	体位保持できる時間が制限されるため，やや観察しにくい
循環動態への影響	体位変換に伴い低血圧を引き起こす可能性がある	少ない
脊椎への影響	回旋，側彎が生じやすい	前彎，後彎が生じやすい
禁忌・その他	不安定型骨盤骨折，あるいはその疑い時	体位保持者以外に観察者を必要とする

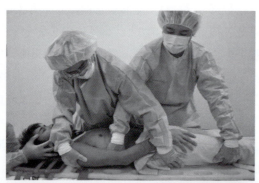

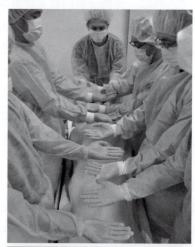
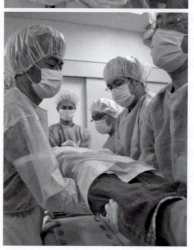

図1-18　Log roll法とflat lift法の比較

◆ 4. 検　査

　Secondary surveyでは，各損傷を診断するためにそれぞれに特異的な検査がなされる。例として，脊椎や四肢のX線検査，頭部，胸部，腹部，脊椎のCT検査，尿路造影，血管造影，気管支鏡，消化管内視鏡などである。

　近年，外傷においては個別の部位のCT検査を行うのではなく，全身CTを系統的に撮影すること（trauma pan-scan）が，予期せぬ損傷の発見や時間短縮に有用であるとされている[24]。「切迫するD」でsecondary surveyの最初に頭部CTを撮影する際に他の部位のCT撮影を続けて行い，trauma pan-scanとすることも許容される。その際には，secondary surveyが行われていない状況であるため，十分に的を絞って読影できないことを認識しておく（第17章「画像診断」，p229参照）。

　ただし，これらの検査はあくまでもprimary surveyによって全身状態が安定したのちに，担当医の監視のもとで行う必要がある。全身状態が安定していても，突発的な急変に対応できる設備や医療従事者がいないところで施行すべきではない。

5. 感染予防

1）創処置

　開放創においては汚染度，深達度，軟部組織損傷の程度を観察する。筋膜を越える開放創の処置は原則として手術室で行うべきであり，不十分な創処置は感染合併の危険性を高める。感染予防のためには洗浄・デブリドマンを徹底的に行うことが重要であり，受傷後6時間以上を経過した創では感染が成立している危険性が高く，安易に一次縫合をせず開放療法を選択すべきである。また，6時間以内であっても，十分な洗浄・デブリドマンが行われていない創では感染の危険性がある。

　剥皮創における剥離皮膚は壊死に陥る危険性が高い。明らかに血流が悪く，皮膚壊死に陥る危険性が高いと判断した場合は，血流の悪い組織を切除し創縫合を行うか，縫合が難しい場合は，切除した皮膚の脂肪織を十分に切除したうえで全層植皮とする。切除した皮膚に汚染または著しい損傷を認めた場合は，人工被覆材で被覆する。外傷性皮下剥離を伴う創では，感染予防のために剥離部を開放し，十分に洗浄した後，吸引ドレーンを挿入し創を閉鎖する。処置は経験豊かな専門医に委ねる。

　開放骨折では軟部組織感染症に加え骨髄炎を合併する危険性がある。感染合併を回避するためには抗菌薬の早期予防投与もさることながら，洗浄・デブリドマンを受傷後6時間以内に徹底的に行うことが重要である。

2）破傷風予防

　破傷風予防接種歴と創傷の程度から対応を決定する。成人で破傷風トキソイド接種歴が不明な場合，最終接種より10年以上経過している場合，破傷風を合併する可能性の高い創傷で最終接種より5年以上経過している場合には，破傷風トキソイド0.5 mlを筋注する。

　従来，破傷風を合併する可能性の高い創傷の場合には，抗破傷風ヒト免疫グロブリン（tetanus immunoglobulin；TIG）の投与が推奨されてきた。しかし，軽微な創傷もしくは創傷を同定できない場合でも破傷風を合併した報告は多い。わが国では，1967年以前の出生では抗体陽性率が低いだけではなく，抗体価自体も低い傾向にあるので，創傷の性状によらず破傷風トキソイド接種歴が不明か，最終接種より10年以上経過している場合にはTIGを投与すべきとの意見もある[25)26)]（「きれいで小さい傷」以外の「すべての傷」を高リスク創傷とする。詳しくは，Appendix 1「感染症対策」，p284参照）。

3）抗菌薬の予防的投与

　開放骨折，広範囲の軟部組織損傷，管腔臓器損傷，頭蓋内や体腔に達する穿通性外傷などでは，抗菌薬の予防的投与を行う。一部の場合を除いて，基本的にグラム陽性球菌に有効なペニシリンや第一世代のセフェム系抗菌薬を使用し，短期間（最長でも3日以内）で中止する。外傷患者に対する抗菌薬予防投与のガイドラインについては，Appendix 1「感染症対策」（p282）を参照されたい。

6. 見落としチェック

　Secondary surveyを終える前に，見落としがないように以下の事項を再確認する。見落としやすい項目を想起する合言葉である「FIXES」を覚えておく。

- F：Finger or tube into every orifice「すべての孔に指か管を」を合言葉に耳鏡による検索や直腸診を忘れていないか？ 胃管・尿道留置カテーテル挿入などを行ったか？ また，排液の性状を確認したか？
- I：iv, imを忘れていないか？ 破傷風トキソイドや抗菌薬の予防的投与を行ったか？
- X：X線写真を再度読影したか？ 他のX線検査やCT検査などの画像診断のオーダーを行ったか？
- E：ECG（12誘導心電図）を施行したか？
- S：Splint（副子）で骨折に対するシーネ固定を行ったか？

7. 穿通性外傷におけるsecondary surveyについての補足事項

　穿通性外傷におけるsecondary surveyの進め方は，前述した鈍的外傷を中心とした手順とは若干異なる。全体の流れに大きな相違はないが，刺創，銃創を見逃さないこと（とくに背面に注意する）と深

達度の評価に重点を置くことに注意する。

　頸部刺創がある場合には，気道，血管，食道損傷の際に出現する症候を注意深く検索し，視診で広頸筋に損傷が達しているかを必ず観察する。患者の呼吸・循環が安定している場合で刺創が広頸筋を貫いていなければ，創を洗浄し縫合するだけでよい。広頸筋を貫いている場合には，専門医に相談する。

　胸部刺創の場合，創が壁側胸膜を貫いているか否か，胸部単純X線写真で気胸，血胸の所見がないかを観察する。胸膜を穿通していると評価すれば，胸腔ドレナージ施行後に創を閉鎖し，空気や血液の流出程度から開胸術の必要性を判断する。なお，胸部刺創でも横隔膜を貫通し，腹部臓器を損傷することがあるので腹部所見に留意する（第5章「胸部外傷」，p76参照）。

　腹部刺創は，腸管や大網が脱出していれば手術の適応となる。臓器脱出のない創や腹膜穿通の不明な刺創は，局所麻酔下に創を広げ，local wound exploration（LWE）を行って直視下で深達度を評価する。LWEで腹膜穿通が確認された場合，もしくは肥満，胸壁に近い創，患者の協力が得られないときなど安全にLWEが行えない場合には，開腹術の要否を外科医に相談する。腹膜炎の症候がなければ必ずしも開腹適応とはならないが，保存的に経過観察をする場合には経験豊富な外科医のもとで行う。胃管を挿入し血性内容物が吸引されれば，胃損傷を強く疑う。銃弾が腹腔内に達していれば，ほとんどの場合に開腹術が必要となる。

　背部穿通創は，見逃さないように必ず検索する。背部は筋肉が厚く，直視下の観察が困難なため，A・B・Cの安定を確保し，CT検査で深達度を評価する。腹腔あるいは後腹膜腔に達していれば外科医をコールする。胸腔に達していれば胸腔ドレーンを挿入する。

　四肢に穿通創を認めた場合には，血管損傷と神経損傷の検索に重点を置く。とくに，筋区画に囲まれた深い血管（例：深大腿動脈）損傷では，外出血，腫脹，振戦などの所見が少ないので看過しないように注意する。

◆ 8. Secondary surveyのまとめ

　Secondary surveyで検索した損傷に対し，どのような根本治療が必要かを判断し，自己の診療能力を超える場合は，適切な診療科の医師に引き継ぐ。

V 根本治療

　初期診療で明らかになった損傷に対する根本治療を行う。その実施については，施設の診療能力に応じて対応を判断する。経過観察を含め自施設で自らが責任をもって治療を継続する場合，「複数損傷に対する治療の優先順位の決定」と「損傷を見落とさない患者管理」が要求される。生命を脅かす緊急度から，呼吸・循環の安定化が最優先され，それに続き頭蓋内圧の制御，体温管理，虚血（Ischemia）に対する対策，炎症・感染（Inflammation）に対する対策が治療の順番となる。この優先順位はABCDE & II[注1]と覚えるのがよい。具体的には，D（Dysfunction of CNS）に対して，蘇生として実施した気道・呼吸・循環の安定化に加え，より確実な頭蓋内圧制御としての緊急開頭術の必要性を判断する。I（Ischemia）に対しては，可及的速やかに血行再建を行うが，虚血時間の長い四肢損傷では，切断の判断が救命につながる。次のI（Inflammation）には，洗浄，ドレナージ，感染源となる損傷部位の切除・デブリドマン，管腔臓器の修復・空置術（人工肛門など）などを行う。とくにこれらは感染が成立する前に施行することが重要で，6時間以内に施行すべきであろう。なお，緊急度が高くない場合には，機能的予後に関連する損傷や整容面を考慮した修復について専門科と協議する。

VI 根本治療のための転院の判断または医師の応援要請

　自施設で根本治療が困難な場合，転院によってよりよい転帰が見込めると判断した場合には，速やかに転院の準備を行い，安全な病院間搬送を図る。転院に際しては，紹介先の医師と緊密な連携をとり，それまで施行した診療内容などを正確に伝え，搬送

注1：ABCDEは，primary surveyで使用するものと同義であり，IIはischemiaとinflammationの頭文字である。

先の施設で根本治療が行えるまでの時間を極力短縮する。安全な搬送手段を選択することに加え，継続して観察や処置が必要なら，原則として医師が同乗する。病院間搬送の条件は以下のとおりである。

①初期蘇生を行い全身状態の安定化が図られていること
②自施設では行えない治療が必要と判断されること
③搬送により外傷患者の転帰がよくなる見込みがあること
④紹介先の施設で最適な医療を受けることが期待できること
⑤医師・看護師または救急救命士が救急自動車などに同乗し，搬送中に起こり得る病態の変化に対応できること

Ⅶ Tertiary survey

損傷のなかには徴候や所見がとりにくく，見落とされやすいものがあることに加え，初期診療では生命を脅かす損傷の検索を優先するため，それ以外の損傷は検索が不十分になりやすい。とくに，意識障害を伴う頭部外傷患者では注意が必要である。したがって生命の危機を脱し，状態が安定した患者に対しては，初期診療の終了時や主たる損傷の根本治療終了時，さらに入院経過観察中に，繰り返し隠れた損傷を探し出す努力が必要となる。損傷の見落としを回避するためのこのような再診察を「tertiary survey」と呼ぶ。以下に，ピットフォールに陥りやすい状況を列挙する。

1．患者が症状を訴えない状況

意識障害，アルコール摂取後，挿管下や鎮痛・鎮静薬投与下の患者は症状を訴えないため，損傷を見落とす危険性が高い。骨傷の明らかでない脊髄損傷，体表損傷や変形の少ない骨折・関節損傷，末梢の神経・血管損傷，筋区画症候群，管腔臓器損傷，膵損傷などの見落としは，生命や機能予後を左右するためとくに注意する。会話が不十分にしかできない高齢者や小児，身体障害者，外国人もこの状況に準じる。また隠れた重大な損傷がほかにあっても，患者が特定の損傷に気をとられ，その症状を訴えない場合もある。

2．仰臥位では症候が出現しにくい状況

脊椎の圧迫骨折，変形のない大腿骨頸部骨折や寛骨臼骨折は，荷重負荷がかからない仰臥位では症状が乏しい場合がある。体位変換が安全に行えない不安定型骨盤骨折などの患者では，背面の観察をおろそかにしがちとなるので注意する。

3．早期には症候が出現しにくい損傷

虚血や炎症を引き起こす損傷では，受傷早期には症状が乏しい場合がある。

4．医師の注意を引く隣接臓器損傷が存在する場合

先に発見した損傷に注意が集中するあまり，近接組織や臓器の損傷を見落とす場合がある。代表的な例として，骨折・脱臼に合併する神経・血管・靱帯損傷，同一肢の骨折・脱臼，複数の脊椎骨折，中枢側の神経引き抜き損傷，馬尾神経損傷などがある。

以上のような見落としを回避するには，繰り返し患者の訴えを聴くこと，受傷機転やわずかな体表損傷から想定され得る損傷を精査すること，繰り返し全身を観察することなどの習慣づけが肝要である。

まとめ

外傷患者の初期診療では，生理学的徴候からのABCDEアプローチで，迅速かつ的確に患者の生命危機を把握し（primary survey），回避するための適切な蘇生を行う。Primary surveyと蘇生により生命危機を回避したうえで，secondary surveyで全身の損傷を系統的に検索し，根本治療の必要性を判断する。Surveyごとに自己および自施設での診療が可能であるかを判断し，応援医師の要請や転院の必要性を判断する。自施設で対応するのであれば，根本治療や経過観察を行い，その過程で損傷の見落としを回避するためのtertiary surveyを行う。外傷患者を取り扱う現場で働く医師は，上記の手順が正しく実践できなければならない。

文献

1) Baker CC, Oppenheimer L, Stephens B, et al：Epidemiology of trauma deaths. Am J Surg 1980；140：144-150.

2) Gunst M, Ghaemmaghami V, Gruszecki A, et al：Changing epidemiology of trauma deaths leads to a bimodal distribution. Proc (Bayl Univ Med Cent) 2010；23：349-354.
3) Pfeifer R, Tarkin IS, Rocos B, et al：Patterns of mortality and causes of death in polytrauma patients：Has anything changed? Injury 2009；40：907-911.
4) Servadei F, Teasdale G, Merry G；Neurotraumatology Committee of the World Federation of Neurosurgical Societies：Defining acute mild head injury in adults：A proposal based on prognostic factors, diagnosis, and management. J Neurotrauma 2001；18：657-664.
5) Chesnut RM：Statistical association between surgical intracranial pathology and extracranial traumatic injuries. J Trauma 1993；35：492-493.
6) Franschman G, Peerdeman SM, Andriessen TM, et al：Effect of secondary prehospital risk factors on outcome in severe traumatic brain injury in the context of fast access to trauma care. J Trauma 2011；71：826-832.
7) Butcher I, Maas AI, Lu J, et al：Prognostic value of admission blood pressure in traumatic brain injury：Results from the IMPACT study. J Neurotrauma 2007；24：294-302.
8) Wolberg AS, Meng ZH, Monroe DM 3rd, et al：A systematic evaluation of the effect of temperature on coagulation enzyme activity and platelet function. J Trauma 2004；56：1221-1228.
9) Kashuk JL, Moore EE, Millikan JS, et al：Major abdominal vascular trauma：A unified approach. J Trauma 1982；22：672-679.
10) American College of Surgeons Committee on Trauma：Advanced Trauma Life Support：Student Manual. 10th ed, American College of Surgeons, Chicago, 2018.
11) Greaves I, Porter KM, Ryan JM, et al：Trauma Care Manual. Edward Arnold, London, 2001.
12) 日本外傷学会外傷専門診療ガイドライン改訂第2版編集委員会編：外傷専門診療ガイドラインJETEC，改訂第2版，へるす出版，東京，2018，pp21-32.
13) Guyette F, Suffoletto B, Castillo JL, et al：Prehospital serum lactate as a predictor of outcomes in trauma patients：A retrospective observational study. J Trauma 2011；70：782-786.
14) Yanagawa Y, Sakamoto T, Okada Y：Hypovolemic shock evaluated by sonographic measurement of the inferior vena cava during resuscitation in trauma patients. J Trauma 2007；63：1245-1248.
15) Cannon WB, Fraser J, Cowell EM：The preventive treatment of wound shock. JAMA 1918；70：618-621.
16) Ley EJ, Clond MA, Srour MK, et al：Emergency department crystalloid resuscitation of 1.5 L or more is associated with increased mortality in elderly and non-elderly trauma patients. J Trauma 2011；70：398-400.
17) Wang CH, Hsieh WH, Chou HC, et al：Liberal versus restricted fluid resuscitation strategies in trauma patients：A systematic review and meta-analysis of randomized controlled trials and observational studies. Crit Care Med 2014；42：954-961.
18) Holcomb JB, Pati S：Optimal trauma resuscitation with plasma as the primary resuscitative fluid：The surgeon's perspective. Hematology Am Soc Hematol Educ Program 2013；2013：656-659.
19) Cotton BA, Gunter OL, Isbell J, et al：Damage control hematology：The impact of a trauma exsanguination protocol on survival and blood product utilization. J Trauma 2008；64：1177-1182.
20) Bickell WH, Wall MJ Jr, Pepe PE, et al：Immediate versus delayed fluid resuscitation for hypotensive patients with penetrating torso injuries. N Engl J Med 1994；331：1105-1109.
21) Schreiber MA, McCully BH, Holcomb JB, et al：Transfusion of cryopreserved packed red blood cells is safe and effective after trauma：A prospective randomized trial. Ann Surg 2015；262：426-433.
22) JPTEC協議会編著：JPTECガイドブック，改訂第2版補訂版，へるす出版，東京，2020.
23) Kirkpatrick AW, Sirois M, Ball CG, et al：The handheld ultrasound examination for penetrating abdominal trauma. Am J Surg 2004；187：660-665.
24) Surendran A, Mori A, Varma DK, et al：Systematic review of the benefits and harms of whole-body computed tomography in the early management of multi-trauma patients：Are we getting the whole picture? J Trauma Acute Care Surg 2014；76：1122-1130.
25) Atkinson WL, Pickering LK, Schwartz B, et al：General recommendations on immunization：Recommendations of the Advisory Committee on Immunization Practices (ACIP) and the American Academy of Family Physicians (AAFP). MMWR Recomm Rep 2002；51：1-35.
26) Rhee P, Nunley MK, Demetriades D, et al：Tetanus and trauma：A review and recommendations. J Trauma 2005；58：1082-1088.

診療 1-1　初期診療 Primary survey と蘇生

動画2

第一印象→緊急度を大まかな全体像で把握

- 「わかりますか？　お名前は？」〔声かけしながら（AとDの確認）〕
- 前頸部や胸部に目をやり，息づかい（B）を観察し，前腕皮膚と脈拍を触れ，循環（C）と体温（E）を観察する
- 結果をチームで共有する

A：気道確保と頸椎保護→酸素化とモニタリングの開始，気道緊急か否か？

観察のポイント
- 「見て・聴いて・感じる」
- 陥没呼吸，シーソー呼吸，気管牽引
- 口鼻腔の挫創，出血，異物，分泌物
- 口腔内の異常音，喘鳴，嗄声

行うべき処置
- 高濃度酸素投与
- 吸引，異物除去
- 用手的気道確保／確実な気道確保
- 頸椎の保護

※陽圧換気を行う前には必ず身体所見・超音波などで気胸の有無をチェック

B：呼吸と致死的な胸部外傷の処置→呼吸数，身体所見，胸部X線，SpO$_2$

観察のポイント
- 視診：呼吸数，胸郭の動き，呼吸補助筋の使用，頸部／胸部の創傷・変形
- 聴診：左右差／異常音
- 打診：鼓音／濁音
- 触診：気管偏位／皮下気腫／圧痛／胸郭運動
- 検査：SpO$_2$／胸部X線

行うべき処置
- 低酸素血症・低換気→陽圧補助換気*
- フレイルチェスト→気道確保と陽圧補助換気
- 開放性気胸→胸腔ドレナージと閉創
- 緊張性気胸→胸腔穿刺・ドレナージ

*換気前に気胸の有無をチェック（EFAST）

C：循環と止血→外出血と内出血の検索「FAST＋胸部・骨盤X線撮影」

観察のポイント（ショックの早期認知）
- 皮膚所見：蒼白／冷感／冷汗
- 脈の強さ／速さ／不整
- 意識レベル：不穏／昏睡
- 外出血の有無の観察
- モニタリング：血圧／心拍数・酸塩基平衡

行うべき処置
- 外出血→止血（圧迫／縫合）
- 末梢静脈路確保（18G以上を2本）→困難ならば骨髄内輸液考慮
- 初期輸液（温めた細胞外液補充液を成人1L，小児20 ml/kg）開始
- 循環破綻または初期輸液に反応しない場合
→気管挿管，止血術（手術・IVR）・massive transfusion protocol 発動

観察のポイント（ショックの原因検索）
- 身体所見：緊張性気胸
- FAST：心タンポナーデ，腹腔内出血
- 胸部X線，FAST：大量血胸
- 骨盤X線：後腹膜血腫（不安定型骨盤骨折）

行うべき処置
- 緊張性気胸→胸腔穿刺・ドレナージ
- 心タンポナーデ→心嚢穿刺
- 大量血胸→胸腔ドレナージと開胸止血術
- 腹腔内出血→開腹止血術
- 不安定型骨盤骨折→簡易骨盤固定／TAE

D：中枢神経障害の評価→切迫するDの有無，二次性脳損傷回避

観察のポイント（切迫するD）
- GCS合計点8以下
- GCSが急速に2点以上低下
- 脳ヘルニア徴候を伴う意識障害

行うべき処置（切迫するDの対処）
- A・B・Cの安定化／確実な気道確保
- CT撮影の準備（撮影はA・B・Cが安定した後，secondary surveyで）
- 脳神経外科医コール

E：脱衣と体温管理→体温測定と保温

観察のポイント
- 全身の衣服を取り活動性の外出血や開放創の有無を観察
- 体温測定

行うべき処置
- 体表保温・体表加温・深部加温

モニタリング・検査・処置

必要に応じてECGモニター，パルスオキシメーター，ETCO$_2$，血液ガス，血液検査，尿道カテーテル，胃管などを行う。

診療 1-2 初期診療 Secondary survey

PSと蘇生によりA・B・Cが安定するまでSSには移らない。意識・バイタルが変化したら再度A・B・C確認

切迫するDに対する頭部CTの優先
- A・B・Cが安定していることが必須条件
- 条件が整えば引き続き全身CTも考慮

病歴聴取：AMPLE
- アレルギー／服薬／既往歴・妊娠／最終飲食／受傷機転

全身観察：頭から爪先まで／前面・背面／すべての孔 「訴えを聞いて，見て，聴いて，触って」

頭部・顔面

検索する損傷
- 頭蓋骨骨折，頭蓋底骨折，顔面骨骨折
- 眼球・眼窩壁損傷
- 歯牙・舌・咽頭の損傷
- 鼓膜・耳道・耳介の損傷
- 顔面の神経，唾液腺，涙腺などの損傷

観察のポイント
- 訴え：頭痛，視力低下，複視，聴力障害，咬合障害など
- 視診：創傷，raccoon eye, Battle's sign 眼瞼・眼球の創傷，眼球運動の異常 口腔・鼻腔・外耳道・鼓膜などの創傷・血腫，髄液耳漏・鼻漏
- 触診：対称性・凹凸・段差，異常可動性，圧痛

頸部：介助者に頭部を正中中間位で保持させ，頸椎カラーを愛護的に外して診察

検索する損傷
- 前面：喉頭気管・血管・腕神経叢の損傷

観察のポイント
- 訴え：疼痛，頸部絞扼感，咽頭違和感，咳，血痰
- 視診：創傷，皮下出血，穿通創，腫脹
- 聴診：嗄声，頸動脈雑音，血管振動
- 触診：圧痛，皮下気腫，拍動する腫瘤，thrill

検索する損傷
- 後面：頸椎脱臼／骨折，頸椎捻挫など

観察のポイント
- 訴え：疼痛，運動痛，運動制限，四肢のしびれ，麻痺
- 触診：棘突起の圧痛

四肢

検索する損傷
- 骨折，脱臼，血管損傷，軟部組織損傷，筋区画症候群など

観察のポイント
- 訴え：疼痛，運動制限，しびれ，筋力の左右差 激しい疼痛と局所の腫脹→筋区画症候群を疑う
- 視診：創傷，変形，腫脹，蒼白
- 触診：脈の触知／CRT
- 感覚・運動・循環の評価

胸部

検索する損傷
肺挫傷，大動脈損傷，気管・気管支損傷，鈍的心損傷，食道損傷，横隔膜損傷，血胸，気胸　PATBED2X

観察のポイント
- 訴え：呼吸困難，胸背部痛，血痰
- 視診：創傷，穿通創，呼吸様式，胸郭変形
- 触診：皮下気腫，胸骨・鎖骨・肋骨などの圧痛・変形
- 聴診：呼吸音異常および左右差
- 打診：鼓音，濁音
- FAST再検・EFAST

腹部

検索する損傷
- 実質臓器・管腔臓器・大血管の損傷

観察のポイント
- 訴え：疼痛，吐血，下血，悪心・嘔吐
- 視診：創傷，穿通創，膨隆など
- 触診：圧痛，反跳痛，筋性防御
- 聴打診：腸雑音の異常，叩打痛など

骨盤・会陰

検索する損傷
- 骨盤骨折と合併損傷（後腹膜出血，尿路・直腸損傷）

観察のポイント
- 骨盤骨折の診断はX線写真優先
- 訴え：腰殿部痛，股関節・大腿痛
- 視診：創傷，下肢長差，下肢の異常肢位，会陰・陰嚢の皮下血腫，外尿道出血
- 直腸診：肛門括約筋の緊張，直腸壁の連続性，前立腺の位置異常，恥骨骨折の感触，血液の付着

神経所見：意識／瞳孔／四肢麻痺

検索する損傷
- 頭蓋内損傷，脊椎損傷

観察のポイント
- 意識レベル（GCS），瞳孔所見，麻痺，感覚異常
- 腹式呼吸，持続勃起

背面

観察のポイント
- Log rollかflat lift
- 実施前後でバイタルサイン確認

最後にFIXESを確認し，根本治療と転送の判断（または院内紹介）を行う。
感染予防対策として，破傷風トキソイド，抗破傷風ヒト免疫グロブリン，抗菌薬の適応と種類の判断を行う。

第2章 外傷と気道・呼吸

要約

1. 外傷診療において気道確保はもっとも優先順位が高い。
2. 気道緊急とは，基本的な気道確保では気道の閉塞が解除できない状態であり，直ちに高度な気道確保を必要とする。
3. 気道確保と頸椎の保護は並行して行うが，気道確保は頸椎の保護に優先する。
4. Primary surveyにおいては全例に酸素投与を開始し，蘇生を要する病態がないと判断するまで継続する。
5. 高度な気道確保のアルゴリズムに従い，気道確保法を選択する。確実な気道確保の第一選択は経口気管挿管である。
6. 気道緊急に対する外科的気道確保は輪状甲状靱帯穿刺・切開であり，気管切開は推奨されない。
7. 気道緊急あるいは挿管困難が予想される場合の確実な気道確保は，もっとも熟練した医師が行う。

はじめに

　生命は，酸素を体内に取り込み全身の臓器に供給することで維持される。このため，外傷患者の観察と処置では気道の確保，適切な換気と酸素化が最優先される。とくに，気道閉塞はpreventable trauma deathの原因として重要であり，基本的な処置を確実に実施することにより回避しなければならない。

　気道と呼吸の管理においては頸椎の保護に努める。不用意な扱いによる頸髄の二次的損傷を回避するためである[1]。

　気道と呼吸の評価，蘇生としての気道確保，適切な換気と酸素化は一体のものである。本書では別々に記載するが，診療では同時に評価し，処置を行う。

I 呼吸生理学と外傷に伴う病態

　正常な外呼吸は，脳幹・延髄からの命令が頸髄，胸髄および横隔神経を介して肋間筋，横隔膜に作用して胸郭運動を生じさせることで成立する。その結果，気道を介して空気が出入りし，肺胞でガス交換が行われる。呼吸の異常は気道や呼吸器（胸部）の外傷のみならず，いずれの部位の外傷によっても生じる（表2-1）。

II 気道・呼吸の観察

　気道の観察では，まずは気道緊急の有無を評価する。気道緊急とは，基本的な気道確保では閉塞が解除できず，直ちに高度な気道確保を必要とする状態を指す。観察の時点での気道緊急の有無に加え，経過中に気道緊急に陥る危険性についても評価する。

　また，呼吸の観察では，適切な換気・酸素化の確認と，呼吸を脅かす致死的な胸部外傷や病態（気道閉塞，フレイルチェスト，開放性気胸，緊張性気胸，大量血胸）を確認する（技能2-1「外科的気道確保」，p38参照）。観察の詳細はprimary surveyの項を参照されたい。また，致死的な胸部外傷については，第5章「胸部外傷」（p77参照）で述べる。

第2章 外傷と気道・呼吸

表2-1 呼吸生理学と呼吸を損なう外傷性の原因

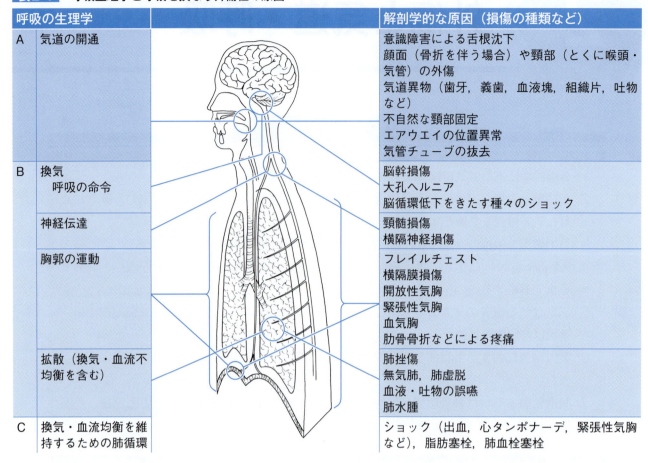

呼吸の生理学		解剖学的な原因（損傷の種類など）
A	気道の開通	意識障害による舌根沈下 顔面（骨折を伴う場合）や頸部（とくに喉頭・気管）の外傷 気道異物（歯牙，義歯，血液塊，組織片，吐物など） 不自然な頸部固定 エアウエイの位置異常 気管チューブの抜去
B	換気 　呼吸の命令	脳幹損傷 大孔ヘルニア 脳循環低下をきたす種々のショック
	神経伝達	頸髄損傷 横隔神経損傷
	胸郭の運動	フレイルチェスト 横隔膜損傷 開放性気胸 緊張性気胸 血気胸 肋骨骨折などによる疼痛
	拡散（換気・血流不均衡を含む）	肺挫傷 無気肺，肺虚脱 血液・吐物の誤嚥 肺水腫
C	換気・血流均衡を維持するための肺循環	ショック（出血，心タンポナーデ，緊張性気胸など），脂肪塞栓，肺血栓塞栓

Ⅲ 酸素投与

外傷患者では原則として，高濃度酸素投与を実施する。高濃度酸素投与とは，リザーバ付きフェイスマスクを使用して高流量（10〜15 L/分）の酸素を供給することにより100％近い濃度で酸素投与を行うことをいう。Primary surveyでは全例に酸素投与を開始し，蘇生を要する病態がないと判断するまで継続する[注1]。なお，リザーバ付きフェイスマスクを使用するにあたっては，リザーババッグが十分に膨らんでいることを確認し，決して低流量では用いない。また，状態が安定し酸素投与量を減量する場合には，加湿についても配慮する。

通常，慢性閉塞性肺疾患（COPD）の患者ではCO_2ナルコーシスのおそれから慎重に酸素を投与することが勧められるが，外傷患者では酸素化の維持を優先する。

Ⅳ 気道確保の種類

気道確保は，簡便な気道確保（用手的気道確保や経鼻エアウエイの挿入）と高度な気道確保（advanced airway）に分けることができる。高度な気道確保は，確実な気道確保（definitive airway）と声門上器具

注1：近年，急性心筋梗塞，脳卒中，心停止後症候群や人工呼吸を要する集中治療患者，または初療室で気管挿管を要する患者における高酸素症が，患者の転帰を悪化させることが明らかにされている[i)ii)]。外傷患者の初期診療における高酸素症の弊害を示す質の高い研究はないが，不要な酸素投与の継続を回避することも考慮する必要がある[iii)]。

i) Chu DK, Kim LH, Young PJ, et al：Mortality and morbidity in acutely ill adults treated with liberal versus conservative oxygen therapy (IOTA)：A systematic review and meta-analysis. Lancet 2018；391：1693-1705.
ii) Page D, Ablordeppey E, Wessman BT, et al：Emergency department hyperoxia is associated with increased mortality in mechanically ventilated patients：A cohort study. Crit Care 2018；22：9.
iii) Russell DW, Janz DR, Emerson WL, et al：Early exposure to hyperoxia and mortality in critically ill patients with severe traumatic injuries. BMC Pulm Med 2017；17：29.

表2-2　気道確保の種類

1. 簡便な気道確保
   - 用手的気道確保
   - エアウエイ
   - 口腔内吸引・異物除去
2. 高度な気道確保
   ◇ 確実な気道確保
   - 気管挿管（経口，経鼻）
   - 外科的気道確保
   ◇ 声門上器具による気道確保

による気道確保を含む（表2-2）。通常は，最初に簡便法で気道を確保しつつ，高度な気道確保の適応を判断する。なお，小児における気道の確保については，第14章「小児外傷」（p200）を参照されたい。

V 簡便な気道確保

◆ 1. 用手的気道確保

外傷患者に対する用手的気道確保は，頸椎の動揺を最小限に抑えるよう頭部を後屈させずに行う。

1) 下顎挙上法[2]
① 両手掌で頰部を挟み，頭位を正中で固定する。
② 下顎に当てた母指で開口しながら，環指と小指で下顎角を前方に押し上げる（図2-1）。

2) あご先挙上法
二人で行う。一人が頭部の用手的正中中間位固定を維持しながら，もう一人が指2本で下顎を前上方に持ち上げる（図2-2）。

3) 下顎引き上げ法
オトガイ部をつかんで前方，やや尾側に引っ張る（図2-3）。本法は，両側下顎骨折により下顎の動揺が認められるときに有用である。ただし，不穏な患者では指を咬まれるおそれがある。

◆ 2. エアウエイ

エアウエイは用手的な気道確保法の補助として用いる。

1) 口咽頭（経口）エアウエイ

（1）適　応

自発呼吸がある患者で，意識低下による舌根沈下を認める場合。

（2）禁　忌

嘔吐を誘発するため，咽頭反射のある患者では使用しない。

（3）サイズの選択

口角にエアウエイの基部を合わせて患者の頰に当て，先端が下顎角に一致するサイズを選択する。

（4）手　技

エアウエイを頭側に凹にして口腔内へ挿入し，軟口蓋まで進めてから180°回転して，先端で舌根部を引き上げるように挿入する。

（5）合併症

- 歯牙，口腔粘膜の損傷，口腔内出血
- 気道閉塞：舌が後方に転位する場合，サイズが大きすぎる場合には気道を閉塞する危険性がある
- 咽頭反射誘発

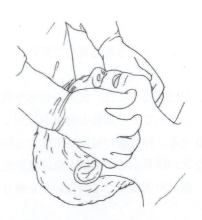

図2-1　下顎挙上法（頭側アプローチ）

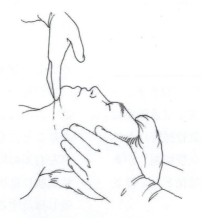

図2-2　あご先挙上法

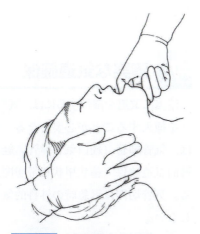

図2-3　下顎引き上げ法

- 喉頭痙攣
- 嘔吐，嘔吐による誤嚥

2）鼻咽頭（経鼻）エアウエイ

（1）適　応
自発呼吸はあるが意識低下による舌根沈下を認める患者で，咽頭反射や開口困難，口周囲の外傷などにより口咽頭（経口）エアウエイが使用できない場合。

（2）禁　忌
鼻孔からの出血があり，頭蓋底骨折や顔面骨骨折が疑われるときは相対的禁忌である。

（3）サイズの選択
鼻孔にエアウエイの基部をそろえ，先端が耳朶下端に一致する長さを選択する。あるいは，小指の太さを目安としてもよい。

（4）手　技
潤滑剤（キシロカイン®ゼリーなど）を塗布したエアウエイを鼻孔に挿入し，顔面に対して垂直方向に進める。粘膜の損傷などを生じないように下咽頭まで進め，気道が確保される位置で固定する。

（5）合併症
- 鼻甲介や鼻粘膜の損傷，鼻出血
- 気道閉塞（サイズが長すぎることが原因である）
- 咽頭反射誘発
- 喉頭痙攣
- 嘔吐，嘔吐による誤嚥
- 篩板穿通損傷（まれな合併症であるが，頭蓋底骨折が存在する場合に生じる）[3]

3. 口腔内吸引・異物除去

口腔内に貯留している血液や唾液，嘔吐物などを吸引することにより気道の開通が得られる場合がある。

VI　確実な気道確保

確実に気道を確保するには，気管にカフ付きチューブを挿入することが必要となる。確実な気道確保には，気管挿管（経口気管挿管，経鼻気管挿管）と外科的気道確保（輪状甲状靱帯切開，気管切開）がある。気管切開は緊急時の外科的気道確保として推奨しない。

1. 適　応

確実な気道確保の適応は，気道緊急，無呼吸，低酸素血症，重症出血性ショックや「切迫するD」などである[4]（技能2-1「外科的気道確保」Step1, p39参照）。

2. 確実な気道確保のアルゴリズム

確実な気道確保は，経口気管挿管が第一選択である。気道緊急であれば，直ちに薬剤非投与による直視下経口気管挿管を試みる。顎が硬い，開口不十分，患者が非協力的などの場合には，薬剤を用いた気管挿管である drug-assisted intubation（DAI）を考慮する。気道緊急であり挿管できない場合には外科的気道確保を行う。

推奨されるアルゴリズムおよび各ステップについては，技能2-1「外科的気道確保」（p38～40）を参照のこと。

3. 確実な気道確保におけるピットフォール

気道緊急あるいは挿管困難が予想される場合，もっとも気道確保に習熟した医師が行うべきである。

嗄声や声が弱い場合には喉頭や頸部気道の損傷の可能性があるため，挿管処置は慎重に行わなければならない。喉頭部分断裂に対し，挿管が失敗に終わった場合や非愛護的になされた場合には，気道の完全閉塞へと陥ることがある。このため，喉頭損傷を疑った場合には，処置を行う前に必要な器具や薬品などすべての物品を準備して行う。また，緊急に外科的気道確保が実施できるよう準備しておく。気管支鏡下での気管挿管が必要となる場合もあり，可能であれば手術室などの整備された環境で挿管を行うことが望ましい。

挿管後の換気が困難な場合には，気道の異常を確認するのはもちろんであるが，胸部の外傷が原因であることにも留意する。挿管後の補助換気による胸郭左右差の増大などの所見から，気胸が急速に緊張性気胸に進展し，換気を困難にしていないかを繰り返し確認する。

4. 気管挿管

1) 経口気管挿管
確実な気道確保の第一選択である。

(1) 適 応
技能2-1「外科的気道確保」(Step1, p39) を参照されたい。

(2) 禁 忌
原則的には禁忌はない。

(3) 喉頭鏡による直視下経口気管挿管手技

喉頭鏡を使用したもっとも一般的な経口気管挿管の手技である。

①準 備

本法では頸椎を過伸展する危険性があるため、助手が尾側より頭部を正中間位固定することが望ましい。喉頭鏡（ブレードの大きさは成人男性4、女性3）と気管チューブ（成人男性内径8～8.5 mm、女性内径7～7.5 mm）を準備し、チューブ中にスタイレットを入れておく。患者が嘔吐した場合に吸引器がすぐ使えるよう確認しておく。また、気管チューブのカフを膨らませて漏れのないことを確かめておく。挿管に先立って、可能なかぎり適切な換気と酸素化を行う[注2]。

②挿管手順

左手で喉頭鏡を持ち、右手の母指と示指で口を開く。喉頭鏡を入れて舌を左にずらしながら、ブレードの先の位置に喉頭蓋と声帯を探す。声門から、気管内にチューブを挿入する。ブレードで歯や口の組織を押して傷つけないようにする。挿入時、カフ上部のマーカーを参考にチューブ先端の位置を決める。

a：エアウェイスコープ AWS-S200®　　b：McGRATH™ MAC

図2-4 ビデオ喉頭鏡
〔写真提供：日本光電工業株式会社(a)、コヴィディエンジャパン株式会社 (b)〕

③気管チューブの位置確認と固定

用手換気を行ってチューブが気管内にあることを確認する。まず送気に伴う左右の胸郭の挙上を確認し、心窩部と左右の胸部の音を聴診して、胃泡音が聴取されないことと左右の呼吸音が聴取できることを確認する。ただし、これら身体所見による食道挿管の否定は不確実であるため、波形表示のある呼気二酸化炭素モニターや体表用プローブを用いた頸部の超音波画像を使用することが望ましい[4)5)]（第18章「超音波検査の活用」、p241を参照）。食道挿管を否定したうえで、気管チューブの位置を確認するために胸部X線を撮影する。

気管チューブを挿入する長さは22～23 cmが目安で、専用固定器具を用いて固定する[6)]。

(4) ビデオ喉頭鏡による挿管法
ビデオ喉頭鏡（エアウェイスコープAWS-S200®など）（図2-4）は、CCDカメラとLED照明を先

注2：技能におけるメモ

DAIにおける合併症として、気管挿管操作中の低酸素症がある。近年、挿管操作中に鼻カニューレあるいはhigh-flow nasal oxygenを併用する"apnoeic oxygenation"により、低酸素発生率の減少や挿管成功率の上昇などが報告されている[iv)～vi)]。外傷患者に対する緊急挿管においても、有用である可能性が示されている新たな酸素化補助法である。

iv) Oliveira JE, Silva L, Cabrera D, et al：Effectiveness of apneic oxygenation during intubation：A systematic review and meta-analysis. Ann Emerg Med 2017；70：483-494.

v) Jaber S, Monnin M, Girard M, et al：Apnoeic oxygenation via high-flow nasal cannula oxygen combined with non-invasive ventilation preoxygenation for intubation in hypoxaemic patients in the intensive care unit: the single-centre, blinded, randomised controlled OPTINIV trial. Intensive Care Med 2016；42：1877-1887.

vi) Ting DK, Lang ES：Apneic oxygenation provides incremental benefit during intubation of patients in the emergency medicine and critical care settings. CJEM 2018；20：770-773.

端に取り付けたスコープを備えており、声門を間接的に確認しながら気管挿管が実施できる器具である。頸部を伸展させることなく気管チューブを挿入することが容易となる[7]ことに加え、術者の気管挿管経験の多少にかかわらず迅速で正確な気管挿管が可能となる[8]。そのため外傷患者に対する挿管法として普及が進んでいる。

(5) Drug-assisted intubation (DAI)

筋弛緩薬使用の有無によらず、咽頭反射を有する患者に対する鎮静・鎮痛薬などを用いた気管挿管手技をdrug-assisted intubation (DAI) という。そのなかでも、薬剤投与により入眠と筋弛緩を図り、直視下経口気管挿管を連続して行う場合は迅速気管挿管法 (rapid sequence intubation; RSI) と呼ばれる。

DAIにおけるもっとも危険な合併症は、確実な気道確保ができないことである。また、循環血液量減少を伴う患者では循環動態が不安定となり得る。筋弛緩薬の使用にかかわらず、薬剤を用いた気管挿管法では、各種薬剤の薬理作用を熟知し、代替手段である外科的気道確保を含めた手技に習熟している必要がある。

①適応

確実な気道確保の適応ではあるが、気道緊急ではなく挿管困難が予測されない場合は、原則としてDAIの適応である。

②DAI施行に伴う危険性

外傷患者に対してDAIを実施するときには、フルストマックでの嘔吐・誤嚥の危険性と、薬剤投与後に挿管不可能となる危険性を念頭に置く必要がある。また、循環血液量減少を伴う患者では、鎮静・鎮痛薬の使用によっても循環動態が不安定となることに十分な注意を要する。DAIを成功できなかった場合には、外科的気道確保やラリンゲアルマスクなど、その他の気道確保法に変更する。

③準備

喉頭鏡による挿管手技と同様である。

④挿管手順

(1) Primary survey開始時より投与している高濃度酸素投与法を継続する。DAI直前にはバッグ・バルブ・マスクに切り替え、自発呼吸下に100％酸素を3分間以上投与して十分な挿管前酸素化をする。

(2) 短時間作用発現型の鎮静薬を静注後、RSIでは引き続き短時間作用型の筋弛緩薬を静注する。

(3) DAIでは原則として、薬剤投与から気管挿管までの間は陽圧換気を実施しない。ただし、酸素飽和度を90％以上に維持できない場合には陽圧換気が容認される。

(4) 鎮静が得られてから喉頭鏡を挿入し、声門開口部を直視しながら気管チューブを挿入する。RSIでは、顎関節が弛緩してから操作を行う。

(5) スタイレットを抜去し、カフを膨らませる。

(6) 実施に際し、用手的に頭部を正中中間位で保持する。

⑤挿管後の位置確認と固定

喉頭鏡による挿管手技の挿管後の位置確認と固定と同じである。

⑥薬剤の使用（**表2-3**）[9)10)]

- 鎮静薬の使用

多くの鎮静薬は循環抑制により低血圧をきたす可能性がある。循環血液量減少を伴う病態では、フェンタニルなどによる鎮痛薬を中心とした鎮静を行う。ケタミンは低血圧をきたしにくい反面、頭蓋内圧亢進をきたすため注意が必要である。

- 筋弛緩薬の使用

ロクロニウム (rocronium；エスラックス®) は、作用発現および持続時間がもっとも短い非脱分極性筋弛緩薬で、拮抗薬（スガマデクス；ブリディオン®）により速やかに自発呼吸を回復させることができる。脱分極性筋弛緩薬スキサメトニウムは、短時間作用であるため使用しやすいが、高カリウム血症、頭蓋内圧上昇、眼圧上昇、胃内圧上昇に注意する。

- 局所麻酔薬の使用

咽喉頭の咳嗽反射、喉頭痙攣、そして気管反射を予防する。1％カインの噴霧による表面麻酔を行う。

(6) 内視鏡下（経口）気管挿管

次項の内視鏡下（経鼻）気管挿管手技を参照。内視鏡先端を気管内に挿入し、これをガイドとして気管チューブを気管内に挿入する方法である。

表 2-3 薬剤選択と静脈内投与法の例

	病　態		鎮静薬	鎮痛薬	筋弛緩薬
	気道緊急（無反応，無呼吸あるいは瀕死の呼吸状態，心停止）		使用しない	使用しない	使用しない 顎が十分に軟らかくない，あるいは開口が不十分な場合はロクロニウム0.9～1.2 mg/kg** またはスキサメトニウム1～2 mg/kg またはベクロニウム0.1～0.2 mg/kg
A 異常	気道閉塞（顔面・頸部外傷に伴う気道閉塞で挿管困難が予測される場合）		使用しない	フェンタニル0.5～1μg/kg適宜少量ずつ	使用しない
B 異常	酸素化不十分・低換気		プロポフォール0.5 mg/kg/10秒の速度で，2.0～2.5 mg/kg またはミダゾラム0.2～0.3 mg/kg（効果発現まで少量ずつ投与）	フェンタニル1～2μg/kg適宜	ロクロニウム0.9～1.2 mg/kg またはスキサメトニウム1.5 mg/kg またはベクロニウム0.1～0.2 mg/kg
C 異常	ショック	SBP* <80	使用しない	フェンタニル0.5～1μg/kg適宜	ロクロニウム0.9～1.2 mg/kg またはスキサメトニウム1.5 mg/kg またはベクロニウム0.3 mg/kg
		SBP* 80～100	ケタミン1 mg/kg またはミダゾラム0.1～0.3 mg/kg	フェンタニル1～2μg/kg	
D 異常	頭部外傷，GCS合計点4～8	ショックなし	適宜リドカイン1.5 mg/kg投与後に，プロポフォール0.5 mg/kg/10秒の速度で，2.0～2.5 mg/kg またはミダゾラム0.2～0.3 mg/kg（効果発現まで少量ずつ投与）	フェンタニル1～2μg/kg	ロクロニウム0.9～1.2 mg/kg またはベクロニウム0.1～0.2 mg/kg またはスキサメトニウム1.5 mg/kg

* SBP：systolic blood pressure（収縮期血圧），SBP値は目安である
** ロクロニウムによる筋弛緩状態からの回復には，スガマデクスを1回16 mg/kgボーラス注射する
注：薬剤量は目安である
持続投与はAppendix 2「鎮痛・鎮静薬の使用」（p289）を参照
〔文献9)10)より引用・改変〕

（7）気管チューブイントロデューサーを使った経口気管挿管

　喉頭鏡で気管チューブイントロデューサーを気管に挿入し，それをガイドとして気管チューブを挿入する方法である。先端に角度のついたガム・エラスティック・ブジー（チューブイントロデューサー）の使用は，スタイレットを用いた気管挿管と比較して，挿管困難予測患者での成功率が高いことが報告されている[11)12)]。

（8）合併症
- 食道挿管による低酸素血症
- 片側挿管による片肺換気，無気肺
- 挿管困難による低酸素血症
- 嘔吐誘発による誤嚥，低酸素血症
- 気道損傷による出血，誤嚥
- 歯牙損傷
- 頸髄損傷の悪化，新たな二次損傷

2）経鼻気管挿管
（1）適　応
　気道緊急ではないが，確実な気道確保が必要であり，挿管困難が予測される場合。
（2）禁　忌
　鼻出血や顔面骨・頭蓋底骨折の疑いがある患者。
（3）内視鏡下（経鼻）気管挿管手技
　あらかじめ気管チューブに内視鏡を通したうえで，鼻孔を通して気管内へ挿入した内視鏡をガイドとして挿管する方法である。喉頭，声門を直接確認して気管内へチューブを進めることができるため，挿管困難が予測される患者で適応となる。

また，頸部を伸展する必要がないという利点もある。挿管に時間を要するため，気道緊急においては選択しない。

（4）盲目的経鼻気管挿管

気管チューブを鼻孔に挿入し，吸気のタイミングに合わせて気管内にチューブを挿入する方法である。内視鏡の準備を要さず挿管できる利点はあるが，挿管できる確率は低い。気道閉塞や低酸素血症を招くおそれがあるため，固執しない。

（5）合併症

経口気管挿管の合併症に加え，鼻出血，後咽頭粘膜の損傷，誤嚥への注意が必要である。

◆ 5. 外科的気道確保

1）輪状甲状靱帯切開
（surgical cricothyroidotomy）

輪状甲状靱帯を切開し，気管切開チューブまたは気管チューブを留置する方法である。カフ付き気管チューブを挿入できるため，血液や分泌物の垂れ込みを防ぐことができる。また，換気回路との接続も容易であり，直ちに陽圧人工呼吸が行え，気管内吸引も可能である。

（1）適 応

確実な気道確保の適応があるにもかかわらず，経口気管挿管ができないか，声門上器具による呼吸状態の維持ができない場合に行う。

（2）禁 忌

12歳以下の患者：気道の径が小さく軟部組織のコンプライアンスが大きいこと，気管内腔開存に甲状軟骨が関与していて，切開により声門下狭窄の危険があるため

（3）合併症

- 誤嚥（血液など）
- 皮下組織への挿入・出血あるいは血腫形成
- 食道損傷
- 気管・喉頭損傷
- 甲状腺損傷
- 縦隔気腫
- 声帯麻痺
- 声門下狭窄・浮腫
- 喉頭狭窄
- 局所感染

（4）手 技

技能2-1「外科的気道確保」（p41）を参照。

2）輪状甲状靱帯穿刺
（needle cricothyroidotomy）

輪状甲状靱帯を穿刺して酸素化と換気を改善する，外科的気道確保である。穿刺処置の迅速さの利点があり，輪状甲状靱帯穿刺キットとバッグ・バルブとの組み合わせで用手的な換気を行うことができる。迅速な酸素化は可能であるが，高二酸化炭素血症をきたしやすい。また，カフ付きチューブを気管に挿入することによる確実な気道確保とは異なる。

（1）適 応

確実な気道確保の適応があるにもかかわらず，経口気管挿管ができないか，声門上器具による呼吸状態の維持ができない場合に行う。

（2）禁 忌

輪状甲状靱帯穿刺は救命のための緊急処置であり，基本的に禁忌はない。上気道の完全閉塞が疑われる場合には，穿刺後の換気法に注意する。

（3）合併症

- 血液の誤嚥
- 食道損傷
- 穿刺部の出血，血腫
- 気管後壁損傷
- 皮下気腫，縦隔気腫，心囊気腫，気胸，緊張性気胸
- 甲状腺穿刺
- 空気塞栓症（不適切な輪状甲状靱帯穿刺後の換気により生じる）

（4）穿刺手技

①血管留置針（14G）を用いた穿刺
　技能2-1「外科的気道確保」（p42）を参照。
②輪状甲状靱帯穿刺専用キットを用いた穿刺
　下記に示す輪状甲状靱帯穿刺専用キットを用いる場合は，それぞれの製品に添付された指示書に従う。

- Portex®ミニトラックⅡ（Smith Medical社）
- Quicktrach®（Smith Medical社）
- Melker®（Cook社）
- トラヘルパー®（Top社）：バッグ・バルブへの直接接続は不能。

図2-5 第2世代声門上器具（LMAプロシール™）
（写真提供：泉工医科工業株式会社）

図2-6 アイジェル（i-gel®）
（写真提供：Intersurgical Ltd.）

図2-7 ラリンゲアルチューブ
（写真提供：スミスメディカル・ジャパン株式会社）

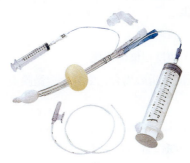

図2-8 コンビチューブ™
（写真提供：コヴィディエンジャパン株式会社）

3）気管切開

気管切開は、頸部後屈が必要なこと、気道確保までに時間を要することより、緊急時の外科的気道確保法としては推奨しない。

VII 声門上器具による気道確保

喉頭鏡による気管挿管が困難な場合、あるいはバッグ・バルブ・マスク換気が困難な場合の高度な気道確保法の一つとして活用できる。ただし、声門上器具を使用した場合、呼吸状態が安定すれば確実な気道確保へ移行する。

◆ 1. ラリンゲアルマスクエアウエイ（laryngeal mask airway；LMA）

カフ状のマスクにチューブがつながった構造をしており（図2-5）、カフにより喉頭口を密閉し、マスク上部を声門上部に密着させて気道を確保する。聴診などにより適切な位置であることを確認する。盲目的な挿入が可能である。嘔吐を誘発するので、咽頭反射のある患者には使用しない。

◆ 2. アイジェル

原理的にはLMAと同様であるが、喉頭周囲に向き合いフィットするマスクは水添熱可塑性エラストマーでできており、カフを膨らませる必要がない（図2-6）。咽頭反射のある患者には使用しない。

◆ 3. ラリンゲアルチューブ（laryngeal tube airway；LTA）

1本のエアウエイチューブに2つのカフが付いており、食道と咽頭を閉鎖し、2つのカフの間にある換気口から気管に送気する（図2-7）。咽頭反射のある患者には使用しない。

◆ 4. コンビチューブ

二重構造のチューブに大小2つのカフが付いている（図2-8）。チューブ先端が食道内または気管内のいずれにあっても換気ができる。盲目的な挿入が可能である。咽頭反射のある患者には使用しない。

VIII 換気法

◆ 1. バッグ・バルブ・マスク換気法

できるかぎり二人法で行う。

1) 適応
簡便法による気道確保時に行う。

2) 合併症
- 低換気
- 胃拡張
- 嘔吐, 誤嚥
- 頸椎・頸髄損傷の増悪
- (頭蓋底骨折の場合) 気脳症, 髄膜炎

3) 手技 (二人法)
① 患者の顔に合ったサイズ (眉間から下顎まで) のマスクを選択する。
② 酸素チューブをバッグ・バルブ・マスク器具に接続し, 酸素流量を10 L/分以上にする。酸素使用時には, 可能なかぎりリザーババッグを装着する。
③ 一人が気道を確認して簡便法による気道確保を行いながらマスクを密着させる。すなわち, 両手の母指と示指でマスクを持ち, 患者の顔に密着させて口と鼻を覆い, 中指, 環指, 小指で下顎を引き上げて把持する (ECテクニック)。
④ もう一人がバッグを押して, 胸郭の動きが最小限確認できる換気量でゆっくりと換気する。換気の適切性を胸郭の動きから評価する。
⑤ 換気回数は12～15回/分程度とする。

◆ 2. 気管挿管・輪状甲状靱帯切開後の換気法

1) カプノグラムによるモニタリング
カプノメータを用いて, 呼気二酸化炭素分圧をモニタリングする。気管チューブの位置確認, 換気量の評価を連続的に行うことができる。

2) バッグ・バルブの使用
気管挿管・輪状甲状靱帯切開後のバッグ・バルブ使用では, 換気量が過剰にならないよう注意する。換気回数は12～15回/分程度とする。自発呼吸があれば, 吸気時に同期させる。

3) 人工呼吸器の使用
人工呼吸器を装着する前には, 必ずバッグ換気で気道抵抗の感触をつかみ, 胸郭の運動や呼吸音の左右差, 皮下気腫の有無などを確認しておく。

4) 陽圧換気時の注意点
陽圧換気を開始する場合には, 血圧の変化に注意する。換気による胸腔内圧の上昇は静脈還流を低下させ, 循環血液量が減少している患者では, しばしば血圧低下の原因となる。さらに注意すべきは緊張性気胸であり, 患側の呼吸音の減弱, 鼓音, 胸郭運動の低下などによって診断する。時に, 気管の健側への偏位, 頸静脈の怒張 (循環血液量が減少している場合には, みられないこともある) がみられる。また, 胸腔内圧の上昇から換気するバッグが硬くなる。

おわりに

最後に, 顔面外傷, 頭頸部の損傷など気道確保に難渋すると予測される場合, 熟練した麻酔科医や救急医, あるいは集中治療医をコールすることで安全性を担保する。

文献

1) Reid DC, Henderson R, Saboe L, et al：Etiology and clinical course of missed spine fractures. J Trauma 1987；27：980-986.
2) Uzun L, Ugur MB, Altunkaya H, et al：Effectiveness of the jaw-thrust maneuver in opening the airway：A flexible fiberoptic endoscopic study. ORL J Otorhinolaryngol Relat Spec 2005；67：39-44.
3) Roberts K, Whalley H, Bleetman A：The nasopharyngeal airway：Dispelling myths and establishing the facts. Emerg Med J 2005；22：394-396.
4) Grmec S：Comparison of three different methods to confirm tracheal tube placement in emergency intubation. Intensive Care Med 2002；28：701-704.
5) Chou EH, Dickman E, Tsou PY, et al：Ultrasonography for confirmation of endotracheal tube placement：

A systematic review and meta-analysis. Resuscitation 2015 ; 90 : 97-103.
6) Landsperger JS, Byram JM, Lloyd BD, et al : The effect of adhesive tape versus endotracheal tube fastener in critically ill adults : The endotracheal tube securement (ETTS) randomized controlled trial. Crit Care 2019 ; 23 : 161.
7) Takahashi K, Morimura N, Sakamoto T, et al : Comparison of the Airway Scope and Macintosh laryngoscope with in-line cervical stabilization by the semisolid neck collar : Manikin study. J Trauma 2010 ; 68 : 363-366.
8) Hirabayashi Y, Seo N : Tacheal intubation by non-anesthesia residents using the Pentax-AWS and Macintosh laryngoscope. J Clin Anesth 2009 ; 21 : 268-271.
9) Mccunn M, Grissom TE, Dutton RP : Chapter 81 : Anesthesia for trauma. In : Miller's Anesthesia. 8th ed, Miller RD, Saunders, Philadelphia, 2015, pp2423-2459.
10) 日本麻酔科学会：麻酔薬および麻酔関連薬使用ガイドライン，第3版.
http://www.anesth.or.jp/guide/index.html
11) Driver BE, Prekker ME, Klein LR, et al : Effect of use of a bougie vs endotracheal tube and stylet on first-attempt intubation success among patients with difficult airways undergoing emergency intubation : A randomized clinical trial. JAMA 2018 ; 319 : 2179-2189.
12) Driver B, Dodd K, Klein LR, et al : The bougie and first-pass success in the emergency department. Ann Emerg Med 2017 ; 70 : 473-478.

技能 2-1 外科的気道確保

コースでの到達目標

- 気道確保の必要性を判断し，確実な気道確保が行える。
- 気道緊急に対する輪状甲状靱帯穿刺・切開の適応を判断し，施術および換気が行える。

◆ 気道・呼吸の観察の要点

A．気道：気道の状態を「見て」「聴いて」「感じて」評価する。
　1）観察時点での気道緊急*の有無
　2）気道緊急を予測させる徴候の有無
　・意識低下・気道異物・顔面/頸部の損傷（喉頭外傷）
　・奇異運動・胸郭変形・呼吸音左右差
　＊気道緊急：基本的な気道確保では気道の閉塞が解除できず，直ちに高度な気道確保が必要な状態

B．呼吸：呼吸を「見て」「聴いて」「触って」評価する。
　1）無反応，無呼吸，あるいは頻死の呼吸
　2）適切な換気と酸素化の評価
　・致死的な胸部の外傷や病態（気道閉塞・フレイルチェスト・緊張性気胸・開放性気胸・大量血胸）を認知する

◆ 確実な気道確保のアルゴリズム

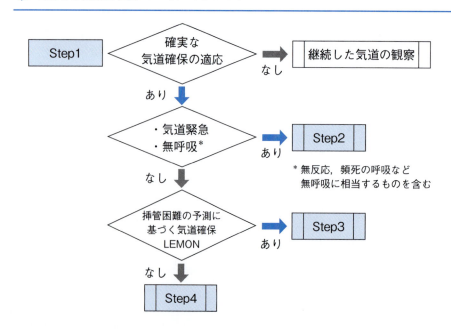

◆ Step1：確実な気道確保の適応基準

Aの異常：気道緊急
・気道閉塞　・簡便法では気道確保が不十分　・誤嚥の可能性（血液，吐物などによる）
・気道狭窄の危険（血腫，損傷，気道損傷などによる）

Bの異常：呼吸管理の必要性
・無呼吸　・低換気　・低酸素血症（高濃度酸素投与法によっても酸素化が不十分）

Cの異常：重篤な出血性ショック（non-responder）・心停止

Dの異常：切迫するD

◆ Step2：気道緊急ありの場合

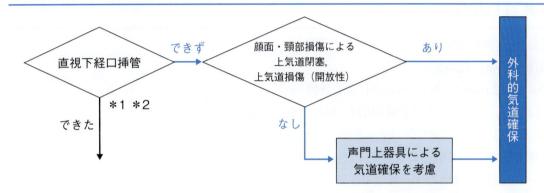

気管挿管や外科的気道確保の実施前には適宜バッグ・バルブ・マスク換気による酸素化を試みる
*1　顎が硬い，開口不十分，患者が非協力的であるなどの場合にはDAIを考慮する
*2　気管挿管が不可能の判断は，その場に立ち会っている医師のうちもっとも熟練した医師が2回試みても挿管できない場合をいう。1回の気管挿管手技は原則として30秒以内に行う。1回目の気管挿管不成功の場合には，原則としてバッグ・バルブ・マスクによる換気と酸素化を行い，ビデオ喉頭鏡などへの変更を考慮する

◆ Step3：非気道緊急において挿管困難が予測される場合

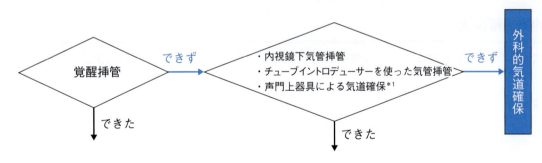

気管挿管や外科的気道確保の実施前には適宜バッグ・バルブ・マスク換気を試みる
*1　安定すれば確実な気道確保に移行する

Step4：非気道緊急において挿管困難が予測されない場合

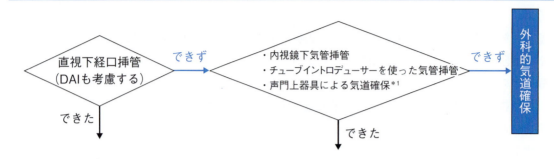

気管挿管や外科的気道確保の実施前には適宜バッグ・バルブ・マスク換気を試みる
＊1　安定すれば確実な気道確保に移行する

挿管困難予測　LEMON

L（Look externally）：挿管困難を予測させる外観の評価
　　髭，義歯，顔面の外傷，肥満など

E（Evaluate the 3-3-2 rules）：3-3-2の法則による評価
　　上下の前歯間3横指，下顎先端と舌骨間3横指，甲状切痕と下顎下面間2横指

M（Mallampati classification）：マランパティ分類[i),ii)]による評価
　　開口状態の口腔内観察での下咽頭の見え方により4段階分類

O（Obstruction）：気道閉塞をきたす可能性の評価
　　声門上の血腫・外傷・病変など

N（Neck mobility）：頸部の可動性の評価
　　外傷や頸椎疾患，頸椎固定による可動制限。ただし，気道確保は常に頸椎保護に優先する

i) Mallampati SR, Gatt SP, Gugino LD, et al：A clinical sign to predict difficult tracheal intubation：A prospective study. Can Anaesth Soc J 1985；32：429-434.
ii) Samsoon GL, Young JR：Difficult tracheal intubation：A retrospective study. Anaesthesia 1987；42：487-490.

緊急外科的気道確保法

- 輪状甲状靱帯切開：換気が容易で，気管内吸引が可能である。カフ付きチューブを挿入することによって確実な気道確保となるが，12歳以下は禁忌である。
- 輪状甲状靱帯穿刺：穿刺専用キットではバッグ・バルブ器具による用手的換気が可能であるものが多い。血管留置針による穿刺とマニュアルジェットベンチレーターによって酸素化が可能であるが，縦隔気腫などの圧損傷による合併症がまれでないため推奨しない。
- 緊急時には気管切開は推奨されない。

◆ 外科的気道確保に必要な解剖

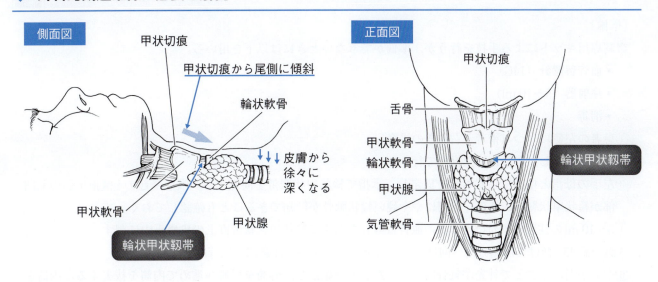

◆ 輪状甲状靱帯切開の手技

①患者の右側に立つ（術者が右利きの場合）。
②頸部を消毒し，以後は清潔操作で行う。
③患者が意識清明であれば局所麻酔を行う。
④左手母指と中指で甲状軟骨をしっかり固定し，示指で輪状甲状靱帯を確認する。この際，左手掌で患者の顎部を固定すると安定する。
⑤輪状甲状靱帯上の皮膚を2～3 cm横切開する（出血が少ない縦切開でもよい）。
⑥輪状甲状靱帯にメスで約1.5 cm横切開を加える。切開後は左示指を切開部に位置させたままとし，切開部を確実に把握する。
⑦曲ペアン鉗子を創に入れて切開孔を広げる。まず横方向に，次いで90°回転させて縦方向に広げる。
⑧横方向に切開孔を開いた状態で，鉗子を頭側に倒して左手に持ち替え，そのまま保持する。
⑨カフ付き気管チューブ（あるいは気管切開チューブ）を切開部から挿入する。気管チューブでは，スタイレットを使用すると声門へ上行しにくい。
⑩カフが見えない程度まで挿入し，カフを膨らませて換気する。
⑪挿管後の位置確認は直視下経口気管挿管と同様の方法で行う。チューブを固定する。

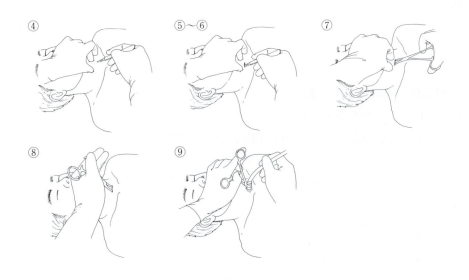

第2章 外傷と気道・呼吸

◆ 輪状甲状靱帯穿刺の手技

動画6

〔準備〕

穿刺専用キットによる手技を行うが，準備ができないときには以下を用いる。

- 血管留置針（14G）
- 注射器（5～10 ml）
- 消毒

①患者の左側に立つ（術者が右利きの場合）。

②頸部を消毒し，以後は清潔操作で行う。

③左手の母指と中指で甲状軟骨を固定し，示指で輪状甲状靱帯を同定する。喉頭隆起の1横指尾側の陥凹部が輪状甲状靱帯である。尾側にやや硬い輪状軟骨が触知できることも確認しておく。

④5～10 mlの注射器に付けた14Gの血管留置針を右手で輪状甲状靱帯直上の皮膚正中に刺す。

⑤針を約45°傾けて尾側方向へ向け，注射器を吸引しながら注意深く気管内まで刺入する。

⑥空気が引けたことで針先が気管内に入ったことを確認し，外筒を尾側へ進めて内筒を抜去する。内筒を進めすぎて気管後壁を損傷しないように注意する。

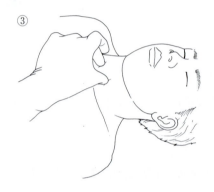
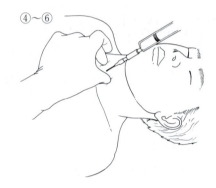

◆ 気道確保法後の確認事項

A．挿管後の位置確認

　①換気に伴う胸郭挙上

　②胸部・胃泡音の聴診

　③波形表示のある呼気二酸化炭素モニターによる確認が望ましい

B．気道確保後の呼吸の評価

　自発呼吸の有無

　呼吸数確認

　SpO_2や動脈血ガス分析による酸素化と換気状態の評価

　※バッグによる陽圧換気→循環の再チェックも必要である。

　※循環血液量減少では血圧低下を生じる危険があり，緊張性気胸の発生にも注意する。

第3章 外傷と循環

要約

1. 循環障害の原因としてもっとも多いのは出血であり，その主な内出血部位は，胸腔，腹腔，後腹膜（腔）である。
2. 出血を原因としない循環障害では，閉塞性機序による緊張性気胸と心タンポナーデが重要である。
3. ショックの早期認知には，血圧の変動よりも脈や皮膚の異常所見を重視する。
4. 出血性ショックでは初期輸液に対する循環の反応で治療方針を決定する。
5. ただし，心肺停止のおそれがあるなど循環が破綻している場合には，初期輸液の反応をみるまでもなく，輸血療法と止血を最優先する。

はじめに

本章では，外傷でみられるショックの病態，臨床症状，初期輸液を含めた循環管理，原因検索ととるべき処置について述べる。

I ショックの定義と病態

ショックとは，主要臓器への有効な血流が低下して組織代謝に異常をきたし，細胞機能が維持できないことによる症候群である。言い換えれば，細胞，組織の酸素需要と供給量のバランスが崩れた状態であり，必ずしも低血圧を意味するものでなく，血圧が正常でもショックを除外し得ない。進行すれば細胞，組織機能の障害から臓器不全を呈し，最終的には死に至る。

一般的な分類として，①循環血液量減少性ショック（hypovolemic shock），②閉塞性ショック[注1]（obstructive shock），③心原性ショック（cardiogenic shock），④血液分布異常性ショック（distributive shock）の4つに大別される[1]。

外傷では，循環血液量減少性ショックの代表である出血性ショックがもっとも多く，治療面でも緊急度・重症度ともに高い。そのため，外傷急性期では出血性ショックと非出血性ショックに分類する（表3-1）。

1. 出血性ショック

外傷ではいかなる部位の損傷であっても血管の破綻を生じ，量の多寡を問わず血液を失う。大量出血をきたすと出血性ショックとなる。出血性ショックでは循環血液量が減少するが，初期には代償機転としての血管収縮と心拍数の増加が生じ，血圧の低下は認められない。出血が持続すると代償機転が破綻し，血圧の低下が生じる。

出血性ショックをきたす出血源としては，大量血胸，腹腔内出血と後腹膜出血が重要である。その他，長管骨骨折や軟部組織損傷，外出血があげられる（図3-1）。

1）大量血胸

循環に異常をきたす血胸を大量血胸という。血管損傷（胸部大動脈，肺動静脈，肋間動脈，奇静脈），

注1：心外閉塞・拘束性ショック（extracardial obstructive shock）とも呼ばれるが，本書では閉塞性ショックで統一する。

表3-1　外傷急性期にみられるショック

出血性ショック
三大内出血
大量血胸
腹腔内出血
後腹膜出血
長管骨骨折，軟部組織損傷
外出血
非出血性ショック
閉塞性ショック
緊張性気胸
心タンポナーデ
心原性ショック
神経原性ショック

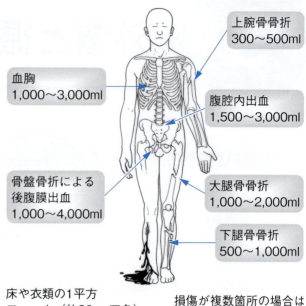

図3-1　出血量の推定

心損傷，肺損傷，横隔膜破裂を伴う腹部臓器損傷などで生じる。胸腔内に1,000 ml以上の出血が急速に起こると，循環血液量の減少と，胸腔内圧の上昇による静脈還流の障害により循環不全に陥る。また，大量の血液による肺の圧迫は呼吸不全を引き起こす。

2）腹腔内出血

実質臓器損傷（肝，脾，腎），腸間膜損傷，大血管損傷などに伴い生じる。FASTで腹腔内出血を診断する。通常1,500 ml以上の出血になると明らかなショック症状を呈する。

3）後腹膜出血

後腹膜出血の主たる原因は骨盤骨折であり，不安定型骨盤骨折は1,000〜4,000 mlの大量出血をきたし得る。骨盤骨折を伴わない場合でも後腹膜の血管，腎または腎血管やその分枝，腰動脈などの損傷で腎周囲などの高位の後腹膜に血腫を形成する場合がある。

4）長管骨骨折による出血

長管骨骨折に付随する出血として，血管損傷，周囲軟部組織損傷による出血，および骨折に伴う骨髄からの出血がある。血管損傷がなくとも大腿骨骨折に伴う出血は1,000〜2,000 mlに及ぶ。また，多部位骨折でも相当量の出血が見込まれ，骨折だけでも容易にショックの原因となる。

5）軟部組織損傷に伴う出血

皮下および筋肉などの軟部組織損傷でも損傷部への内出血を念頭に置く。とくに高齢者によくみられる。

6）外出血

床や衣類の1平方フィート（約30 cmを一辺とする四角）の出血では，100 mlの血液喪失と計算する（図3-1）。

2．非出血性ショック

緊張性気胸と心タンポナーデによる閉塞性ショックは，非出血性ショックの原因として重要である。脊髄損傷では神経原性ショックの可能性を考慮する。受傷後ごく早期であれば，外傷に起因する感染性ショックは考慮しなくてよい。

1）閉塞性ショック

胸腔内圧・心囊内圧の上昇により，右心系への還流が阻止され心拍出量が減少するために生じる。

（1）緊張性気胸（図3-2）

閉塞性ショックを呈する気胸を緊張性気胸といい，もっとも緊急度の高い病態の一つである。肺（気管・気管支を含む）もしくは胸壁の損傷が一方向弁状に働き，空気が胸腔内に押し込まれて発生す

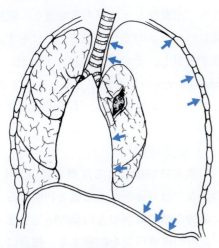
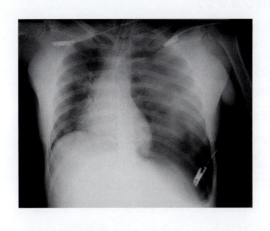

図3-2　緊張性気胸
　肺もしくは胸壁に生じた一方向弁によって空気が胸腔内に閉じ込められて発生する。呼吸機能の障害だけでなく，静脈還流が妨げられショックをきたす。身体所見から診断する

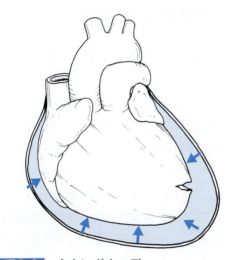
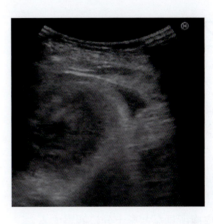

図3-3　心タンポナーデ
　心嚢内に貯留した血液または空気により心臓の拡張が妨げられ，静脈還流低下からショックとなる

る。患側肺の虚脱と健側肺の圧迫による呼吸障害が発生するが，致死的となる原因は，循環障害である。これは胸腔内圧の上昇と，大静脈の偏位（縦隔の偏位に伴う）により，静脈還流が妨げられるために生じる。すなわち緊張性気胸は呼吸と循環を同時に侵す病態である。また，陽圧換気を契機に生じることがある。

（2）心タンポナーデ（図3-3）
　心嚢内に血液が貯留することにより心拡張が著しく制限されて，循環異常をきたす病態である。外傷の場合は慢性の疾患と異なり，少量（60～100 ml）の血液や凝血塊の貯留でも心タンポナーデとなる。とくにショックが出現してから心停止までは5～10分とされ，非常に緊急度が高い。

2）心原性ショック
　心原性ショックでは，心臓のポンプ機能低下によって心拍出量が減少する。外傷で起こる心原性ショックの原因としては，鈍的心損傷による心筋挫傷や中隔破裂，弁損傷，冠動脈損傷などがあげられる。静脈還流障害をきたす明らかな原因のない中心静脈圧の上昇は鈍的心損傷を疑わせる。
　詳しくは，第5章「胸部外傷」（p86）を参照されたい。

3）血液分布異常性ショック
　血管容積の増大または血管抵抗の低下により，血液の分布異常が生じ，ショックとなる場合をいう。外傷では神経原性ショックが生じる。

〔神経原性ショック〕

代表的な神経原性ショックは高位の脊髄損傷（通常Th6以上）で認められる。損傷した脊髄支配レベル以下の交感神経活動が抑制され，末梢血管が拡張すると同時に，迷走神経刺激や低血圧に対する心臓への制御ができなくなる。そのため血圧が低下するだけでなく，出血による代償反応としての頻脈反射や冷汗，湿潤，蒼白などの皮膚所見を呈さない。

低血圧に対する治療の原則は輸液負荷であるが，改善しない場合は循環作動薬を必要とする。高度な徐脈に対してはアトロピンを用いる。脊髄損傷の程度と循環異常の程度には相関があり，完全麻痺を呈する患者では不完全麻痺の患者に比較して，5倍の頻度で循環作動薬が必要となるといわれている[2]。

II ショックの認知

外傷患者でのショックの最大の原因となる病態は，出血性ショックであり，緊急度・重症度ともに高く，より早期に認知する必要がある。収縮期血圧の低下は，出血性ショックがより高度な場合にみられ，早期には起こらない[3]。ショックの指標を収縮期血圧に依存すると，ショック認知の遅れを招く（「参考① 生理学と出血」，p53参照）。そのため，早期認知には，脈や皮膚所見などを十分に観察することが重要である。また，ヘマトクリットやヘモグロビンといった検査値のみでは急性期の出血量を推定することはできない[4]。皮膚の冷感があって頻脈をきたしている外傷患者では，これを説明し得る他の要因が明らかになるまで出血性ショックとして対応し，出血源の検索を進める。

◆ 1. 早期認知のための観察項目

出血性ショックを早期に認知するためには，以下の観察項目〔皮膚所見，capillary refill time（CRT），脈拍，意識レベル，血圧，動脈血ガス分析〕について熟知しておく。

循環血液量減少とそれによる交感神経の反応が出血性ショックの典型的な身体所見と臨床症状を形づくる。すなわち，脈拍数の増加，および末梢血管収縮による蒼白な皮膚，四肢末梢の冷感である。また，カテコラミンが汗腺を刺激することによる冷汗が生じる。出血性ショックの重症度と，脈拍，血圧，意識レベルなどの変化を図3-4[5]に示す。最初に脈拍数が上昇し，その後，脈圧の狭小化，収縮期血圧，base excessの低下が生じる。ショックが進行するとアシドーシスが進み，不可逆性となり死亡する。

1）皮膚所見

末梢血管収縮による皮膚の蒼白，皮膚温の低下，冷汗などはショックの徴候と判断する。骨折などの局所的な循環障害でも同様の所見を認めるので，必ず全身の皮膚所見を観察する。触診により冷感ありとした患者では，有意にbase excessが低く，ショックに対する特異度が高いとの報告があり，循環動態を把握するためにも，皮膚所見の評価はまず行うべき観察ポイントである[6][7]。

2）CRT（毛細血管再充満時間）

Blanch testともいう。爪床または小指球を5秒ほど白くなるまで圧迫し，圧迫を解除した後，再び赤みを帯びるまでの時間で末梢の循環状態を判断する。2秒以上ならば異常であり，ショックの徴候とされている。乳幼児では足底や胸骨前面を圧迫してもよいが，正常上限は4秒である[8]。ただし，年齢や外気温，循環作動薬の使用，脊髄損傷，末梢血管損傷，局所循環障害などで修飾を受けるので，他の所見とともに判断する。

3）脈

脈拍数は不穏や興奮だけでも増加するが，持続する頻脈は病的である。頻脈は出血性ショックの早期サインである。脈を触知すれば，次にその強弱，遅速，整・不整を観察する。

ただし，脈拍数のみで循環の評価を下すのは危険である。脈拍数は，輸血や緊急手術を要した患者を予測する指標としては，感度や特異度は高くなく[9]，低血圧を呈した外傷患者では71％が頻脈を呈していたが，29％では徐脈であったとの報告もある[10]。急性の大量出血では迷走神経反射による徐脈（paradoxical bradycardia）が生じることもあり，予後不良との報告がある[11][12]。頻脈でないからといって，ショックを否定してはならない。とくに高齢者やβブロッカー服用者，運動選手，妊婦，低体温患者ではショックでも頻脈にならないことがあり，注意が

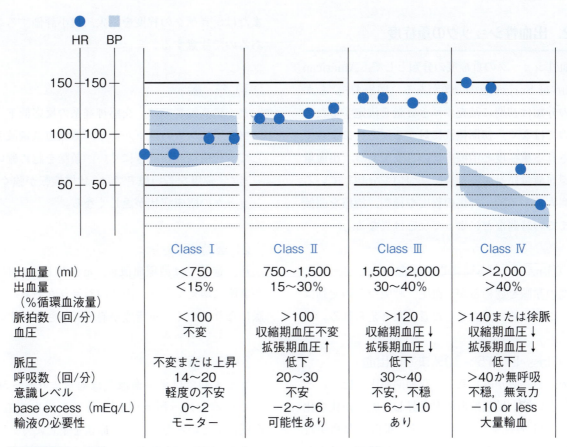

図3-4 出血量からみた脈拍，血圧，意識レベルとショックの重症度
体重70 kgを想定
〔文献5）より引用・改変〕

必要である。

ショックの指標としては脈拍数と収縮期血圧の比であるshock index（脈拍数／収縮期血圧）[13]がしばしば用いられる。従来は1以上をショックとしてきたが，輸血の必要性や手術や経カテーテル動脈塞栓術（transcatheter arterial embolization；TAE）の必要性からとらえた場合には，0.8以上としたほうがよいとの報告がある[14]。

4) 意識レベル

出血性ショックでは初期から不安，不穏，攻撃的な態度といった意識の変調を認めるが，相当量の出血があっても脳血流は保たれるので，意思の疎通は可能である。無反応や昏睡状態は脳血流の破綻を意味し，心停止寸前ととらえる。

5) 血 圧

血圧は出血性ショックの早期認知の指標にはならないことは再度強調しておく[3]。とくに若い患者では，血圧が正常であってもショックによる組織の低酸素状態は著明に進行していることがある[15]。出血量が30％までは代償機転により血圧は必ずしも低下しない。出血量が15～30％の中等度のショックでは収縮期血圧は維持されるが，拡張期血圧が上昇し脈圧が低下する。30～40％の血液喪失で収縮期血圧が90 mmHgを下回る。現場での搬送トリアージとしての基準や治療上の指標として，収縮期血圧90 mmHg以下という値は客観的でありよく用いられるが，収縮期血圧の低下は代償機転の破綻を意味し，すでに進行したショックととらえることが必要である。また最近の報告では，収縮期血圧が110 mmHg以下でも，10 mmHg低下ごとに死亡率が4.8％上昇するとされる[16]。

6) 動脈血ガス分析

動脈血ガス分析によるbase excessや乳酸の値は，ショックの早期認知や重症度の判定に有用である。これらの値を経時的に測定することで，治療に対する反応性の指標としても使用できる。

2. 出血性ショックの重症度

出血性ショックの重症度の分類として，American College of Surgeonsの分類がある（図3-4）[5]。しかしこの分類は初期に補充すべき容量を決定するためのものではなく，初期輸液に対する反応性によって決定される重症度と治療方針の目安である。出血量を循環血液量に対する割合に基づいて分類しているが，個人差，年齢，外傷の程度や種類，治療を開始するまでの時間などによって反応は異なる。

1) Class Ⅰ：15％までの出血

軽度の頻脈を認めるが，血圧，呼吸などの変動はない。この状態は献血をした者にたとえられる。

2) Class Ⅱ：15〜30％までの出血

頻脈，頻呼吸がみられる。収縮期血圧はほとんど変化しないが，拡張期血圧が上昇し，脈圧が狭小化する。CRTの遅延，皮膚の冷感，蒼白，湿潤が時にみられるようになる。また，不安や恐怖，敵意といった意識の変調が出現する。尿量の変化は軽度である。輸血が必要となる場合もあるが，初期には輸液のみで対応できる。

3) Class Ⅲ：30〜40％までの出血

代償機転は破綻し，収縮期血圧は低下，著明な意識状態の変化がみられる。また，明らかな頻脈，頻呼吸を認め，尿量は減少する。この状態ではほとんどの場合に輸血が必要となる。輸血や血液製剤を用いた蘇生を早期から開始することを考慮すべきである。

4) Class Ⅳ：40％を超える出血

この量の出血は致死的となる。頻脈，著明な収縮期血圧の低下が生じ，脈圧はさらに狭小化する。心停止直前には徐脈となる。尿量は得られず，意識レベルも低下する。この状態では大量輸血と早期の治療を要する。血液製剤を用いた蘇生を早期から開始する。

3. ショックの臨床症状を修飾する因子

次の条件や患者では臨床症状が修飾され，出血量またはショックの程度を過大，過小評価することがあるので注意する。

1) 年 齢

とくに高齢者では，交感神経系の反応低下，心コンプライアンスの低下があり，循環血液量減少に対しても代償機転が働きにくい。頻脈を認め難い。
また，健康な若い患者では，代償機転が強く働き，ショックの臨床症状が乏しくなる。

2) 運動選手

運動選手では循環血液量，心拍出量，1回拍出量が著明に増えており，出血性ショックであっても頻脈になりにくく，重症度が過小評価されやすい。

3) 妊 娠

妊娠末期では循環血液量は通常より40〜50％増えているため，例えば1.5 L程度の出血でも頻脈，血圧低下といったショック症状を呈しにくい。しかし，この場合でも胎児への血流は低下し，危険にさらされることとなる。また，仰臥位になると子宮が下大静脈を圧迫して，静脈還流量を減少させるため容易に低血圧になる。その場合は，妊婦を左側臥位にするのがよい。

4) 薬 物

βブロッカー服用中の患者は頻脈とならず，少量の出血でも血圧が下がる。

5) 低体温

低体温を呈している場合は，血圧，脈拍，呼吸数の低下が生じる。また，薬剤，除細動，輸液療法に対する反応も悪い。

6) ペースメーカー

固定レートのタイプでは，心拍数によるショックの評価はできない。

Ⅲ ショックの評価と対応

ショックを認知すれば，初期輸液によりショックの程度を評価し，ショックの原因検索，輸血および止血の準備を行う。ただし，輸液療法は希釈性凝固

障害を惹起する危険性があることを考慮し，循環破綻の場合には，初期輸液の反応をみるまでもなく，可及的速やかに輸血療法と止血治療を開始する。大腿動脈を触知しない，徐脈・無気力など明らかに循環異常を呈している場合や，心肺停止のおそれがある場合は，循環が破綻していると判断する。

1. 外出血の止血

外出血は直ちに直接圧迫し止血する。圧迫で出血を制御できない場合を除いては，止血帯を使用すべきではない。また，鉗子による盲目的な止血も避ける。頭皮などの深い裂創で，活動性出血がある場合は，ステイプラーや連続縫合などを活用する。

2. 輸液療法

1）輸液路の確保

輸液路の第一選択は，上肢への少なくとも2本の太い末梢路（18G以上，できれば14～16G）である。とくに骨盤や下大静脈の損傷が疑われる場合は，下肢からの末梢路は避けることが望ましい。ただし，ショックをはじめとする危機的状況で，末梢静脈の確保が困難な場合，骨髄内輸液針による骨髄穿刺や，中心静脈穿刺により輸液路を確保する。小児だけでなく成人においても，骨髄内輸液針による骨髄路の有用性が報告されている[17)18)]。

推奨される輸液路確保の優先順位を表3-2に示す。

なお，中心静脈穿刺を行った場合は，穿刺後に胸部あるいは腹部X線を必ず撮影して，カテーテル先端の位置や気胸の有無を確認する。

輸液路確保時に同時に採血を行い，血液型，血算，生化学などの検査に提出するだけでなく，交差試験用としても血液を確保する。

2）輸液の種類

輸液は，39℃に加温した糖を含まない細胞外液補充液を選択する。

細胞外液補充液としては，乳酸リンゲル液もしくは酢酸リンゲル液などの等張電解質輸液を用いる。大量の生理食塩液を用いると高クロール性のアシドーシスが生じるとされ，生理食塩液より乳酸リンゲル液のほうが予後を改善すると報告されている[19)]。腎

表3-2　推奨される輸液路確保の優先順位

成　人
1. 穿刺による末梢静脈路
2. 骨髄内輸液針による骨髄路*
3. 穿刺による中心静脈路 　　大腿静脈路 　　内頸静脈路 　　鎖骨下静脈路
4. カットダウンによる末梢静脈路

小　児
1. 穿刺による末梢静脈路
2. 骨髄内輸液針による骨髄路*

*骨髄路の手技については図3-3-1（p64）参照

の閾値を超えた血糖値上昇は利尿を引き起こすので，糖を含む輸液は避ける。高張ナトリウム液も病院前および初期輸液に選択し得るが，蘇生のための輸液製剤として等張細胞外液補充液に勝るとの証明はない[20)～23)]。アルブミンによる蘇生も同様であり，死亡率の低下につながることは示されていない[24)]。むしろ頭部外傷では死亡率を増加させることが報告されている[25)]。

静脈内に投与した細胞外液補充液のうち，血管内にとどまるのは投与量の30％程度にすぎない。

また，成人に室温程度の輸液1Lを投与すると，体温がおよそ0.25℃低下する[26)]ため，輸液は投与前に39℃に加温したものを使用する。

3）初期輸液

（1）初期輸液の目的

外傷患者に対して行う最初の輸液は，低容量に対する治療であると同時に，治療指針を決定する役割をもっている。急速に輸液を行うことによって持続する出血の程度を推定し，緊急止血術の適応などの判断を行う（図1-8，p9参照）。したがって，JATECではこれを「初期輸液」と定義する。

（2）初期輸液の実際

循環異常の重症度を判断するため，初期輸液を急速投与して，その循環の反応より，その後の治療や診断を行う。投与量はプレホスピタルの投与を含め成人1L，小児では20 ml/kgを目安とし，蘇生時に確保した大口径静脈路から全開で滴下（ボーラス投与）して反応をみる[27)～29)]。初期輸液の投与量や投与速度について現時点で明確な根拠はないものの，過去の臨床研究の結果は過剰な細胞外液輸液の投与

による希釈性凝固障害をはじめとする危険性の増加を示唆している。

（3）初期輸液の反応による治療方針

初期輸液による生体の反応が治療の方向性を決める。循環の安定化は，血圧，脈拍に加え，皮膚の色調，CRT，意識レベル，酸塩基平衡，血清乳酸値，尿量などの指標から総合的に判断する。反応としては次の3つのタイプに分ける。

ただし，初期輸液直後にはnon-responderかどうかの判断しかできない。Transient responderかresponderかは，その後の経過によって判明する。

①安定しない（non-responder）

初期輸液で循環が安定しない場合をnon-responderと定義する。初期輸液で血圧が上昇しない場合や，少し上昇しても頻脈の続くもの，輸液を維持速度に落とした段階で循環が不安定になるものはnon-responderである。出血は相当量であり，直ちに輸血を開始し，緊急の止血処置を講じる。この場合は気管挿管が必要である。

②一過性の安定が得られる（transient responder）

初期輸液に反応し循環が安定した後に，再び循環が悪化する状態を指す。初期診療中に不安定になるものから，数日の経過で貧血が進行するものまでさまざまである。この場合は持続する出血や不十分な蘇生が示唆される。輸血と止血手技が必要となる可能性が高い。

③安定が得られ，かつ持続する（responder）

初期輸液に反応し，その後，循環の不安定や貧血の進行などを認めないものである。通常20％以下の出血にとどまり，止血術を必要としない。

（4）初期輸液における血圧の指標

輸液療法の最終的な目標は，臓器・組織灌流を回復させることである。

出血性ショックに対して，正常血圧を目標とした大量輸液は再出血を助長させ，生命予後を悪化させるとされている。このため，穿通性外傷，血管損傷，限局した実質臓器損傷などの場合で，かつ手術療法などにより確実な止血が行える場合には，止血操作が完了するまでは末梢動脈の脈拍を触知し，意識レベルを維持できる程度の輸液量にとどめ，早期に輸血，止血術を開始することが望ましい。さらに最近では，鈍的外傷患者でも，止血術前の輸液量が少ないほうが予後がよいとの報告もある。血圧を目安とする場合，収縮期血圧80～90 mmHgを目標にするのがよいとされる。これらは血圧の上昇による再出血または出血の増悪を低減するアプローチであり，"controlled resuscitation"，"hypotensive resuscitation"，あるいは，"permissive hypotension"などと呼称されている[29)～31)]。

しかし，確実な止血が期待できそうにない鈍的外傷，とくに軟部組織，骨折部周辺，後腹膜などのnon-cavitary（腹腔，胸腔以外を指す）への出血が主体のときはこの限りではない。

また，頭部外傷を合併する出血性ショックでは，二次性脳損傷を防ぐといった観念からCPP（脳灌流圧）を維持するため，平均動脈圧を90 mmHg以上に保ち，CPP 50～70 mmHg以上で管理することが推奨されている[32)]。

3. 輸血療法

初期輸液に反応しない場合，あるいは重篤なショックが明らかな場合には，初期輸液の評価を待つことなく輸血を開始する。赤血球液投与に加え，同時に十分量の新鮮凍結血漿や血小板濃厚液を投与する[27)33)～35)]。最適な輸血製剤の比率に対しては，いまだ議論があるものの，少なくとも血漿：血小板：赤血球＞1：1：2での投与が好ましいとする報告が多い[36)～40)]。

外傷患者では希釈によらない凝固異常を約25％の症例で合併し，死亡率は非合併例の4倍になることが報告されている[41)～43)]。また，受傷後24時間以内に10単位以上の赤血球液（RBC）が必要な場合を大量輸血（massive transfusion；MT）とすることが多いが，これらの患者の予後は悪い。MTが必要となる場合に，早期から十分な新鮮凍結血漿（FFP）や血小板濃厚液（PC）が投与できるよう，体制やプロトコル（大量輸血プロトコル；MTP）を整備しておく。

血液型の選択については交差試験で適合した血液がもっとも望ましいが，時間的余裕がない場合は交差試験を省略し，ABO同型血を用いる[44)]。同型適合血が不足する場合はABO異型適合血を用いる（表3-3）[44)]。血液型不明，あるいは血液型判定を待てない場合はO型を使用する。異型適合血を使用した場合は投与後の溶血反応に注意する。ただし，交差

表3-3 緊急時の適合血の選択

患者血液型 \ 輸血製剤	赤血球液（RBC）	新鮮凍結血漿（FFP）	血小板濃厚液（PC）
A	A＞O	A＞AB＞B	A＞AB＞B
B	B＞O	B＞AB＞A	B＞AB＞A
AB	AB＞A＝B＞O	AB＞A＝B	AB＞A＝B
O	Oのみ	全型適合	全型適合

〔文献44）より引用・改変〕

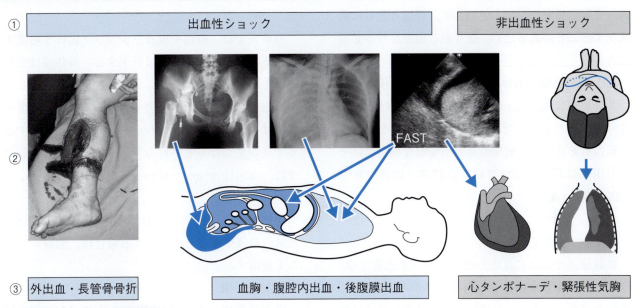

図3-5　ショックの原因検索
①ショックが出血性か非出血性かを考え，②検査を行い，③診断に至る

試験適合血以外の輸血については，事前に院内の輸血部と相談し，緊急時輸血規約などを設けておく必要がある。

急性期における輸血は，再出血や持続する出血の危険性を考え，血中ヘモグロビン値10 g/dl以上を目標とする。止血による循環動態安定化後には，血中ヘモグロビン値7 g/dl以上を目標とすればよい[4)45)]。

4. 補助的な止血療法

補助的な止血療法として，受傷後3時間以内のトラネキサム酸投与が転帰の改善につながる可能性があることが大規模前向き二重盲検試験で示された[46)47)]。投与方法は，受傷後3時間以内に初回投与量1 gを10分間かけて経静脈投与し，その後8時間かけて同量を持続投与する。トラネキサム酸は受傷直後（1時間以内，遅くとも3時間以内）に投与することが重要であり，3時間以降での投与は，死亡率が増加すると報告されている[47)]。

5. ショックの原因検索と処置

1）ショックの原因検索法

ショックと認知した場合には，初期輸液または可及的速やかな輸血治療を開始するとともに三大内出血部位と閉塞性ショックの有無を検索する。これには胸部X線，骨盤X線，FASTが有用である（図3-5）。

（1）単純X線撮影

ショックの原因となる大量血胸および骨盤骨折に伴う後腹膜出血の評価のために胸部X線，骨盤X線撮影を行う。ショックに対する蘇生を開始・継続しつつ撮影する。

(2) FAST

FASTとは，ショックの原因となる大量血胸，腹腔内出血，心嚢液貯留の検索を目的とした迅速簡易超音波検査法をいう。循環に異常を認めるときには必須の検査であるが，異常を認めなくとも，ショックに陥る可能性のある損傷を除外する意味でルーチンに行うのがよい。FASTで腹腔内貯留液を検索できる感度は73～88％，特異度は98～100％，正診率は96～98％とされている[48]。初回の検査で陰性であっても腹腔内出血は否定できず，経過とともに陽性化することがあるため，繰り返し検査を行う必要がある。

(3) 鈍的外傷における画像診断：CTの役割

多発外傷に対するprimary surveyにおける標準的診断手段として全身CTを利用することを推奨する報告もあるが[49]，循環動態が不安定な場合にはその有用性は定まっていない（第17章「画像診断」，p229参照）。

2) ショックでの処置

初期輸液や輸血に反応しないショック患者では，漫然と輸液や輸血の投与のみを続けるのではなく，確実な止血，あるいは原因に応じた処置を迅速に開始する。

(1) 大量血胸

胸腔内液体貯留を認めた場合は胸腔ドレナージを施行し，出血量，循環動態などより開胸手術の必要性を判断する（第5章「胸部外傷」，p80参照）。

(2) 腹腔内出血

FASTが陽性で初期輸液に反応しないnon-responderであれば，直ちに蘇生の一環として開腹止血術を行う。Transient responderに陥る場合も止血術を必要とし，開腹術やTAEが施行される。

(3) 骨盤骨折に伴う後腹膜出血

Non-responderに対する止血法として，骨折部の整復固定，TAE，パッキングなどがあるが，その優先順位について一定の基準は確立されていない。

詳しくは，第7章「骨盤外傷」（p117）を参照されたい。

(4) 緊張性気胸

胸腔穿刺または胸腔ドレナージによって迅速に胸腔内圧の減圧を行う。

(5) 心タンポナーデ

心嚢穿刺か，熟練した救急医や外科医による剣状突起下心膜開窓術，あるいは緊急開胸術による心膜切開を行う。多くの場合には，心損傷の評価と修復のために直ちに手術療法が必要であり，心嚢穿刺は開胸術までの一時的な減圧手段としてとらえる[50][51]。

◆ 6. 循環の安定化におけるその他の処置

1) 保温

初療室では，輸液や脱衣，ショックに伴う熱産生の低下により容易に体温は低下する。低体温は出血傾向を助長し，代謝性アシドーシス，凝固障害とともに生命を脅かす危険な因子である。また，外傷患者では損傷の程度にかかわらず，低体温が遷延すると予後が悪くなるとされる[52][53]。積極的な低体温の予防，復温はprimary survey中でも重要である。

(1) 輸液

輸液は事前に39℃に加温したものを使用するか，大量の輸液や輸血を必要とする場合は，加温システムを使用する。

(2) 血液

血液製剤は通常，4℃で保存されているので，加温はとくに重要である。十分な加温能力を有した加温器（Hotline®，Level I®，ウォーマーコイル）を使用する。電子レンジでの加温は行ってはならない。

(3) 室温

体温調節反応を起こすことなく中枢温を37℃に維持し得る環境温（中性温域）は，成人では28～30℃である。したがって，室温を医療スタッフにとって快適と思える温度まで下げないようにする。

(4) 体表保温

熱の喪失のうち90％近くは，体表面からの喪失である[54]。ブランケットなどを使用し，体表保温に努める。すでに低体温であれば，さらに積極的な体表加温，深部加温などを考慮する。

2) 薬物療法

出血性ショックでは交感神経-副腎系が賦活され，カテコラミンはすでに動員され，末梢血管は緊張状態にある。原則として，出血性ショックにカテコラミン使用は禁忌である。

ただし，止血が完了し，循環血液量が補充された後に，目標血圧を維持するための血管収縮薬や心機能維持のための強心薬が使用される場合がある[4]。

神経原性ショックは多くの場合，初期輸液に反応する。しかし，低容量を改善しても循環が安定しない場合は，カテコラミンを必要とする。高度な徐脈に対してはアトロピンを使用する。

また，出血性ショックによる代謝性アシドーシスは，組織灌流低下による嫌気性代謝による。通常，持続するアシドーシスは，持続する出血や輸液，輸血による蘇生が十分でないことを示す。炭酸水素ナトリウム（メイロン®）の投与はむしろ細胞内の低酸素を助長するおそれがあり，ルーチンに使用すべきでない。

◆ 7. 循環管理の指標

蘇生の初期においては血圧，脈圧，脈拍数，呼吸数などの正常化を目指すが，それのみでは組織灌流の改善を判断できない[55]。したがって，尿量，酸塩基平衡や血清乳酸値などによって組織酸素代謝を評価する。循環管理においては，表3-4[56]に掲げる項目を経時的に評価する。

1) 尿量

腎はショックによる影響を受けやすい臓器であり，適正尿量が得られることはショック離脱の指標となる。成人で0.5 ml/kg/時以上，小児で1 ml/kg/時以上，1歳未満では2 ml/kg/時以上の尿量が得られることを目安に，循環管理を行う[57]。

2) 酸塩基平衡

持続するアシドーシスは，不十分な蘇生や持続する出血によることが多い。とくにbase excess（BE）は，ショックによってもたらされる酸素消費量と供給量の不均衡（酸素代謝失調）をよく反映する。外

表3-4 循環管理のためのモニター

血圧，脈圧
脈拍数
呼吸数
心電図
意識レベル（GCS）
尿量
酸塩基平衡（BE）
血清乳酸値
中心静脈圧
循環動態検査（心臓超音波検査，肺動脈カテーテルなど）

〔文献56）より引用・改変〕

傷患者では，予後や必要な輸液・輸血量に相関するとされ，蘇生の指標となる[58]。

3) 血清乳酸値

BEと同じく，血清乳酸値は組織灌流の適正な維持と嫌気性代謝の指標となる。乳酸値はショックの程度をよく反映し，治療にかかわらず高値が遷延する患者では，予後が悪いとされる[59)〜61]。

4) 超音波検査

経胸壁超音波検査での下大静脈径の計測および呼吸性変動により，循環血液量を評価することができる[62]。

5) 中心静脈圧

初期診療に引き続き集中治療を行う患者では，循環血液量と心機能の関係を推測するために中心静脈圧を測定する[4]。

ただし，以下の点に注意しなければならない。
(1) 中心静脈圧は循環血液量を反映するが，右心機能の影響を受ける。このため，輸液反応性の指標としての信頼性は低い。
(2) 循環血液量の推定には絶対値だけでなく，輸液に対する反応と経時的な変動を重視する。

参考① 生理学と出血

外傷によるショックの理解を助けるために，循環の生理学と出血による生体反応について整理する。

循環は，血管，血液，および心臓で構成される機能により，全身に酸素を供給する働きがある。適切な酸素供給量（DO_2）は血中の酸素含量（CO_2）と心拍出量（CO）により維持されているが，前者の酸素含量は出血によるヘモグロビン喪失や酸素飽和度の低下で減少する。後者の心拍出量（CO）は1

回拍出量（SV）と心拍（HR）の積で，さらに1回拍出量（SV）は前負荷，心筋収縮力および後負荷では規定されている。出血の初期には，交感神経の亢進により，脈拍増加，静脈キャパシタンスの減少で心拍出量の低下を回避しようとするが，出血が進行すると前負荷が減少して心拍出量が減少する。このような場合でも組織の灌流圧を維持すべく，さらに頻脈となり，後負荷である末梢血管抵抗が上昇するため，収縮期血圧は維持される（「ショックの認知」「血圧」，p46〜47参照）。

低容量のシグナルは交感神経を亢進させるだけでなく，レニン・アンギオテンシン・アルドステロンや抗利尿ホルモンも増加させ，さらに組織間液を血管床へ移動させて体液不足を補おうとする。この結果，ヘモグロビン濃度が低下し，細胞外液を補充した場合はこの低下に拍車をかける。やがて血管透過性が亢進し，血漿も間質液へ移動するため，輸液のみでは血管内容量の維持が困難となる。大量の輸液は，かえって非機能的細胞外液を増加させるのみで，効率的な蘇生にならない。このような背景から，早期止血に加え，初期輸液療法に反応しない場合は輸液制限と早期輸血が推奨されるようになった。

参考② 蘇生を目的とする手術

1. ダメージコントロール戦略[63)〜67)]

出血性ショックに対して蘇生や初期輸液に反応がない場合，直ちに緊急止血術を行う。損傷の修復よりも，確実な止血など生理学的徴候の破綻を阻止することを最優先とする。この治療方針をダメージコントロール戦略といい，damage control surgery（DCS）とこれを支える蘇生法（damage control resuscitation）からなる（図3-6）[67)]。

Damage control resuscitation（DCR，図3-7）とは，①初回手術では止血と汚染の回避のみに主眼を置いた術式を選択（abbreviated surgery）し，②

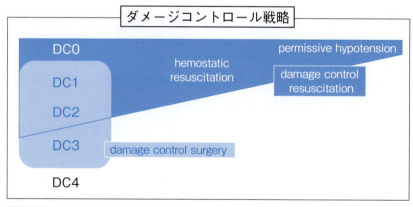

図3-6 ダメージコントロール戦略の概念

Damage control surgeryにおける迅速な止血と集中治療のステップは蘇生のフェーズであり，hemostatic resuscitationとpermissive hypotensionを含め，これを下支えする蘇生法がdamage control resuscitationである。ダメージコントロール戦略にはdamage control surgeryのDC3，DC4も含まれる
〔文献67）より引用・改変〕

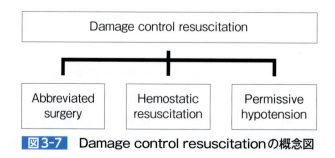

図3-7 Damage control resuscitationの概念図

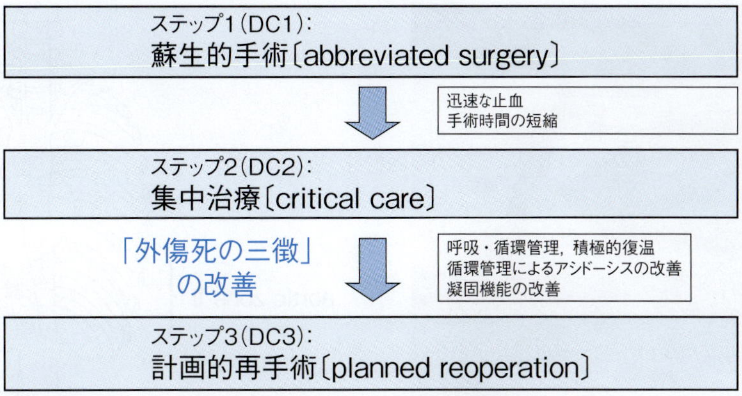

図3-8 Damage control surgeryの概念

止血までの低血圧を許容（permissive hypotension）し，輸液を最小限とし（restrictive fluid resuscitation），また，③十分量のFFPやPCを中心とした凝固因子と血小板の補充により凝固能の改善（hemostatic resuscitation）を目指すものである。

1）Damage control surgery（DCS）

古くより制御不能な出血に対してはガーゼパッキングなど一時的な止血法が採用されてきた。この手法を発展させ，初回手術は止血と汚染回避のみにとどめ，集中治療室で全身状態の改善を図った後，計画的に根本手術を実施する治療法が提唱され，damage control surgery（DCS）と名づけられた[66]。Damage control（DC）とは，もともと軍事用語で，攻撃を受けた軍艦を沈まないよう最寄りの軍港に寄港させる危機管理を意味する。今日，医療界では重度外傷のみならず，一般外科，産婦人科，整形外科領域などの出血に対する緊急処置として採用されている。

（1）DCSの構成（図3-8）

①ステップ1（DC1）：初回手術は，止血と汚染回避のための簡易な術式を選択する（abbreviated surgery）。腹部の場合は一時的閉腹法を採用する。具体的な術式については，『外傷専門診療ガイドラインJETEC』などを参照されたい[67]。

②ステップ2（DC2）：生理学的異常を補正するために集中治療室にて全身管理を行う。とくに循環動態の改善とともに，積極的に低体温，血液凝固異常の補正を行う。

③ステップ3（DC3）：根本治療のための計画的な再手術（planned reoperation）を指し，通常24〜48時間以内に行う。その際，止血の確認，損傷の再評価の後，再建術を実施する。

なお，近年この3つのステップに加え，病院前からDC導入を指示するフェーズ（DC0）やDC3後の腹壁再建術など機能・整容の改善させるフェーズ（DC4）も含めることがある。

（2）DCSの判断基準

a）中核をなす基準：手術開始時に下記に示す3項目（外傷死の三徴）のうち1〜2項目の出現があればDCSの方針とする。3項目がそろってしまうと生命予後が悪いとされている[68]。

① 中心部体温<35℃
② pH<7.2，またはBE<−15 mmol/L（55歳以上なら<−6 mmol/L），または乳酸>5 mmol/L
③ PT，APTTが50％以上の延長，または2〜3Lの出血，10単位以上の輸血[69]

b）その他の判断基準

その他，①損傷形態（深在性肝損傷や不安定型骨盤骨折など），②患者因子（肝硬変，高齢，抗凝固薬服用中など），③医療資源（スタッフや血液の不足など），④術者の対応能力などもDCS方針の判断根拠となる。

（3）Abdominal compartment syndromeの回避

腹部外傷やショック時の影響で腸管浮腫や後腹膜の容積が増大する。このため，開腹術後の無理な閉腹は腹腔内高血圧症をきたす。腹腔内高血圧症は気道内圧上昇や腎機能障害を引き起こすため，腹部創を閉鎖しない一時的閉腹法を採用する。この管理をopen abdomen managementといい，その管理方法として陰圧閉鎖療法（negative pressure wound therapy；NPWT，図3-9）などがある。

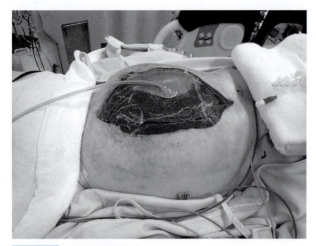

図3-9 陰圧閉鎖療法
回復創に人工被覆材を当て陰圧をかけて管理する。写真はABTHERA®ドレッシングキット

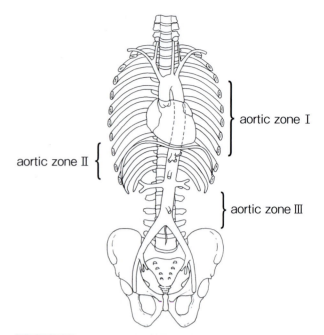

図3-10 バルーンを留置するzone分類
aortic zone Iは左鎖骨下動脈から腹腔動脈上縁までを指し，腹部骨盤損傷の場合の留置位置である。aortic zone IIは腹腔動脈から腎動脈までであるが，このzoneではバルーン遮断をしない。aortic zone IIIは腎動脈分岐下部から総腸骨動脈分岐部までであり，骨盤損傷の場合に留置する
〔文献74）より引用〕

2) Permissive hypotension, restrictive fluid resuscitation

止血がされていない状態での輸液療法は，血圧の上昇，血栓の破壊を招き，出血の助長となる。また，大量の細胞外液補充液投与は希釈性凝固障害を引き起こす。このため，確実な止血までは低血圧を許容し，輸液量を制限するという治療戦略である（「(4) 初期輸液における血圧の指標」，p50参照）。

3) Hemostatic resuscitation

外傷急性期には，その生体反応として生理学的凝固線溶反応が起こり，生体を治癒に導く。しかし，外傷が重症の場合，生理学的反応が破綻し，病的凝固線溶反応に移行する。組織の破壊（外傷そのもの）と出血性ショックが病的凝固線溶反応の主因となり，さらに低体温や代謝性アシドーシス，血液希釈が増悪の要因となる。外傷の凝固線溶系反応は，経時的推移から「線溶亢進期」と「線溶抑制期」に分類されているが，より早期の線溶亢進期が破綻した場合，著明な出血傾向が出現し，出血がコントロールできなくなる。

このため，外傷早期からFFPなどを用いて凝固因子を十分に補充することで，凝固異常さらには予後を改善させるというのがhemostatic resuscitationである。とくにClass III以上の出血を認めた場合には漫然と輸液投与のみを続けるのではなく，初期から血液製剤を適切なバランスで投与することが重要である。1.5 L以上の晶質輸液は死亡率の上昇と関係するといわれている[70]。大量輸血時のFFPやPCの供給体制などについて定めたMTPなどは，その考えに基づく（「3. 輸液療法」，p50参照）。また，抗血小板薬や抗凝固薬を内服しているショックの患者には注意が必要である[71]。可能なかぎり内服薬のリストを手に入れることが重要である。もし，拮抗薬があればできるかぎり早く投与することが重要である[72,73]。

2. 大動脈遮断法

横隔膜より尾側の大出血の場合，冠動脈や脳血流の維持と出血の制御を兼ねて大動脈を遮断する方法がある。伝統的に左開胸により直接大動脈を遮断する方法（resuscitative thoracotomy；RT）が行われてきたが，近年，専用の血管内デバイスを用いたREBOA（resuscitative endovascular balloon occlusion of aorta）が採用されつつある。低侵襲で遮断の調整ができ，予防的にデバイスを設置できるなどの利点がある。切迫心停止時には，基本的に大動脈遮断バルーンをzone 1（左鎖骨下動脈分枝下〜腹腔動脈分枝部）に留置するが，出血源が骨盤内臓器に

限定される場合にはzone 3（尾側腎動脈分枝下〜総腸骨動脈分枝部）へ留置する（図3-10）[74]。非透視下に留置する場合，ガイドワイヤーやカテーテルの迷入による位置異常や血管損傷に注意が必要であり，挿入にあたり超音波やポータブルX線装置などを用いることが望ましい。他の合併症として下肢虚血や虚血再灌流障害があげられる。REBOA採用の結果，救急外来での死亡率が，開胸による遮断と比較し，有意に改善されたとの報告がある[75]。

3. 蘇生的開胸術（RT）

胸部下行大動脈遮断の目的以外に，蘇生的開胸術の適応となるのは，①心タンポナーデの解除，②心損傷の止血，③胸腔内出血の止血，④空気塞栓への対処などとされる。とくに，穿通性外傷では適応となる頻度が高い。詳細は『外傷専門診療ガイドラインJETEC』[67]に譲る。

文献

1) Hollenberg SM, Parillo JE：Pharmacologic circulatory support. In：Surgical Intensive Care. Barie PS, Shires GT, eds, Little Brown, Boston, 1993, pp 417-451.
2) Levi L, Wolf A, Belzberg H：Hemodynamic parameters in patients with acute cervical cord trauma：Description, intervention, and prediction of outcome. Neurosurgery 1993；33：1007-1016；discussion 1016-1017.
3) Parks JK, Elliott AC, Gentilello LM, et al：Systemic hypotension is a late marker of shock after trauma：A validation study of Advanced Trauma Life Support principles in a large national sample. Am J Surg 2006；192：727-731.
4) Moore FA, McKinley BA, Moore EE, et al：Inflammation and the host response to injury, a large-scale collaborative project：Patient-oriented research core：Standard operating procedures for clinical care. III. Guidelines for shock resuscitation. J Trauma 2006；61：82-89.
5) American College of Surgeons Committee on Trauma：Trauma Evaluation and Management (TEAM)：Program for Medical Students：Instructor Teaching Guide. American College of Surgeons, Chicago, 1999.
6) Kaplan LJ, McPartland K, Santora TA, et al：Start with a subjective assessment of skin temperature to identify hypoperfusion in intensive care unit patients. J Trauma 2001；50：620-627.
7) 湯本哲也，塚原紘平，飯田淳義，他：外傷患者における冷汗の意義；多施設共同前向き観察研究より．日外傷会誌 2016；30：1-7
8) Fleming S, Gill PJ, van den Bruel A, et al：Capillary refill time in sick children：A clinical guide for general practice. Br J Gen Pract 2016；66：587.
9) Brasel KJ, Guse C, Gentilello LM, et al：Heart rate：Is it truly a vital sign? J Trauma 2007；62：812-817.
10) Demetriades D, Chan LS, Bhasin P, et al：Relative bradycardia in patients with traumatic hypotension. J Trauma 1998；45：534-539.
11) Victorino GP, Battistella FD, Wisner DH：Does tachycardia correlate with hypotension after trauma? J Am Coll Surg 2003；196：679-684.
12) Mizushima Y, Ueno M, Watanabe H, et al：Discrepancy between heart rate and markers of hypoperfusion is a predictor of mortality in trauma patients. J Trauma 2011；71：789-792.
13) King RW, Plewa MC, Buderer NM, et al：Shock index as a marker for significant injury in trauma patients. Acad Emerg Med 1996；3：1041-1045.
14) Hagiwara A, Kimura A, Kato H, et al：A prospective, multicenter, observation of hemodynamic reactions following initial fluid therapy of patients with hemorrhagic shock from blunt trauma. J Trauma 2010；69：1161-1168.
15) Abou-Khalil B, Scalea TM, Trooskin SZ, et al：Hemodynamic responses to shock in young trauma patients：Need for invasive monitoring. Crit Care Med 1994；22：633-639.
16) Eastridge BJ, Salinas J, McManus JG, et al：Hypotension begins at 110 mmHg：Redefining "hypotension" with data. J Trauma 2007；63：291-297.
17) Dolister M, Miller S, Borron S, et al：Intraosseous vascular access is safe, effective and costs less than central venous catheters for patients in the hospital setting. J Vasc Access 2013；14：216-224.
18) Leidel BA, Kirchhoff C, Bogner V, et al：Comparison of intraosseous versus central venous vascular access in adults under resuscitation in the emergency department with inaccessible peripheral veins. Resuscitation 2012；83：40-45.
19) Todd SR, Malinoski D, Muller PJ, et al：Lactated Ringer's is superior to normal saline in the resuscitation of uncontrolled hemorrhagic shock. J Trauma 2007；62：636-639.
20) Alam HB：An update on fluid resuscitation. Scand J Surg 2006；95：136-145.
21) Alam HB, Rhee P：New developments in fluid resuscitation. Surg Clin North Am 2007；87：55-72, vi.
22) Brown MD：Evidence-based emergency medicine：Hypertonic versus isotonic crystalloid for fluid resuscitation in critically ill patients. Ann Emerg Med 2002；40：113-114.
23) Bunn F, Roberts I, Tasker R, et al：Hypertonic versus

near isotonic crystalloid for fluid resuscitation in critically ill patients. Cochrane Database Syst Rev 2004 ; (3) : CD002045.
24) Perel P, Roberts I : Colloids versus crystalloids for fluid resuscitation in critically ill patients. Cochrane Database Syst Rev 2009 ; (4) : CD000567.
25) SAFE Study Investigators : Effect of dexmedetomidine added to standard care on ventilator-free time in patients with agitated delirium : A randomized clinical trial. N Engl J Med 2007 ; 357 : 874-884.
26) Sessler DI : Perioperative thermoregulation and heat balance. Ann NY Acad Sci 1997 ; 813 : 757-777.
27) American College of Surgeons : ATLS Student Course Manual : Advanced Trauma Life Support. 10th ed, American College of Surgeons Chicago, 2018.
28) Geeraedts LM Jr, Pothof LA, Caldwell E, et al : Prehospital fluid resuscitation in hypotensive trauma patients : Do we need a tailored approach? Injury 2015 ; 46 : 4-9.
29) Schreiber MA, Meier EN, Tisherman SA, et al : A controlled resuscitation strategy is feasible and safe in hypotensive trauma patients : Results of a prospective randomized pilot trial. J Trauma Acute Care Surg 2015 ; 78 : 687-695.
30) Spahn DR, Bouillon B, Cerny V, et al : Management of bleeding and coagulopathy following major trauma : An updated European guideline. Crit Care 2013 ; 17 : R76.
31) Wang CH, Hsieh WH, Chou HC, et al : Liberal versus restricted fluid resuscitation strategies in trauma patients : A systematic review and meta-analysis of randomized controlled trials and observational studies. Crit Care Med 2014 ; 42 : 954-961.
32) 頭部外傷治療・管理のガイドライン作成委員会編：頭部外傷治療・管理のガイドライン，第4版，医学書院，東京，2019.
33) Hagiwara A, Kushimoto S, Kato H, et al : Can early aggressive administration of fresh frozen plasma improve outcomes in patients with severe blunt trauma? A report by the Japanese Association for the Surgery of Trauma. Shock 2016 ; 45 : 495-501.
34) Sperry JL, Guyette FX, Brown JB, et al : Prehospital plasma during air medical transport in trauma patients at risk for hemorrhagic shock. N Engl J Med 2018 ; 379 : 315-326.
35) Guyette FX, Sperry JL, Peitzman AB, et al : Prehospital blood product and crystalloid resuscitation in the severely injured patient : A secondary analysis of the prehospital air medical plasma trial. Ann Surg 2019 ; doi : 10.1097/SLA.0000000000003324. [Epub ahead of print]
36) Sihler KC, Napolitano LM : Massive transfusion : New insights. Chest 2009 ; 136 : 1654-1667.
37) Young PP, Cotton BA, Goodnough LT : Massive transfusion protocols for patients with substantial hemorrhage. Transfus Med Rev 2011 ; 25 : 293-303.
38) Ogura T, Nakamura Y, Nakano M, et al : Predicting the need for massive transfusion in trauma patients : The Traumatic Bleeding Severity Score. J Trauma Acute Care Surg 2014 ; 76 : 1243-1250.
39) Holcomb JB, del Junco DJ, Fox EE, et al : The prospective, observational, multicenter, major trauma transfusion (PROMMTT) study : Comparative effectiveness of a time-varying treatment with competing risks. JAMA Surg 2013 ; 148 : 127-136.
40) Kutcher ME, Kornblith LZ, Narayan R, et al : A paradigm shift in trauma resuscitation : Evaluation of evolving massive transfusion practices. JAMA Surg 2013 ; 148 : 834-840.
41) Brohi K, Singh J, Heron M, et al : Acute coagulopathy. J Trauma 2003 ; 54 : 1127-1130.
42) MacLeod JB, Lynn M, McKenney MG, et al : Early coagulopathy predicts mortality in trauma. J Trauma 2003 ; 55 : 39-44.
43) Maegele M, Lefering R, Yucel N, et al : Early coagulopathy in multiple injury : An analysis from the German Trauma Registry on 8724 patients. Injury 2007 ; 38 : 298-304.
44) 日本麻酔科学会：危機的出血への対応ガイドライン，2007. http://www.anesth.or.jp/guide/pdf/kikitekiGL2.pdf
45) Clinical practice guideline : Red blood cell transfusion in adult trauma and critical care. Crit Care Med 2009 ; 37 : 3124.
46) CRASH-2 trial collaborators : Effects of tranexamic acid on death, vascular occlusive events, and blood transfusion in trauma patients with significant haemorrhage (CRASH-2) : A randomised, placebo-controlled trial. Lancet 2010 ; 376 : 23-32.
47) CRASH-2 trial collaborators : The importance of early treatment with tranexamic acid in bleeding trauma patients : An exploratory analysis of the CRASH-2 randomised controlled trial. Lancet 2011 ; 377 ; 1096-1101,e2.
48) Hoff WS, Holevar M, Nagy KK, et al : Practice management guidelines for the evaluation of blunt abdominal trauma : The East practice management guidelines work group. J Trauma 2002 ; 53 : 602-615.
49) Huber-Wagner S, Lefering R, Qvick L, et al : Effect of whole-body CT during trauma resuscitation on survival : A retrospective, multicentre study. Lancet 2009 ; 373 : 1455-1461.
50) von Opell UO, Bautz P, De Groot M : Penetrating thoracic injuries : What we have learnt. Thorac Cardiovasc Surg 2000 ; 48 : 55-61.
51) Karmy-Jones R, Nathens A, Jurkovich GJ, et al : Urgent and emergent thoracotomy for penetrating chest trauma. J Trauma 2004 ; 56 : 664-668 ; discussion 668-669.
52) Gentilello LM, Jurkovich GJ, Stark MS, et al : Is hypothermia in the victim of major trauma protective or harmful? A randomized, prospective study. Ann Surg 1997 ; 226 : 439-447.
53) Wang HE, Callaway CW, Peitzman AB, et al : Admis-

sion hypothermia and outcome after major trauma. Crit Care Med 2005 ; 33 : 1296-1301.
54) Sessler DI : Complications and treatment of mild hypothermia. Anesthesiology 2001 ; 95 : 531-543.
55) Tisherman SA, Barie P, Bokhari F, et al : Clinical practice guideline : Endpoints of resuscitation. J Trauma 2004 ; 57 : 898-912.
56) Dellinger RP, Levy MM, Rhodes A, et al : Surviving sepsis campaign : International guidelines for management of severe sepsis and septic shock : 2012. Crit Care Med 2013 ; 41 : 580-637.
57) Kortbeek JB, Al Turki SA, Al J, et al : Advanced trauma life support, 8th edition, the evidence for change. J Trauma 2008 ; 64 : 1638-1650.
58) Davis JW, Shackford SR, Mackersie RC, et al : Base deficit as a guide to volume resuscitation. J Trauma 1988 ; 28 : 1464-1467.
59) McNelis J, Marini CP, Jurkiewicz A, et al : Prolonged lactate clearance is associated with increased mortality in the surgical intensive care unit. Am J Surg 2001 ; 182 : 481-485.
60) Martin MJ, FitzSullivan E, Salim A, et al : Discordance between lactate and base deficit in the surgical intensive care unit : Which one do you trust? Am J Surg 2006 ; 191 : 625-630.
61) Kaplan LJ, Kellum JA : Initial pH, base deficit, lactate, anion gap, strong ion difference, and strong ion gap predict outcome from major vascular injury. Crit Care Med 2004 ; 32 : 1120-1124.
62) Ferrada P : Transthoracic focused rapid echocardiographic examination : Real-time evaluation of fluid status in critically ill trauma patients. J Trauma 2011 ; 70 : 56-62.
63) Gando S, Hayakawa M : Pathophysiology of trauma-induced coagulopathy and management of critical bleeding requiring massive transfusion. Semin Thromb Hemost 2016 ; 42 : 155-165.
64) Duchesne JC, McSwain NE Jr, Cotton BA, et al : Damage control resuscitation : The new face of damage control. J Trauma 2010 ; 69 : 976-990.
65) Holcomb JB, Jenkins D, Rhee P, et al : Damage control resuscitation : Directly addressing the early coagulopathy of trauma. J Trauma 2007 ; 62 : 307-310.
66) Rotondo MF, Schwab CW, McGonigal MD, et al : 'Damage control' : An approach for improved survival in exsanguinating penetrating abdominal injury. J Trauma 1993 ; 35 : 375-382.
67) 日本外傷学会監：外傷専門診療ガイドラインJETEC, 第2版, へるす出版, 東京, 2018.
68) Endo A, Shiraishi A, Otomo Y, et al : Development of novel criteria of the "Lethal Triad" as an indicator of decision making in current trauma care : A retrospective multicenter observational study in Japan. Crit Care Med 2016 ; 44 : e797-803.
69) Mattox KL, Moore EE, Feliciano DV, eds : Trauma. 7th ed, McGraw-Hill, New York, 2013.
70) Ley EJ, Clond MA, Srour MK, et al : Emergency department crystalloid resuscitation of 1.5 L or more is associated with increased mortality in elderly and nonelderly trauma patients. J Trauma 2011 ; 70 : 398-400.
71) Baumann Kreuziger LM, Keenan JC, Morton CT, et al : Management of the bleeding patient receiving new oral anticoagulants : A role for prothrombin complex concentrates. Biomed Res Int 2014 ; 2014 : 583794.
72) Hoffman M, Monroe DM : Reversing targeted oral anticoagulants. Hematology Am Soc Hematol Educ Program 2014 ; 2014 : 518-523.
73) Lai A, Davidson N, Galloway SW, et al : Perioperative management of patients on new oral anticoagulants. Br J Surg 2014 ; 101 : 742-749.
74) Stannard A, Eliason JL, Rasmussen TE : Resuscitative endovascular balloon occlusion of the aorta (REBOA) as an adjunct for hemorrhagic shock. J Trauma 2011 ; 71 : 1869-1872.
75) Moore LJ, Brenner M, Kozar RA : Implementation of resuscitative endovascular balloon occlusion of the aorta as an alternative to resuscitative thoracotomy for noncompressible truncal hemorrhage. J Trauma Acute Care Surg 2015 ; 79 : 523-530.

技能 3-1　ショックの認知と対応

動画9

コースでの到達目標

- ショックの早期認知ができる。
- ショックへの初期対応ができる。

◆ 1. ショックの認知 "SHOCK" …血圧に頼らない！

S	: SKIN	（皮膚が冷たく湿っていないか）
H	: HR	（脈が弱くて速くなっていないか）
O	: Outer bleeding	（活動性外出血はないか）
C	: CRT / Consciousness*	（CRTは2秒以下か，意識の変調はないか）
K	: Ketsuatsu	（血圧は下がっていないか）

*ここでいうConsciousnessは，診療中に不穏・攻撃的・無気力などの意識の変調があるかないかを判断するものであって，改めて患者を診察して確認する必要はない。

◆ 2. ショックへの対応 "FIX-C"

F	: FAST
I	: IV確保
X	: XP
C	: Compression

まずは太いゲージで静脈路を確保し，細胞外液を全開で投与する。
- 初期輸液…成人1 L，小児20 ml/kgを目安とする。

次に原因検索を行う **"MAPを探せ！"**
- 胸部と骨盤の単純撮影（M＆P）
- FAST（M＆A＋心タンポナーデ）

外出血があれば，圧迫止血する。

★初期輸液を行ってもバイタルサインが不安定な場合
→ **「入れて，入れて，止めろ！」**（挿管，輸血，止血術）

技能 3-2 FAST

> **コースでの到達目標**
> ・ショックの原因検索としてFASTを行うことができる。

◆ 1. FAST (Focused Assessment with Sonography for Trauma)

動画10

腹腔内出血，大量血胸，心嚢液貯留がないかにポイントを絞ったエコー。
　　⇒　Primary surveyの「C」で行う。
胸腹部に外力が加わった可能性が否定できない場合には，ショックでなくても行う。

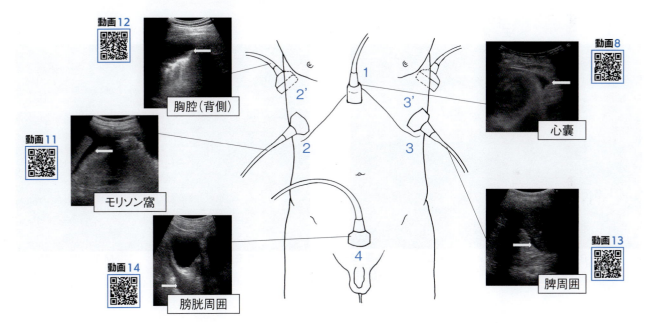

"FASTは4点4の字で！"

＜4点チェック＞　1分以内を目標に

① 上…心嚢液の貯留
② 右…モリソン窩　⇒　②'…右胸腔内
③ 左…脾周囲　　⇒　③'…左胸腔内
④ 下…膀胱周囲～ダグラス窩

"FASTは素早く何度でも！"
図1-9（p10），図3-5（p51）参照

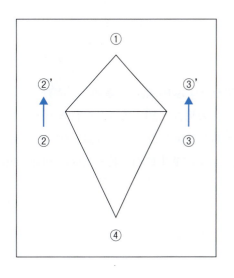

◆ 2. 超音波装置による気胸の検索

- 身体所見やX線写真では認知できないような軽微な気胸の検出に有用。

気胸が疑われ，気管挿管を要する場合は，primary surveyで行ってよい。

→FASTに引き続き行う場合はEFAST（Extended FAST）と呼ぶ。

方　法：
- 鎖骨中線，第2～第4肋間で，プローブは縦切りで見る。
- Bモードでlung slidingの有無を確認する。
- Mモードでseashore signの有無を確認する。

気胸がある場合：
- Bモードでlung slidingが消失する。
- Mモードでseashore signが消失し，barcode signを認める。

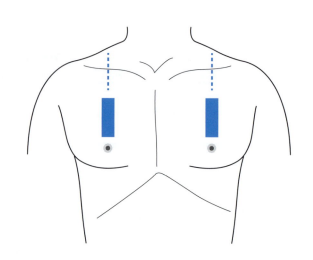

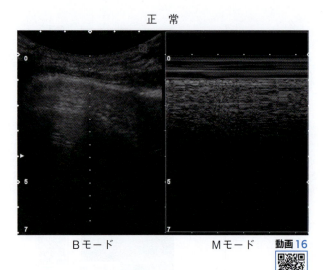

正　常
Bモード　Mモード

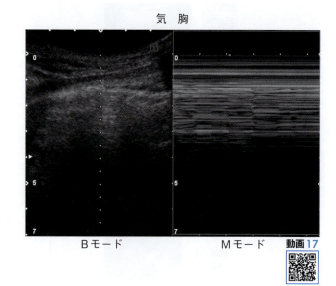

気　胸
Bモード　Mモード

※プローブはリニアのほうが見やすいが，コンベックスでも可。

図18-2～4（p242～244）参照

症例から学ぶEFASTの実際

40歳代の男性。50ccの原動機付きバイクで，時速30kmで走行中に右折しようとして，濡れた路面でスリップし転倒し受傷した。体の右側を強打したとのことで，救急搬送となる。少しだけ息苦しさがある。Primary surveyおよび蘇生に引き続き，secondary surveyでEFASTを行った。

技能 3-3　IOI（骨髄内輸液）

動画19

コースでの到達目標

- 緊急時の静脈路確保としてIOIの手技を理解する。
- 穿刺部位を特定し，穿刺が適切に行える。
- 起こり得る合併症とその防止法を説明できる。

◆ 1. 適応と禁忌

ショックをはじめとする危機的状況で，迅速な静脈路確保ができない場合，もしくは困難と予想される場合が適応となる。禁忌はとくにない。

◆ 2. 穿刺部位の選択における注意点

脛骨近位端を第一選択とするが，大腿骨遠位端，上前腸骨棘，脛骨遠位端なども使用できる。

骨折が存在する骨，骨皮質を貫きながら留置に失敗した骨や穿刺部より近位の血管損傷が強く疑われる骨への穿刺は避ける。

局所感染巣の存在する周辺での穿刺は避ける。

◆ 3. 準　備

①輸液針：専用の骨髄内輸液針を用いる（図14-8，p204参照）。代替品として検査用の骨髄穿刺針（いわゆるマルク針）や硬膜外針も流用できる。患者が乳児であれば18G注射針（いわゆるピンク針）も使用可能であるが，針の屈曲や内腔の閉塞をきたしやすい。骨髄内輸液針には各種サイズがあるが，一般的には16〜18Gで針長が3cm程度のものが使用しやすい。

②輸液ライン：通常の輸液セットに三方活栓を必要に応じて1〜2個付け，さらにエクステンションチューブを挟んで骨髄内輸液針に接続する。輸液針に接続する部は可能であればロック式でないものを選択する。

③その他：消毒，清潔手袋，ドレープなどは中心静脈穿刺に準じた器材を準備する。膝関節の下に敷くタオルなどがあれば手技が行いやすい。

◆ 4. 手　技

①消毒：手袋などの装着も含めて中心静脈穿刺に準じた清潔操作を基本とする。

②穿刺部位：小児では脛骨，大腿骨，上腕骨，腸骨から，成人の場合では加えて鎖骨，胸骨，腸骨からのアプローチも可能である。とくに成人では骨が硬いため脛骨などからのアプローチでは穿刺困難なことも多く，その場合には腸骨からの穿刺が比較的容易である。小児の脛骨アプローチでは，穿刺部は図3-3-1aで示すように脛骨結節から乳児であれば1〜2cm，年長児であれば2〜3cm遠位を目安とし，内側で比較的平坦な部分を選ぶ。

③体位（脛骨アプローチ）：穿刺側下肢を軽度外転・外旋，膝関節を軽度屈曲してとくに前後方向に動かないようにする。膝窩部にタオルなどを畳んで入れて膝関節を上から押さえつければ，より安定する。

④穿刺：穿刺部を消毒後，左手で膝関節部を上からしっかりと把持し，穿刺しやすいように内・外旋して角度を調整する。この際，術者自身の手を傷つけないよう穿刺部の直下に手指を入れないこと。また，穿刺部付近の皮膚にある程度

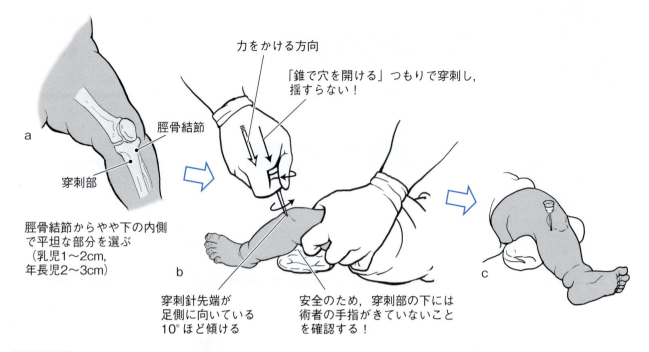

図3-3-1 骨髄路確保の手技　動画20

緊張がかかるように把持する（あまり緊張をかけすぎると針の向きが不安定になることがある。皮膚を貫いたら緊張は解いてよい）。回しやすい恰好で穿刺針を把持し，骨端線を損傷しないように心持ち（約10°）足側に向けて穿刺する。骨皮質に当たったら錐で穴を開けるように縦方向に圧を加えながら針を回転させる（図3-3-1b）。留置後の脇漏れにつながるので決して揺すってはならない。先端が皮質を貫いて髄腔に達すると急に抵抗感が消失する（"ズン"という感じで針が進む）。当然のことながら骨皮質は年齢によって硬度が異なり，乳児では容易に貫通するが年長児や成人の場合はかなりの力で圧を加えないと貫通できない。

⑤確認法と回路の接続：皮質を貫くと針から手を離しても針がしっかりと立つようになる（図3-3-1c）。この位置で針の先端は骨髄内に位置しているはずで，エクステンションチューブをしっかりと接続したうえで，三方活栓越しに生理食塩液（もしくは細胞外液補充液）10ml程度をゆっくりと注入する。当初は抵抗を感じるが途中で抵抗がなくなり，三方活栓を開ければ輸液が自然滴下するようになる。さらに穿刺部周囲の腫脹がなければ良好な位置にあると判断できる。もし注入できなかったり腫脹が認められた場合は，同じ骨の別部位は穿刺せずに対側の脛骨など別の骨を使用する。穿刺針自体の固定は不要であるが，輸液回路を関節をまたがないように穿刺下腿部にしっかりと固定する。

⑥輸液：末梢路から投与可能なすべての輸液類・薬剤・輸血が骨髄路から投与可能である。ただし，穿刺法が正しくないと留置針周囲からの脇漏れを生じ，薬剤によっては組織壊死を惹起することにつながりかねない。

5. 合併症，その他

①骨端線（成長板）損傷による成長障害があげられるが，適切な部位と方向で穿刺すれば予防できる。

②穿刺時に"刺す"要素が大きすぎると骨折を招く。圧着させて回転により針先で削るイメージで針を進めることが大切である。

③本法は有用な方法であるが長期間の使用で骨髄炎をはじめとする局所の炎症の頻度が増すため，患者の状態が安定したら可及的速やかに他の輸液ルートを確保して抜去すべきである。留置はせいぜい24時間以内にとどめたい。短期間の使用に限定すれば問題はない。

④IOI施行肢の大腿動静脈の穿刺は禁物である。

第4章 外傷と意識障害

要約

1. 外傷による意識障害は頭蓋内病変だけではなく，バイタルサインの異常でも生じる。
2. 意識障害を伴っていても，気道・呼吸・循環の安定化を最優先する。
3. 「切迫するD」と判断した際には確実な気道確保を行い，secondary surveyの最初に頭部CTを施行する。

動画21

はじめに

意識は，医学的に"生体がその環境に気づいている状態"や"周囲の環境を認識する状態"とされている。意識は主に下部延髄から橋・中脳・視床下部網様体に至る神経線維，いわゆる上行性網様体賦活系（ascending reticular activating system；ARAS[1]），およびそれらが大脳に投射する総合的な神経路によって維持されている。したがって，これらの機能が直接的，もしくは間接的な原因で低下したとき，意識は障害される。

表4-1 外傷における意識障害の原因

1. 低酸素血症・高/低二酸化炭素血症（A・Bの異常）
2. 循環障害（Cの異常）
3. 頭蓋内病変（Dの異常）
4. 低体温，高体温（Eの異常）
5. その他
    急性アルコール中毒，薬物中毒，一酸化炭素中毒，基礎疾患による意識障害

I 外傷による意識障害の原因

外傷による意識障害は頭部外傷だけではなく，呼吸や循環，体温などのバイタルサインの異常でも生じる。頭部外傷による意識障害は，外力による脳実質の直接損傷や外力が原因で発生した頭蓋内出血や脳浮腫による頭蓋内圧亢進が，意識の中枢である脳幹や大脳に機能不全を起こすことで生じる。そのため，片麻痺などの神経学的局在症状（巣症状）や頭痛や嘔吐など頭蓋内圧亢進症状，瞳孔不同やCushing現象などの脳ヘルニア徴候を伴うことが特徴である。

一方，頭蓋内病変以外による意識障害は，呼吸や循環障害によって十分な酸素やエネルギーが意識の中枢に供給されないために生じる。さらに，低体温や高体温による脳の代謝異常も意識障害の原因となる。したがって，呼吸や循環（A・B・C）が不安定な場合や体温（E）の異常を有する場合には，意識状態から頭蓋内病変の有無や重症度を正確に判断することはできない。また，外傷患者ではアルコールや薬物による意識への影響もまれではない。自殺企図では向精神薬や睡眠薬の服用を念頭に置く。糖尿病や心疾患，肝機能障害などの基礎疾患により意識障害をきたした結果，外傷に遭遇する場合もある（表4-1）。

II 意識障害患者の評価

さまざまな意識障害の評価法が報告されているが[2)〜11)]，外傷患者ではGlasgow Coma Scale（GCS）[12)〜15)]で評価するのが一般的である（表4-2）。ただし，わが国ではJapan Coma Scale（JCS）[16)〜18)]（表4-3）が広く普及しており，primary surveyの段階では救急隊との共通言語として併用することも可能である。

第4章 外傷と意識障害

表4-2 Glasgow Coma Scale

評価項目	スコア	成人	Pediatric coma scale	
			幼児～学童	乳児
E：開眼 (Eye opening)	4	自発的に		
	3	音により		
	2	身体圧迫刺激により		
	1	開眼しない		
	NT	測定不可		
V：言語音声反応 (Verbal response)	5	見当識あり	年齢相応の会話	笑い・喃語
	4	混乱した会話	混乱した会話	持続的な啼泣・叫び声
	3	発語のみ	不適当な発語	身体圧迫刺激で啼泣
	2	発声のみ	うめき声	身体圧迫刺激でうめき声
	1	発声なし		
	NT	測定不可（JATECでは気管挿管時・気管切開時はVTと表記，1と換算）		
M：最良の運動反応 (Best motor response)	6	命令に応じる	自発的に目的をもって動く	
	5	刺激部位に手足を持ってくる	接触（触れる/つかむ）から逃避する	
	4	正常逃避屈曲		
	3	異常屈曲		
	2	異常伸展		
	1	まったく動かない		
	NT	測定不可		

表4-3 Japan Coma Scale（JCS）

Ⅰ．刺激しないでも覚醒している状態（1桁で表現）	
1	だいたい意識清明だが，今一つはっきりしない
2	見当識障害がある
3	自分の名前，生年月日がいえない
Ⅱ．刺激をすると覚醒する状態（2桁で表現）	
10	普通の呼びかけで容易に開眼する〔合目的的な運動（例えば，右手を握れ，離せ）をするし言葉も出るが間違いが多い〕*
20	大きな声または体を揺さぶることにより開眼する（簡単な命令に応じる。例えば離握手）*
30	痛み刺激を加えつつ呼びかけを繰り返すとかろうじて開眼する
Ⅲ．刺激しても覚醒しない状態（3桁で表現）	
100	痛み刺激に対し，払いのけるような動作をする
200	痛み刺激で少し手足を動かしたり，顔をしかめる
300	痛み刺激に反応しない

*何らかの理由で開眼できない場合には，（ ）内の観察で代用する

◆ 1. GCSによる判定

GCSは表4-2に示すように3つの要素（E，V，M）から構成され，合計点は3～15の整数値をとる。しかし，GCS合計点が同じであっても各要素で予後への影響が異なるため[19)20)]，GCSを記載する場合は合計点だけではなく，各要素のスコアを記載する。GCS合計点9以上ではVがもっともよい予後予測の指標であり，8以下ではMとVの両者が予後予測に大切な指標である[19)]。とくにGCS合計点が低い場合にはMがもっとも信頼性が高い予後予測の因子となるとの報告[20)]などがある。

意識障害の程度を指標とした頭部外傷の重症度は，A・B・Cが安定した後にGCSで評価し，GCS合計点8以下を重症，9～13を中等症，14～15を軽症と判断する（第8章「頭部外傷」，p144参照）。

判定時の刺激は呼びかけから行い，反応がなければ愛護的に圧迫刺激を行う。圧迫刺激部位は両上肢の爪床，僧帽筋，眼窩上切痕が一般的で，左右を含め10秒間ほど刺激を与える[21)]。

なお，判定が困難な場合の取り決めについては各ガイドラインでバリエーションがある。原法では3つの要素ごとに判定が不可能の場合はNT（not-testable）と評価し，点数化せず，またNT＝1と表記し，換算しないとしている[21)]。JATECでは気管挿管，輪状甲状靱帯切開時などはVTと表記し，合計点を算出する際は1点と換算する。

1) Eye opening（E：開眼）

　自発的な開眼はE4と評価する。自発的な開眼がない場合でも，呼びかけて開眼するのはE3である。この際，肩などに軽く触れてもよい。呼びかけに反応しない場合には，まず10秒間，上肢の爪床に圧迫刺激（以下，圧迫刺激）[注1]を加え，開眼すればE2，しなければE1とする。反応がない場合は体幹の圧迫刺激，すなわち僧帽筋の圧迫を加える。頸髄損傷などにより四肢・体幹への刺激に反応がない場合は，眼窩上切痕（三叉神経領域）にも刺激を加える。推奨されているのは爪床，僧帽筋，眼窩上切痕の三部位である。なお，下顎角への刺激や下顎後面，茎状突起の刺激は評価が難しいためにあまり推奨されていない。また，胸骨圧迫刺激を行うことに関しては，あざができやすく評価が難しいとされており[22]，行うべきではないとされている[23]。評価不能の際はNTと表記する。

2) Verbal response（V：言語音声反応）

　見当識が正常であればV5である。見当識は「時，場所，人」で判定する。「時」は患者の生年月日ではなく，診察時の曜日や日付（その際，2〜3日のずれは許容する），「場所」は患者が現在いる場所（病院），「人」は患者本人の名前ではなく，周囲の医師，看護師などの認識をそれぞれ意味する。3つすべて正答してV5と判定する。見当識障害があり，混乱した会話はV4，「水」「痛い」などその場にそぐわない不適当な単語はV3，「あー」「うー」といったうなり声などの発声はV2，発声もない場合をV1と判定する。なお，前述したように身体的に評価不能の際はNTと記載するが，JATECでは気管挿管，輪状甲状靱帯切開時などVTと表記，合計点を算出する際は1点と換算する。

3) Best motor response（M：最良の運動反応）

　離握手や開閉眼などの簡単な指示を出し，それに従えばM6とする。従わない場合には，爪床，僧帽筋，眼窩上切痕に圧迫刺激を行い，刺激部位に四肢を持っていく，あるいは払いのければM5とする。刺激に対して逃避屈曲する場合にはM4，上肢が異常屈曲する場合（除皮質肢位）はM3とする。両者の区別が困難な場合は，手指の爪床への刺激に対して上肢が屈曲する際に，脇が開く場合はM4と評価し，閉める場合はM3と判定する[8]。刺激に対して異常伸展する場合（除脳肢位）はM2とする。三叉神経領域を含めて刺激に対してまったく反応がない場合には，M1とする。なお，圧迫刺激は上記のように末梢刺激から中枢刺激へと必要に応じて加えていく。

　左右で反応が異なる場合には，よい側のスコアを採用する。頸髄損傷による四肢麻痺では，開閉眼などの指示に従えばM6，従わなければM1とする。評価不能の際はNTと表記する。

4) 小児における判定

　小児，とくに5歳未満ではGCSでの意識障害評価が困難である。そのような際にはpediatric Glasgow Coma Scale（表4-2）を使用することがある。

◆ 2. 瞳孔所見

　瞳孔所見は脳幹の機能や脳ヘルニア徴候を判断するうえで必須の観察項目である[24]。光を一側瞳孔に照射し，縮瞳（瞳孔の動き）の有無を観察する（直接反射）。両側の対光反射の有無やその際の反応の速度（迅速，あるいは緩慢），瞳孔径，径の左右差を確認する。1mm以上の左右差を瞳孔不同，光に反応しない場合（変化が1mm未満）を固定瞳孔，反応が緩やかな場合を緩慢，4mmより大きい瞳孔径を瞳孔散大とし，これらを瞳孔異常と呼ぶ[25]。とくに一側の瞳孔散大固定による瞳孔不同は，緊急度が高い同側のテント切痕ヘルニアの所見である。瞳孔異常は視神経や動眼神経への直接損傷の場合にも生じることがある。Secondary surveyでは一側瞳孔に光を照射し，他側瞳孔の縮瞳（間接対光反射）の有無を評価することで，視神経損傷や末梢性動眼神経損傷の診断が可能となる。

注1：JATEC第5版，および従来のJATECコースでは「痛み刺激」として記載されていたものである。最近のGCSの記載では"痛み刺激（pain stimulation）"という言葉の代わりに，身体刺激（physical stimulation）や圧迫刺激（pressure stimulation）という用語が使用されている。ここでは原法の記載に伴い，日本語訳の身体への圧迫刺激（圧迫刺激）と表現した[21]。

3. 片麻痺

意識障害患者にみられる片麻痺は，脳の局所性病変または脳ヘルニアを疑う所見である。前頭葉運動野あるいは内包などの局所性病変や，テント切痕ヘルニアで大脳脚が圧迫されることにより対側片麻痺が出現する。しかし，頭蓋内の占拠性病変が急速に増大した場合，まれではあるが偏位した中脳が対側のテント切痕に圧迫され，同側の片麻痺をきたすことがある（Kernohan's notch）[26]。

4. Cushing現象

著明な頭蓋内圧亢進により高血圧と徐脈，不規則な呼吸を呈する現象[27]で，脳灌流圧を維持するautoregulation（自動調節能）によると推測されている。ただし，徐脈は，成人については後頭蓋窩病変以外では生じにくいとされており，実際の診療例では少ない[28]。

5. 「切迫するD」の判断

Primary surveyにおける「D」の評価の目的は，生命を脅かす頭蓋内病変の有無を神経症状と身体所見から判断することである。しかし，PaO_2が急激に40 mmHg以下に低下した場合にも，明らかな脳機能の低下を生じる[29]。また$PaCO_2$が60 mmHgを超える高二酸化炭素血症では脳代謝や脳機能に影響が出現し，頭重感，注意力低下を経由して，重症では昏睡状態に至る場合がある[30]。したがって，低酸素血症，高/低二酸化炭素血症，循環不全がある場合は，呼吸機能や循環動態の安定化を図ったうえで頭部外傷による中枢神経障害の正確な評価（「D」の評価）を行う必要がある。正確なDの評価のためにはA・B・Cの安定化後に再評価することが肝要である。

「切迫するD」は以下の①～③のいずれかが認められたときに判断する。

①GCS合計点が8以下の場合
②GCS合計点が経過中に2以上低下した場合
③脳ヘルニア徴候と考えられる瞳孔不同，片麻痺，Cushing現象（徐脈と高血圧）を呈する意識障害（GCS合計点14以下）

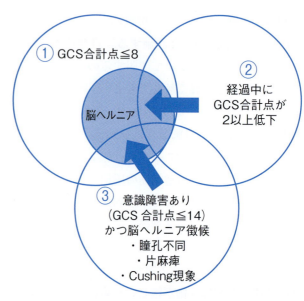

図4-1 「切迫するD」：生命を脅かす頭蓋内病変を疑う神経症状と身体所見

「切迫するD」の判断には，GCSの正しい判定と重要な身体所見の把握が前提となる。

6. 「切迫するD」への対応

「切迫するD」を認識したら，以下の3つの対応を行うことが必要である。まず，Dの評価はA・B・Cの安定化後に行うので，頭蓋外因子による二次性脳損傷を回避するために，A・B・Cの再確認と安定化を優先する。『頭部外傷治療・管理のガイドライン』では，GCS合計点8以下であれば，気管挿管を原則とした確実な気道確保が望ましいとされている[31)32]。また，GCS合計点が9以上であっても，前項で触れた②もしくは③で「切迫するD」と判断されたときには，脳ヘルニアが進行して急速に意識障害が悪化する可能性が高い（図4-1）。このため，十分な酸素化を行い，高二酸化炭素血症による頭蓋内圧亢進を回避するため確実な気道確保による換気の制御が必要である。すなわち，「切迫するD」と判断した時点で気管挿管を準備する。2つ目として，患者のバイタルサインを評価し，安定させたうえでsecondary surveyの最初に頭部CT検査を行う。3つ目として脳神経外科医にコンサルトして，頭蓋内病変，とくに占拠性病変への適切な判断と対応を行う。①～③を同時に認めるときは，脳ヘルニアの進行が強く疑われるので迅速な対応が不可欠となる。

参考までに，「切迫するD」にかかわる気道・呼吸・

循環に関して米国Brain Trauma Foundation（BTF）では，重症外傷性脳損傷管理のガイドライン[29]において，血圧と酸素飽和度をモニターし，収縮期血圧90 mmHg未満とPaO$_2$＜60 mmHg，SpO$_2$＜90％の低酸素血症の回避を強く促している。

7. GCSの限界

GCSは外傷初期診療に広く用いられているが，評価者によって点数がしばしば異なることが指摘されている[33]。

また，GCSの使用は海外では受傷6時間後に再評価すべきとされてきた。その理由は，前述したように神経学的所見に影響を与える因子，すなわち呼吸や循環の不安定，アルコールなどの影響を判断し，正常化させたのちに評価するためである。これらの影響がある場合は，GCS評価の際に留意すべきである[34]。

III 鑑別診断の進め方と対応

一次性脳損傷は外力により直接生じる脳損傷である。したがって，医療機関が一次性脳損傷を軽減，治療することは困難である。頭部外傷の治療目的は二次性脳損傷を最小限にすることである。全身の循環動態が悪化し脳灌流が低下することによって脳虚血（hemodynamic stroke）をきたすことが報告されている[35]。そのためショックの場合には，頭蓋内損傷が疑われても頭部CTよりショックの改善を優先する。また，低体温や高体温では意識障害をきたすため，primary surveyでの体温評価と管理は重要となる。

Primary surveyが終了し，secondary surveyで施行される頭部CTで明らかな頭蓋内損傷が認められない場合も中毒（アルコール・薬物など），および意識障害をきたす基礎疾患などを鑑別する。意識障害が先行する基礎疾患には低血糖，ビタミンB$_1$欠乏，てんかん発作，脳血管障害，徐脈などがある。

意識障害のある患者では，既往歴を患者から聞き取ることはほとんど不可能であり，家族など身近な人が病院へ到着するまで不明なことも多い。このような場合，患者の所持品を調べて情報を得る。

まとめ

意識障害は頭蓋内病変だけではなく，呼吸・循環や体温異常でも生じる。したがって，頭蓋内病変による意識障害を正しく判定するためには，まずバイタルサインの安定化を図ることが肝要である。

文献

1) Moruzzi G, Magoun HW：Brain stem reticular formation and activation of the EEG. Electroencephalogr Clin Neuro 1949；1：455-473.
2) Salcman M, Schepp RS, Ducker TB：Calculated recovery rates in severe head trauma. Neurosurgery 1981；8：301-308.
3) Stanczak DE, White JG 3rd, Gouview WD, et al：Assessment of level of consciousness following severe neurological insult：A comparison of the psychometric qualities of the Glasgow coma scale and the Comprehensive Level of Consciousness Scale. J Neurosurg 1984；60：955-960.
4) Stålhammar D, Starmark JE, Holmgren E, et al：Assessment of responsiveness in acute cerebral disorders：A multicentre study on the reaction level scale (RLS 85). Acta Neurochir (Wien) 1988；90：73-80.
5) Born JD：The Glasgow-Liège Scale：Prognostic value and evolution of motor response and brain stem reflexes after severe head injury. Acta Neurochir (Wien) 1988；91：1-11.
6) Crosby L, Parsons LC：Clinical neurologic assessment tool：Development and testing of an instrument to index neurologic status. Heart Lung 1989；18：121-129.
7) Benzer A, Mitterschiffthaler G, Marosi M, et al：Prediction of non-survival after trauma：Innsbruck coma scale. Lancet 1991；338：977-978.
8) 太田富雄：意識障害深度判定の変遷と今後の展望；Japan coma scaleからEmergency coma scaleへ．日神救急会誌　2003；16：1-4.
9) 坂本哲也：ECS. 救急医学　2003；27：884-886.
10) Gill M, Windemuth R, Steele R, et al：A comparison of the Glasgow Coma Scale score to simplified alternative scores for the prediction of traumatic brain injury outcomes. Ann Emerg Med 2005；45：37-42.
11) Wijdicks EF：Clinical scales for comatose patients：The Glasgow coma scale in historical context and the new FOUR Score. Rev Neurol Dis 2006；3：109-117.
12) Teasdale GM, Jennett B：Assessment of coma and impaired consciousness：A practical scale. Lancet 1974；7872：81-84.
13) Teasdale G, Maas A, Lecky F, et al：The Glasgow Coma Scale at 40 years：Standing the test of time. Lancet Neurol 2014；13：844-854.
14) Yeh DD：Glasgow Coma Scale 40 years later：In need of recalibration? JAMA Surg 2014；149：734.
15) 日本救急医療財団心肺蘇生法委員会監：救急蘇生法の

指針2015；医療従事者用，改訂第5版．へるす出版，東京，2016.

16) 太田富雄，和賀志郎，半田肇，他：意識障害の新しい分類法試案；数量的表現（Ⅲ群3段階方式）の可能性．脳神経外科　1974；2：623-627.

17) 太田富雄，和賀志郎，他：急性期意識障害の新しいGradingとその表現法（いわゆる3-3-9度方式）の可能性について．脳卒中の外科研究会編，クモ膜下出血早期の意識障害とその対策，にゅーろん社，川崎，1975，pp61-66.

18) 太田富雄：意識障害の重症度基準．綜合臨牀　1985；34：477-482.

19) Teoh LS, Gowardman JR, Larsen PD, et al：Glasgow coma scale：Variation in mortality among permutaion of specific total scores. Intensive Care Med 2000；26：157-161.

20) Healey C, Osler TM, Rogers FB, et al：Improving the Glasgow Coma Scale score：Motor score alone is a better predictor. J Trauma 2003；54：671-678.

21) The Glasgow Structured Approach to Assessment of the Glasgow Coma Scale.
https://www.glasgowcomascale.org

22) Shah S：Neurological assessment. Nurs Stand 1999；13：49-54.

23) Teasdale G：Forty years on：Updating the Glasgow Coma Scale. Nurs Times 2014；110：12-16.

24) Hoffmann M, Lefering R, Rueger JM, et al：Trauma Registry of the German Society for Trauma Surgery：Pupil evaluation in addition to Glasgow Coma Scale components in prediction of traumatic brain injury and mortality. Br J Surg 2012；99 (Suppl 1)：122-130.

25) Pupillary diameter and light reflex. In：Early Indicators of Prognosis in Severe Traumatic Brain Injury. Brain Trauma Foundation, New York, 2007, pp186-198.

26) Liau LM, Bergsneider M, Becker DP：Pathology and pathophysiology of head injury. In：Neurological Surgery. 4th ed, vol 3, Youmans JR eds, WB Saunders, Philadelphia, 1996, pp1549-1594.

27) Greenberg MS：Head trauma. In：Handbook of Neurosurgery. Lakeland FI, Greenberg Graphics, 1997, pp571-600.

28) Posner JB, Saper CB, Schiff N, et al：Plum and Posner's Diagnosis of Stupor and Coma (Contemporary Neurology Series). 4th ed, Oxford University Press, New York, 2007.

29) Carney N, Totten AM, O'Reilly C, etal：Guideline for the management of severe traumatic brain injury. 4th ed. Brain Trauma Foundation, 2016.

30) Butcher I, Maas AI, Lu J, et al：Prognostic value of admission blood pressure in traumatic brain injury：Results from the IMPACT study. J Neurotrauma 2007；24：294-302.

31) Davis DP, Koprowicz KM, Newgard CD, et al：The relationship between out-of-hospital airway management and outcome among trauma patients with Glasgow Coma Scale Scores of 8 or less. Prehosp Emerg Care 2011；15：184-192.

32) 頭部外傷治療・管理のガイドライン作成委員会編：頭部外傷治療・管理のガイドライン，第4版，医学書院，東京，2019.

33) Crossman J, Bankes M, Bhan A, et al：The Glasgow Coma Score：Reliable evidence? Injury 1998；29：435-437.

34) Marion DW, Carlier PM：Problem with initial Glasgow Coma Scale assessment caused by prehospital treatment of patients with head injuries：Results of a national survey. J Trauma 1994；36：89-95.

35) 田中敏春，広瀬保夫，木下秀則，他：外傷による重篤な出血性ショックに伴ったhemodynamic strokeの4例．日救急医会誌　2001；12：469-475.

技能 4-1 意識レベル評価の実際

コースでの到達目標

- GCSを用いて意識レベルの評価ができる。
- 切迫するDを認識し，適切な対応ができる。

◆ 1. GCSの評価手順

COMA：以下を迅速に判断して評価する。
1) **Check**（確認する）：評価の障害になる要因の有無を確認する。
2) **Observe**（観察する）：自発開眼，発語，体動などを観察する。
3) **Move**（刺激する）：呼びかけや圧迫で刺激して動きを見る。
4) **Assess**（評価する）：観察と刺激への反応から，GCSの表に従って点数をつける。

◆ 2. 圧迫刺激部位

以下に示すような，皮下出血を生じにくい，顔面を含む2カ所以上の部位で刺激を加える。胸骨部は，緊急性の高いときや他の部位での刺激が困難な場合を除き推奨されない。

a：眼窩上切痕，b：僧帽筋，c：爪床，d：顎関節部，e：胸骨部（緊急時のみ）

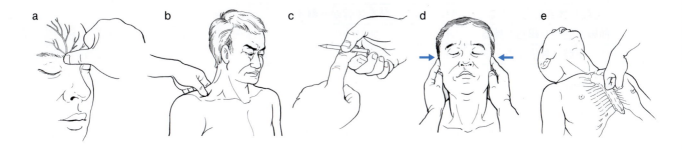

◆ 3. 判定時のポイント

1) Eの判定

（1）眼瞼腫脹

顔面外傷などによる両側眼瞼腫脹で自発開眼が困難な場合には，検査不能として"ENT"と表記し，1点と換算する。

例：ENT, V4, M6 = 11点

2）Vの判定

（1）見当識

以下の3項目をすべて正解した場合のみ，見当識良好としてV5と判定する。

時：今日は何月何日か
人：目の前にいるのは誰か（どんな職業の人か）
場所：今どこにいるか

（2）気管挿管または気管切開中

VTと表記し，1点と換算する。

3）Mの判定

（1）M6の判定

握手を求める際は，引き続き手を開くことも指示し判断する。これは，手掌を刺激することによる把握反射を除外するためである。

（2）M5〜M2の見分け方

M5：2カ所以上を刺激してそれぞれの部位に手を持っていく
M4：脇を開けながら手を引っ込める
M3：脇を閉じたまま肘を曲げる。除皮質肢位を意味する
M2：四肢を伸展する。除脳肢位を意味する

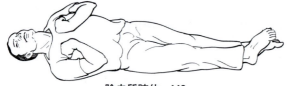

除皮質肢位　M3

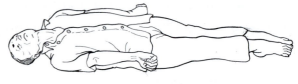

除脳肢位　M2

（3）屈曲の正常と異常の比較

異常な屈曲	正常な屈曲
動きが緩慢	動きが迅速
異なる刺激に対して同じ動き	異なる刺激に対して変化
上肢が体幹の上にくる	上肢を体幹から離す
前腕が回内し母指を握る	
下肢が伸展する	

（4）脊髄損傷

①頸髄損傷

　四肢麻痺の場合の最良運動反応は指示に従えばM6，従わなければM1と判定する。とくにその評価は顔面（三叉神経）領域の刺激により行う。

②脊髄反射

　脊髄損傷による脊髄ショック回復後や脳死において，疼痛刺激により脊髄反射として四肢の屈曲を生じる場合がある。M4と間違わないよう注意する。

（5）Best motor responseの覚え方

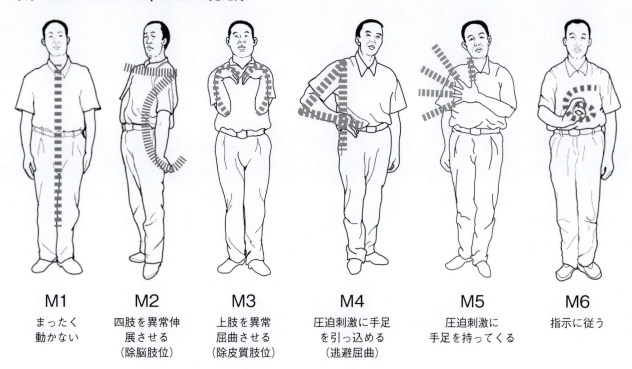

M1	M2	M3	M4	M5	M6
まったく動かない	四肢を異常伸展させる（除脳肢位）	上肢を異常屈曲させる（除皮質肢位）	圧迫刺激に手足を引っ込める（逃避屈曲）	圧迫刺激に手足を持ってくる	指示に従う

4．切迫するDを判断したら

HERNIA：頭の緊急事態（**H**ead **E**mergency）として，
1) **R**eevaluation：A・B・Cの再評価。とくに脳灌流圧を意識する
2) **N**eurosurgeon：脳神経外科医師にコンサルト
3) **I**mage：secondary surveyの最初に頭部CT撮影
4) **A**irway：確実な気道確保として気管挿管を考慮

第5章 胸部外傷

要 約

1. 胸部外傷では気道の異常，呼吸障害，閉塞性および循環血液量減少性のショックという緊急度の高い病態に陥るため，適切かつ迅速な処置を行わなければ致死的となる。
2. Primary surveyと蘇生においては，致死的な胸部外傷である気道閉塞，肺挫傷を伴うフレイルチェスト，開放性気胸，緊張性気胸，大量血胸，心タンポナーデなどを身体所見と胸部X線写真，FASTと超音波検査による気胸の評価から診断し，迅速な対応を行う。
3. Secondary surveyにおいては，primary surveyと蘇生の段階では顕著な所見を示さないが，見落とした場合には致死的となるか，もしくは臨床的に問題が生じる病態を種々の画像診断法などを組み合わせて診断し，専門医とともに適切な治療法を選択する。

はじめに

胸部には生命の維持に重要な役割を果たしている呼吸・循環の主要臓器である肺，心・大血管が存在するため，胸部外傷は気道（A），呼吸（B），循環（C）の異常の原因になり得る。直ちに酸素化および組織灌流障害につながる緊急性の高い病態を生じることから，迅速な対応を必要とする。

Primary surveyにおいては，身体所見と最小限の画像診断（胸部X線写真，FASTと超音波検査による気胸評価）からこれらの病態を把握し，同時に蘇生を行う。

I 疫 学

JTDB*19（Appendix 3「外傷疫学」，p294参照）では，全外傷例322,817人中，胸部にAIS 2以上の損傷を有する患者は約26％で，下肢，頭部に次いで3番目に多い。重症度別にみると，最大のAbbreviated Injury Scale（AIS）スコア3が44.1％，スコア4が33.8％，スコア5が10.5％となっており，重症から重篤の外傷の比率が高い。胸部臓器の主たる損傷の頻度（全外傷比，単独胸部外傷比）は，多発肋骨折（16.8％，61.9％）や肺挫傷（9.6％，25.3％）が高く，胸部大動脈損傷（0.8％，2.6％），心損傷（0.7％，5.4％），気管・気管支損傷（0.2％，1.0％）と続く。

II 解 剖

胸壁は骨性胸壁と軟部胸壁に分類され，前者は12本の肋骨，肋軟骨，胸骨および脊椎より，後者は多数の筋群（大胸筋，小胸筋，広背筋などの浅胸筋群と内外肋間筋などの深胸筋群）より構成される。胸骨縁で鎖骨の尾側に確認できるのは第1肋間である。胸骨柄と胸骨体の結合部分を胸骨角といい，第2肋軟骨が付着する。これらは体表から肋骨や肋間の高さを確認するランドマークとなる（図5-1）。

肋骨下縁に沿って，胸部大動脈から直接分岐した肋間動脈が肋間静脈，肋間神経とともに走行し（図5-2），頭側から静脈，動脈，神経の順に並んでいる。胸腔ドレナージのチューブ挿入に際してはこれらの走行を把握し，血管や神経を損傷することのないように留意しなければならない。また，胸骨縁には鎖骨下動脈の分枝である内胸動脈が縦走する。肋間動脈とともにその損傷がショックの原因となることがある。

穿通性胸部外傷において知られる「危険域」とは，主要臓器がその直下に存在する場所をいう（図

第5章 胸部外傷

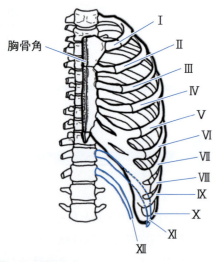

図5-1 骨性胸郭

第1〜7肋骨はそれぞれの肋軟骨を介して胸骨に連結する。第8〜10肋骨の肋軟骨はそれぞれ上位の肋軟骨に結合し、前方で第7肋軟骨へ融合し肋骨弓を形成する。第11, 12肋骨は肋骨弓に融合することなく遊離端となる浮遊肋骨である。胸骨縁で鎖骨の尾側に確認できるのは第1肋間であり、胸骨角には第2肋軟骨が付着する

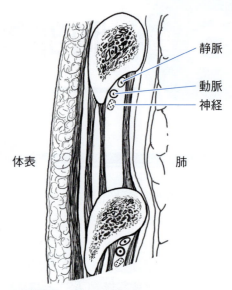

図5-2 肋間の横断面

5-3)[1]。この範囲に穿通性外傷を認めれば、心臓や大血管を損傷している可能性が高い。また、乳頭部より尾側の胸腔に達する穿通創では、横隔膜を経て腹部臓器を損傷している可能性が高い（図6-1, p100参照）。

III 病態

胸部外傷によって生じる重篤な病態には、気道閉塞と呼吸障害、閉塞性ショック、循環血液量減少性ショックがある。また、鈍的心損傷により心原性ショックとなることがある。

まれな病態として、前胸部への比較的軽微な衝撃による心臓振盪（commotio cordis）があり、早期除細動により救命可能な病態である[2]。

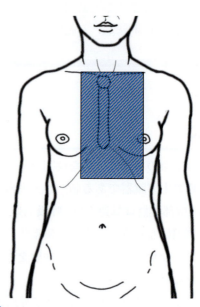

図5-3 Sauer's danger zone

穿通性外傷における心大血管損傷危険域（▨）である。上縁は胸骨上窩、左縁は左鎖骨中線、右縁は右鎖骨近位1/3、左下縁は左鎖骨中線第6肋骨、正中下縁は心窩部で囲まれた領域であり、この範囲に刺入口がある場合は、心大血管損傷の危険性が高い
〔文献1）より引用・改変〕

IV 初期診療

◆ 1. Primary surveyと蘇生

Primary surveyで同定すべき致死的胸部外傷とその検索方法を**表5-1**に示す。緊急処置を要する致死的病態を認めたならば、直ちに蘇生を行う。

1）身体所見のとり方と蘇生

まず、「見て」「聴いて」「触って」、気道の開通（A）および呼吸の状態（B）を確認する。気道閉塞や異物があれば、下顎挙上、異物除去を行い、気道を開通し、呼吸回数・様式、胸郭運動の左右差、呼吸音の左右差、肺雑音の有無、皮下気腫、圧痛、胸郭の動揺、打診による鼓音・濁音の有無などを確認する。次に、循環（C）の確認として脈の異常（数、緊張、リズム）、頸静脈の怒張、皮膚所見などからショッ

表5-1　Primary surveyで同定すべき致死的胸部外傷とその検索方法

	身体所見	FAST	胸部X線
気道閉塞	◎		
肺挫傷を伴うフレイルチェスト	◎		○
開放性気胸	◎	○*	○**
緊張性気胸	◎	○*	○**
大量血胸	○	◎	◎
心タンポナーデ	○	◎	○

◎：もっとも信頼性の高い検索方法
○：補助的検索方法
＊：気胸診断のための超音波検査
＊＊：X線撮影をすることなく身体所見から診断することを原則とする

ク徴候の有無を確認する．ショック徴候に加えて，胸郭運動の左右差，気管の偏位，皮下気腫，鼓音を認めれば，まず緊張性気胸を疑う．さらに，脱衣により胸部全体の外傷の有無や外出血の有無を確認し（E），外出血に対してはガーゼで圧迫するなど止血を行う．続いて，画像検査の所見を組み合わせて緊急の治療を必要とする病態をみつけ，時期を逸することなく治療を開始する．

2）画像診断
（1）胸部X線写真

Primary surveyにおける胸部X線写真は，A・B・C・Dに異常を認める場合や高リスク受傷機転の場合には必須の検査である．読影すべき病態とポイントは，①大量血胸，②呼吸不全や気道出血の原因となる肺挫傷，③フレイルチェストの原因となる多発肋骨骨折，④陽圧換気を要する場合の気胸の存在，⑤挿入されたチューブ・カテーテル類の位置確認である．とりわけ，ショックと呼吸不全の原因検索のための胸部X線撮影は重要である．

（2）FASTと超音波検査による気胸評価

従来の体腔への液体貯留を評価することを目的としたFASTとともに，気胸の存在を評価する．FASTと同時に行うことでEFASTと呼ばれる．胸腔内の液体貯留の診断において，超音波検査は迅速性と簡便性の点でポータブルX線写真より優れ，ほぼ同等の診断能であることが報告されている[3)4)]．

FASTでは心囊液貯留の評価は必須であり，迅速性・簡便性に加えて，診断能も優れている．FASTによる一定量の心囊液貯留の正診率は90％程度である[3)5)]．ただし，大量血胸が存在する際や心囊内の血液が凝固している際には，心囊液貯留の診断が困難となる場合があり，偽陰性となることも報告されている[6)7)]．

超音波検査による外傷性気胸の診断精度をみると，感度＞80％，特異度＞98％であり，胸部X線写真より感度は高く，特異度は同等である（胸部X線写真：感度40〜50％/特異度99％）．

ただし，皮下気腫が存在する場合や著しい肥満患者では診断能が低下することに注意が必要である．

3）Primary surveyで同定すべき致死的胸部外傷[注1]
（1）気道閉塞をきたす外傷

肺挫傷や穿通性外傷による気道出血は進行性に呼吸障害を生じる．持続性出血による血液の流れ込みにより，損傷を受けていない周囲あるいは対側の正常な換気を障害するため，気管チューブより大量の血液が吸引される場合には緊急の対応が必要となる．その方法としては以下のようなものがある．

健側の主気管支まで気管チューブを進め，健側肺のみを換気する．気管支ファイバーで誘導するのが一般的である．

ダブルルーメンの気管チューブ（ブロンコ・キャス™気管支内チューブ）を用いて左右の分離換気を行う．

気管支ブロッカー付きチューブ（ユニベント®気管内チューブ）を用いて，損傷側気管支をバルーンにて閉塞し，健側肺のみを換気する（図5-4）．

気管チューブはそのままにしておき，チューブの中にアーント気管支ブロッカーバルーンカテーテル

第5章 胸部外傷

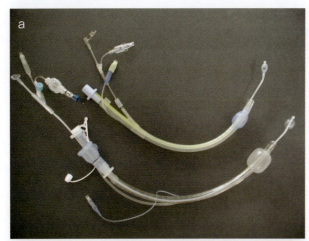

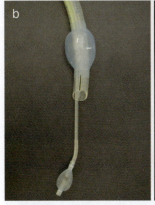 

図5-4 気管支ブロッカー付きチューブ
a：気管支ブロッカー付きチューブ（上）と通常の気管挿管チューブ内にブロッカーチューブを挿入したもの（下）
b：気管支ブロッカー付きチューブの先端
c：気管チューブ先端よりブロッカーチューブを出した状態

セットまたはクーデック®気管支ブロッカーチューブを挿入し，出血側気管支を閉塞する．この場合，気管チューブを交換する必要はないが，気管支ファイバーによるバルーンの誘導が必要である．

（2）フレイルチェスト

2カ所以上の肋骨・肋軟骨骨折が上下連続して複数本存在し，胸壁が吸気時に陥没し，呼気時に膨隆

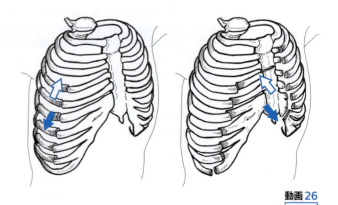

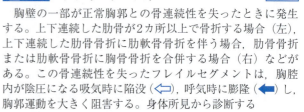

図5-5 フレイルチェスト
胸壁の一部が正常胸郭との骨連続性を失ったときに発生する．上下連続した肋骨が2カ所以上で骨折する場合（左），上下連続した肋骨骨折に肋軟骨骨折を伴う場合，肋骨骨折または肋軟骨骨折に胸骨骨折を合併する場合（右）などがある．この骨連続性を失ったフレイルセグメントは，胸腔内が陰圧になる吸気時に陥没（⇦），呼気時に膨隆（⬅）し，胸郭運動を大きく阻害する．身体所見から診断する

する奇異な胸郭運動をいう（図5-5）．胸骨骨折を合併する場合もある．正常な胸郭との連続性を失った胸郭部分をフレイルセグメントという．奇異性の運動は自発吸気時の胸腔内陰圧によって起こるため，陽圧換気下では消失し，酸素化障害などにより吸気努力が強いときには顕著となる．フレイルチェストは胸壁の前面・側面で生じやすく，比較的頑強な筋肉で覆われている背部でみられることはまれである．

胸壁の不安定性そのものが換気・酸素化不全の原因となることは少ない．フレイルセグメントを生じるような強い外力による肺挫傷の合併とその程度がフレイルチェストの病態の重症度を左右することになる．肺挫傷によるガス交換能の低下とともに，気管支・細気管支への出血や分泌物貯留による気道抵

注1：Advanced Trauma Life Support®（ATLS®）Student Course Manual改訂10版では，primary surveyにおいて診断と蘇生を要する致死的胸部外傷からフレイルチェストが削除され，気管・気管支損傷に変更されている．
The National Trauma Data Bankによるフレイルチェスト3,467例を対象とした疫学研究では，約60％の患者が人工呼吸管理を要するものの，死亡率 16％（10～40％程度）であることが報告されている[i]．一方，気管・気管支損傷患者の死亡率は30％程度と高率であることがその根拠として記されている[ii][iii]．
　しかし，気管・気管支損傷の表現型としての病態は，緊張性気胸，気道出血（閉塞），気道連続性破綻による換気・酸素化不全である．気管・気管支損傷は診断を要するものであり，フレイルチェストはprimary surveyで対応を要する可能性の高い病態であることから，本書では従来どおりフレイルチェストを致死的胸部外傷に含めることとした．
　i ）Dehghan N, de Mestral C, McKee MD, et al：Flail chest injuries：A review of outcomes and treatment practices from the National Trauma Data Bank. J Trauma Acute Care Surg 2014；76：462-468.
　ii ）Nishiumi N, Inokuchi S, Oiwa K, et al：Diagnosis and treatment of deep pulmonary laceration with intrathoracic hemorrhage from blunt trauma. Ann Thorac Surg 2010；89：232-238.
　iii ）Shemmeri E, Vallières E：Blunt tracheobronchial trauma. Thorac Surg Clin 2018；28：429-434.

抗の増加により，自発呼吸下での吸気に強い胸腔内陰圧が必要となり，胸郭の奇異運動は悪化する。また，疼痛により1回換気量の減少と気道内貯留物の排泄障害を生じる。すなわち，フレイルチェストに併発する呼吸不全は，併存する肺挫傷に伴う低酸素血症と呼吸運動の低下に起因する換気障害が相互に関与した結果である。

フレイルチェストの診断は身体所見から行う。胸郭の奇異運動を視診で確認するとともに，触診で両手を胸壁に当てて奇異性運動をする胸郭部分の存在を評価する。低酸素血症や高二酸化炭素血症が生じないかをパルスオキシメータや動脈血ガス分析によって評価する。

初期治療では，換気不全と低酸素血症を認める場合には気管挿管下に陽圧換気を行う。根本治療としては，陽圧換気管理を継続するinternal pneumatic stabilizationや肋骨骨折に対する観血的整復固定術がある[8]～[12]。

気管挿管下の陽圧換気を行わない場合には厳重な経過観察が必要である。十分な換気と排痰を促すために，持続硬膜外ブロック，鎮痛薬の全身投与などによる除痛が必須となる。

近年，フレイルチェストや軽度肺挫傷に対する非侵襲的陽圧換気の有効性が報告されている[13]。今後，適切にデザインされた臨床研究が必要である。

（3）開放性気胸

胸壁に気管径の2/3以上の大きさの欠損があると，胸腔と大気の圧レベルが同じになり，肺は直ちに虚脱し，低換気と低酸素が生じる（図5-6）。診断は，胸壁開放創と胸腔との交通が認められることによりなされる。開放創が大きくないときには，吸気時に創から血液と空気が胸腔内に吸い込まれる現象が認められる（sucking chest wound）。

治療の基本は，胸腔ドレーンの留置後に開放創を閉鎖することである。胸腔ドレナージチューブの挿入は胸壁開放創からではなく，創から離れた清潔な部位からとする。胸腔ドレナージを施行することなく開放創を閉鎖することは，肺損傷を合併する場合に緊張性気胸を招くおそれがあるので行ってはならない。胸壁欠損が大きく，創閉鎖が困難な場合には，大部分の患者で気管挿管下の陽圧換気が必要となる。

胸腔ドレナージの準備が速やかにできない場合には，一時的に気密性の高い滅菌被覆材で開放創を覆

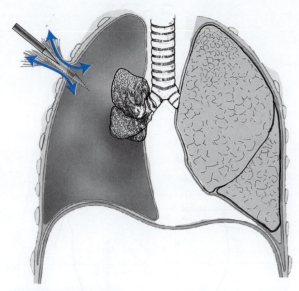

図5-6 開放性気胸

胸壁に気管径の2/3以上の開放創が存在すると，正常の気道よりも胸腔までの距離が短く，抵抗の低い胸壁欠損部から，吸気により空気が胸腔内に流入する。胸腔内圧と大気圧が同じレベルとなり，肺は虚脱し，低換気と低酸素が生じる。身体所見から診断する

い，三辺をテープで固定する三辺テーピング法を行う。本法は，吸気時の空気流入を防ぎ，胸腔内圧が高くなった場合に空気の胸腔外流出を可能とする。この方法は胸腔ドレナージを行うまでの処置であり，救急初療室において第一選択とする治療法ではない。

（4）緊張性気胸

ショックを呈する気胸を緊張性気胸といい，もっとも緊急度の高い病態の一つである。迅速な診断と胸腔穿刺・胸腔ドレナージによって，致死的な病態への進展を防ぎ得る。

緊張性気胸は，肺もしくは胸壁の損傷が一方向弁となって，空気が胸腔内に閉じ込められて発生する。肺損傷や胸腔内気管・気管支損傷によって起こることが多い。胸腔内圧が上昇し，静脈還流が障害され循環不全に陥るとともに，患側肺が虚脱する。対側肺も縦隔の偏位によって，圧排されるために呼吸不全を生じる（図5-7）。

症候は，胸痛，呼吸促迫とともに，循環不全の所見として，頻脈，低血圧などを特徴とする。身体所見では，視診で患側の胸郭膨隆，頸静脈怒張，聴診での患側呼吸音の減弱・消失，触診での皮下気腫，頸部気管の健側への偏位，打診上の鼓音を特徴とする。呼吸音の聴取は両側の腋窩において行うことが

第5章 胸部外傷

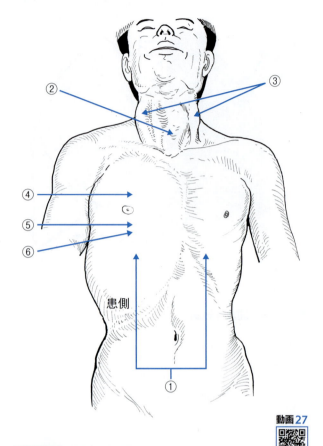

図5-7 緊張性気胸

肺もしくは胸壁に生じた一方向弁により空気が胸腔内に閉じ込められ，損傷側の胸腔内圧が上昇し静脈還流が障害され循環不全に陥る。患側肺は虚脱する一方，対側肺も縦隔の偏位のため圧排され呼吸不全に陥る。身体所見から診断する。①胸郭運動の左右差（患側が膨隆し，運動に乏しい），②気管の健側への偏位，③頸静脈の怒張，④患側呼吸音の減弱・消失，⑤皮下気腫，⑥打診上鼓音

大切で，左右差をより正確に判断できる。一方，人工呼吸管理中に生じる緊張性気胸では，気道内圧の上昇や突然の低血圧が特徴的である。

緊張性気胸は身体所見と超音波検査による気胸の評価を組み合わせて迅速に診断すべきであり，胸部X線写真による確定診断を待つことで治療が遅れることがあってはならない。ただし，皮下気腫を伴う患者における超音波検査による気胸の評価は困難であり，超音波検査による診断に固執すべきではない。

治療は，胸腔穿刺または胸腔ドレナージによる迅速な胸腔内の減圧である（技能5-2「緊張性気胸に対する胸腔穿刺・胸腔ドレナージ」，p94参照）。胸腔穿刺は病態が切迫している場合の第一選択である。胸腔ドレナージを行うためのドレナージチューブや器材が直ちに準備できないなどの時間的余裕のないときにも選択され，上昇した胸腔内の減圧が目的となる。胸腔穿刺は第2肋間鎖骨中線で行うが，

脱気不良の場合は第4ないし第5肋間中腋窩線前方からの腋窩アプローチを選択する。とくにBMI＞30 kg/m²と思われる患者では後者が推奨される[14)15)]。カテーテルの屈曲，著しい皮下気腫の存在などのために胸腔穿刺による減圧が成功せず，直ちにドレナージチューブを挿入できないときには，皮膚切開と胸腔への手指挿入による減圧（finger thoracostomy）も代替手段である。

胸腔穿刺後は脱気と臨床症状の改善を確認し，緊張性気胸の再発を回避するために可及的速やかに胸腔ドレナージを行う[16)]（技能5-2「緊張性気胸に対する胸腔穿刺・胸腔ドレナージ」，p94参照）。第4ないし第5肋間中腋窩線の位置は，腋窩を頂点として大胸筋と広背筋の辺縁と乳頭の高さもしくは第5肋間で形成される三角形をなす領域（triangle of safety）を目視で確認するとよい[16)]。

（5）大量血胸

ショックの原因となる血胸を大量血胸として区別する。穿通性外傷，鈍的外傷の原因によらず，血管損傷（胸部大動脈，肺動静脈，肋間動脈，内胸動脈，上大静脈，無名静脈，奇静脈），心損傷，肺損傷，横隔膜破裂を伴う腹部臓器損傷などで生じる。成人では一側の胸腔内に2,000～3,000 mlの血液が貯留し得るが，1,000 ml以上の出血が急速に起こると，循環血液量の減少と胸腔内圧の上昇による静脈還流の障害により循環不全に陥る。また，大量の血液による肺の圧迫によって呼吸不全も起こす。

Bの異常とともにCの異常が併せて認められることから，大量血胸の存在を疑う。患側胸部の呼吸音は減弱し，打診で濁音となる。これらの身体所見と胸部X線写真での患側肺野のびまん性透過性低下の所見，またはFASTにおける胸腔内のecho-free spaceの存在で診断する。

治療はまず胸腔ドレナージを行う。虚脱した肺を再膨張させBの異常を離脱することが期待されるが，一方で再膨張に伴う肺血管床の増大により循環血液量はさらに減少することになる。通常1,000 mlの血液が急速に回収された場合は，早い段階での開胸止血術を考慮しなければならない。胸腔ドレナージ施行後の出血量からみた手術適応の目安を**表5-2**に示すが，出血量そのものより生理学的異常に基づく治療介入が推奨される[17)]。

表5-2	血胸に対する開胸術の適応
1. 胸腔ドレナージ施行時1,000 ml以上の血液を吸引
2. 胸腔ドレナージ開始後1時間で1,500 ml以上の血液を吸引
3. 2～4時間で200 ml/時以上の出血の持続
4. 持続する輸血が必要

動画28

（6）心タンポナーデ

心タンポナーデとは，心嚢内に貯留した液体または空気により心臓の拡張運動が拘束され，心腔内への血液還流が妨げられるために生じる循環障害を指す。外傷では慢性疾患の場合と異なり，60～100 ml程度の少量の血液や凝血塊の貯留で発症し得る[18]。出血で説明できないショックの場合には常に念頭に置く。

診断は，循環不全の症状とFASTによる心嚢内の液体・凝血塊の貯留所見でなされる。しかしFASTの項で述べたように，大量血胸の合併時など偽陰性となることもあり，経過中に循環異常を認める場合には繰り返し実施する。

臨床症状として，古典的にはBeckの三徴（頸静脈怒張，血圧低下，心音減弱），奇脈（自発吸気時の収縮期血圧低下が10 mmHgを超える場合），Kussmaulサイン（自発呼吸下の吸気時中心静脈圧上昇），中心静脈圧上昇にもかかわらず30 mmHg以下の脈圧などの所見は，心タンポナーデに特徴的である。しかし，これらがそろうことはまれであり，外傷急性期には認められないことがある。胸部X線写真での心陰影の拡大は特異度の低い所見であり，この所見が認められなくても心タンポナーデの存在は否定できない。また，出血による循環血液量減少を合併している場合には頸静脈の怒張を認めないことにも注意する。

心タンポナーデの治療は，可及的速やかに心嚢内の血液を排除し，心臓拡張運動の拘束を解除することである。心嚢穿刺か，熟練した救急医や外科医による剣状突起下心膜開窓術，あるいは緊急開胸術による心膜切開を行う。心嚢穿刺で15～20 mlの血液が吸引できれば，一時的に症状の改善が期待できる。しかしこれは心停止を回避するための一時的処置であり，根本治療ではない。穿刺陽性の場合には，原因の心損傷に対して直ちに手術療法が必要となることが多い。また，心嚢内が凝血塊で充満している場合は心嚢穿刺では吸引ができずにバイタルサインの改善が期待できないため，直ちに剣状突起下心膜開窓術または緊急開胸術に移行しなければならない。

自施設で手術が施行できない場合は，心タンポナーデの一時的な解除後にしかるべき施設への転院を行う。その場合，心嚢穿刺針の外筒を留置するか，Seldinger法でピッグテール型のカテーテルに入れ替えて必要に応じて心嚢の減圧を繰り返す。

2. Secondary survey

Secondary surveyでは，見逃すと致死的となる損傷を検索する。これらの損傷には，胸部大動脈損傷，気管・気管支損傷，肺挫傷，鈍的心損傷，横隔膜損傷，食道損傷，気胸，血胸などがある。Primary surveyで蘇生を必要とすることもあるが，受傷早期には生理学的徴候に異常を示さないことが多い。したがって，受傷機転などからその存在を疑って身体所見をとるとともに，胸部X線写真，心電図，CT検査，血管造影，内視鏡検査など利用できる検査手段を組み合わせて診断する。

1）身体所見

呼吸困難，胸背部痛，血痰などの有無を問診したのち，視診で創傷や穿通創，打撲痕やシートベルト痕，呼吸様式，胸郭変形および頸静脈の状態などを再評価する。聴診はsecondary surveyにおいても重要であり，何度も繰り返し行う。呼吸音は両側中腋窩線や鎖骨中線など2カ所以上で聴診し，左右差をみる。打診は聴診とともに必ず施行し，鼓音・濁音を調べ，左右差を確認する。触診では，握雪感（皮下気腫），肋骨・胸骨・鎖骨の圧痛や変形，軋音の有無をみる。圧痛をみる際には，まず胸骨中央部を押して痛みを確かめ，次いで両側の胸郭を圧迫し，痛みがあるようならさらに片側ずつ，肋骨を1本ずつ両側の胸郭を詳細に触診して痛みの位置を確かめる。併せて鎖骨部の観察も行う。

2）画像診断

（1）胸部X線写真

Secondary surveyでは，①気管・気管支，②胸腔と肺実質，③縦隔，④横隔膜，⑤骨性胸郭と鎖骨，

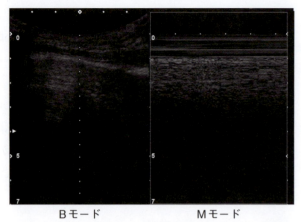
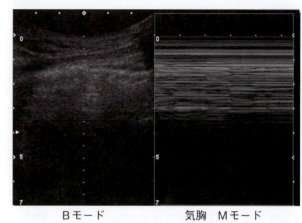

a：正常肺。Bモードでは，呼吸性に臓側胸膜がスライドする様子（lung sliding）や肺表面でのcomet tail artifactを観察できる。Mモードでは肺野に相当するところは粒状に描出され，波が打ち寄せる砂浜のようにみえる（seashore sign）

b：気胸。Bモードでは，呼吸に伴う胸膜の動き（lung sliding）が消失し，Mモードでは肺野に相当するところがバーコード様にみえる（barcode sign）

図5-8 気胸の有無による超音波画像の相違

肩甲骨，⑥軟部組織，⑦チューブと輸液ライン（位置確認）の7つの解剖学的視点に沿って詳細な読影を行う（技能5-1「胸部外傷のX線診断」，p91参照）。患者の臨床所見とX線所見を相互に関連づけて，見落とすと致死的となる胸部大動脈損傷，気管・気管支損傷，肺挫傷，横隔膜損傷，食道損傷，気胸，血胸などの検索に努める。これらの存在が疑われるときにはCTによる評価を行う。

（2）超音波検査

超音波検査は気胸の検出に用いることができる。5〜10MHzのリニアプローブを用いて前胸壁の肋間より胸腔を走査する。正常では壁側胸膜の下方で臓側胸膜が呼吸運動に合わせてスライドする様子（lung sliding）や，肺表面でのcomet tail artifactが観察される（図5-8）。気胸が存在すると臓側胸膜に超音波が到達しないために，スライドする臓側胸膜を確認することができない。さらにMモード表示にするとバーコードのような直線（barcode sign）が認められる。気胸が存在しないと考えられる胸腔を先に観察したほうが異常を指摘しやすい。

超音波検査と胸部X線撮影による気胸の診断精度を比較したメタ解析では，超音波検査が優れていることが示されている（感度：78.6〜90.9% vs 39.8〜52%，特異度：98.2〜99% vs 99.3〜100%）[19)〜21)]。

さらに，肺挫傷の診断においても超音波検査が有用であるとの報告もある[22)23)]。

（3）CT検査

胸部外傷におけるCT検査は，縦隔内臓器，とくに大動脈と他の主要血管損傷の診断においてもっとも有力な手段である。急激な減速作用機序をきたす高リスク受傷機転や胸部大動脈損傷を疑わせる胸部X線の異常所見があれば，造影CT検査は必須であり，解剖学的位置関係を詳細に把握することができる。また矢状断や冠状断像により，横隔膜損傷の診断能も向上する。

胸部CT検査は単純X線写真と比較して，肺挫傷，血胸，気胸，脊椎損傷，胸腔ドレナージチューブの位置異常の診断に優れている。その一方で，CT検査によるスクリーニングをしても人工呼吸管理の期間，入院日数，死亡率に改善は認めないとする報告もあり[24)25)]，身体所見や胸部X線写真，FAST，超音波検査による気胸の評価といった基本的な診断方法をおろそかにして，気道・呼吸・循環の適切な評価と安定化なしにCT検査に診断を頼ることは慎まなければならない。

（4）その他の画像診断法

気管支鏡検査は，気管・気管支損傷の確定診断とその部位，重症度の判断のために有力である。①広範な縦隔気腫，②胸腔ドレーン施行後も改善しない気胸，③胸腔ドレナージからの持続大量空気漏出，④持続する無気肺などの存在は気管・気管支損傷を疑わせる所見であり，気管支鏡検査の適応となる。

食道損傷の診断には，食道造影，上部消化管内視

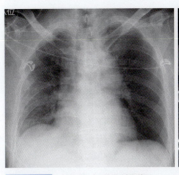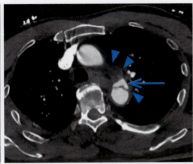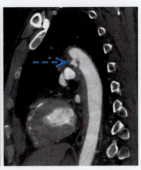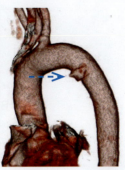

図5-9 胸部大動脈損傷

胸部X線上，上縦隔開大，右方への気管偏位，大動脈陰影の不鮮明化などの縦隔血腫の存在を示唆する所見が認められる。造影CTでは，縦隔血腫（矢頭）とともに大動脈損傷（仮性動脈瘤）が確認できる（矢印）。とくに，MPRの矢状断および3D-CTでは大動脈峡部の仮性瘤が明瞭である（破線矢印）

動画29

鏡検査が用いられるが，両法の診断能の違いは明らかでない。

胸部造影CT検査により，胸部主要血管損傷が疑われる場合，損傷血管の特定と止血・出血予防，末梢血流の維持のための介入を目的に血管造影が行われる。

3. 根本治療を必要とする胸部外傷

胸部外傷の多くは，気管挿管を含む呼吸管理と胸腔ドレナージや疼痛管理などで対処可能である。開胸術を必要とする外傷患者は，穿通性外傷では15～30％，鈍的外傷では10％未満とされる[26]。しかし，これらの開胸術を要する患者やステントグラフト内挿術などの特殊な治療を必要とする大動脈損傷などの治療を必要とする患者では，適切なタイミングで専門医へのコンサルテーションが必要となる。

初期診療において，根本治療を要する胸部外傷には以下のものがあげられる。

1）胸部大動脈損傷

胸部大動脈損傷は約80％の患者が現場で死亡し，病院到着後も24時間以内に約半数が死亡する。約40％の患者に他の損傷を合併している[27]。胸部大動脈損傷は，主に水平方向または垂直方向の急激な減速作用機序により起こるが，これは慣性の法則に基づく剪断力が作用する外傷で認められ，好発部位は左鎖骨下動脈を分岐した直後の下行大動脈（大動脈峡部）である。

本外傷に特徴的な症候はなく，受傷機転とともに胸部X線写真が診断の手がかりとされてきた。大動脈損傷に伴って上縦隔に形成された血腫を示唆する所見として，①縦隔構造物の境界不鮮明化，②周囲の構造物の圧排，③上縦隔開大所見，次いでaortic knobの不鮮明化などがある。

しかし，鈍的大動脈損傷のうち7.3～44％の症例で胸部X線写真上，正常な縦隔陰影を呈するとされ，胸部X線写真だけでスクリーニングはできない[28]。したがって，高リスク受傷機転など急激な減速作用機序が強く作用したと考えられる場合は，造影CT検査を行うことを推奨する。胸部造影CT検査はスクリーニングとしても，確定診断としても有用性が高く[29]（図5-9），感度は95％を超え，陰性的中率はほぼ100％である[30]。

胸部大動脈損傷の診断と治療のアルゴリズムを図5-10に示す。大動脈損傷に対する治療は，開胸による一期的修復術（人工血管置換術，単純縫合術など）か，もしくはステントグラフト内挿術が選択される（表5-3）[31]。わが国の全国調査においてもステントグラフト内挿術の普及が顕著であり（ステント126例，手術76例，修復なし415例），その治療成績も向上している（死亡率：ステント5.6％，手術15.8％，修復なし45.3％）[32]。ステントグラフト内挿術は手術療法に比較して脳梗塞合併の頻度には差を認めないものの，死亡率と四肢麻痺発症率は有意に低い。2015年のEASTのガイドラインにおいても，ステントグラフト内挿術の禁忌でないかぎり，手術よりステントグラフト内挿術が強く推奨されている[33]。なお，いずれの治療法を選択する場合でも，処置がなされるまでは血圧のコントロールが必要である。

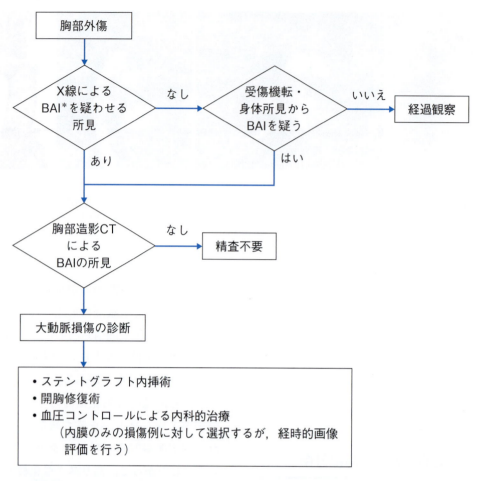

図5-10 胸部大動脈損傷が疑われる患者に対する診断・治療のアルゴリズム

*BAI（blunt aortic injury）：鈍的大動脈損傷

表5-3 鈍的胸部大動脈損傷に対する開胸術と血管内治療の治療成績の比較

	開胸術	ステントグラフトによる血管内治療
死亡率	0〜55%	0〜12%
死亡率（平均）	13%	3.8%
対麻痺	0〜20%	0%
対麻痺（平均）	10%	239例中1例
合併症	ARDS	左鎖骨下動脈閉塞
	意識障害	グラフト圧排
	神経学的な合併症	刺入部の合併症

〔文献31）より引用・改変〕

2）気管・気管支損傷

鈍的外傷による損傷の75〜80％が，気管分岐部より2.5 cm以内の気管や気管支に生じる[34]。主な症状は呼吸困難，血痰などである。損傷が縦隔内にとどまると，広範な縦隔気腫，とくに前頸部における皮下気腫が認められる一方，損傷が胸腔に穿破すると緊張性気胸となる。胸腔ドレナージ施行後も持続的な大量の空気漏出を認める場合や肺の再拡張が得られにくい場合は，気管・気管支損傷を疑う[35]（図5-11）。

胸部X線写真では，90％以上で気胸，皮下気腫，上位多発肋骨骨折，縦隔気腫などの異常所見が認められ，とくに，気管周囲の縦隔気腫，椎体に沿う深頸部気腫は気管・気管支損傷を示唆する所見である。

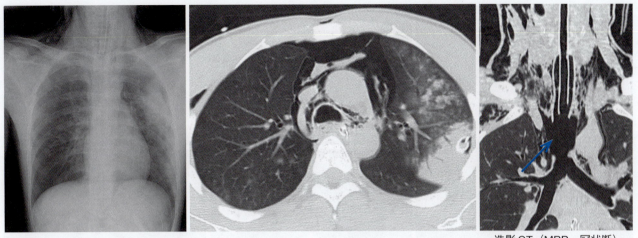

造影CT（MPR，冠状断）

図5-11　気管支損傷の胸部X線とCT
　胸部X線にて，左肺挫傷とともに，頸部の広範な皮下気腫，縦隔気腫を認める．CTでは，左肺挫傷と高度な縦隔気腫を認め，MPR像（冠状断）にて気管断裂が確認できる（矢印）

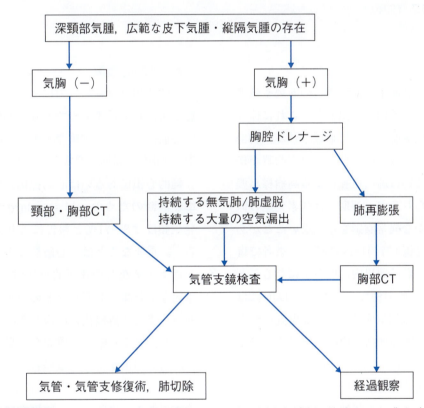

図5-12　気管・気管支損傷が疑われる患者に対する診断・治療のアルゴリズム

　また，気管挿管患者ではチューブのカフが過膨張している場合，その部位での気管損傷が疑われる．通常の気胸では肺門に向かって肺が虚脱するが，肺が肺門から離れて背側に向かって虚脱するCT所見が"fallen lung sign"であり，主気管支損傷を示唆するものである．確定診断は気管支鏡検査で行うのが原則である（図5-12）．
　気管・気管支損傷を疑った場合は，胸部外科医などへのコンサルテーションが必要となる．治療は気道の確保と損傷部の保存的治療または手術である．
　手術に際しては損傷側気管支の閉塞が必要であるため，左右の分離換気を行う．この方法については前述した「(1) 気道閉塞をきたす外傷」(p77) を参照のこと．

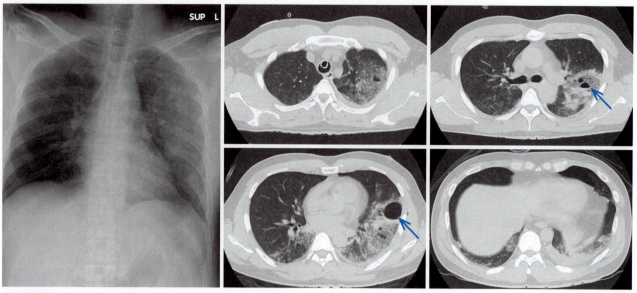

図5-13 肺挫傷の胸部X線とCT
胸部単純X線写真では，左上中肺野を中心に境界不明瞭な斑状・網状陰影を認める．CTでは，左気胸に加えて，広範な挫傷部内に気瘤が確認できる（矢印）

3）肺挫傷

肺挫傷の病態は，肺胞毛細血管構造の断裂や破壊で生じる肺の間質や肺胞内への出血と，これに伴う周囲の浮腫や微小無気肺によって形成される．胸部X線写真では，肺の区域に従わない境界不明瞭な斑状・網状陰影，あるいは肺内血腫による腫瘤様高濃度陰影などが認められるが，初期には酸素化能の低下があっても明らかな異常陰影を示さないことがある．X線写真上，受傷1時間以内に85％の患者で斑状陰影が認められ，数時間以内に明らかになることが多い（図5-13）．典型例では，3～4日以内には胸部X線写真の所見は消退する[36)37)]．受傷直後からX線所見が明確で，腫瘤様高濃度陰影を呈するのは肺内の裂傷部への出血による肺内血腫形成例であり，早期の気道出血と感染が問題となる．胸部CT検査は，胸部X線写真よりも鋭敏に肺挫傷の所見を描出するが，臨床的に意義の少ない程度のものまで検出し得る[38)]．

初期には臨床症状が軽微であっても，受傷後24～48時間で酸素化能の低下が進行することがあるため注意を要する．

治療は呼吸困難や低酸素症などの臨床所見から判断し，酸素療法で酸素化が不十分であれば気管挿管下に人工呼吸管理を行う．

4）鈍的心損傷

鈍的心損傷は鈍的外力により生じる心臓外傷の病態を包括して示すものであり，臨床的に症状の乏しい心筋挫傷から，重篤な不整脈，心不全，心腔の破裂，弁損傷，冠動脈閉塞など重症例まで含んでいる．

鈍的心損傷あるいは心筋挫傷には，明確な診断基準や診断のためのgold standardがないため，その発生頻度は8～71％と報告により大きく異なっている[39)]．重要なことは，心破裂による大量血胸や心タンポナーデなどの致死的な病態への対応に加えて，重篤な不整脈，心不全などの徴候を把握することである．また，外傷後に出現した心雑音は乳頭筋もしくは弁損傷を示唆する重要な所見である．

鈍的心損傷が疑われる場合の初期スクリーニング検査としてもっとも重要な検査は，12誘導心電図検査である．来院時心電図異常は，心合併症の発生と関連し[40)]，全例に必須である．多発する心室期外収縮や他の原因からは説明のできない洞性頻脈，心房細動，右脚ブロック，ST変化などがよくみられる．

ただし，本外傷を除外するためには，来院時心電図のみでは不十分であり，①心電図に異常を認めないこととともに，②トロポニン値が上昇していないことの確認が必要である．いずれにも異常を認めなければ陰性的中率100％となるが，いずれかに異常を認める場合は入院による経過観察が必要である[41)]．

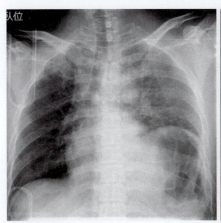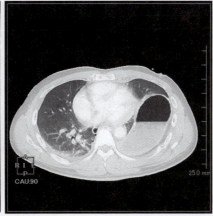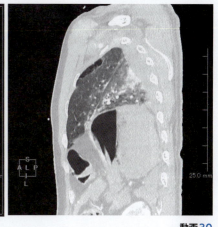

図5-14　左横隔膜損傷
　胸部単純X線では左下肺野に肺紋理のない透亮像があり，横隔膜が挙上しているようにみえる．CT検査により胃が左胸腔に陥入している状態が描出され，左横隔膜損傷と診断される

　心臓超音波検査は鈍的心損傷のスクリーニング検査としての意義は低いが，心電図異常が認められれば，心室収縮，壁運動，弁・乳頭筋などの異常を評価し得る有用な検査である．
　なお，ほかに明らかな原因を認めない低血圧や中心静脈圧の上昇も鈍的心損傷を疑わせる所見である．

5）横隔膜損傷

　横隔膜損傷の発生頻度は，全腹部外傷の3％程度とされている[42]．損傷部位は左横隔膜が65～80％を占める[37]．横隔膜損傷には腹腔内臓器損傷を高率に合併し，とくに右横隔膜損傷では肝損傷を合併しやすい．左横隔膜損傷では77％に腹腔内臓器損傷を合併すると報告されている．また，鈍的外傷によるものでは50％以上がショックを呈する．一方，受傷直後には横隔膜損傷が明らかでなく，数時間～数日，あるいは外傷後遺症として長期間経過後に診断されることもある．
　受傷機転と胸部X線写真が診断の手がかりとなる．しかし，胸部X線写真上，横隔膜損傷の存在を示唆する所見を呈するのは25～50％とされる．胸腔内消化管ガス像，胃管の位置異常などの所見が認められれば横隔膜損傷の診断は困難ではないが，横隔膜挙上，下葉の無気肺を伴う横隔膜陰影の不鮮明化，びまん性の透過性低下（胸腔内液体）などの所見でも横隔膜損傷を疑う（技能5-1「胸部外傷のX線診断」，p92参照）．右横隔膜損傷では，横隔膜の挙上とわずかな血胸が唯一の所見であることが多

い．心嚢と交通する横隔膜損傷では，心陰影の拡大や心嚢内の消化管ガス像が認められる．
　CTを用いて，冠状断あるいは矢状断像で評価を行えば確定診断に有用であるが（図5-14）．横断像のみの評価では，消化管の胸腔内への脱出がないかぎりは見落とされる可能性がある．
　左横隔膜損傷の急性期手術では，腹腔内臓器損傷を確認するため，通常，腹腔内からアプローチする．右横隔膜を修復する場合は，開胸または開胸腹によって行われる[43]．

6）食道損傷

　食道損傷の大部分は穿通性外傷である．鈍的外傷によることはまれであるが，発症メカニズムは直達外力と食道内圧の急激な上昇によるとされている（特発性食道破裂と同じメカニズムによる）．症状と臨床所見は，損傷部位，損傷程度，汚染および受傷からの経過時間に依存し，嚥下困難，背部痛，吐血，口腔咽頭出血，皮下気腫，縦隔気腫，血気胸，膿胸，縦隔膿瘍などの徴候が認められる．
　穿通性外傷では，受傷部位と自他覚所見から食道損傷が疑われれば，ガストログラフィン®による食道造影あるいは内視鏡検査を施行する．これらの検査による診断の感度は頸部食道で47～67％であるが，胸部食道では89～100％，正診率95％以上である[44]．一方，鈍的外傷では胸部X線写真上の広範な縦隔気腫の存在や，血気胸，膿胸が認められれば，さらなる食道造影あるいは内視鏡検査の適応となる．

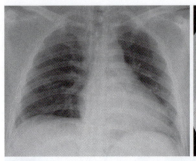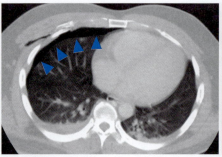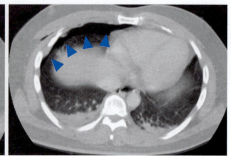

図5-15 Occult pneumothoraxの胸部X線とCT
胸部単純X線写真にて診断することができない気胸が20%存在するとされる。本例では単純X線写真では気胸を診断することが困難であったが，CTにて右胸腔内腹側に気胸が診断された（矢頭）

治療は，受傷早期に診断された場合は外科的に損傷部位を直接縫合閉鎖する。しかし，診断が遅れて縦隔への汚染や広範な組織の壊死が進んでいるときは，一次縫合による治癒は期待できないため，胸腔および縦隔ドレナージなどが選択される。

外傷性食道損傷の死亡率は0〜19％と報告により幅があるが[45]，術後縫合不全の発生率は，損傷を12時間以内に修復した場合は20％であるのに対して，24時間を超えて修復した場合は100％と報告されており[46]，早期の診断と治療が重要である[45]。

7) 気 胸

気胸の診断は，呼吸音の減弱，打診上の鼓音，皮下気腫の存在とともに胸部X線写真から行う。臥位撮影では肋骨横隔膜角の鋭化（deep sulcus sign，技能5-1「胸部外傷のX線診断」，p92参照）や心・横隔膜近傍の限局性透亮像がみられる。一方，立位撮影では肺尖部に無血管領域が出現する。また，胸部X線写真で気胸が明らかでなくともCT検査で確定できることが多く，occult pneumothoraxと呼ばれる（図5-15）。その理由は，仰臥位ポータブルX線撮影では200〜400 mlの胸腔内空気の貯留がないと描出できないためである。Occult pneumothoraxは全気胸の20〜35％であり，全鈍的胸部外傷の2〜8％に認められる[36)47]。

気胸の診断においても超音波検査が十分な正診率を有することはすでに述べた（「(2) 超音波検査」，p82参照）。

治療は原則，胸腔ドレナージである。とくに陽圧換気時には緊張性気胸に移行することがあるため，気胸と診断された場合には人工呼吸や全身麻酔の前に胸腔ドレナージをしておくのが安全である。Occult pneumothoraxについては，陽圧換気を要する状態であってもドレナージすることなく治療が可能であるとする報告がある[48)49]。一方，その約20％に胸腔ドレナージが必要となったとする報告がある[36]ことから，ドレナージを施行せず経過観察する際には厳重な注意を要する。陽圧キャビンのない航空機で患者を搬送する場合には，事前に気胸を解除しておく。

8) 血 胸

血胸の診断は胸部X線写真によることが一般的であるが，仰臥位での診断のためには200〜300 mlの血液貯留を要する[36]。また，FASTによっても胸腔内液体貯留の診断は可能であり，ポータブルX線写真と同等の診断能が期待できる[50]。

血胸を認めた場合は通常，胸腔ドレナージを施行し，血液の喪失量をモニターする。手術適応は，生理学的評価と表5-2に示す胸腔ドレナージチューブからの排液量を目安とするが，生理学的異常の評価がより重要である。止血のために開胸術を要するものは，ドレナージ施行例の10％以下である。

循環動態安定例では，開胸術に代えVATS（video-assisted thoracic surgery）が考慮される[51]。最初の胸腔ドレナージチューブで血液（凝血塊）が完全に除去できない場合にも，ドレナージチューブを追加するのではなく，VATSを考慮する。

■ 文 献

1) Sauer PE, Murdock CE：Immediate surgery for cardiac and great vessel wounds. Arch Surg 1967；95：7-11.
2) Maron BJ, Estes NA 3rd：Commotio cordis. N Engl J Med 2010；362：917-927.

3) Sisley AC, Rozycki GS, Ballard RB, et al : Rapid detection of traumatic effusion using surgeon-performed ultrasonography. J Trauma 1998 ; 44 : 291-296.
4) McEwan K, Thompson P : Ultrasound to detect haemothorax after chest injury. Emerg Med J 2007 ; 24 : 581-582.
5) Rozycki GS, Feliciano DV, Ochsner MG, et al : The role of ultrasound in patients with possible penetrating cardiac wounds : A prospective multicenter study. J Trauma 1999 ; 46 : 543-552.
6) Huang YK, Lu MS, Liu KS, et al : Traumatic pericardial effusion : Impact of diagnostic and surgical approaches. Resuscitation 2010 ; 81 : 1682-1686.
7) Nan YY, Lu MS, Liu KS, et al : Blunt traumatic cardiac rupture : Therapeutic options and outcomes. Injury 2009 ; 40 : 938-945.
8) Cataneo AJ, Cataneo DC, de Oliveira FH, et al : Surgical versus nonsurgical interventions for flail chest. Cochrane Database Syst Rev 2015 ; 29 : CD009919.
9) Coughlin TA, Ng JWG, Rollins KE, et al : Management of rib fractures in traumatic flail chest : A meta-analysis of randomised controlled trials. Bone Joint J 2016 ; 98-B : 1119-1125.
10) Swart E, Laratta J, Slobogean G, et al : Operative treatment of rib fractures in flail chest injuries : A meta-analysis and cost-effectiveness analysis. J Orthop Trauma 2017 ; 31 : 64-70.
11) Schuurmans J, Goslings JC, Schepers T : Operative management versus non-operative management of rib fractures in flail chest injuries : A systematic review. Eur J Trauma Emerg Surg 2017 ; 43 : 163-168.
12) Beks RB, Peek J, de Jong MB, et al : Fixation of flail chest or multiple rib fractures : Current evidence and how to proceed : A systematic review and meta-analysis. Eur J Trauma Emerg Surg 2019 ; 45 : 631-644.
13) Rajan T, Hill NS : Noninvasive positive-pressure ventilation. In : Textbook of Ctitical Care. 5th ed, Fink MP, Abraham E, Vincent JL, et al eds, Elsevier Saunders, Philadelphia, 2005, pp519-526.
14) Aho JM, Thiels CA, El Khatib MM, et al : Needle thoracostomy : Clinical effectiveness is improved using a longer angiocatheter. J Trauma Acute Care Surg 2016 ; 80 : 272-277.
15) Laan DV, Vu TD, Thiels CA, et al : Chest wall thickness and decompression failure : A systematic review and meta-analysis comparing anatomic locations in needle thoracostomy. Injury 2016 ; 47 : 797-804.
16) Laws D, Neville E, Duffy J, Pleural Diseases Group, Standards of Care Committee, British Thoracic Society : BTS guidelines for the insertion of a chest drain. Thorax 2003 ; 58 (Suppl 2) : ii53-59.
17) Mowery NT, Gunter OL, Collier BR, et al : Practice management guidelines for management of hemothorax and occult pneumothorax. J Trauma 2011 ; 70 : 510-518.
18) Acensio JA, Garcia-Nunez LM, Petrone P : Trauma to the heart. In : Trauma. 6th ed, Feliciano DV, Mattox KL, Moore EE, eds, McGraw-Hill, New York, 2008, pp569-588.
19) Ding W, Shen Y, Yang J, et al : Diagnosis of pneumothorax by radiography and ultrasonography : A meta-analysis. Chest 2011 ; 140 : 859-866.
20) Alrajhi K, Woo MY, Vaillancourt C : Test characteristics of ultrasonography for the detection of pneumothorax : A systematic review and meta-analysis. Chest 2012 ; 141 : 703-708.
21) Alrajab S, Youssef AM, Akkus N, et al : Pleural ultrasonography versus chest radiography for the diagnosis of pneumothorax : Review of the literature and meta-analysis. Crit Care 2013 ; 17 : R208.
22) Hyacinthe AC, Broux C, Francony G, et al : Diagnostic accuracy of ultrasonography in the acute assessment of common thoracic lesions after trauma. Chest 2012 ; 141 : 1177-1183.
23) Reissig A, Copetti R, Kroegel C : Current role of emergency ultrasound of the chest. Crit Care Med 2011 ; 39 : 839-845.
24) Guerrero-López F, Vázquez-Mata G, Alcázar-Romero PP, et al : Evaluation of the utility of computed tomography in the initial assessment of the critical care patient with chest trauma. Crit Care Med 2000 ; 28 : 1370-1375.
25) Omert L, Yeaney WW, Protetch J : Efficacy of thoracic computerized tomography in blunt chest trauma. Am Surg 2001 ; 67 : 660-664.
26) American College of Surgeons Committee on Trauma : Advanced Trauma Life Support (ATLS) for Doctors : Student Course Manual. 10th ed, American College of Surgeons, Chicago, 2018.
27) Demetriades D : Blunt thoracic aortic injuries : Crossing the Rubicon. J Am Coll Surg 2012 ; 214 : 247-259.
28) Neschis DG, Scalea TM, Flinn WR, et al : Blunt aortic injury. N Engl J Med 2008 ; 359 : 1708-1716.
29) Dyer DS, Moore EE, Ilke DN, et al : Thoracic aortic injury : How predictive is mechanism and is chest computed tomography a reliable screening tool? A prospective study of 1,561 patients. J Trauma 2000 ; 48 : 673-682.
30) Bruckner BA, DiBardino DJ, Cumbie TC, et al : Critical evaluation of chest computed tomography scans for blunt descending thoracic aortic injury. Ann Thorac Surg 2006 ; 81 : 1339-1346.
31) Mattox KL, Wall MJ Jr, Lemaire S : Thoracic great vessel injury. In : Trauma. 6th ed, Feliciano DV, Mattox KL, Moore EE, eds, McGraw-Hill, New York, 2008, pp589-605.
32) Tagami T, Matsui H, Horiguchi H, et al : Thoracic aortic injury in Japan : Nationwide retrospective cohort study. Circ J 2015 ; 79 : 55-60.
33) Fox N, Schwartz D, Salazar JH, et al : Evaluation and management of blunt traumatic aortic injury : A practice management guideline from the Eastern Association for the Surgery of Trauma. J Trauma Acute Care Surg 2015 ; 78 : 136-146.

34) Prokakis C, Koletsis EN, Dedeilias P, et al : Airway trauma : A review on epidemiology, mechanisms of injury, diagnosis and treatment. J Cardiothorac Surg 2014 ; 9 : 117.
35) Kushimoto S, Nakano K, Aiboshi J, et al : Bronchofiberoscopic diagnosis of bronchial disruption and pneumonectomy using a percutaneous cardio-pulmonary bypass system. J Trauma 2007 ; 62 : 247-251.
36) Livingston DH, Hauser CJ : Chest wall and lung. In : Trauma. 6th ed, Feliciano DV, Mattox KL, Moore EE, eds, McGraw-Hill, New York, 2008, pp525-552.
37) Pryor JP, Asensio J : Thoracic injury. In : The Trauma Manual. 3rd ed, Peitzman AB, Rhodes M, Schwab CW, et al eds, Lippincott Williams & Wilkins, Philadelphia, 2008, pp209-229.
38) Deunk J, Poels TC, Brink M, et al : The clinical outcome of occult pulmonary contusion on multidetector-row computed tomography in blunt trauma patients. J Trauma 2010 ; 68 : 387-394.
39) EAST Practice Parameter Workgroup for Screening of Blunt Cardiac Injury : Practice management guidelines for screening of blunt cardiac injury. Eastern Association for the Surgery of Trauma, 1998.
40) Maenza RL, Seaberg D, D'Amico F : A meta-analysis of blunt cardiac trauma : Ending myocardial confusion. Am J Emerg Med 1996 ; 14 : 237-241.
41) Clancy K, Velopulos C, Bilaniu JW, et al : Screening for blunt cardiac injury : An Eastern Association for the Surgery of Trauma practice management guideline. J Trauma Acute Care Surg 2012 ; 73 : S301-306.
42) Davis JW, Eghbalieh B : Injury to the diaphragm. In : Trauma. 6th ed, Feliciano DV, Mattox KL, Moore EE, eds, McGraw-Hill, New York, 2008, pp623-635.
43) McDonald AA, Robinson BRH, Alarcon L, et al : Evaluation and management of traumatic diaphragmatic injuries : A Practice Management Guideline from the Eastern Association for the Surgery of Trauma. J Trauma Acute Care Surg 2018 ; 85 : 198-207.
44) Karmy-Jones R, Wood DE, Jurkovich GJ : Esophagus, trachea, and bronchus. In : Trauma. 6th ed, Feliciano DV, Mattox KL, Moore EE eds, McGraw-Hill, New York, 2008, pp553-567.
45) Asensio JA, Chahwan S, Forno W, et al : Penetrating esophageal injuries : Multicenter study of the American Association for the Surgery of Trauma. J Trauma 2001 ; 50 : 289-296.
46) Armstrong WB, Detar TR, Stanley RB : Diagnosis and management of external penetrating cervical esophageal injuries. Ann Otol Rhinol Laryngol 1994 ; 103 : 863-871.
47) Rhea JT, Novelline RA, Lawrason J, et al : The frequency and significance of thoracic injuries detected on abdominal CT scans of multiple trauma patients. J Trauma 1989 ; 29 : 502-505.
48) Mowery NT, Gunter OL, Collier BR, et al : Practice management guidelines for management of hemothorax and occult pneumothorax. J Trauma 2011 ; 70 : 510-518.
49) Zhang M, Teo LT, Goh MH, et al : Occult pneumothorax in blunt trauma : Is there a need for tube thoracostomy? Eur J Trauma Emerg Surg 2016 ; 42 : 785-790.
50) Ma OJ, Mateer JR : Trauma ultrasound examination versus chest radiography in the detection of hemothorax. Ann Emerg Med 1997 ; 29 : 312-315.
51) Smith JW, Franklin GA, Harbrecht BG, et al : Early VATS for blunt chest trauma : A management technique underutilized by acute care surgeons. J Trauma 2011 ; 71 : 102-105.

技能 5-1 胸部外傷のX線診断

コースでの到達目標

- Primary surveyでは，生理学的徴候の異常をきたす病態を胸部X線写真の読影から検索できる。
- Secondary surveyでは，見落とすと致死的となる胸部外傷を胸部X線写真の読影から検索でき，チューブ類の位置確認ができる。
- 7つの解剖学的区分に基づいて，secondary surveyでの読影を行える。

動画31
動画32

◆ 1. 気管・気管支

①気管・気管支を圧排する周辺の血腫や気腫の存在を評価する。
②気管・気管支損傷を示唆する組織の非連続性や周囲の気腫，気胸の有無を評価する。

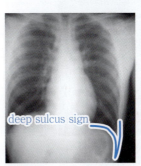
左気胸

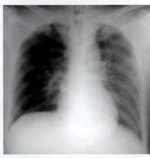
左血胸

◆ 2. 胸腔と肺実質

①胸腔：胸腔内液体貯留（血胸）と気胸の評価を行う。立位撮影では，気胸は肺尖の無血管野から，血胸は肋骨横隔膜角（CP angle）の鈍化から指摘される。しかし，大部分の外傷患者の初期診療で施行される仰臥位撮影では，気胸はCP angleの鋭化（deep sulcus sign）や心・横隔膜近傍の限局性透亮像，血胸ではびまん性の肺野透過性低下が早期に認められる所見であることに留意する。また，CTによって診断できるが単純X線写真では指摘することができない気胸をoccult pneumothoraxという（図5-15, p88参照）。

②肺実質：肺挫傷，肺内血腫，誤嚥による病変などの肺野所見の評価を行う。これらは，肺野において不整かつ斑状，均一，びまん性などの種々の浸潤影を呈する。肺裂傷はその程度により，浸潤影あるいは肺内血腫として認められる。

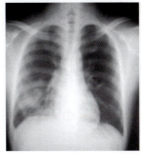
びまん性浸潤影

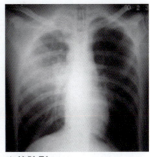
斑状陰影

◆ 3. 縦隔

①縦隔内の空気あるいは血腫を評価する。縦隔血腫は臓器の圧排，偏位，構造物輪郭の不鮮明化をきたす。
②心・大血管損傷の所見を評価する。心・大血管損傷そのものではなく，間接所見としての縦隔血腫の存在にとくに注意する。
- 心嚢内気腫，血液の存在を示唆する心臓のシルエットの拡大と経時的変化

- 大動脈損傷を示唆する所見（縦隔血腫の存在とそれによる圧排所見に注意する）
  - （1）上縦隔の拡大
  - （2）第1，2肋骨骨折の存在
  - （3）aortic knobの不鮮明化
  - （4）気管の右方への偏位
  - （5）pleural（apical）capの存在
  - （6）右主気管支の挙上・右方偏位
  - （7）左主気管支の下方偏位
  - （8）PA window（肺動脈-大動脈間腔）の不鮮明化
  - （9）食道あるいは胃管の右方偏位
  - （10）左血胸（肋骨骨折を伴わない）

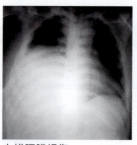
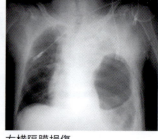

右横隔膜損傷　　　左横隔膜損傷

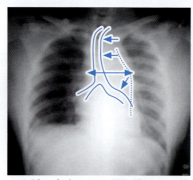

血腫の存在による縦隔構造の圧排所見と，大動脈および周囲臓器の輪郭不鮮明化に注目する

動画33

◆ 4. 横隔膜

①横隔膜の高さ，アーチの形状，および鮮明度を評価する。
- 挙上（深呼気時で第4肋間まで），断裂，陰影の不鮮明化

②X線所見の経時的変化を評価する。
- 挙上，断裂，シルエットの不鮮明化
- 横隔膜上のmass-like density：液体を含む消化管，大網，肝・脾などの実質臓器のヘルニアによる（消化管内ガス像が横隔膜上に存在する場合には，限局性気胸様所見となることもある）
- 横隔膜上に位置する胃腸管
- 対側への縦隔の偏位
- 心囊内ヘルニア時の心陰影の拡大
- 胸腔液体貯留所見

◆ 5. 骨性胸郭

胸郭を形成する骨傷の有無を読影し，それぞれの部位に応じた合併損傷の有無を評価する。
- ①鎖骨：大血管損傷，肺挫傷などの合併損傷の評価
- ②肩甲骨：気道や大血管損傷，肺挫傷などの合併損傷の評価
- ③肋骨：第1〜3；血気胸，気道や大血管損傷などの損傷の評価
  第4〜9；フレイルチェスト，血気胸，肺挫傷などの損傷の評価
  第10〜12；フレイルチェスト，血気胸，肺挫傷および腹腔内臓器などの損傷の評価
- ④胸骨：ポータブル撮影などによる前後像では胸骨や随伴する縦隔血腫の存在を指摘できないことが多い。CTなどで診断したときには，心筋挫傷，大血管損傷などの合併損傷の評価をする。

◆ 6. 軟部組織

軟部組織の位置異常や断裂，皮下気腫などの存在を評価する。

◆ 7. チューブと輸液ライン

挿入されているチューブや輸液ラインの位置，モニター機器などを評価する。

◆ 8. X線写真の再評価

患者の臨床所見とX線画像所見を相互に関連づけることが必要であり，身体所見を中心とした臨床所見をもとにX線写真を読み，画像所見をもとに身体所見をみるようにする。X線画像所見あるいは他の臨床所見をそれぞれ独立して評価してはならない。

9. 読影の練習

症例1
33歳，男性
250ccバイクにて走行中に右折車と接触し受傷
Primary surveyと蘇生
- 気道開通
- 右胸痛と呼吸苦とがあり，頻呼吸
- 皮膚冷感・蒼白，頻脈，BPS 60 mmHg（触診）
  —緊張性気胸と判断，ドレナージ施行
  —胸部X線撮影

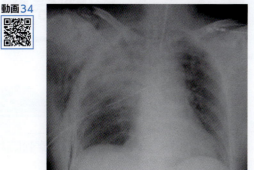

症例2
29歳，男性
飲酒後にシートベルトをせずに，ワゴン車を運転し，停車していた乗用車に追突して受傷
Primary surveyと蘇生
- 蘇生を要する異常を認めず

Secondary survey
- 前胸部痛，胸骨に圧痛
- ほかには特筆すべき症候なし
- PSで撮影した胸部X線の再読影

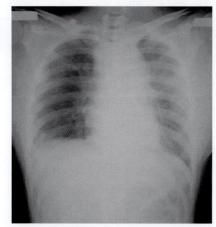

症例3
26歳，男性
バイクにて走行中に転倒して受傷
Primary surveyと蘇生
- 蘇生を要する異常を認めず

Secondary survey
- 左胸部の疼痛，呼吸音の減弱を認める
- ほかに特筆すべき徴候・所見なし
- PSで撮影した胸部X線を再読影

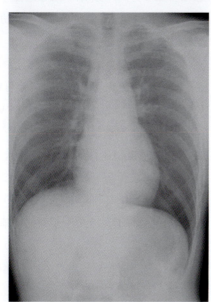

技能 5-2 緊張性気胸に対する胸腔穿刺・胸腔ドレナージ

コースでの到達目標

- 緊張性気胸を認知し，胸腔穿刺による脱気と胸腔ドレナージが行える。

◆ 1. 胸腔穿刺

動画37

適 応：緊張性気胸
禁 忌：絶対的禁忌はない
準 備：消毒，ドレーピングセット，局所麻酔薬，18Gより太い静脈留置針
手 技：
〔部位〕第2肋間鎖骨中線

①患者の胸部や呼吸状態を評価する。
②高流量の酸素投与，または補助換気を行う（陽圧換気は気胸を悪化させるので十分注意を払う）。
③患側の第2肋間，鎖骨中線を確認する。（体表面からは胸骨角に付着するのが第2肋骨である：図5-2-1）。
④穿刺部位のアルコールによる消毒やドレーピングを行う（心停止切迫例では省略可能である）。
⑤局所麻酔は緊急性が高い場合は省いてもよいが，時間が許すときは行う。
⑥第2肋間中央に18G以上の太い静脈留置針を刺入する（静脈留置針に10ccシリンジを装着し，陰圧をかけずに穿刺すると，胸腔の陽圧によるシリンジ内筒の自然上昇を視覚的に確認できる）。
⑦針が胸膜を貫き，空気の流出を認めたら，肺損傷を起こさないために外筒のみを進めて内筒を抜去する。バイタルサインを確認し，蘇生の効果判定を行う。
⑧蘇生効果が不十分のときは，第4ないし第5肋間中腋窩線前方からの腋窩アプローチを選択する[注1]。

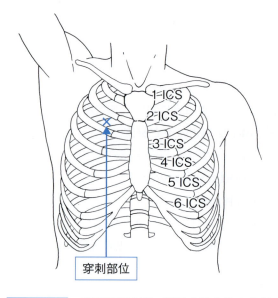

図5-2-1　前面第2肋間，鎖骨中線からの穿刺

⑨必要に応じて，可及的速やかに胸腔ドレナージを施行する。

合併症：皮下血腫，血胸，肺損傷，肋間神経損傷，肋間動静脈損傷，内胸動脈損傷など。

◆ 2. 胸腔ドレナージ

動画38

適 応：大量血胸，緊張性気胸，開放性気胸，陽圧換気を要する気胸，胸腔穿刺による肺損傷など
禁 忌：絶対的禁忌はないが，挿入部の肺と胸膜に癒着がある場合は注意して挿入する
準 備：消毒，ドレーピングセット，局所麻酔薬，28～32Fr胸腔ドレナージチューブ，切開

注1：第2肋間鎖骨中線上穿刺での蘇生効果が不十分な理由として，穿刺する静脈留置針が短い（51 mm）ことや，肥満や女性の皮下脂肪の厚いことが原因とされる。脱気不良の場合は第4ないし第5肋間中腋窩線前方からの腋窩アプローチを選択する。とくにBMI＞30 kg/m^{2}と思われる患者では，穿刺部位と治療効果を迅速に判断する。

縫合用器械一式，メス，縫合糸，胸腔ドレナージボトル，曲がりペアン

手　技：

ここではB，Cの異常を伴う緊張性気胸に対してX線写真の撮影を待たずに行う緊急胸腔ドレナージについて概説する。

①胸部の消毒・被覆を行う。可能であれば上肢を挙上しておくと肋間が広がり手技が容易である。

②第4肋間または第5肋間，中腋窩線の前方を挿入部とする。

　触診で肋間の高さが不明瞭な場合は，腋窩を頂点として大胸筋（a）と広背筋（b）の辺縁と乳頭の高さもしくは第5肋間（c）で形成される三角形の領域（triangle of safety：図5-2-2）から挿入するのがよい。目視による確認が容易であり，主要な神経や血管組織がなく大きな筋組織もなく胸壁が薄く胸腔への到達が容易である。

③皮膚切開は挿入する肋間のやや尾側とする。局所麻酔後に4cm程度の横切開を置き（皮膚切開は肥満例，超緊急例などでは十分に確保する必要がある），ペアンなどの鉗子を用いて皮下組織，肋間筋，胸膜を鈍的に剥離する。この際，尾側肋間の上縁に沿って頭側へ剥離する。

④胸膜を開放した後，空気の流出音や血液の排液で胸膜の開放を確認する。鉗子にて胸膜の孔を十分に広げたのち（図5-2-3a），さらに指を胸腔内に挿入し（図5-2-3b），胸腔であること（皮下気腫の空隙を胸腔と誤認しやすいため），癒着や凝血塊の有無などを確認する。

⑤28〜32Frの胸腔ドレーン（体格に合わせてサイズを選択）を肺尖・背側方向に誘導する。その際にドレナージチューブの先端を鉗子で把持して，胸壁に沿うよう胸腔内に誘導する（図5-2-3c）。内筒付きのドレナージチューブを用いるときでも，決して内筒を先端から出して使用しない。

⑥ドレナージチューブの内腔の曇り（fogging）や呼吸に伴う血液のチューブ内の液面の変動，空気の流出入音によって胸腔に入っていることを再確認する（図5-2-3d）。

⑦ドレナージチューブを低圧持続吸引器に確実に接続し，−10〜−15cmH₂Oで持続吸引を開始する。蘇生効果確認として，バイタルサインに加え，閉塞性ショックの所見に改善がみられたかを確認する。

⑧皮膚を縫合し，ドレナージチューブを確実に固定する。胸部X線写真によるチューブ位置の確認を行い，さらに必要に応じて血液ガスやパルスオキシメータにて治療効果を確認する。

⑨搬送時のバイタルサインの悪化に注意し，ドレーンとチューブの開通性に留意する。

合併症：胸腔・腹腔内臓器損傷，胸腔外へのチューブの迷入，皮下気腫，肋間動静脈・神経の損傷，感染

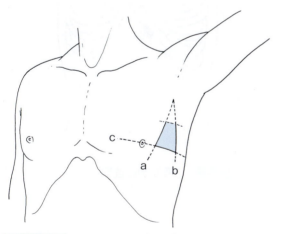

図5-2-2　Triangle of safety

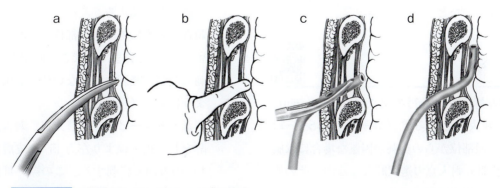

図5-2-3　胸腔ドレナージチューブの挿入

技能 5-3　心嚢穿刺

コースでの到達目標

- 心嚢穿刺がprimary surveyのCの異常に対して実施する手技であることを認識できる。
- 心タンポナーデの臨床症状を理解し，心嚢穿刺の適応を判断できる。
- 心嚢穿刺に用いる正しい器材が選択でき，解剖学的アプローチによる手技を実践できる。
- 心嚢穿刺後の臨床症状改善が評価でき，合併症とその対処，手術適応が理解できる。

1. 目的

心嚢内に貯留している液体をドレナージし，心拡張障害を解除して閉塞性ショックから離脱すること。

2. 適応

心タンポナーデ。

3. 禁忌

絶対的禁忌はない。出血傾向がある際には注意を要する。

4. 必要物品

消毒，ドレーピングセット，局所麻酔薬，18G以上の太さの静脈留置針，10 ml注射器，ドレナージキット，超音波検査装置，心電図モニター，抗不整脈薬（リドカインなど），除細動器。

5. 方法

剣状突起左縁と左肋骨弓の交点（Larry's point）やや下方を刺入点とするアプローチ（図5-3-1）を推奨する。同部位からの穿刺が困難な場合には胸骨左縁第5肋間も刺入点の選択肢となるが，その場合は内胸動静脈損傷に留意する。

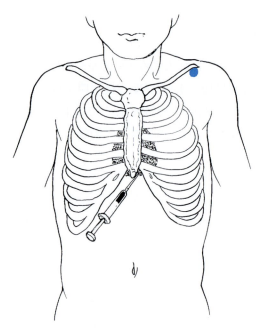

図5-3-1　心嚢穿刺の位置

左烏口突起（●）に向け，冠状面に対して35～45°背側方向に穿刺する

①心電図モニター下，蘇生薬品，抗不整脈薬，除細動器を準備する。
②超音波装置にて，刺入部位から心嚢内の液体貯留（幅），心嚢までの深さを確認する。この際，刺入経路が経肝とならない位置を刺入点に選ぶようにする（図5-3-2）。
③消毒とドレーピングをした後，刺入点に局所麻酔をし，正中線より左方45°，皮膚面より仰角45°の方向で穿刺する。この際，可能であればリアルタイムに超音波ガイド下に行うと安全で

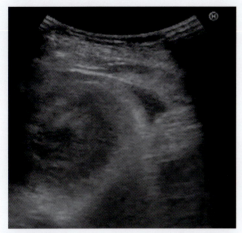

図 5-3-2 心タンポナーデの超音波所見
FASTにより心囊液貯留を確認する

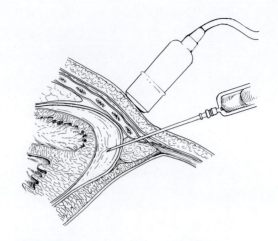

図 5-3-3 超音波ガイド下心囊穿刺
超音波ガイドを使用すると安全である

ある（図5-3-3）。

体位を軽度頭側挙上とすると，心囊液が穿刺部位近くの心下面に移動するので穿刺を安全かつ容易にするが，バイタルサインや全身状態を十分考慮したうえで実施する。

④陰圧をかけながら慎重に穿刺針を進める。通常，刺入点から4～6cmで針先が心囊に到達する。針先が心囊を貫くときに抵抗があり，さらに進めると（約1cm）抵抗は消失して心囊貯留液が逆流してくる。

⑤慎重に穿刺針の外筒を進める。穿刺針を進めすぎると心筋穿刺が起こるので，あらかじめ超音波で確認した深さ以上は進めない。針先が心筋に触れると不整脈の出現をみる。

◆ 6. 合併症

心筋穿刺，不整脈，冠動脈損傷，心室穿刺，心囊気腫，気胸，縦隔損傷，腹腔内臓器損傷。

◆ 7. 手術適応

穿刺・吸引により循環の回復が認められない場合，また症状が再発する場合は，剣状突起下心膜開窓術または緊急開胸術の適応である。剣状突起下心膜開窓術は心囊内の凝血塊にも対応できる有効な減圧手段であるが，熟練した救急医や外科医によってなされなければならない。

第6章 腹部外傷

要約

1. 外傷診療に必要な腹部領域の解剖は三次元的である。
2. 緊急度に応じた腹部外傷の病態を理解し，対応しなければならない。
3. もっとも緊急度が高いのは血管・実質臓器損傷による出血性病態である。
4. 見逃されやすい病態に管腔臓器損傷による腹膜炎がある。

はじめに

腹部には血液の豊富な実質臓器と消化液などを含む管腔臓器が存在する。このため，出血によるショックと腹腔内の汚染による腹膜炎が生じる。したがって，primary surveyでは出血の一部位としての認知と止血，secondary surveyでは管腔臓器損傷の疑いや腹膜炎の早期発見に努める。

I 疫学

わが国においては鈍的外傷が88％を占め，受傷機転では交通事故，墜落などが多い。一方，穿通性外傷は約3％と少なく，その多くは刺創で，銃創はまれである[1]。

JTDB*19（Appendix 3「外傷疫学」，p294参照）では，全外傷例322,817人中，腹部にAIS 2以上の損傷を有する患者は約10％である。腹部臓器の主な損傷頻度（全外傷比，単独腹部外傷比）は，肝損傷（4.0％，28.8％），脾損傷（1.8％，16.5％），腎損傷（1.7％，15.5％），空回腸損傷（0.8％，14.5％），結腸直腸損傷（0.5％，6.6％），膵損傷（0.3％，6.1％），十二指腸損傷（0.1％，2.4％）となっている。

なお，欧米では，鈍的外傷では肝損傷が，穿通性外傷では小腸損傷の頻度が高い[2,3]。

II 解剖

1. 体表と腹壁

両側乳頭を結ぶラインから鼠径靱帯，恥骨結合までの高さで体幹の前面を前腹部といい，腹筋のみで覆われた前腹部の軟らかい部分を真性腹部という（図6-1a）。外力が内臓に及びやすく，椎体との間で消化管，実質臓器や大血管が損傷されやすい（図6-2）。反面，腹部所見をとりやすい部位である。

真性腹部に対して骨性要素で覆われた部位として，下位胸郭内にあたる部分（胸郭腹部）と骨盤で保護された部分（骨盤腹部）とがある。胸郭腹部は肋骨と椎体で囲まれ，肝，脾や腎などの実質臓器や結腸の一部が存在する（図6-1b～d）。上縁は横隔膜円蓋部で，体表からみるとその高さは前面で乳頭，側面で第6肋間，背面で肩甲骨下縁と高い。下縁は前面では肋骨弓であり，側背面は骨盤腸骨稜近くまで下位肋骨で覆われる。胸郭や肺の損傷を伴った実質臓器損傷が生じやすい。骨盤腹部には，大骨盤の部位に小腸・S状結腸が，小骨盤の部位に直腸と泌尿・生殖器がある（第7章「骨盤外傷」，p115参照）。

2. 腹腔と後腹膜

腹部内部は腹腔と外腹膜腔とに分けられ，外腹膜腔は前，後，下のゾーンに区分されるが，血管や臓

第6章 腹部外傷

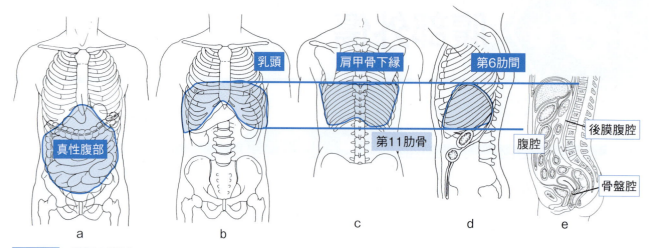

図6-1 腹部の解剖
a：前腹部と真性腹部
　乳頭から鼠径靱帯・恥骨結合までの身体前面を前腹部といい，胸郭部以外の腹筋のみの領域を真性腹部という
b〜d：胸郭腹部（囲み領域）
　横隔膜円蓋部は乳頭部，側面で第6肋間，背面で肩甲骨下縁の高さである（上部の線）。また，横隔膜の付着は，前面で季肋部，背面で第11肋骨の高さである（下部の線）。したがって，2本線の間の範囲には，胸部臓器と腹部臓器とが重なって存在する
e：腹腔，後腹膜腔および骨盤腔
　腹腔は閉鎖された自由腔である。壁側腹膜より外側のスペースは自由腔ではないが，一定のスペースを有するため外腹膜腔として背側は後腹膜腔，下方を下腹膜腔（骨盤腔）などに区分される

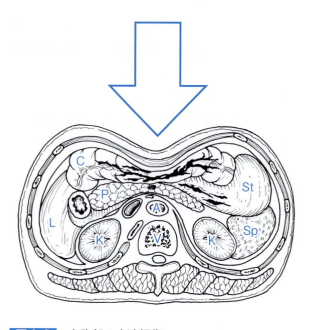

図6-2 上腹部の直達損傷
椎体との間に挟まれた臓器損傷が生じる（L：肝，C：横行結腸，K：腎，P：膵，A：大動脈，V：椎体，St：胃，Sp：脾）

器が多く含まれる後腹膜腔が重要である（図6-1e）。本書では便宜上，下腹膜ゾーンである骨盤腔も後腹膜腔に含める。

　腹腔とは腹膜で囲まれた閉鎖性の自由腔を指す。正常では腔としてとらえられる空間は少ないが，血液や液体が存在すると腔として解剖学的位置が明確になる。このため，FASTでその存在を認識することができる。腹腔には，肝や脾などの実質臓器と消化管の大半，大網などが存在し，これらの損傷により血液または消化液が貯留する。上腹部ではモリソン窩・左脾腎境界，下腹部では膀胱直腸窩（またはダグラス窩）が仰臥位での最下部となり液体が貯留しやすい。腹膜には体性感覚神経が分布するため，壁側腹膜の直接損傷や消化液などの貯留で腹痛，腹膜刺激症状（反跳痛や筋性防御）を認める。

　後腹膜腔には腹部大動脈，下大静脈，十二指腸の大部分，膵，腎および尿管が存在し，また上行・下行結腸の一部も含まれる。骨盤腹部に存在する膀胱や直腸も腹膜外であるため後腹膜臓器とし，骨盤骨折に伴う腹膜外血腫も後腹膜血腫と称する。後腹膜腔は自由腔ではなく，脂肪組織や疎な結合織で構成される。このため，血液，尿や消化液は外傷後すぐには広がらない。また，体表から深い位置にあるため身体所見が出現しにくく，損傷の評価が難しい。

III 病　態

　臓器損傷による大量の出血と高度な炎症，または感染をきたす。出血性ショックや持続する出血への対応は緊急度が高い（図6-3）。ショックから離脱

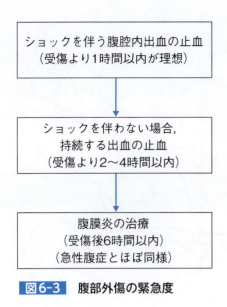

図6-3 腹部外傷の緊急度

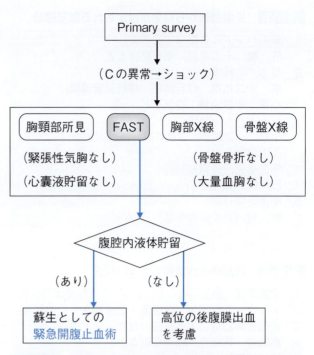

図6-4 循環の不安定な腹部外傷評価アルゴリズム

できない腹腔内出血では，蘇生的な意味での緊急開腹止血術を行わないと救命できない。受傷より1時間以内の止血が強調されるのはこのためである。循環の安定した腹腔内出血や実質臓器損傷では出血持続の有無を評価し，早期に開腹術やIVRによる止血の要否を判断する。

管腔臓器や膵の損傷によって引き起こされる腹膜炎や後腹膜の炎症に対しても手術療法が必要である。合併症の回避のためには早期診断，手術が望ましい[4)5)]。腹膜炎は腹部の身体診察から疑うのが一般的であるが，他部位の痛み，頭部外傷に伴う意識障害などが併存すると正確な所見が得られない。受傷機転，循環動態の変化，わずかな体表の所見などから腹部外傷の可能性を疑い，画像診断を含め総合的に管腔臓器損傷を見つけなければならない。診断と適切な処置の遅れはさまざまな合併症，とくに敗血症や臓器不全，preventable trauma death を引き起こす。

IV 初期診療

◆ 1. Primary surveyと蘇生

Primary surveyを行う過程で循環に異常を認めた場合，ショックの原因である腹腔内出血を検索するためにFASTを行う（図6-4）。大量出血に起因すると考えられる重篤なショック患者または初期輸液に反応しない患者に対しては，速やかに輸血治療を開始するとともに，蘇生の一環として緊急開腹止血術を行う。このような場合，ダメージコントロール戦略の方針とした術式（戦術）が選択されることが多い[6)～9)]（第3章「外傷と循環」，p54参照）。

初期輸液に反応して緊急開腹止血術が必要ないと判断した場合でも，FASTによる腹腔内出血量と循環動態をモニターし，輸血や緊急手術に対応できる体制を整える。ショック症状があり，胸部X線，骨盤X線およびFASTから腹腔内出血，大量血胸，骨盤骨折，心タンポナーデおよび緊張性気胸のいずれも存在しない場合，高位（腰椎レベル）の後腹膜出血を考慮する（図6-4）。多くの場合，腎実質損傷（ゲロタ筋膜内血腫），腎茎部損傷，腰動脈損傷などが考えられる。

◆ 2. Secondary survey

1）受傷機転および既往歴の聴取

受傷状況の聴取から，損傷されやすい腹部臓器を類推することができる。鈍的外傷での受傷機転と損傷されやすい腹部臓器を表6-1に示す。シートベルト装着でも，高リスク受傷機転では，肩ベルトによる下位胸郭の肋骨骨折と肝・脾損傷，骨盤部ベルトによる腹壁や内臓損傷が起こり得る。

抗血小板薬や抗凝固薬の服用の有無を必ず聞いておく。とくに高齢者の場合，本人が薬効を理解せず

第6章 腹部外傷

表6-1　受傷機転から損傷が推定される腹部臓器

1. 車のハンドル外傷（正面衝突）
   肝，膵，十二指腸，横行結腸など
2. 単車，二輪車のハンドル外傷
   膵，十二指腸，横行結腸，横行結腸間膜，小腸，小腸間膜，膀胱など
3. シートベルト外傷
   小腸，小腸間膜，S状結腸，腹部大動脈，下大静脈など
4. 側面衝突，側腹部強打
   肝，脾，腎など
5. 墜落外傷
   肝，腎（とくに腎茎部），脾など

表6-2　腹部所見が信頼できない状況

1. 意識障害（頭部外傷などによる）や脊髄損傷の合併
2. アルコール，薬物（睡眠薬・鎮痛薬など）の服用
3. 他部位の損傷による疼痛の存在
4. 高齢者，乳幼児，精神疾患など
5. 気管挿管後

表6-3　腹部外傷における身体診察

1. 視診：前腹部，側腹部，腰背部のみならず会陰部および殿部も観察する
2. 聴診：早期には臨床的意義は少ない
3. 触診：わずかな痛みの存在から腹膜刺激症状まで
4. 打診：液体貯留またはガスの貯留
5. 直腸診：腹膜刺激症状，括約筋緊張，粘膜断裂や骨片の触知，出血，前立腺高位

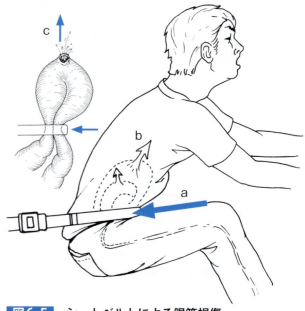

図6-5　シートベルトによる腸管損傷

前腹部への外力（a）により腹圧が上昇，横隔膜（b）が破裂。また，同時に2カ所で絞扼された閉鎖腸管の内圧が上昇し，腸管（c）が破裂する

表6-4　腹部身体所見の注意点

1. 腹部膨隆を呈することなしに多量の腹腔内出血が存在することがある
2. 腹腔内出血や管腔臓器損傷でも受傷早期では腸雑音の減弱，消失を認めない
3. 腹腔内の血液は必ずしも腹痛や腹部圧痛を発生させない
4. 膵や十二指腸損傷では受傷早期には腹膜刺激症状を呈さない
5. 会陰部，腰背部および殿部にも情報がある

に服用していることも多く，思わぬ大量出血をきたすことがあるので注意する。

2）身体所見

　意識が清明で情報が信頼できる状況では丁寧に身体所見をとる。しかし，頭部外傷，脊髄損傷，アルコール摂取や薬物服用では腹部身体所見があいまいとなり，信頼できなくなる（表6-2）。このような場合，より客観的な評価，とくに補助検査，画像診断が必要となる。腹部外傷に関する身体診察の要点を表6-3にまとめる。

（1）視　診

　体表面の打撲痕，タイヤ痕，シートベルト痕，挫創，裂創，刺創，皮下血腫，異物の刺入などを観察する。自動車事故でシートベルト痕があれば小腸損傷の頻度が高いとされる[10]（図6-5）。会陰部および腰背部も十分にみる。さらに腹部膨隆の有無を評価する。腹部膨隆は，腹腔内への大量出血や後腹膜血腫，腹膜炎に伴う腸閉塞，腸管浮腫などにより発生する。ただし，腹部膨隆や腹囲に著明な変化を呈することなしに多量の腹腔内出血が存在することがある（表6-4）。

（2）聴　診

　腹部の聴診では，腸雑音の性状を確認する。一般的に腸管麻痺が発生するまでには数時間を要することから，受傷早期においては腸雑音の減弱，消失はまれである。したがって，初期段階では腸雑音が聴取されても腹部外傷は否定できない。

（3）触　診

　皮下気腫，皮下血腫，圧痛，腹膜刺激症状（反跳痛や筋性防御など）を評価するが，腹膜刺激症状は腹腔内出血より腹膜炎のほうが強くなりやすい。しかし，腹部外傷によって生じる腹部所見は，患者ご

とのばらつきが大きい。腹腔内出血でも腹痛や圧痛を認めないものから，腹部全体が板状硬となるものまである。その一方，消化管穿孔でもごく軽い圧痛程度にとどまることがある。腹壁損傷だけでも腹膜刺激症状と類似の症状を示すこともある。

（4）打　診

打診の主な目的は，腸内ガスと腹腔内液体貯留（腹腔内出血）の確認である。濁音を認める場合は，超音波検査を併用して液体の有無，腹腔か腸管内かを鑑別するとよい。急性の胃拡張では左上腹部で，腸管麻痺による腸管内ガス貯留では臍部を中心に鼓音が観察される。

（5）腹部外傷に関連したその他の身体所見

①外性器，会陰，直腸の診察

外尿道口に血液を認めるときは尿道損傷を，陰嚢や会陰の血腫は骨盤骨折や尿道損傷を示唆する。外傷患者に対する直腸診では腹膜刺激症状のみならず，括約筋緊張（脊髄損傷），粘膜断裂や骨片，出血（直腸損傷），前立腺高位（後部尿道損傷）を評価する。

②腟の診察

会陰部の皮膚損傷や性器出血のある女性には腟内診が必要である。

③殿部の診察

殿部の穿通性外傷が腹腔内臓器損傷や腹膜反転部以下の直腸損傷をきたしている場合がある。背面観察の際も殿部の損傷は見逃されやすいため観察を怠らない。

3）カテーテル類の留置と性状観察

（1）胃　管

胃管は，胃内容物の吸引と胃内減圧のために，挿入される。通常，経鼻的に挿入するが，高度の顔面骨骨折や前頭蓋底骨折が疑われるときは口から挿入する。胃吸引物に血液が混入していれば，上部消化管の損傷を示唆するが，鼻出血や口腔内損傷による出血の嚥下や挿入時の粘膜損傷による出血のことが多い。胃管の異常な走行から外傷性左横隔膜破裂が診断されることもある。

（2）尿道留置カテーテル

尿道留置カテーテルは，循環動態の把握のために尿量をモニターする目的で挿入される。肉眼的血尿の存在は尿路系の損傷を示唆する。

表6-5　FASTの適応

1. 循環不安定
2. 腹部所見がとりにくいとき
    表6-2の項目
3. 腹部所見の異常
4. 近接する部位の外傷
    下位胸郭から骨盤までの体表損傷
    シートベルト痕
    下位の肋骨骨折
    肺挫傷，血気胸
    骨盤骨折
    血尿
5. 腹部外傷をきたしやすい受傷機転
    ハンドル外傷
    腹部強打

4）血液検査

トランスアミナーゼの上昇は肝損傷を，アミラーゼの上昇は膵損傷を疑わせる。肝逸脱酵素は小児例でのスクリーニングとして有用で，ASTまたはALT＞80 IU/lの症例では感度70％，特異度82％と報告されている[11]。アミラーゼは受傷早期には膵損傷を反映しない[12]。しかし，受傷3時間以降の値は参考になるとの報告がある[13]。

5）画像診断

（1）腹部超音波検査

FASTは，腹腔内出血および胸腔内液体貯留・心嚢液貯留の検出に焦点を絞った検査であり，primary surveyでの循環動態の不安定なときに限らず，表6-5に示すような状況にも適応する。メタ解析による最近の報告では，腹腔内液体貯留を検出できる感度は74％，特異度98％とされ，除外診断のツールではなく，繰り返し施行することと不確実な場合はCT検査を追加することが推奨される（第18章「超音波検査の活用」，p245参照）[14]。また，小児では感度が低下するのでFASTの結果を過信しない。

超音波断層装置で各臓器の損傷の有無や形態をある程度診断できる。このため，初回CT後の非手術療法のフォローにPOCUS（point-of-care ultrasound, 第18章「超音波検査の活用」：p241参照）として有用である。

（2）腹部CT検査（適応と読影のポイント）

CT撮影は，呼吸・循環の安定を確認し，蘇生を継続しながら施行することが原則であり，primary surveyでの施行は推奨しない（第17章「画像診断」，

第6章 腹部外傷

> **表6-6** 腹部外傷に対するCT検査の適応
>
> 1. FAST陽性（腹腔内液体貯留）
> 2. FAST所見があいまい
> 3. 腹膜刺激症状など腹部所見の異常
> 4. 腹部所見が信頼できない状況（表6-2）
> 5. 腹部外傷を示唆する受傷機転
> 6. 腹部単純X線写真の異常所見
> 7. 近接する部位の外傷

呼吸・循環が安定していることが前提条件となる

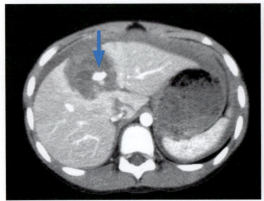
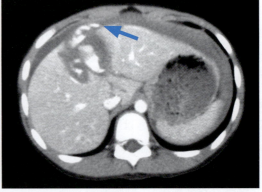

a：いわゆる"blush"（矢印）　　b：いわゆる"jet"（矢印）

図6-6 肝損傷
直ちにIVRまたは手術を考慮する

p230参照）。

　腹部CT検査の適応を**表6-6**に示すが，腹部所見やFASTが明らかに異常である場合はもちろん，所見があいまいなときも，腹部への外力を疑わせる受傷機転，近接する部位の損傷を認める場合も検査の対象となる。高リスク受傷機転の頭部外傷合併例では，全身CTの一環として撮影される[15]。さらに，身体所見のはっきりしない腰背部・側腹部の刺創に対しても有用である[16]。

　腹部の代表的な損傷について，その特徴を解説する。横隔膜損傷はMPR（第17章「画像診断」，p233参照）による縦断面を評価し[17]，横隔膜の連続性の断絶，ヘルニア突出部の"hump sign"，その周囲の低吸収域の"band sign"を確認する[18]。実質臓器損傷（肝・脾）については，造影CTで実質内に"blush"，臓器被膜外への噴出で"jet"と表現される所見が得られた場合には，活動性出血ととらえ手術やIVRの準備を進める（**図6-6**）。

　血尿が確認されるなど泌尿・生殖器損傷を疑う場合は，造影CTで遅延相撮影（排泄相）を行い，尿漏の有無を評価する（**図6-7**）。尿道カテーテル留

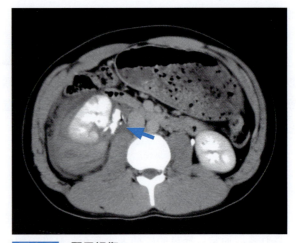

図6-7 腎盂損傷
排泄相撮影を必要とする

置が可能な場合には，逆行性に造影剤を注入し，膀胱造影CTを行う（第17章「画像診断」，p232参照）。

　MDCTによる膵損傷診断の特異度は90％以上とされるが，感度が低いため[19]，MPRを加えて評価するのがよい[20)〜22)]。前腎筋膜の肥厚，膵周囲の液体貯留・血腫，膵と脾静脈間の液体貯留の所見がある場合には，主膵管損傷は否定できないとされてい

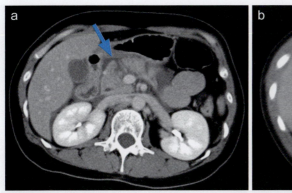
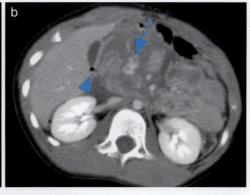

図6-8　CTで描出される膵損傷（ともに造影CT実質相）
a：門脈前面の膵頭部において，膵断裂部が低吸収域として確認できる（矢印）。また，膵周囲に液体貯留像を認める
b：膵頭部にextravasationを伴う挫傷を認める（破線矢印）。周囲の後腹膜腔には液体貯留およびfree airが確認され（矢頭），膵・十二指腸損傷が疑われる

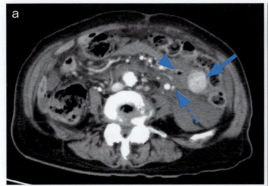
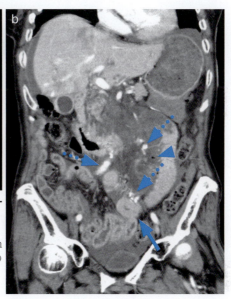

図6-9　腸管損傷を疑わせるCT所見（造影CT実質相：同一患者）
a：小腸の壁肥厚（矢印），近傍の腸間膜にextravasation（破線矢印）とfree air（矢頭）を認め，大量の腹腔内出血を有している
b：冠状断像では，同所見がより明瞭である

るため，腹部所見の増悪や血中アミラーゼの上昇などを参考にCT検査の再検を行う[19) 23) 24)]（図6-8）。

腸管損傷については，診断ツールとして十分な感受性・特異性を確立していない[25)]。しかし，遊離ガス以外に，腸管自体（壁肥厚や虚血など）や腸間膜〔腸間膜脂肪濃度の上昇，腸間周囲液体貯留（interloop fluid），血腫，造影剤血管外漏出など〕の情報は腸管損傷を疑わせる所見である（図6-9，表6-7）。十二指腸損傷については，十二指腸壁の肥厚，十二指腸周囲の液体貯留，十二指腸の造影不染域，sentinel clot sign，気胸がないときの壁外遊離ガスが損傷を疑う所見である[26)〜28)]。

（3）その他の腹部画像診断
①内視鏡的膵管造影（ERP）
ERP（endoscopic retrograde pancreatography）

表6-7　CT検査で腸管損傷，腸間膜損傷を疑う所見

1. 腹腔内遊離ガス像
2. 実質臓器損傷がない腹腔内液体貯留
3. 腸管壁の肥厚
4. 腸管周囲液体貯留（interloop fluid）
　：壁肥厚腸管の周囲にみられることが多い
5. 腸間膜浸潤濃度像（mesenteric infiltration）
　：腸間膜脂肪層の鋸歯状変化や縞模様
6. 腸管内造影剤の腸管外漏出

は膵管損傷の有無と程度を評価するのに優れているが，膵炎などの重篤な合併症が起こり得る[29)]。検査時に膵管ステントにより手術を回避できるケースも報告されている[30)]。

②MR胆管膵管造影（MRCP）
ERPの代用としてMRCP（magnetic resonance

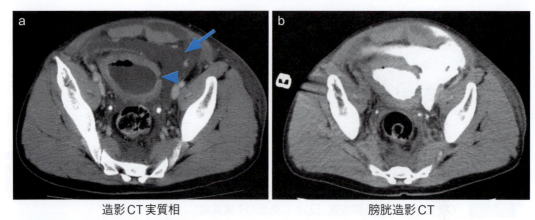

図6-10 膀胱損傷のCT所見
a：造影CT実質相では，大量の腹腔内液体貯留（矢印）および膀胱壁の不連続性（矢頭）を認め，膀胱損傷が疑われる
b：膀胱造影CTでは，膀胱壁断裂部を通して造影剤が腹腔内に漏出しており，膀胱損傷がより明らかである

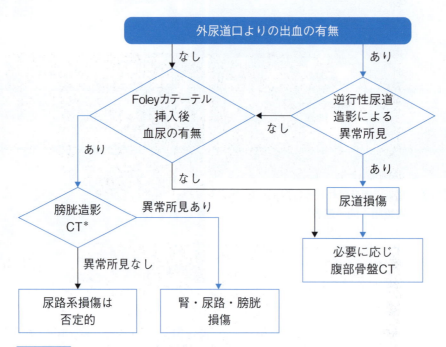

図6-11 血尿に対する画像診断フローチャート
＊2％希釈ウログラフイン® 300 ml をFoleyカテーテルより注入しクランプ後，腹部骨盤CT検査を行い，5分後に排泄相の撮影を行う

cholangiopancreatography）が有用であるとの報告がある[31]。

③尿路系造影

外尿道口からの出血や直腸診にて後部尿道の損傷を疑った場合，尿道留置カテーテルを挿入する前に逆行性尿道造影を行う。

膀胱破裂が疑われる場合には，約300 mlの造影剤での充満時と排泄後，正面・斜位像を撮影するX線膀胱造影が簡便に行えるが，適正診断のためには膀胱造影CTが推奨される[32]（図6-10）。

呼吸・循環動態の安定している患者の血尿に対する造影検査やCT検査の適応を図6-11に示す。

6）その他の診断手技

(1) 診断的腹腔洗浄法（diagnostic peritoneal lavage；DPL）

鈍的腹部外傷において，その手術適応の判断としてかつて欧米を中心に行われていた診断方法である[33]。現在では，腹腔内出血の認知に関してFASTにとってかわられたが，管腔臓器損傷の評価には優

表6-8　DPLの適応
1. 正確な腹部身体所見をとりにくい患者（表6-2） 2. FASTで陽性であるが，既存の腹水との鑑別が必要な場合 3. FASTで陽性で，腹腔内血液（または内容物）を持続的にモニターする場合

表6-9　DPLによる消化管損傷の診断基準
1. 腸管内容物の吸引 2. 洗浄前採取液 　WBC ≧ RBC/150 3. 洗浄後回収液 　WBC ≧ 500/mm³　（腹腔内出血陰性時） 　WBC ≧ RBC/150　（腹腔内出血陽性時）

れているため，限定された状況で使用される（表6-8）。消化管損傷の診断に主眼を置いた判定基準（表6-9）は，感度96.6%，特異度99.4%という高い診断率を得ている[34]。この判定は，生理食塩液注入後の回収液でも穿刺直後の腹腔内貯留液（後述の診断的腹腔穿刺／ドレナージ）でも判定できる。

判定の注意点として，白血球数の評価については，受傷後4時間以前ではfalse negative[35]の，また18時間以降ではfalse positive[34]の可能性がある。ただし，開腹遅延にならないことを考慮すると受傷後3〜6時間で判断する。

(2) 診断的腹腔穿刺／診断的腹腔ドレナージ（diagnostic peritoneal tap/drainage/aspiration）

FASTやCTで腹腔内液体貯留が確認されるが腹膜炎所見が明らかでない場合に，腹膜炎を否定するために行われることがある。超音波ガイド下に穿刺し，腹腔内貯留液を採取する。

消化管損傷の判定基準は表6-9の1．2．に準じる。また，アミラーゼなど消化酵素の値も参考となる[36]。

(3) 創の試験的切開（local wound exploration；LWE）

腹部刺創では腸管が脱出していれば手術の適応となる。臓器脱出のない創や腹膜穿通が不明な場合には，局所麻酔下に創を広げ直視下で観察する。これを local wound exploration（LWE）という。その適応は，ショックでない，腹膜刺激症状がない，腸管脱出がなく，腹膜穿通が明らかでない場合である[37]（後掲の図6-13，p108参照）。

(4) 診断的腹腔鏡検査（diagnostic laparoscopy；DL）

刺創および銃創での腹膜穿通の診断[38]〜[40]，横隔膜破裂の診断[41]，とくに左胸腹部と右前胸腹部の穿通性外傷の場合に有用との報告がある[42]。

V　治療方針

1. 開腹術の適応

腹部外傷を緊急度により分類すると図6-3のようになるが，そのなかでも受傷後1時間以内に行う超緊急手術と数時間以内に行う緊急手術が重要である。ここでの手術適応基準は，保存的に治療できない腹腔内出血，すなわちバイタルサインとFASTによる腹腔内出血の量的評価の2項目による判断となる。血液検査やCTでその所見を裏づける必要はない。その後のおおよそ6時間以内に行う緊急手術は，腹膜炎に対する手術である。この時点での手術適応基準は，身体所見，画像所見および血液検査の3項目による総合評価となる。

呼吸・循環の安定している腹部鈍的外傷に対する手術適応のアルゴリズムを図6-12に示す。止血操作と腹膜炎治療の必要性を判断する。腹部CTにより大量の腹腔内出血が確認され，循環が不安定となる場合には緊急開腹術を優先させる。実質臓器などに造影剤漏出像が確認されればIVRによる塞栓術で止血を行うが，手技中に循環が不安定となる場合には開腹止血術への移行を考慮する。また，管腔臓器損傷を疑う所見がある場合，身体所見および血液検査などを総合的に評価して手術適応の可否を判断する。

一方，刺創の診断・治療のアルゴリズムを図6-13[37]に示す。ショックを呈する場合や成傷器が刺さったままの場合には緊急手術の適応である。呼吸・循環の安定している刺創の場合は，刺創部位によるが，腹膜穿通の有無と身体所見から手術適応を判断する。腹膜を貫通しても手術を要する腹腔内臓器損傷の存在は22%にすぎないため，入院・経過観察とし，開腹術の適応を判断する。バイタルサインおよび腹部所見を4時間ごと，血算を8時間ごとにモニターし[37]，異常があれば開腹術を行う。胃・直腸，尿管からの

第6章 腹部外傷

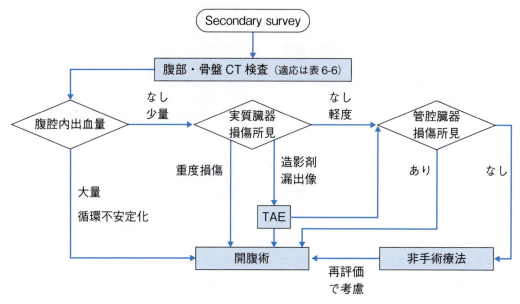

図6-12 呼吸・循環の安定している腹部外傷評価のアルゴリズム

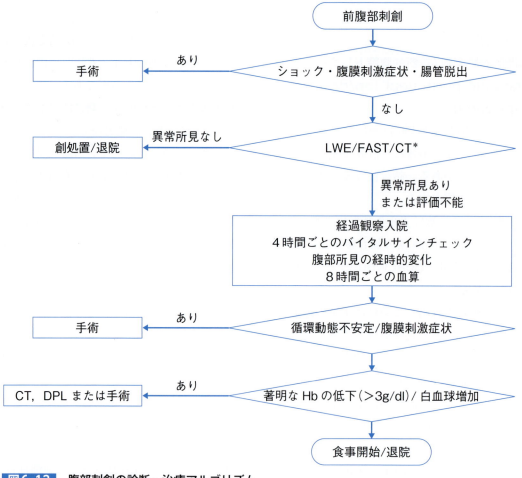

図6-13 腹部刺創の診断・治療アルゴリズム
＊LWEやFASTで評価ができず，高度な肥満や創が深い場合はCT検査を行う
〔文献37〕より引用・改変〕

出血は手術適応となる。また，大網脱出のみでは保存的に治療可能という報告[43]もあるが，腸管脱出の場合は原則として開腹術を行う[44]。また近年ではDCS検査を行うことで不要な開腹率を下げ，在院日数も短縮することが示されている[40)45]。

腹膜を貫通した銃創では高頻度に臓器損傷を有するため，原則として開腹術を行う[44]。

2. Damage control surgery（DCS）

循環の不安定な状態で開腹術を行うと，出血制御に難渋し，しばしば手術死亡となる。これは，外傷死の三徴といわれる低体温，代謝性アシドーシスおよび凝固異常が出現するからである。三徴がそろうといかに熟達した外科医でも手術の完遂は不可能になる。したがって，病院前から初療の処置中において保温に努めるよう強調しているのはこのためである。手術に際しては，一期的に修復や再建を試みるのではなく，止血と汚染回避のみ行い，集中治療での全身管理に努める。その後，状態の安定を図って二期手術での根本治療を行う。これをdamage control surgery（DCS）と呼び[46]（第3章「外傷と循環」，p55参照），とくにこのような戦略は肝損傷に対して採用されることが多い。

3. 非手術療法（NOM）

腹腔内臓器損傷が存在しても一定の条件（例えば，循環が安定し，腹膜炎症状がない）を満たせば，直ちに手術するのではなく，経過観察とすることがある。これは，結果的に開腹術の必要がない非治療的開腹を回避するためである。ただし，厳重な監視下で経過を観察し，必要なら直ちに手術療法に切り替えることを条件としている。したがって，手術療法の対極をなす保存療法と異なり，非手術療法（non-operative management；NOM）という。主として鈍的外傷による実質臓器損傷が対象となり[46)47]，止血の補助手段としてTAEが併用される。CT検査でグレードの高い損傷や造影剤漏出像がある場合でも，TAEを試みることにより，手術となる頻度が減る[48]。NOMの方針とする場合の条件を表6-10に示す。

刺創では開腹遅延を回避するため不必要な開腹は

表6-10　非手術療法適応の条件

1. 外傷診療の経験が豊富な外科医が常勤すること
2. 循環が安定していること
  例えば，急性期の輸血量が2単位以内であること
3. 腹膜炎所見が乏しいこと
4. CT検査などで実質臓器損傷の評価ができていること
5. ハイケアユニットまたは集中治療室で厳重な管理ができること
6. 諸検査，画像診断（とくにCT検査）がいつでも利用できること
7. 緊急手術が可能であること

容認されたが，15％に合併症を発生させること[49]，入院期間が延長すること[50]，医療費が2倍以上になること[51]が判明している。また，腹部刺創全例を開腹した場合に不必要な開腹が37％も存在し，必ずしも全例に開腹の必要がなかった[52]。このため，米国西部外傷外科学会では図6-13に示すプロトコルを提唱している。これに従うと，手術が必要であった症例は14％のみであり，そのうち不必要な開腹術は22％であった。さらに，開腹遅延による死亡や合併症は認められなかった[37]。

なお，銃創は刺創よりも臓器損傷の頻度が高いとされ，開腹術などの処置が必要となる可能性が高い。

文　献

1) 日本外傷データバンク報告2019（2014-2018）. https://www.jtcr-jatec.org/traumabank/dataroom/data/JTDB2019.pdf
2) Holmes JF, Harris D, Battistella FD：Performance of abdominal ultrasonography in blunt trauma patients with out-of-hospital or emergency department hypotension. Ann Emerg Med 2004；43：354-361.
3) Nance FC, Wennar MH, Johnson LW：Surgical judgment in the management of penetrating wounds of the abdomen：Experience with 2212 patients. Ann Surg 1974；179：639-646.
4) Fakhry SM, Brownstein M, Watts DD, et al：Relatively short diagnostic delays（<8 hours）produce morbidity and mortality in blunt small bowel injury：An analysis of time to operative intervention in 198 patients from a multicenter experience. J Trauma 2000；48：408-415.
5) Fakhry SM, Watts DD, Luchette FA, et al：Current diagnostic approaches lack sensitivity in the diagnosis of perforated small bowel injury：Analysis from 275,557 trauma admission from the EAST multi-institutional HVI trial. J Trauma 2003；54：295-306.
6) Smith IM, Beech ZK, Lundy JB, et al：A prospective

observational study of abdominal injury management in contemporary military operations : Damage control laparotomy is associated with high survivability and low rates of fecal diversion. Ann Surg 2015 ; 261 : 765-773.
7) Curry N, Davis PW : What's new in resuscitation strategies for the patient with multiple trauma? Injury 2012 ; 43 : 1021-1028.
8) Duchesne JC, Kimonis K, Marr AB, et al : Damage control resuscitation in combination with damage control laparotomy : A survival advantage. J Trauma 2010 ; 69 : 46-52.
9) Akaraborworn O : Damage control resuscitation for massive hemorrhage. Chin J Traumatol 2014 ; 17 : 108-111.
10) Kundson MM, McAninch JW, Gomez R, et al : Hematuria as a predictor of abdonimal injury after blunt trauma. Am J Surg 1992 ; 164 : 482-486.
11) Lindberg D, Markoroff K, Harper N, et al : Utility of hepatic transaminage to recognize abuse in children. Pediatrics 2009 ; 124 : 509-516.
12) Olsen WR : The serum amylase in blunt abdominal trauma. J Trauma 1973 ; 13 : 200-204.
13) Takishima T, Sugimoto K, Hirata M, et al : Serum amylase level on admission in the diagnosis of blunt injury to the pancreas : Its significance and limitation. Ann Surg 1997 ; 226 : 70-76.
14) Netherton S, Milenkovic V, Taylor M, et al : Diagnostic accuracy of eFAST in the trauma patient : A systematic review and meta-analysis. CJEM 2019 ; 18 : 1-12.
15) Deunk J, Brink M, Dekker HM, et al : Predictors for the selection of patients for abdominal CT after blunt trauma. Ann Surg 2010 ; 251 : 512-520.
16) Shanmuganathan K, Mirvis SE, Chiu WC : Penetrating torso trauma : Triple-contrast helical CT in peritoneal violation and organ injury : A prospective study in 200 patients. Radiology 2004 ; 231 : 775-784.
17) Killeen KL, Mirvis SE, Shanmuganathan K : Helical CT of diaphragmatic rupture caused by blunt trauma. AJR Am J Roentgenol 1999 ; 173 : 1611-1616.
18) Rees O, Mirvis SE, Shanmuganathan K : Multidetector-row CT of right hemidiaphragmatic rupture caused by blunt trauma : A review of 12 cases. Clin Radiol 2005 ; 60 : 1280-1289.
19) Phelan HA, Velmahos GC, Jurkovich GJ, et al : An evaluation of multidetector computed tomography in detecting pancreatic injury : Results of a multicenter AAST study. J Trauma 2009 ; 66 : 641-646.
20) Fang JF, Wong YC, Lin BC, et al : Usefulness of multidetector computed tomography for the initial assessment of blunt abdominal trauma patients. World J Surg 2006 ; 30 : 176-182
21) Ilahi O, Bochicchio GV, Scarea TM : Efficacy of computed tomograpgy in the diagnosis of pancreatic injury in adult blunt trauma patients : A single-institutional study. Am Surg 2002 ; 68 : 704-707.
22) Teh SH, Sheppard BC, Mullins RJ, et al : Diagnosis and management of blunt pancreatic ductal injury in the era of high-resolution computed axial tomography. Am J Surg 2007 ; 193 : 641-643.
23) Peitzman AB, Makaroun MS, Slasky BS, et al : Prospective study of computed tomography in initial management of blunt abdominal trauma. J Trauma 1986 ; 26 : 585-592.
24) Advanced Trauma Life Support for Doctors (ATLS). 8th ed, American College of Surgeons Committee on Trauma, Chicago, 2008, p121.
25) Romano S, Scaglione M, Tortora G, et al : MDCT in blunt intestinal trauma. Eur J Radiol 2006 ; 59 : 359-366.
26) Peck JJ, Berne TV : Posterior abdominal stab wounds. J Trauma 1981 ; 21 : 298-306.
27) Sharma OM, Oswanski MF, White PW : Injuries to the colon from blast effect of penetrating extra-peritoneal thoraco-abdominal trauma. Injury 2004 ; 35 : 320-324.
28) Demetriades D, Rabinowitz B : Indications for operation in abdominal stab wounds : A prospective study of 651 patients. Ann Surg 1987 ; 205 : 129-132.
29) Takishima T, Horiike S, Sugimoto K, et al : Role of repeat computed tomography after emergency endoscopic retrograde pancreatography in the diagnosis of traumatic injury to pancreatic ducts. J Trauma 1996 ; 40 : 253-257.
30) Lin BC, Liu NJ, Fang JF, et al : Long-term results of endoscopic stent in the management of blunt major pancreatic duct injury. Surg Endosc 2006 ; 20 : 1551-1555.
31) Soto JA, Alvarez O, Múnera F, et al : Traumatic disruption of the pancreatic duct : Diagnosis with MR pancreatography. AJR Am J Roentgenol 2001 ; 176 : 175-178.
32) American College of Radiology ACR Appropiateness Criteria.
http : //www.acr.org/Quality-Safety/Appropriateness-Criteria
33) Root Hd, Hauser CW, McMinley CR, et al : Diagnositic peritoneal lavage. Surgery 1965 ; 57 : 633-637.
34) Otomo Y, Henmi H, Mashiko K, et al : New diagnostic peritoneal lavage criteria for diagnosis of intestinal injury. J Trauma 1998 ; 44 : 991-997, discussion 997-999.
35) D'Amelio LF, Rhodes M : A reassessment of the peritoneal lavage leukocyte count in blunt abdominal trauma. J Trauma 1990 ; 30 : 1291-1293.
36) McAnena OJ, Marx JA, Moore EE : Contributions of peritoneal lavage enzyme determinations to the management of isolated hollow visceral abdominal injuries. Ann Emerg Med 1991 ; 20 : 834-837.
37) Biffl WL, Kaups KL, Pham TN, et al : Validating the Western Trauma Association algorithm for managing patients with anterior abdominal stab wounds : A Western Trauma Association multicenter trial. J Trauma 2011 ; 71 : 1494-1502.

38) Zantut LF, Ivatury RR, Smith RS, et al : Diagnostic and therapeutic laparoscopy for penetrating abdominal trauma : A multicenter experience. J Trauma 1997 ; 42 : 825-829.
39) Sosa JL, Sims D, Martin L, et al : Laparoscopic evaluation of tangential abdominal gunshot wounds. Arch Surg 1992 ; 127 : 109-110.
40) Reda A, Said TM, Mourad S : Role of laparoscopic exploration under local anesthesia in the management of hemodynamically stable patients with penetrating abdominal injury. J Laparoendosc Adv Surg Tech A 2016 ; 26 : 27-31.
41) Murray JA, Demetriades D, Asensio JA, et al : Occult injuries to the diaphragm : Prospective evaluation of laparoscopy in penetrating injuries to the left lower chest. J Am Coll Surg 1998 ; 187 : 626-630.
42) Demetriades D, Velmahos GC : Indications for and techniques of laparotomy. In : Trauma. 6th ed, Feliciano DV, Mattox KL, Moore EE, eds, McGraw-Hill, New York, 2008, pp607-622.
43) Granson MA, Donovan AJ : Abdominal stab wound with omental evisceration. Arch Surg 1983 ; 118 : 57-59.
44) Moore EE, Moore JB, Van Duzer-Moore S, et al : Mandatory laparotomy for gunshot wounds penetrating the abdomen. Am J Surg 1980 ; 140 : 847-851.
45) Karateke F, Ozdogan M, Ozyazici S, et al : The management of penetrating abdominal trauma by diagnostic laparoscopy : A prospective non-randomized study. Ulus Travma Acil Cerrahi Derg 2013 ; 19 : 53-57.
46) Carrillo EH, Platz A, Miller FB, et al : Non-operative management of blunt hepatic trauma. Br J Surg 1998 ; 85 : 461-468.
47) Smith JS Jr, Wengrovitz MA, DeLong BS : Prospective validation of criteria, including age, for safe, nonsurgical management of the ruptured spleen. J Trauma 1992 ; 33 : 363-368.
48) Zealley IA, Chakraverty S : The role of interventional radiology in trauma. BMJ 2010 ; 340 : c497.
49) Indications for and Techniques of Laparotomy. In : Trauma. 4th ed, Chapter 30, McGraw-Hill, New York, p619.
50) Shah R, Max MH, Flint LM Jr, et al : Negative laparotomy : Mortality and morbidity among 100 patients. Ann Surg 1978 ; 44 : 150-154.
51) Shankar KR, Lloyd DA, Kitteringham L, et al : Oral contrast with computed tomography in the evaluation of blunt abdominal trauma in children. Br J Surg 1999 ; 86 : 1073-1077.
52) Lappanieni A, Salo J, Haapiainen R : Complications of negative laparotomy for truncal stab wounds. J Trauma 1995 ; 38 : 54-58.

第7章 骨盤外傷

要約

1. 骨盤外傷は出血性ショックを招く危険があり，診断・治療の緊急性が高い。
2. Primary surveyでは単純X線写真正面像で骨盤輪の不安定性を判断する。
3. 循環動態の改善維持には骨盤輪の固定と止血が鍵となる。
4. 骨盤開放骨折の有無，泌尿生殖器・直腸など小骨盤内臓器損傷にも十分に注意を払う。
5. 救命後は，骨折型に応じた根本治療を可及的早期に行い，良好な機能回復を図る。

はじめに

骨盤外傷，とくに骨盤骨折には主に骨盤輪骨折と寛骨臼骨折とがある。前者は大きな外力により骨盤輪の安定性が損なわれ，出血性ショックの原因となる。一方，後者は関節内骨折であり，生命予後に影響することは少ないが，股関節機能の転帰を左右する骨折である。本書では，骨盤輪骨折を便宜的に骨盤骨折と表現する。仙腸関節離開（脱臼）や恥骨結合離開はその発症機序，病態の類似性から骨盤骨折に含めて論じられることが多い。出血性ショックを呈する鈍的外傷患者では，本骨折の存在を念頭に置き初期診療にあたることが肝要である[1)2)]。

I 疫学

JTDB*19（Appendix 3「外傷疫学」，p294参照）では，骨盤骨折は登録症例の約12％（37,426例）に認められ，他部位臓器の損傷合併として多いのは，胸部では多発肋骨骨折（35.2％），肺挫傷（18.3％），頭部ではくも膜下出血（16.8％），脳挫傷（9.9％），さらに腹部の肝損傷（7.7％）などで多発外傷の形をとりやすい。なお，尿道・膀胱損傷の頻度は約1％である。単独の骨盤骨折（7,074例）に限定すると，高齢者が48.0％を占め，受傷機転も交通事故（41.9％）より転倒・転落（48.4％）のほうが多い。

一方，諸外国の報告では，多発外傷患者全体の約25％に骨盤骨折を合併している[3)4)]。また，搬入時ショックの骨盤骨折患者の死亡率は40〜50％以上にのぼる[5)〜7)]。さらに，不安定型骨盤骨折患者の90％以上に他部位損傷が合併し[5)]，とくに致死的な出血源となり得る胸腔・腹腔などの臓器損傷は40％以上に合併する[8)]。

II 解剖

動画42

1. 骨盤の機能解剖とバイオメカニクス

骨盤輪は腸骨・恥骨・坐骨からなる左右の寛骨が，後方では仙骨を挟み左右の仙腸関節を形成し，前方では線維軟骨からなる恥骨結合として連結され輪状構造をとる。恥骨結合の上縁は上恥骨靱帯，下縁は恥骨弓靱帯で補強されており，骨盤床（骨盤輪の底部）は仙棘靱帯と仙結節靱帯で補強されている。仙腸関節は前・後仙腸靱帯，骨間仙腸靱帯で支持され，第4・5腰椎横突起（解剖学的には「肋骨突起」）と腸骨翼を結ぶ腸腰靱帯もその安定性に寄与する（図7-1，2）[9)]。骨盤輪はこれらの靱帯により強固に支持されているが，安定性維持にはとくに後方構造が重要な役割をもつ[10)]。脊柱から伝わってきた荷重負荷は，主に骨盤輪後方部を介して寛骨臼，下肢へと伝わる。

骨盤単純X線写真正面像で恥骨結合の離開が2.5 cmを超えた場合，骨盤輪後方部に不安定要素が

113

第7章 骨盤外傷

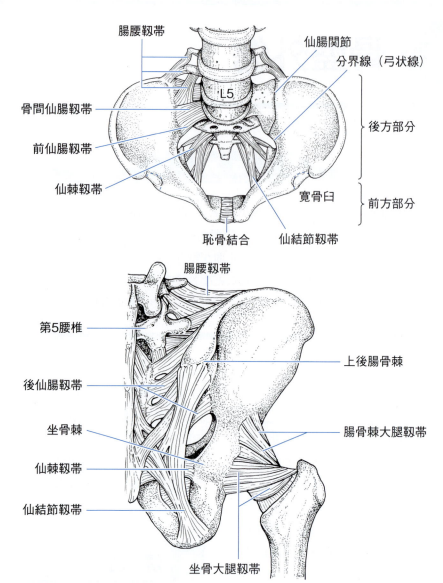

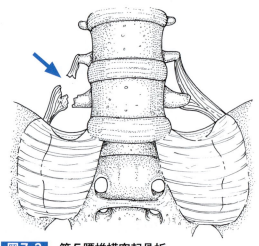

図7-1 骨盤輪の靱帯構造
〔文献9)より引用・改変〕

図7-2 第5腰椎横突起骨折
　腸骨翼と第4・5腰椎横突起（解剖学的には「肋骨突起」）に付着する腸腰靱帯は強靱であり，腸骨が高度に転位した場合，靱帯の損傷ではなく第5腰椎横突起骨折となる場合が多い。単純X線撮影による第5腰椎横突起の剥離骨折の存在は骨盤輪の不安定性の指標となる
〔文献9)より引用・改変〕

あることを示唆し，骨盤輪は少なくとも水平（回旋）方向に中等度以上不安定となる[11]。

　水平（回旋）方向の安定性に関しては恥骨結合と前仙腸靱帯が強く影響しており[9,12]，垂直方向の安定性は後仙腸靱帯が関係している。

◆ 2. 骨盤周囲の血管・神経

　骨盤輪が不安定となる外傷では，周囲の血管が破綻し，大量の出血をもたらす場合がある。内腸骨動脈壁側枝や仙骨静脈叢は骨盤輪後方部の骨に近接して走行するため，同部の骨折で損傷を受けやすい。また，骨盤輪前方部の骨折転位では膀胱や直腸などに分布する内腸骨動脈臓側枝からの出血が生じやすく，さらに腹壁を支配する外腸骨動脈領域の下腹壁

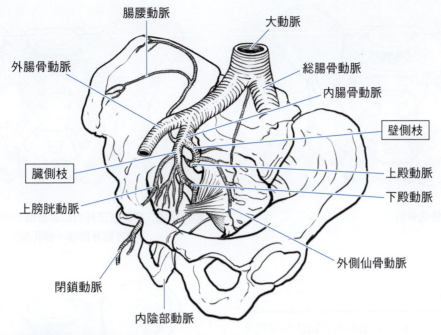

図7-3 骨盤周囲の血行

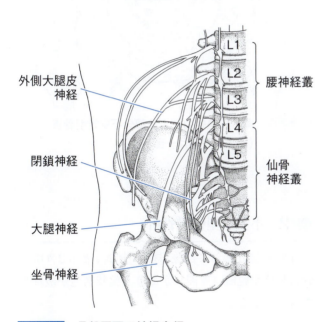

図7-4 骨盤周囲の神経走行

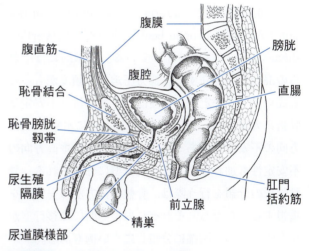

図7-5 小骨盤内に存在する臓器

動静脈も損傷されやすい（図7-3）。骨盤周囲の主な神経走行では，骨盤輪前方部に外側大腿皮神経，大腿神経，閉鎖神経が縦走する。また腰仙骨神経叢は骨盤輪後方部の骨に近接して走行し，一部は直腸・膀胱を支配して坐骨神経へと続く。これらの神経は，骨盤輪後方部の骨折に伴い損傷されやすく，下肢の機能障害や膀胱直腸障害の原因となる[9]（図7-4）。

◆ 3. 骨盤内臓器

　骨盤輪の内腔は，左右の恥骨結合上縁から弓状線，岬角へと続くライン（分界線）より頭側の大骨盤と尾側の小骨盤に分かれる（図7-1）。大骨盤は腹腔内臓器を入れ，小骨盤には膀胱，尿道，直腸，女性では子宮，腟が存在する[13]（図7-5）。とくに膀胱や尿道は恥骨結合のすぐ後方に位置するため骨盤輪前方部の骨折時に損傷を受けやすく，膀胱は腹膜外破裂，尿道は後部尿道（膜様部・前立腺部）損傷が多い。直腸は仙骨・尾骨のすぐ前面に位置し，骨盤骨折に合併した直腸損傷は見逃されることが多く注意を要する[9]。

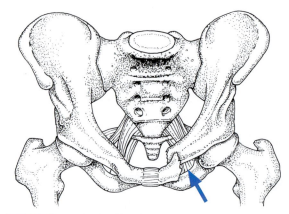

図7-6　安定型骨盤骨折

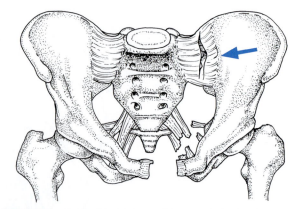

図7-7　前後圧迫外力による部分不安定型骨折
　　　（後方靱帯群は一部正常）

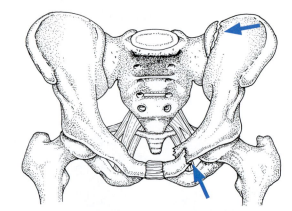

図7-8　側方圧迫外力による部分不安定型骨折
　　　（後方靱帯群は一部正常）

III　分　類

　骨盤骨折は，外力方向と骨盤輪の安定性の程度を組み合わせた分類[14)〜16)]が広く用いられる。主な外力方向により，側方圧迫型（lateral compression；LC），前後圧迫型（anterior to posterior compression；APCまたはopen book），垂直剪断型（vertical shear；VS）の3型に分けている。臨床的にはそれらの混合型も存在する。側方圧迫型の頻度がもっとも高い[14)15)]。安定性の程度は安定型骨折と不安定型骨折に大別され，不安定型骨折はさらに水平（回旋）方向の不安定性である部分不安定型と，垂直方向の不安定性も加わった完全不安定型に分けられる。骨盤骨折の分類を行う際は，骨盤輪後方部の安定度を重視する。ただし，それぞれの型の間には移行型が存在するため，明確に分類しにくい例もある。

　寛骨臼骨折は，骨盤輪の不安定性（後方部分の不安定性）に大きく関与することは少ないが，機能予後の面で特別な配慮が必要になることから分類は別に扱う[14)]。

◆ 1. 安定型骨盤骨折（図7-6）

　骨盤の輪状構造の破綻を伴わない腸骨翼のみの骨折，仙骨横骨折，スポーツ外傷でみられる筋の牽引力による裂離骨折のほか，骨盤前方部のみの骨折や転位がない骨盤輪の後方骨折も含む[13)]。不安定型骨折と比べて大量出血の危険は少ないものの，高齢者などでは出血が持続しショックに至ることがあるため注意を要する[17)]。

◆ 2. 不安定型骨盤骨折

　骨盤輪前方部および後方部の少なくとも2カ所に骨折転位や脱臼（離開）があり，輪状構造が破綻したものである。

1）部分不安定型（回旋不安定型）

　骨盤輪後方部の不完全損傷である。水平（回旋）方向には不安定性を示すが，後方部の靱帯群が完全には破綻していないため，垂直方向の安定性は保たれている。前後圧迫外力（図7-7）や，側方圧迫外力（図7-8）で生じ，一般に骨盤腔容積が増大する前後圧迫型のほうが出血量は多くなる。

2）完全不安定型（回旋＋垂直不安定型）

　骨盤輪後方部が完全破綻し，骨盤輪が水平（回旋）方向のみならず垂直方向にも不安定性を有する損傷である（図7-9）。墜落外傷に代表される垂直剪断

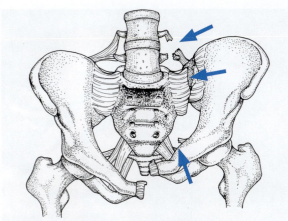

図7-9　垂直剪断外力による完全不安定型
（後方靱帯群が完全に破綻）

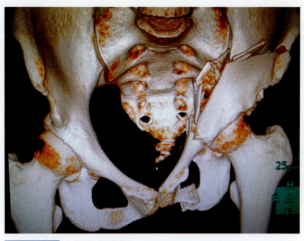

図7-10　寛骨臼骨折

外力で生じる．骨盤内血管損傷，骨盤周囲軟部組織損傷，他部位外傷を合併することが多く，生命予後が不良な骨折型である．

◆ 3. 寛骨臼骨折（図7-10）

一般に大腿骨頭を伝わった介達外力で生じる．骨盤骨折と比べると他臓器損傷の合併率は低く，骨盤内血管損傷や出血性ショックの頻度も高くないが，機能予後の面では大きな影響を及ぼす損傷である[14)18)]．

Ⅳ　病　態

受傷早期に問題となる病態は後腹膜腔への出血による出血性ショックである．骨盤外固定などの止血操作と，大量輸血などで超急性期を乗り切っても，亜急性期の凝固障害，感染症やそれに伴う敗血症などを合併しやすく集学的治療を要することが多い[3)]．急性期治療後は運動器としての機能障害，尿路損傷や神経損傷に起因する排尿障害や勃起不全（男性），排便障害，下肢感覚・運動障害，深部静脈血栓症などが生じることがある．

Ⅴ　初期診療

◆ 1. Primary surveyと蘇生

出血性ショックの原因となり得る骨盤骨折の存在を速やかに診断し，止血と骨盤輪の安定化を図ることを目標とする．

1）骨盤骨折の診断

Primary surveyでの診断は単純X線写真正面像1枚で行う．循環に異常を認める場合，意識障害など正確な身体所見がとれない場合，高リスク受傷機転が推定される場合は必ず骨盤単純X線写真正面像を行い，系統的な読影（技能7-1「骨盤外傷への対応」，p124参照）により大量出血の危険がある骨盤骨折の有無を判断する．開放骨折については，骨盤周囲や会陰部の開放創，外出血の有無を直腸診，内診を含めて施行し評価する．骨盤輪の不安定性を評価する用手的な骨盤動揺性検査は，感度が低いうえに，骨折部を動揺させて出血を助長する危険があるため行わない[1)]．

2）蘇生としての止血法

骨盤骨折由来の出血に対する緊急止血処置は，骨盤輪の安定化と損傷血管の止血操作に分けられる．現時点で統一された指針はないが，自施設で迅速に行える方法を優先して行うべきである[19)]．

（1）骨折部の安定化

まず行うことができる処置であり，種々の骨盤外固定法がある．

①簡易固定法

骨盤輪を全周性に緊縛する固定法である．シーツを用いたシーツラッピング法は，特別な技術を要さずに数分以内に施行できる（図7-11）．また，骨盤外固定専用の器具（サムスリングⅡ®：図7-12，T-POD®，ペルビッキー®など）も市販されている．これらの固定具を大転子（〜腸骨部）の高さに巻き付け適度な力で緊縛する[20)]．両下肢を内旋し膝関節近位で緊

第7章 骨盤外傷

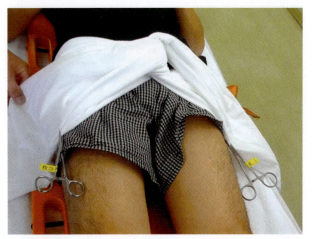

図7-11 シーツラッピング　動画43

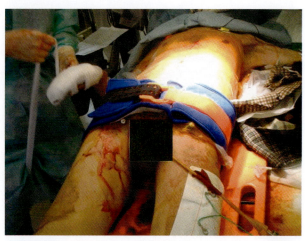

図7-12 サムスリングⅡ®の装着　動画44

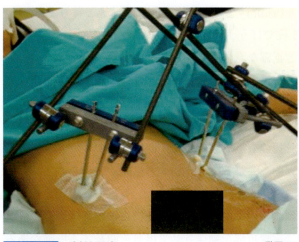

図7-13 創外固定　動画45

縛することでも一定の効果が得られ，適宜併用する。
　前後圧迫型骨盤骨折ではよい適応となる。ただし，側方圧迫型や寛骨臼骨折への適応に関しては，過整復による合併症（神経・血管損傷，膀胱損傷など）を生じる危険があり[21)〜23)]，単純X線写真やCTで診断後には過度な緊縛は行わない[24)]。また垂直剪断型では，垂直方向の下肢牽引整復などは専門科の判断を要するが，回旋方向の安定は得られるためprimary surveyでは許容される。
　この方法の最大の利点は，装着の容易さからプレホスピタルの現場でも使用が可能であり，受傷後速やかに骨盤輪の安定化が得られることにある。このため，JPTEC™でも採用が推奨されている[25)]。しかし，長時間装着すると褥瘡や軟部組織損傷の増悪につながり得るためあくまでも一時的な使用にとど

め，可及的早急に確実な固定法（創外固定など）に変更する。経カテーテル動脈塞栓術（後述）などで確実な止血が得られるまでは，安易に解除してはならない。
　なお，骨盤固定具はショックの原因検索，止血と蘇生を図ったうえで解除する。解除前に末梢静脈路の確保や輸血の準備はもとより，創外固定，IVR，後腹膜パッキングなどの骨盤骨折に対する止血準備を整えておく。ショックであれば，直ちに止血アルゴリズム（技能7-1「骨盤外傷への対応」，p126参照）に従って蘇生を行う。一方，循環が安定し，かつ意識も清明で骨盤外傷を疑わせる身体所見がなければ，骨盤固定具を外してよい。ただし，骨盤部への外力，骨盤外傷を疑わせる身体所見または正確な身体所見をとれない場合は，全身CTを施行し，骨盤骨折・骨盤輪変形の程度，血腫，造影剤漏出の有無およびショックの原因となる他部位の損傷を評価して，治療方針と固定具解除の手順を決定する。

②創外固定（図7-13）
　両側の腸骨稜や下前腸骨棘部に直接ピンを刺入し，体外でフレームを組んで骨盤輪を整復固定する方法である。骨折面同士を合わせることで骨髄性の出血を抑制することや，骨盤輪の安定化により凝血塊が不動化し止血が得られるとされる[26)]。手技に多少時間を要し，骨盤輪後方部の整復・固定力に限界はあるが，前方部の固定性に優れており，部分不安定型骨盤骨折がよい適応となる。腸骨稜へのピン刺入以外は透視下での手技となるため，患者の移動や施術時間に注意する。また，創外固定器は体幹部周

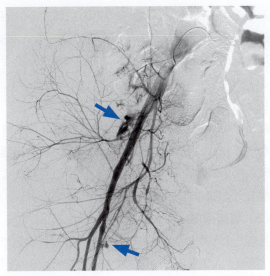

図7-14 経カテーテル動脈塞栓術（TAE）
右総腸骨動脈造影にて内腸骨動脈分岐に造影剤漏出が多発して認められる（矢印）。直ちにTAEを行う

辺で相当の容積を占めるため，手術やCT検査の妨げとなることがあり，診療手順を考えて使用する必要がある。

（2）損傷血管の止血術

①経カテーテル動脈塞栓術（TAE）（図7-14）

動脈性出血を85～100％の確率で止血することができるといわれている[6)26)]。適応や実施のタイミングは議論が多いが，出血性ショックを伴う骨盤骨折の44～76％は動脈性出血に起因するとの報告[13)]や，早期TAEにより救命率が向上したとの報告[6)27)]がある。ただし，手技にある程度時間を要すること，他の処置を並行して行うことが困難になること，過度な非選択的塞栓は組織壊死を起こし得ることなどのデメリットもある[20)28)]。

②骨盤パッキング

後腹膜腔への直接的な圧迫止血である。下腹部正中縦切開から腹膜外経由で後腹膜腔に達し，仙腸関節部から前方にガーゼやタオルを充填する（後腹膜パッキング）。このときパッキング効果を高めるために，確実な骨盤外固定（創外固定など）を併用する。とくに期待されるのは静脈性出血に対する止血効果であり，血管造影・TAEの頻度を減らす効果もあるといわれる[7)29)]。一方，TAEに比べ短時間に実施できるが，侵襲は大きく感染などの合併症の問題がある。TAEとパッキングは互いに代用する手段ではなく，パッキング後も循環動態が安定しない場合にはTAEを追加する[30)31)]。

③REBOA

大腿動脈から経皮的に挿入したバルーンカテーテルを膨らませることで，以遠の出血を一時的に制御できる方法で，REBOA（resuscitative endovascular balloon occlusion of the aorta）と呼ばれる。重度外傷で出血性ショックが切迫している場合に用いる（詳しくは第3章「外傷と循環」，p56参照）。

◆ 2. Secondary survey

身体所見から種々の画像検査の必要性を判断するとともに，骨盤周囲の合併損傷の診断を行う。

1）骨盤部の診察

骨盤周辺部の自発痛や股関節運動時の疼痛がないかを聴取し，打撲痕，皮下出血，開放創の有無を観察する。また，下肢長管骨の骨折や脱臼がないにもかかわらず下肢の異常な回旋や脚長差を認めれば，不安定型骨盤骨折や寛骨臼骨折を疑う。会陰部・陰嚢・陰唇の血腫による腫脹は，骨盤骨折を疑う重要なサインの一つである。Primary surveyで撮影した骨盤単純X線写真正面像を再度詳細に読影し（技能7-1「骨盤外傷への対応」，p124参照），その後に触診で仙腸関節部や恥骨結合部，腸骨稜などの圧痛を調べ総合的に判断する。

会陰部・陰嚢の皮下出血や外尿道口からの出血は尿道損傷を示唆し，逆行性尿道造影を行う。肉眼的血尿を認める場合は膀胱損傷も疑い，逆行性膀胱造影やCT検査を追加する。直腸診では血液の付着（直腸損傷），前立腺高位浮動（尿道損傷），肛門括約筋弛緩や会陰部の感覚障害（仙骨神経損傷）の有無を調べ，女性で会陰部に出血があれば腟損傷も疑う。神経障害の診察では，下肢の感覚障害の範囲・程度や運動麻痺の有無を詳細に観察する。

2）画像診断

骨盤単純X線写真で骨折が明らか，もしくは疑わしい場合，腹部臓器の諸検査を必要とする場合などはCT検査を行う。CT検査では単純X線写真において描出困難な骨盤輪後方部の損傷や，複雑な骨折の三次元構造を明らかにできる。また，造影CT検査では後腹膜の血腫のサイズや活動性出血の有無も評価できる[32)]。

3. 根本治療

1）骨折に対する治療

骨盤輪の不安定性，骨折部位，全身・局所状態，年齢などさまざまな要素を考慮して治療法の戦略を決定する．手術時期も重要であり，受傷後早期に最終的な固定術を行うことで呼吸器合併症の減少や入院期間の短縮が期待できる[33)34)]．

（1）安定型骨盤骨折

大半は保存的に治療する．ただし，転位が大きな腸骨骨折や筋付着部裂離骨折ではスクリューやプレートで固定する場合もある．

（2）部分不安定型骨盤骨折

このタイプの骨折では，以前は保存的治療が選択されることも多かった．しかし最近では，早期から離床を図ることが生命予後のみでなく機能予後の改善にもつながるとの考えから，骨盤輪前方部の開大（＞2.5 cm）や仙腸関節の部分離開を認める前後圧迫型，転位の大きい側方圧迫型では可及的早期に整復固定するのが一般的である[35)]．

（3）完全不安定型骨盤骨折

保存的治療や創外固定では転位の増悪や骨癒合不全の可能性が高く，手術治療が原則となる．手術待機中は創外固定に加え損傷側下肢の直達牽引も行い，頭側方向への垂直転位を矯正しておくことが望ましい．後方損傷部はバイオメカニクスを考慮した強固な内固定を行い，前方部も不安定性の程度により固定（内固定，創外固定）して骨盤輪の安定化を目指す．しかし，この骨折型の患者は全身状態が不安定な例が多いため，手術的治療のタイミングを熟慮する必要がある[36)]．

（4）寛骨臼骨折

荷重面の転位が大きく，股関節の不安定性を認める場合は手術適応となる．関節面の解剖学的整復と強固な内固定および早期からの可動域訓練を目指す．

2）合併損傷の治療

（1）膀胱・尿道損傷

膀胱損傷は，腹腔内破裂の場合には手術的に治療する．また腹膜外破裂の場合，膀胱内からの出血が多い場合，カテーテルによる減圧が困難な場合，骨盤輪前方部の観血的手術を必要とする場合などでは外科的修復術を行う．尿道の不完全断裂例は，尿道カテーテルが無理なく挿入できれば留置する．容易に挿入できない場合や完全断裂（閉塞）例は，急性期は経皮的膀胱瘻で対応し，二期的に修復手術を行うことが多い[37)]．

（2）生殖器損傷

腟損傷は通常，洗浄し一次縫合を行う．開放骨折となっていれば後述する処置に準じる．精巣損傷は通常の創傷処置を行うが，精巣の破損の有無により治療方針が異なるため，専門医に相談する．

（3）直腸損傷

見落とすと敗血症から死に至る重篤な合併損傷である．通常，人工肛門を造設して便流回避を行う[1)〜3)19)]．

（4）神経損傷

全骨盤骨折の10〜15％に合併するが，骨折部の整復により自然回復する場合としない場合があり，治療方針についてはいまだ多くの議論がある[34)38)]．

Ⅳ 骨盤開放骨折

骨片が皮膚もしくは腟，直腸を介して外界と交通するものを骨盤開放骨折と呼ぶ．

体表面の破綻からタンポナーデ効果が失われるため大量出血をきたしやすく，死亡率が高い．また，直腸や腟との交通は見逃されやすく，感染から敗血症に陥るおそれがあるため，注意深い診察と集学的治療が必要である．CT上の会陰部周囲のガス像の所見や直腸鏡・腟鏡検査も診断の助けとなる．初期治療は，出血対策と感染防止が重要となる．直ちに局所の圧迫止血（パッキング）を施し，創外固定などを用いて骨折部の固定を行う．創部のデブリドマンを徹底的に行い，高度汚染例は開放創として管理する．会陰部，直腸に開放創がある場合は，通常人工肛門造設を行う[1)〜3)19)]．人工肛門造設に関しては，開放創の局在によりその適応が提唱されている（図7-15）[39)]．

まとめ

骨盤外傷の初期診療では，早期の診断と後腹膜出血の止血，骨盤輪の安定化ならびに小骨盤内臓器損傷の検索が重要となる．Primary surveyの骨盤単純X線写真正面像で不安定型骨折を認め，出血性ショックの一因となっている可能性があれば，外固定を行

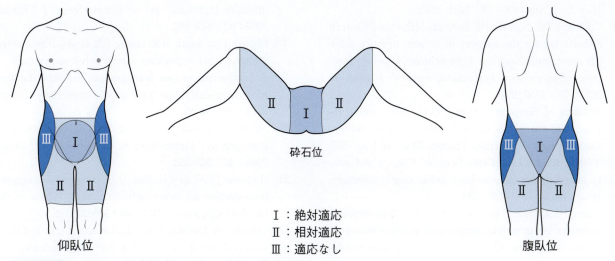

図7-15 開放創の局在部位による人工肛門造設適応の分類
〔文献39）より引用・改変〕

うと同時にTAEによる止血を考慮する。Secondary surveyでは，身体所見と画像検査から骨折の詳細評価や骨盤周囲の合併損傷検索を行い，骨盤外傷の全体像を把握する。救命後は早期離床や機能回復に主眼を置き，骨盤輪あるいは寛骨臼の良好な整復位と安定化の獲得を目指した根本治療を行う。

文献

1) American College of Surgeons Committee on Trauma：Abdominal and pelvic trauma. Advanced Trauma Life Support (ATLS)：Student Course Manual. 10th ed, American College of Surgeons, Chicago, 2018, pp82-101.
2) Tosounidis TI, Giannoudis PV：Pelvic fractures presenting with haemodynamic instability：Treatment options and outcomes. Surgeon 2013；11：344-351.
3) Brukhardt M, Nienaber U, Pizanis A, et al：Acute management and outcome of multiple trauma patients with pelvic disruptions. Crit Care 2012；16：3-11.
4) Abrassart S, Stern R, Peter R：Unstable pelvic ring injury with hemodynamic instability：What seems the best procedure choice and sequence in the initial management? Orthop Traumatol Surg Res 2013；99：175-182.
5) Eastridge BJ, Starr A, Minei JP, et al：The importance of fracture pattern in guiding therapeutic decision-making in patients with hemorrhagic shock and pelvic disruptions. J Trauma 2002；53：446-451.
6) Balogh Z, Caldwell E, Heetveld M, et al：Institutional practice guidelines on management of pelvic fracture-related hemodynamic instability：Do they make a difference? J Trauma 2005；58：778-782.
7) Cothren CC, Osborn PM, Moore EE, et al：Preperitoneal pelvic packing for hemodynamically unstable pelvic fractures：A paradigm shift. J Trauma 2007；62：834-839.
8) Papadopoulos IN, Kanakaris N, Bonovas S, et al：Auditing 655 fatalities with pelvic fractures by autopsy as a basis to evaluate trauma care. J Am Coll Surg 2006；203：30-43.
9) Khurana B, Sheehan SE, Sodickson AD, et al：Pelvic ring fractures：What the orthopedic surgeon wants to know. Radiographics 2014；34：1317-1333.
10) Hammer N, Steinke H, Lingslebe U, et al：Ligamentous influence in pelvic load distribution. Spine J 2013；13：1321-1330.
11) Pennal GF, Tile M, Waddell JP, et al：Pelvic disruption：Assessment and classification. Clin Orthop 1980；151：12-21.
12) Abdelfattah A, Moed BR：Ligamentous contributions to pelvic stability in a rotationally unstable open-book injury：A cadaver study. Injury 2014；45：1599-1603.
13) Geeraerts T, Chhor V, Cheisson G, et al：Clinical review：Initial management of blunt pelvic trauma patients with haemodynamic instability. Crit Care 2007；11：204-212.
14) Tile M, Helfet D, Kellam J：Fractures of the Pelvis and Acetabulum. 3rd ed, Lippincott Williams & Wilkins, Philadelphia, 2003.
15) Burgess AR, Eastridge BJ, Young JW, et al：Pelvic ring disruptions：Effective classification system and treatment protocols. J Trauma 1990；30：848-856.
16) Olson SA, Burgess A：Classification and initial management of patients with unstable pelvic ring injuries. Instr Course Lect 2005；54：383-393.
17) Krappinger D, Kammerlander C, Hak DJ, et al：Low-energy osteoporotic pelvic fractures. Arch Orthop Trauma Surg 2010；130：1167-1175.
18) Matta JM：Fractures of the acetabulum：Accuracy of reduction and clinical results in patients managed operatively within three weeks after the injury. J Bone

Joint Surg Am 1996 ; 78 : 1632-1645.
19) Cullinane DC, Schiller HJ, Zielinski MD, et al : Eastern Association for the surgery of trauma practice management guidelines for hemorrhage in pelvic fracture : Update and systematic review. J Trauma 2011 ; 71 : 1850-1868.
20) Bottlang M, Simpson T, Sigg J, et al : Noninvasive reduction of open-book pelvic fractures by circumferential compression. J Orthop Trauma 2002 ; 16 : 367-373.
21) Toth L, King KL, McGrath B, et al : Efficacy and safety of emergency non-invasive pelvic ring stabilisation. Injury 2012 ; 43 : 1330-1334.
22) Garner AA, Hsu J, McShane A, et al : Hemodynamic deterioration in lateral compression pelvic fracture after prehospital pelvic circumferential compression device application. Air Med J 2017 ; 36 : 272-274.
23) Suzuki T, Kurozumi T, Watanabe Y, et al : Potentially serious adverse effects from application of a circumferential compression device for pelvic fracture : A report of three cases. Trauma Case Rep 2020 ; 26 : 100292.
24) Chesser TJS, Cross AM, Ward AJ : The use of pelvic binders in the emergent management of potential pelvic trauma. Injury 2012 ; 43 : 667-669.
25) JPTEC協議会編著：JPTECガイドブック，改訂第2版補訂版，へるす出版，東京，2020.
26) Gansslen A, Giannoudis P, Pape HC : Hemorrhage in pelvic fracture : Who needs angiography? Curr Opin Crit Care 2003 ; 9 : 515-523.
27) Papakostidis C, Kanakarisb K, Dimitrioub R, et al : The role of arterial embolization in controlling pelvic fracture haemorrhage : A systematic review of the literature. Eur J Radiol 2012 ; 81 : 897-904.
28) Suzuki T, Shindo M, Kataoka Y, et al : Clinical characteristics of pelvic fracture with gluteal necrosis resulting from transcatheter arterial embolization. Arch Orthop Trauma Surg 2005 ; 125 : 448-452.
29) Tötterman A, Madsen JE, Skaga NO, et al : Extraperitoneal pelvic packing : a salvage procedure to control massive traumatic pelvic hemorrhage. J Trauma 2007 ; 62 : 843-852.
30) Osborn PM, Smith WR, Moore EE, et al : Direct retroperitoneal pelvic packing versus pelvic angiography : A comparison of two management protocols for haemodynamically unstable pelvic fractures. Injury 2009 ; 40 : 54-60.
31) Suzuki T, Smith WR, Moore EE : Pelvic packing or angiography : Competitive or complementary? Injury 2009 ; 40 : 343-353.
32) Hallinan JT, Tan CH, Pua U : Emergency computed tomography for acute pelvic trauma : Where is the bleeder? Clin Radiol 2014 ; 69 : 529-537.
33) Connor GS, McGwin G Jr, MacLennan PA, et al : Early versus delayed fixation of pelvic ring fractures. Am Surg 2003 ; 69 : 1019-1023.
34) Suzuki T, Shindo M, Soma K, et al : Long-term functional outcome of unstable pelvic ring fracture. J Trauma 2007 ; 63 : 884-888.
35) Tonetti J : Management of recent unstable fractures of the pelvic ring : An update conference supported by the Club Bassin Cotyle. (Pelvis-Acetabulum Club). Orthop Traumatol Surg Res 2013 ; 99S : 77-86.
36) Pape HC, Giannoudis PV, Krettek C, et al : Timing of fixation of fractures in blunt polytrauma : Role of conventional indicators in clinical decision making. J Orthop Trauma 2005 ; 19 : 551-562.
37) Corriere JN Jr, Sandler CM : Diagnosis and management of bladder injuries. Urol Clin North Am 2006 ; 33 : 67-71.
38) Harvey-Kelly KF, Kanakaris NK, Eardley I, et al : Sexual function impairment after high energy pelvic fractures: evidence today. J Urol 2011 ; 185 : 2027-2034.
39) Faringer PD, Mullins RJ, Feliciano PD, et al : Selective fecal diversion in complex open pelvic fractures from blunt trauma. Arch Surg 1994 ; 129 : 958-963, discussion 963-964.

技能 7-1 骨盤外傷への対応

コースでの到達目標

- 骨盤単純X線写真から出血性ショックをきたす可能性の高い骨盤骨折（とくに不安定型骨盤骨折）を診断できる。
- 骨盤外傷の「蘇生としての止血法」を選択できる。
- 簡易骨盤固定法の適応，手技，解除判断ができる。

◆ 1. 不安定型骨盤骨折の骨折型と出血量の関係

動画46

	部分不安定型 （回旋不安定型）		完全不安定型 （回旋＋垂直不安定型） （VS：vertical shear）
	側方圧迫型 (LC：lateral compression)	前後圧迫型 (APC：antero-posterior compression)	
骨盤輪の不安定性	小 ──────────────────────► 大		
出血量≒ 損傷時の骨盤腔容量	小 ──────────────────────► 大		

〔画像は3D anatomy teamLabBody（teamLabBody.Inc.）より引用〕

第7章 骨盤外傷

◆ 2. 骨盤X線読影の手順

骨盤単純X線写真の読影手順

1. 全体
   1) 正面性：腰椎棘突起の位置①
   2) 対称性：腸骨翼の大きさ②，高さ③
2. 前方
   1) 恥骨・坐骨骨折の有無④
   2) 閉鎖孔の左右差⑤
   3) 恥骨結合の幅⑥
      ≧2.5 cmの離開→後方靱帯損傷
3. 後方
   1) 腸骨骨折の有無⑦
   2) 仙腸関節の幅，左右差⑧
   3) 仙骨骨折の有無⑨
   4) L5横突起骨折（解剖学的には肋骨突起）の有無⑩
4. 寛骨臼⑪

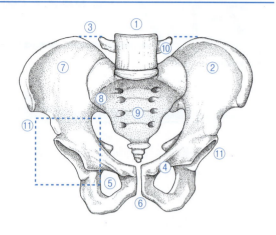

寛骨臼の読影

Secondary surveyでの寛骨臼の評価においては，以下の各ラインに異常がないか左右を比較しながら読影する
   (1) 恥骨腸骨線（iliopectineal line）
   (2) 坐骨腸骨線（ilioischial line）
   (3) 涙痕（tear drop）
   (4) 臼蓋前縁（anterior rim）
   (5) 臼蓋後縁（posterior rim）

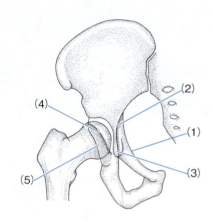

◆ 3. 骨盤X線読影のポイント

1) Primary surveyでの読影
- 出血性ショックの原因となり得る骨盤骨折を認知する。
- 読影の手順「1. 全体」～「3. 後方」に沿って読影を進める。「4. 寛骨臼」の読影は省略する。

2) Secondary surveyでの読影
- 骨盤骨折および寛骨臼骨折を認知する。
- 読影の手順「1. 全体」～「3. 後方」に加え，「4. 寛骨臼」を読影する。

4. 骨盤骨折X線写真の例

骨盤骨折の分類

分類			3D画像	X線写真
安定型				
不安定型	部分不安定型（回旋不安定型）	前後圧迫型		
		側方圧迫型		
	完全不安定型（回旋垂直不安定型）			
	寛骨臼骨折			

〔画像は3D anatomy teamLabBody（teamLabBody.Inc.）より引用〕

第7章 骨盤外傷

◆ 5．骨盤骨折に対する止血アルゴリズム

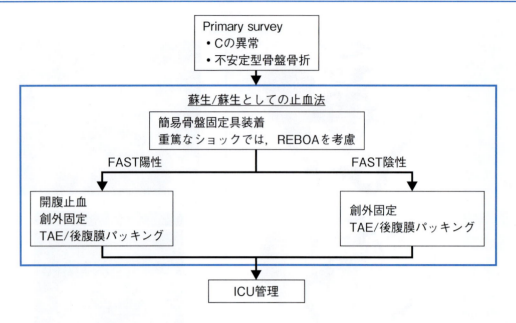

- 側方圧迫型および寛骨臼骨折では，簡易骨盤固定具による骨盤部の過度の固定により，骨折部転位や合併症を増長するおそれがある。
- 簡易骨盤固定具は，創外固定を装着するまで装着を継続する。
- REBOA/TAEが想定される場合の簡易骨盤固定具は，鼠径部を露出しやすいペルビッキー®などを採用する。
- 創外固定/TAE/後腹膜パッキングを施行する順番は，自施設で迅速に行える方法を優先してよい。
- 簡易骨盤固定具は病院前で装着されていることがある（参考）。

【参考】病院前での簡易骨盤固定具装着適応

①状況評価：受傷機転から骨盤骨折の可能性
②初期評価：ショックの可能性
③全身観察：骨盤部の異常

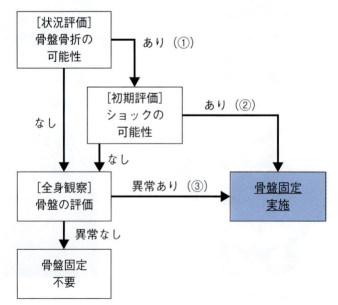

(JPTEC協議会編著：JPTECガイドブック，改訂第2版補訂版，へるす出版，東京，2020．より引用・改変)

◆ 6. 簡易骨盤固定具の解除基準

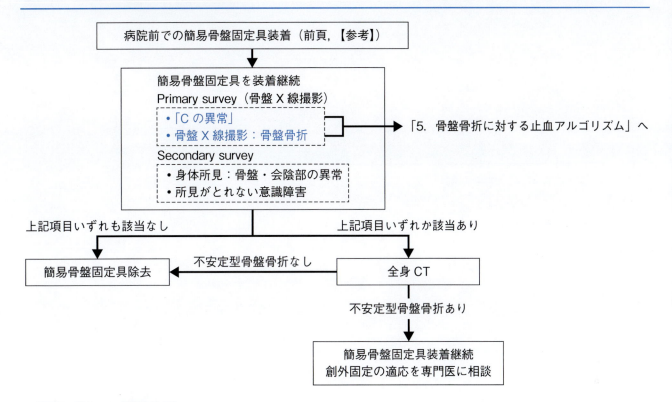

解除に際しての遵守事項

- ショックの評価と蘇生の優先
- 止血処置（創外固定，IVR，後腹膜パッキングなど）の準備

第8章 頭部外傷

要　約

1. 外傷診療に必要な頭部の解剖と神経生理を理解する。
2. 頭部外傷患者の病態生理を理解する。
3. 脳ヘルニアの徴候を認識でき，迅速に対処できる。
4. 治療の目標は二次性脳損傷を最小限にとどめることである。
5. とくに頭蓋内圧亢進に対して迅速に対応する。

はじめに

本章は，『頭部外傷治療・管理のガイドライン』[1]と整合性が図られており，頭部外傷の初療を担当する救急医・外傷医と，コンサルトを受けた脳神経外科（専門）医が共通の認識をもって診療できることを目標としている。

I　疫　学

JTDB*19（Appendix 3「外傷疫学」，p294参照）では，全外傷例322,817人中，頭部にAbbreviated Injury Scale（AIS）2以上の損傷を有する患者は36.4%であり，下肢に続き2番目に多い。重症度別にみると，最大のAISスコアが3の症例が32.8%，AISスコア4が33.7%，AISスコア5が20.0%と重症，重篤な損傷が多い。単独頭部外傷（n=57,729）をみた場合，損傷形態は（重複を許して），硬膜下血腫（45.8%），くも膜下出血（41.8%），脳挫傷（23.4%），硬膜外血腫（11.5%），びまん性脳損傷（1.9%）の順に多い。死亡率は，硬膜下血腫（20.2%）とびまん性脳腫脹（17.8%）で高い。血腫による占拠性病変や脳挫傷では高齢者および転倒・転落の占める割合が高いのに対し，びまん性脳腫脹では若年者および交通外傷の占める割合が高い。

一方，日本脳神経外傷学会頭部外傷データバンクの報告では，ISS高値が生命転帰，機能予後不良に関係していることが[2]，他部位損傷を含めた重症度が頭部損傷の転帰に大きく影響していることがわかる。年齢別発生頻度をみると，以前は若年者層と高齢者層に2つのピークを認めたが，近年，若年者層の減少と高齢者層の著増を反映し単峰性（高齢者層）を示している[2]。頭部外傷データバンクの報告では，すでに50%以上の登録症例が65歳以上の高齢者になっている[2]。受傷機転は，以前は交通事故が最多であったが，現在では転倒・転落が上回っている[3]。治療内容については，手術やICPモニタリングなどの積極的治療施行率は上昇し，死亡率は減少しているものの，患者転帰良好の割合はむしろ減少している。機能予後をも見据えた，初期診療が重要となっている所以である。

頭部外傷は先進国の若年層における死亡・後遺症罹患の原因の第1位であるとの報告もある[4]。若年者に重篤な後遺症が残ると，社会的負担はさらに増える。

II　解　剖

頭蓋は，頭蓋冠と頭蓋底に分けられる。頭蓋冠は，主として前頭骨，頭頂骨，後頭骨，側頭骨によって構成され，円蓋部または穹窿部とも呼ばれる。強い外力によって線状骨折，陥没骨折，縫合離開などを生じる。頭蓋底は，前頭蓋底（前頭葉下面を支える），中頭蓋底（側頭葉を包む），後頭蓋窩（小脳を包む）に分けられる。

第8章 頭部外傷

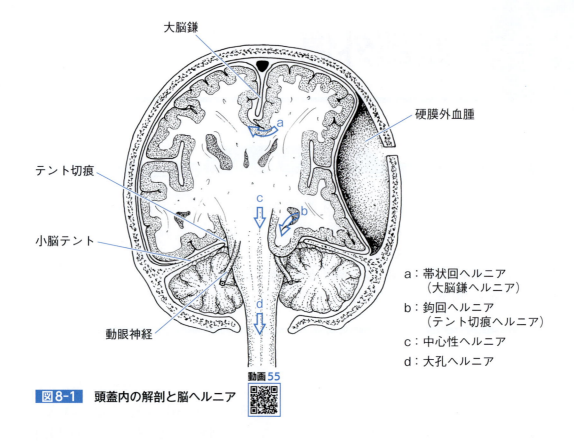

図8-1 頭蓋内の解剖と脳ヘルニア
動画55

a：帯状回ヘルニア（大脳鎌ヘルニア）
b：鉤回ヘルニア（テント切痕ヘルニア）
c：中心性ヘルニア
d：大孔ヘルニア

頭蓋骨のすぐ内側には，硬膜，くも膜，および軟膜に包まれた脳実質がある。厚い硬膜に接して薄く透明なくも膜があり，脳表に密着した軟膜との間にくも膜下腔を形成し，髄液が灌流している。硬膜の外側の表面に外頸動脈からの枝である中硬膜動脈が走行しており，急性硬膜外血腫の出血源となる。大脳鎌は，大脳半球を左右に分け，小脳テントは大脳（テント上）と小脳・脳幹（テント下）を上下に分ける。テント切痕中央には中脳が位置し，辺縁を動眼神経が走行している。

硬膜と大脳鎌，小脳テントの移行部は2層に分かれて静脈洞（上矢状洞，横静脈洞）を形成し，脳表から上矢状洞に流入する架橋静脈（bridging vein）が破綻すると，急性硬膜下血腫を生じる。頭蓋骨骨折が静脈洞を横切り損傷すると，急性硬膜外血腫の原因となる。

【参考1】脳ヘルニア

脳ヘルニアとは占拠性病変の出現や脳腫脹により，大脳鎌の縁，テント切痕や大孔を介して脳組織がシフトすることをいう（図8-1）。とくに，テント上の占拠性病変により大脳組織がテント切痕を下降する場合，テント切痕ヘルニアといい，脳幹を圧迫すると致死的となる。なかでも，側頭葉の占拠性病変などにより側頭葉内側部が偏位し，テント切痕に嵌入すると同側の動眼神経と大脳脚が圧排され，同側の瞳孔が散大し，対側の片麻痺が出現する（鉤回ヘルニアという。図8-1b，2）[5]。占拠性病変の圧排が急激である場合，対側の大脳脚が偏位して小脳テントに圧迫され，占拠性病変と同側の麻痺が出現することがある（Kernohan's notch）。左右差のない脳浮腫や頭頂部付近の病変の場合は，テント切痕の中心部で下降し（中心性ヘルニア，図8-1c），瞳孔不同を伴わずに意識障害と四肢麻痺が進行する。脳ヘルニアが進行すると脳幹出血が生じることがあり，転帰不良である[6]。小脳扁桃が大孔に嵌入して延髄を圧迫する小脳扁桃ヘルニア（大孔ヘルニア，図8-1d）では呼吸停止が生じる。

【参考2】頭蓋内圧（ICP）と脳灌流圧（CPP）

成人の頭蓋内容積は約1,500 mlで，脳容積が84%，髄液が11〜13%，血液が3〜5%を占める。頭蓋内に占拠性病変が出現すると代償的にこれらが一部減少して頭蓋内圧（intracranial pressure；ICP）を一定に保とうとするが，ある限界を超えると頭蓋内圧は急激に上昇する（図8-3）[7]。

一般的に頭蓋内圧が20 mmHg以上に上昇すると治療が必要であり[6,8]，35 mmHgが神経学的転帰の

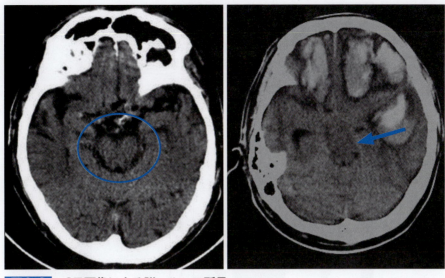

図8-2　CT画像による脳ヘルニア所見
左CTでは中脳周囲の脳底槽がはっきりとみえるが，右CTでは不明瞭になっており，側頭葉内側（矢印）がテント切痕に嵌入している

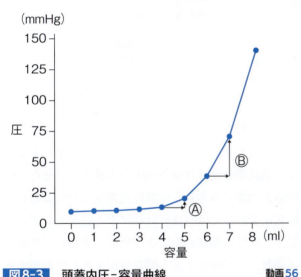

図8-3　頭蓋内圧－容量曲線　動画56
頭蓋内圧が低い際には，容量の変化に対する頭蓋内圧上昇の度合いは小さいが（Ⓐ），頭蓋内圧が高い際には，上昇の度合いは大きい（Ⓑ）。なお，図はサルをモデルにした頭蓋内圧－容量曲線である〔文献7〕より引用〕

【参考3】各部の脳機能

言語中枢に代表される高次機能が存在する側を優位半球と称する。言語中枢は左利きの一部の人を除き，左大脳半球にある。前頭葉は実行機能や感情，運動機能にかかわっており，とくに中心前回には随意運動中枢が存在する。また，優位半球前頭葉には運動性言語中枢が存在する。頭頂葉には感覚や空間認知中枢が存在し，後頭葉には視覚中枢が存在する。側頭葉は聴覚や記憶にかかわる。間脳は視床と視床下部からなり，知覚の中継点や内分泌機能，体温調節や自律神経機能の中枢として機能している。脳幹は中脳，橋，延髄からなり，呼吸や循環，意識状態や覚醒状態に深く関与している（上行性網様体賦活系：ascending reticular activating system；ARAS）。小脳は協調運動や平衡機能を司っている。

【参考4】髄液に関する知識

髄液は，外見上は水様透明で脳室内の脈絡叢で1日当たり500ml産生され，髄腔内〔側脳室→モンロー孔→第3脳室→中脳水道→第4脳室→マジャンディ孔（正中孔），ルシュカ孔（外側孔）→脊髄や脳表のくも膜下腔〕を循環し，くも膜顆粒から上矢状洞内へと吸収される。髄腔内にある髄液量は約150mlであり，1日3回ほど入れ替わる計算となる。この経路に血腫などで閉塞をきたすと急性閉塞性水頭症を生じ，急激な頭蓋内圧亢進が生じる。

閾値とされている[9]。わが国のガイドラインで治療を開始する閾値は15～25mmHgとするよう勧められている[1]。頭蓋内圧が亢進する場合，脳組織を正常に機能させるためには，脳灌流圧を50～70mmHgに維持することが推奨されている[1]。なお，脳灌流圧（cerebral perfusion pressure；CPP）は以下の式で近似することが可能である。

　　脳灌流圧（CPP）＝平均血圧－頭蓋内圧（ICP）

第8章 頭部外傷

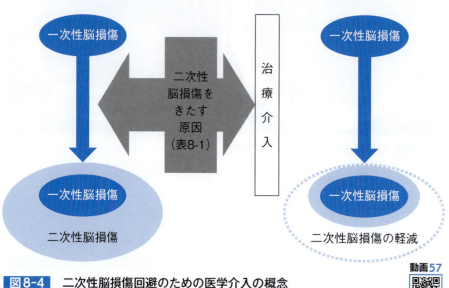

表8-1 二次性脳損傷をきたす原因

頭蓋内因子	占拠性病変による圧迫・破壊，脳ヘルニアによる脳幹障害，脳虚血，脳浮腫，痙攣，感染
頭蓋外因子	低酸素血症，低血圧，高/低二酸化炭素血症，貧血，高体温

図8-4 二次性脳損傷回避のための医学介入の概念
治療介入することで二次性脳損傷の増悪を最小限にすることができる

III 病態

1. 一次性脳損傷と二次性脳損傷

脳損傷は，外傷によって直接的に脳組織が破壊される一次性脳損傷と外傷後の低酸素血症や低血圧などにより生じる二次性脳損傷に分類できる。一次性脳損傷は受傷時の頭部に作用する部位，強度により決定されるので，入院後の治療によって改善させることは困難である。それに対して，二次性脳損傷を予防，軽減することはプレホスピタルケアを含めた適切な判断や処置，治療により可能である。

二次性脳損傷をきたす原因は頭蓋内因子と全身性因子（頭蓋外因子）に分類される（表8-1）。頭蓋内因子は占拠性病変（頭蓋内血腫や脳浮腫）による周囲脳実質への圧迫や破壊，脳ヘルニアによる脳幹障害，脳灌流圧の低下による脳実質の虚血などである。頭蓋内因子による二次性脳損傷は，血腫除去術や減圧開頭術を含めた頭蓋内圧と脳灌流圧の管理により軽減が可能である。また，痙攣，髄膜炎なども頭蓋内因子による二次性脳損傷の原因となる。

一方，気道閉塞による低酸素血症，出血性ショックによる低血圧は，二次性脳損傷の頭蓋外因子としてもっとも重要である。例えば，換気不全による高二酸化炭素血症では頭蓋内圧が上昇する。また，脳幹障害の際にみられる中枢性過換気などによる低二酸化炭素血症では脳血管収縮による脳血流低下が生じ，二次性脳損傷の増悪を認める。さらに，出血による貧血状態や高体温も頭蓋外因子として重要である。これらの頭蓋外因子による二次性脳損傷を防ぐためには，厳密な呼吸・循環管理による脳指向型の全身管理が必要である（図8-4）。

2. Coup injuryとcontre-coup injury

脳は硬い頭蓋骨で包まれているが，強固に固定されていない。このため，頭部に衝撃が加わると頭蓋骨と脳組織は別々に運動をするので，異なる減速機序が作用する。衝撃時には外力を受けた側の脳組織に損傷が生じ（coup injury），直後の反動で脳組織が対側の頭蓋骨に衝突し，外力を受けた部位と対角線上の反対側に損傷が生じる。これを反衝損傷（contre-coup injury）という（第19章「受傷機転」，p251参照）。

3. Talk & deteriorate

頭部外傷後，来院時には話ができる（talk）程度の軽い意識障害の患者が，その後に急激な意識障害をきたす（deteriorate）ことがある。死に至ればtalk & dieと呼ばれる。高齢者に多く，脳浮腫や遅発性外傷性脳内血腫の進展により急変し，ほぼ半数が死亡する[10]。

Ⅳ 分類

初期診療を担当する外傷医や救急医と根本治療を行う脳神経外科医が共通言語として使用する分類が，Gennarelliらの分類を基礎として日本外傷学会と日本脳神経外傷学会の合同により，臨床症候と急性期CTなどの画像所見を中心に作成されている[11]。同分類では損傷部位と重症度の組み合わせで分類されている。

損傷部位は，頭蓋骨骨折，局所性脳損傷（focal brain injury），びまん性脳損傷（diffuse brain injury）に大別される。局所性脳損傷は頭蓋の特定の部位に作用した外力による脳挫傷，急性硬膜外血腫，急性硬膜下血腫，脳内血腫などである。一方，びまん性脳損傷は主として回転加速度や剪断力などによる一次性脳損傷と，低酸素血症などによる二次性脳損傷が含まれ，びまん性脳損傷（狭義），くも膜下出血，びまん性脳腫脹などがある。

さらに重症度によって分類され，軽症は観察入院，中等症は入院して厳重な管理のもとに経過観察，重症は外科的処置や頭蓋内圧モニターなどを前提としている。意識レベルを生理学的重症度の指標とすると，GCS合計点14，15は軽症，9～13は中等症，3～8は重症に分類される。

1. 頭蓋骨骨折

頭蓋骨骨折の存在は，一定以上の大きな外力が脳に加わったことを示唆する。実際，意識清明の患者で頭蓋骨骨折があれば，骨折がない場合に比べ頭蓋内血腫の危険性が400倍になるといわれる[12]。骨折は頭部CTの骨条件（thin slice）で診断するが，CT三次元再構築画像による立体画像が骨折の広がりを把握する有効な手段である（図8-5）。これが

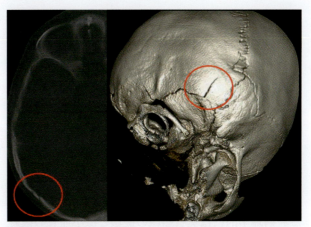

図8-5 頭部CT骨条件と三次元構築
4歳女児。後頭部打撲により受傷。Thin sliceでは縫合線との鑑別が不明確であったが，三次元構築にて線状骨折の広がりが明らかになった

撮影できなければ頭部単純X線写真〔正面，側面およびタウン（Towne）撮影の3方向〕を用いる。

1）円蓋部骨折

円蓋部（穹窿部）の骨折には線状骨折と陥没骨折がある。骨折線が中硬膜動脈などの血管溝と交差する場合，または静脈洞部を横切る線状骨折では急性硬膜外血腫を生じる危険性がある。陥没骨折は，視診，触診によってある程度の予想ができるが，頭部CTの骨条件によって確定診断される。1 cmを超える陥没，髄液の流出を認める開放性陥没骨折，陥没骨折による静脈洞圧迫に起因する静脈還流障害がある場合には緊急手術を考慮する。

2）頭蓋底骨折

頭蓋底骨折は特定部位（眼周囲，耳介後部）の皮下出血斑により疑うことができる（第9章「顔面外傷」，p151参照）。これらの出現時や，鼻出血や耳出血，耳鏡検査による鼓膜内出血を認める場合には，頭蓋底骨折を疑い骨条件の頭部CTを評価する。頭蓋底骨折は脳神経麻痺，血管損傷，髄液漏，気脳症などをきたすことがあり，大量の外出血では血管損傷を疑う。気脳症を認める場合には，髄液漏と逆行性の頭蓋内感染にも注意を払う。

2. 局所性脳損傷

局所性脳損傷による占拠性病変が頭蓋内圧亢進による脳ヘルニアを招くときには，外科手術による除

第8章 頭部外傷

去が必要になる。占拠性病変によりGCS合計点が8以下になるとき，意識障害患者に瞳孔不同，片麻痺，Cushing現象が出現したとき，頭部CTで5mm以上の正中偏位，もしくは脳底槽の圧排，消失が認められるときは緊急手術を考慮する[1]。

1) 脳挫傷

脳実質損傷を指し，coup injuryとcontre-coup injuryのいずれでも生じる。前頭葉と側頭葉に好発する。病理学的には実質組織の破壊と微小血管の破綻による。脳浮腫と小出血が混在する。頭部CTでは血管支配に関係ない辺縁が毛羽立った低吸収域（脳浮腫と脳実質損傷）の中に高吸収域（小出血）が散りばめられた所見（salt & pepper like appearance）を呈する（図8-6）。

2) 急性硬膜外血腫（図8-7）

意識清明期（lucid interval）の存在とCT上，両側凸レンズ型の高吸収域を特徴とする。打撲により頭蓋骨骨折が生じ，その直下の硬膜上を走る硬膜動脈，骨折した頭蓋骨自体や静脈洞から出血し硬膜外に血腫を生じる。頭蓋骨内側から硬膜を剥がしながら血腫が増大するため，両側凸レンズ型を呈する。意識清明期の存在は，脳自体に重大な損傷がないことを意味している。血腫の増大による圧迫で意識障害や巣症状が出現してくる場合には，早期の血腫除去により良好な予後が期待できる。

3) 急性硬膜下血腫（図8-8）

Coup injuryとcontre-coup injuryのいずれでも生じる。出血源は，脳表の架橋静脈から出血する場合と，脳挫傷に合併し脳表の動脈や脳実質から出血する場合とがある。前者をsimple hematoma type，後者をcomplicated hematoma typeというが，後者のほうが多く，一次性脳損傷を伴い外傷初期から強い意識障害や片麻痺を有する場合は予後不良である。頭部CTでは硬膜とくも膜の間に三日月状に血腫が広がるのが特徴で，脳挫傷や脳浮腫による圧迫所見も強い。

4) 外傷性脳内血腫（図8-9）

脳挫傷による小出血が癒合し，脳内血腫に進展して形成されることが多い（多くは72時間以内）。脳

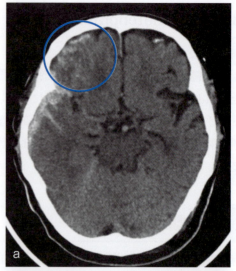
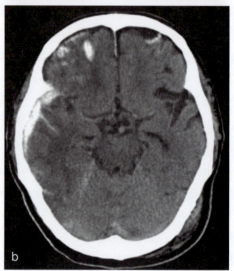

図8-6 脳挫傷
来院直後のCTで右前頭葉にsalt & pepper like appearanceを認める（aの丸部分）。3時間後には同部の一部に出血が大きくなっている（b）

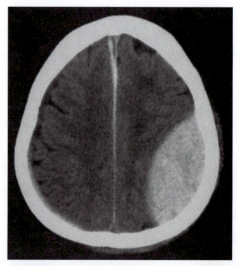

図8-7 急性硬膜外血腫　動画58

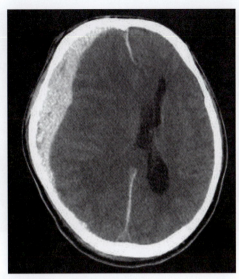

図8-8　急性硬膜下血腫

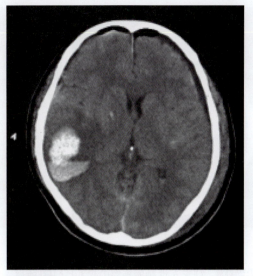

図8-9　外傷性脳内血腫

内の穿通枝が外傷によって破綻して生じることもあり，この場合は受傷早期から血腫の形成がみられる。脳挫傷と同様に前頭葉，側頭葉に起こりやすい。受傷後に遅れて脳内血腫が出現する場合を，遅発性外傷性脳内血腫（delayed traumatic intracerebral hematoma；DTICH）と呼ぶ。いったん止血した血管からの再出血，他の血腫除去手術によって頭蓋内圧が下がり圧迫が解除されての出血，凝固因子の消費により出血傾向に陥っての出血，外傷性動脈瘤の破裂などの機序が考えられる。

3. びまん性脳損傷

局所性脳損傷と異なり，一般的に外科的手術の適応とはならない。治療は対症療法，全身管理が主体となり，びまん性脳損傷そのものに対する治療は有効なものがない。

1）脳振盪

形態学的な損傷を伴わず，一過性の神経機能異常を呈するもので，びまん性脳損傷の一部ととらえることができる。脳振盪には，受傷直後から6時間以内の意識消失を呈する古典的脳振盪と，意識消失はないが一過性の神経症候（記憶障害，平衡障害など）を呈する軽症脳振盪がある。

2）びまん性軸索損傷

びまん性軸索損傷は元来，脳組織全体に強い剪断力が加わったことにより起こるびまん性の神経線維断裂という病理学的概念をもち，臨床的には，受傷直後より遷延する意識障害を説明する頭蓋内占拠性病変がみられない頭部外傷をいう。Gennarelliらの定義では，受傷直後より6時間以上遷延する意識消失（昏睡）をびまん性軸索損傷としており[13]，CTで明確な責任病変の所見に乏しく，意識障害が遷延する患者の症候群的な疾患名であった。

頭部CTでは，外傷性くも膜下出血や少量の脳室内出血などの付随的な所見しか認めないことが多く，症状に加えてMRI検査による特徴的な所見で臨床診断する。MRI検査では，放線冠，大脳基底核，脳室周囲，脳梁，脳幹背側などの損傷部位がT2強調画像で急性期から高信号として描出される。さらにT2*（star）強調画像やsusceptibility-weighted image（SWI）画像にて，微小出血も高感度に描出可能である[14]（図8-10）。

さらにはMRIにおける拡散テンソル画像などにより，断裂軸索の病理学的評価が可能である。画像診断の進歩に伴い，生体でも微細な病理学的評価が可能となっている。

3）外傷性くも膜下出血（図8-11）

脳底槽に存在するくも膜下出血は，びまん性脳損傷で高率に合併し，びまん性脳損傷の間接的所見ともいわれている。くも膜下出血が，脳底槽に存在する場合や脳底槽から円蓋部に広がる場合は転帰不良の因子と考えられている[15)〜17)]。脳動脈瘤の破裂に

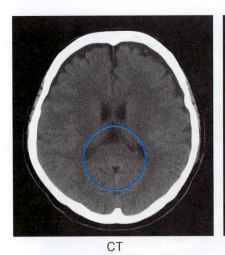 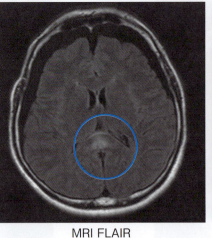 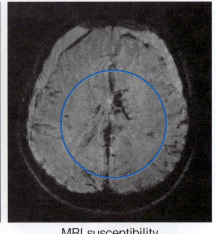

CT　　　　　　　　　　MRI FLAIR　　　　　　　　MRI susceptibility weighted image (SWI)

図8-10 びまん性軸索損傷のCTとMRI所見
DAIは回転加速度による剪断力により受傷することが多く，脳梁や脳幹など中心の構造に受傷しやすい。大きな出血所見に乏しくCTでの所見はごく軽微であるが（青丸部分），FLAIRでみると脳梁後交連部分に明確な浮腫がある。また微少出血を検出するSWIでは脳梁を中心に黒く描出される出血が散見される

 動画59

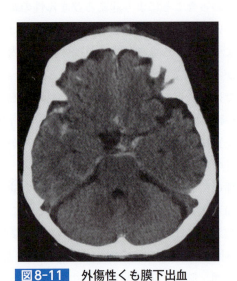

図8-11 外傷性くも膜下出血

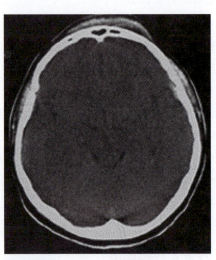

図8-12 びまん性脳腫脹

よるくも膜下出血が脳底槽や両側のシルビウス裂に広範囲に濃く存在するのに対して，外傷局所やその対側，脳底槽の一部に薄くみられることが多く，一般的には内因性に比べ脳血管攣縮を起こす率は低いとされているが，外傷性くも膜下出血においても脳血管攣縮の合併がある[18]。外傷性くも膜下出血が局所に限られる場合は，単純CTで経過観察し，血腫増大の有無を確認する。脳底槽や脳表にびまん性に広がる外傷性くも膜下出血については，急性期は3D-CTA（CTアンギオグラフィ）で血管損傷，内頚動脈海綿静脈洞瘻（carotid-cavernous fistula；CCF）や仮性動脈瘤の精査を行う。その後全身状態の安定を確認して，受傷から約1週間で血管撮影による精査を行うのが好ましい。

4）びまん性脳腫脹（図8-12）

びまん性脳損傷の一型に分類され，①血管床増大による頭蓋内血液量の増加，②血液脳関門（blood-brain barrier；BBB）破綻による血管性浮腫，③細胞性浮腫の病態が関与している。一次性脳損傷に加え，受傷早期の低血圧，低酸素血症，高二酸化炭素血症などによる二次性脳損傷が加わりびまん性脳腫脹が生じるとされている[19)20]。成人に比べ，小児や若年者に多いとされており，急激な頭蓋内圧亢進をきたし内科的治療に抵抗性を示すことが一般的で，きわめて予後不良である。治療は二次性脳損傷の予防に重点が置かれる。

◆ 4. 外傷性頭蓋内血管損傷

　頭部外傷の1%程度といわれるが，実際にはもっと多いと考えられる。受傷時に動脈の血管内皮が損傷し，時間が経過してから動脈解離による脳梗塞や仮性動脈瘤の破裂による出血をきたす。トルコ鞍近傍など血管走行部の頭蓋底骨折，厚いくも膜下出血や原因不明の脳梗塞所見があれば動脈損傷を疑う。静脈洞を横切る骨折による静脈損傷や，骨片や異物などによる圧迫で上矢状静脈洞や横静脈洞の閉塞が生じる。時に脳内血腫を合併する。急激な頭蓋内圧亢進や意識障害で発症し，片麻痺や痙攣を生じることも多い。また，外傷性動静脈瘻として，眼球突出，拍動性雑音，眼球結膜の充血などの症状が出現するCCFがある。診断はCTAやMRA（MRアンギオグラフィ）を活用するが，感度では脳血管撮影に劣るため，穿通性外傷など高危険因子群では脳血管撮影も考慮する。

◆ 5. 穿通性脳損傷

　杭，釘や刃物などによる穿通性外傷の場合には，異物除去のタイミングとともに出血や髄液漏の制御，その後の感染対策が課題になる。成傷器が刺さったまま来院した場合には，抜去せず脳神経外科医にコンサルトする。創の出入り口，汚染の程度，髄液漏の有無を観察し，頭蓋内異物とその軌跡，副鼻腔や血管損傷の有無を画像診断により評価する。治療は，手術適応があれば24時間以内に可及的速やかに異物除去と洗浄・デブリドマンおよび硬膜閉鎖を行うことが推奨される[21]。

◆ 6. 外傷性てんかん

　外傷直後に起こる直後発作（immediate seizure），1週間以内に起こる早期発作（early seizure），その後に起こる晩期発作（late seizure）に分類される。早期発作は急性症候性発作であり，換気障害などにより脳損傷を増悪させる可能性があるため，治療を要する[1]。重積状態であれば，ジアゼパム，フェニトイン，ホスフェニトイン，フェノバルビタール，レベチラセタム注1などを使用して痙攣を制御する[22]。難治の場合，プロポフォールやミダゾラム，チオペンタールなどでの全身麻酔が必要となる。

　また，画像所見にて説明のつかない意識障害を伴う場合，非痙攣性てんかん重積（non-convulsive status epilepticus；NCSE）も念頭に置き，脳波検査を施行する。

V 初期診療

◆ 1. Primary surveyと蘇生

　「切迫するD」を認識し，頭蓋内圧亢進による脳ヘルニアなどの生命を脅かす頭蓋内病変を疑う神経症状と身体所見を迅速に把握する。「切迫するD」は①GCS合計点が8以下，②意識レベルの急速な低下（GCS合計点が経過中に2以上低下した場合），③意識障害患者に瞳孔不同，片麻痺，Cushing現象の出現，であり①〜③のいずれかを認めたときに判断する（第4章「外傷と意識障害」，p68参照）。

◆ 2. Secondary survey

1）身体所見のとり方

　意識があれば最初に，頭痛，視力障害，複視，聴力障害，咬合の不具合などの訴えを聴取する。

　視診では頭皮や顔面の外表創，外耳孔，鼻孔，口腔内出血の有無を確認する。外耳孔や鼻孔から流出する血液が水分を多く含みサラサラしていたら，髄液が混じっている可能性があるので（頭蓋底骨折に伴う髄液耳漏，髄液鼻漏），ガーゼや濾紙に滴下して二重の輪になるか否かを確認する（ダブルリング試験，図8-13）。耳鏡を用いて鼓膜の破損，中耳内の血液，外耳道からの出血などを確認する（図8-14）。ペンライトを用いて，左右の瞳孔径と対光反射の有無を確認する。一側の直接対光反射を確認するだけでなく，反対側の間接対光反射をみることで，同側の視神経，反対側の動眼神経の異常を評価することが可能となる。

　触診では，頭髪に隠れた頭皮挫創や皮下血腫，異物の存在，陥没骨折などを診察する。皮下血腫はサ

注1：レベチラセタムはガイドラインに明記されているが重積状態に保険適応外

第8章 頭部外傷

図8-13　ダブルリング試験

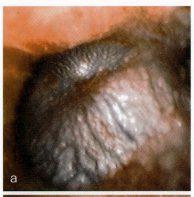

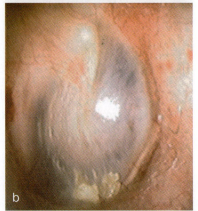

図8-14　耳鏡による鼓室内出血の所見
鼓室内血液貯留による暗赤色の鼓膜の膨隆（a）と正常所見（真珠様灰白色：b）

イズが小さく硬いが，帽状腱膜下血腫は巨大になることもあり，波動を触れ軟らかい。骨膜下血腫は縫合線を越えて広がらないことで鑑別可能である。

2）CT検査のタイミングと読影のポイント

　頭部CT検査は頭部外傷の診断と治療に欠かせない検査であり，重症度に応じて時期を逸せず安全に行う必要がある。「切迫するD」と判断されても，A・B・Cの異常が持続する場合は頭部CT検査よりもA・B・Cの安定化を優先する。適切な治療によりA・B・Cの安定化が得られたら，secondary surveyの最初に頭部CT検査を施行する。このときに全身CTの実施も許容される。

　中等症（GCS合計点9〜13）の場合には，secondary surveyで全身の身体所見を観察し，必要な画像診断の優先順位を決めたうえで，その一環として必ず頭部CT検査を行う。

　軽症（GCS合計点14，15）では，帰宅までに，あるいは入院中に一度は頭部CT検査を行うようにする（図8-15）。とくに軽症であっても表8-2[23)]に記載した危険因子が存在すれば，頭部CT検査を実施する。

　患者が不穏でCT検査に支障をきたす場合には鎮静薬の使用を考慮してもよいが，使用に際しては上気道閉塞，呼吸抑制，血圧低下に注意し，意識レベルと神経学的左右差の有無を評価した後に短時間作用型の鎮静薬を使用する。CT検査中は嘔吐・痙攣・呼吸停止などの急変に備えて，CT室内の患者の側で症状の変化に注意する。

　CT所見において重症度や患者転帰を予測する際に注目すべき項目に，脳底槽の圧排もしくは消失，5 mmを超える正中偏位，硬膜外病変，脳室内出血もしくは外傷性くも膜下出血の有無などがある。これらをもとにした分類としてTraumatic Coma Data Bank（TCDB）[24)]や，Rotterdamスコア（表8-3）などが報告されており，これらを勘案することで転帰予測精度が増すと報告されている[25)]。

　予後予測因子は上記のようなCT所見に加え，意識レベル，脳幹の評価としての瞳孔所見，年齢[26)]，D-dimerなどがあげられる。個々の症例に合わせて，これらの因子を考慮して治療方針を決定する。

3）単純X線撮影

　MDCT（multidetector-row CT）の普及により，頭蓋骨骨折の診断のための頭部単純X線写真の意義はきわめて低くなった。頭部CTの水平断で頭蓋骨骨折の確認が困難な場合は，三次元再構築画像にて骨折の有無を判断する。三次元構築が不可能な場合は，頭部単純X線撮影にて正面像，側面像，Towne撮影を行う[27)]。

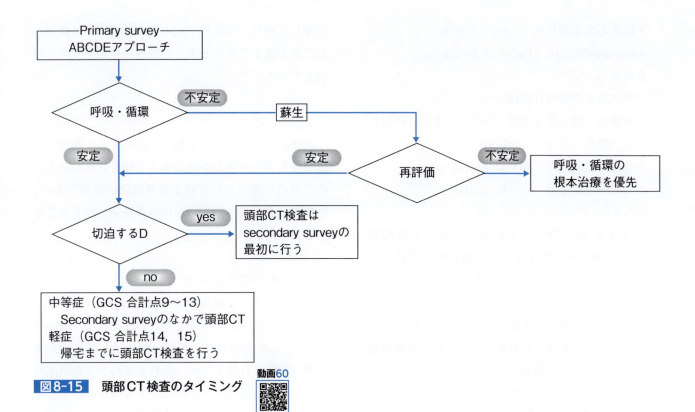

図8-15 頭部CT検査のタイミング　動画60

表8-2	軽症であっても重症化を予測させる危険因子

- 頭痛
- 嘔吐
- 60歳以上の年齢
- 薬物またはアルコール中毒
- 前向性健忘の持続（短期間の記憶の欠損）
- 鎖骨より上の明らかな外傷
- 痙攣

意識消失を伴う頭部外傷で神経学的に異常所見のない場合（GCS 15）に適用し，上記項目に1つでも該当する場合は頭部CTを考慮する
〔文献23)より引用・改変〕

表8-3 Rotterdamスコア

スコア	脳底槽	正中偏位	硬膜外病変	脳室内出血もしくは外傷性くも膜下出血の存在
0	正常	5mm以下	あり	なし
1	圧排	6mm以上	なし	あり
2	消失	—	—	—

6カ月後の死亡率はスコア1〜6で以下のようになる
　スコア1：0%，スコア2：7%，スコア3：16%，スコア4：26%，スコア5：53%，スコア6：61%

4) MRI検査

MRI検査はびまん性軸索損傷の診断には有用であるが，安全性などの問題により初期評価では行わない[27]。CT検査で責任病変を明らかにできない場合，全身状態が安定し，長時間の検査に耐えられる時期に撮影を考慮する。

5) 脳血管撮影，CTA，MRA

CTで局所的に強いくも膜下出血や後から増強するくも膜下出血，脳梗塞所見がある場合は，脳血管撮影，CTA，MRAなどにより主要血管の異常を検索しておくことは，より多くの情報を得るうえで有用である（「4. 外傷性頭蓋内血管損傷」，p137参照）。また，鈍的外傷においては，ある一定の割合で外傷性頭頸部血管損傷を合併することが報告されており，脳血管撮影やCTAによるスクリーニングを考慮する必要がある。

穿通性頭部外傷でも，既知の血管分布領域に創が及んでいる場合や，遅発性の脳内出血をきたした場合は，直接の血管損傷や仮性動脈瘤の検索のため脳血管の評価が必要である[28]。

Ⅵ 重症度別対応

◆ 1. 重症頭部外傷

1) 呼吸管理

酸素化の管理目標は，

- 経皮的酸素飽和度（SpO_2）≧98％
- 動脈血酸素分圧（PaO_2）＞80 mmHg

である[1]。

二酸化炭素の管理目標は，
- 動脈血二酸化炭素分圧（$PaCO_2$）または呼気終末二酸化炭素分圧（$EtCO_2$）
  頭蓋内圧亢進時　30～35 mmHg
  頭蓋内圧正常時　35～45 mmHg

である[1]。

脳血流量（CBF）は，$PaCO_2$の上昇により増加し[18)～20)]，頭蓋内圧が上昇する。頭蓋内圧が高い場合，ごくわずかな$PaCO_2$の上昇でも頭蓋内圧は著しく上昇する[29]（図8-3参照）ので，$PaCO_2$を目安にした換気量の管理が重要となる。一方，$PaCO_2$の減少は頭蓋内圧を低下させる一方で，脳血流量の減少を引き起こし，脳虚血を助長するため[30)31)]，過度な過換気は避けるべきである。短時間の過換気であれば安全であるとする報告もある[32]が，予防的，盲目的な長期にわたる過換気療法は行わない。

2）循環管理

初期診療における循環の管理目標は，
(1) 収縮期血圧＞110 mmHg
(2) 平均動脈圧＞90 mmHg
(3) 脳灌流圧＞50 mmHg
(4) ヘモグロビン＞10 g/dl

である[1)33)34)]。

頭部外傷患者の低血圧は脳灌流圧を急激に低下させ，転帰が悪化するため迅速な対応が要求される[35)36)]。前向き研究では，診療初期に収縮期血圧＜90 mmHgの低血圧が1回でも観察された場合に有害な転帰と関連している[37]。

なお，低血圧の閾値は年齢によって異なることが報告されており[38]，日本外傷データバンクの重症頭部外傷患者（GCS≦8）12,537例の解析では，低血圧の閾値は60歳以下が100 mmHg，60歳を超えると120 mmHgであった[34]。

一方，頭部外傷後の高血圧に対する降圧の適応や治療閾値に関して，推奨を示すだけのエビデンスは得られていない。受傷後早期の高血圧は転帰不良の因子であることが知られているが，頭蓋内圧亢進に伴う血圧上昇の影響を考慮しなければならない。

頭部外傷後の血圧上昇はカテコラミン過剰状態と関連しており，受傷後早期のβブロッカーの使用が死亡率を低下させたとする観察研究の結果が近年蓄積している[39)40)]。

3）体　温

高体温では速やかに平熱まで冷却する。高体温は脳損傷患者の予後を不良にすると報告されているため，頭部外傷において体温管理療法は重要である。高体温を避けるべく適切な体温管理を意識することが重要である。

4）凝固障害への対応

外傷に合併する凝固障害の管理は，damage control resuscitationの一翼を担うhemostatic resuscitationとして行われる。頭部外傷ではしばしば重篤な凝固障害を合併するが，これまでのところ頭部外傷に起因する凝固障害治療に関する指針は存在しない。最近，頭部外傷に対する抗線溶薬トラネキサム酸投与の研究が発表された（CRASH-3）[41]。これによれば，受傷後3時間以内にトラネキサム酸を投与（1 gを10分かけて静脈投与後，さらに1 gを8時間かけて経静脈投与）することで，頭部外傷関連死亡を減らすことができたと報告されている。とくに軽症・中等症頭部外傷患者においては，早期に投与するほど患者の死亡リスクを減らすことができたとしており，talk & deteriorate予防に期待されている。

5）頭蓋内圧管理

除去すべき占拠性病変が存在し，頭蓋内圧の亢進所見，脳ヘルニア徴候が進行する場合には，手術までの間，上半身を30°挙上し，浸透圧利尿薬（マンニトール0.25～1.0 g/kg）を急速に点滴投与するが，循環動態の変化に注意する。近年，高張食塩液（hypertonic saline；HTS）の頭蓋内圧低下作用が報告されている。広く3～24％のHTSが使用されており，マンニトールと同等あるいはそれ以上の頭蓋内圧低下作用が示されている。しかし，患者の短期，長期生命転帰に有意差は認められていない[42)～44)]。HTSは血漿増加作用を併せもつため，ショックを伴う頭部外傷患者には使用しやすいかもしれない。

また，頭部外傷急性期のステロイド療法の有効性は否定されている[45]。

表8-4 頭蓋内病変と手術適応・時期

	手術適応	時 期
急性硬膜外血腫	・厚さ1～2cm以上，または容積20～30ml（後頭蓋窩15～20ml）以上 ・合併血腫の存在時 ・切迫ヘルニア所見 ・神経症状の進行性の悪化	可及的速やかに
急性硬膜下血腫	・厚さ1cm以上 ・正中偏位が5mm以上ある意識障害 ・明らかなmass effect ・血腫による神経症状 ・血腫や挫傷性浮腫によるmass effectを呈する症例における，神経症状の進行性の悪化	可及的速やかに
脳内血腫，脳挫傷	・神経症状の進行性の悪化 ・頭蓋内圧亢進の制御不良 ・後頭蓋窩病変では第4脳室の変形・偏位・閉塞，脳底槽の圧排・消失，神経症状を伴う閉塞性水頭症	可及的速やかに
閉鎖性頭蓋骨陥没骨折	・1cm以上の陥没 ・高度の脳挫滅 ・審美的に容認し難い変形 ・静脈洞の圧排	
開放性頭蓋骨陥没骨折	・高度の汚染創 ・高度の挫滅創 ・粉砕骨折 ・脳脱，髄液漏出 ・脳内に骨片 ・骨片に関連した出血の止血困難 ・骨片による静脈洞の圧排 ・1cm以上の陥没 ・高度の脳挫滅 ・審美的に容認し難い変形 ・副鼻腔を含む損傷	24時間以内が望ましい
穿通性外傷	・全例が対象（銃創のように脳損傷が広範囲に及ぶ例は適応とならないことが多い）	12時間以内に可及的速やかに
視神経管骨折・視神経損傷	・明らかな視神経管骨折 ・二次的障害による視力・視野障害	早期手術を考慮

6）抗凝固薬のリバース

抗凝固薬を内服中の患者に頭蓋内出血を合併した場合は，リバースを検討すべきである[46]。

とくにワルファリン内服中（PT-INR＞1.3）の頭蓋内出血を伴う重症頭部外傷においては，血腫拡大により転帰を悪化させることがあるため迅速な中断・中和が考慮される。PT-INRを可及的速やかに低下させることが重要で4因子プロトロンビン複合体濃縮製剤（4F-PCC[注2]）の使用が推奨されている[47]。

また，新規経口抗凝固薬の一つであるダビガトランに対してはイダルシズマブの使用が可能である。

7）手術治療

頭部外傷に関する手術適応を表8-4に示す。

初期診療医も手術適応とそのタイミングを熟知しておくとよい。

2. 軽症・中等症頭部外傷

1）診 断

脳損傷の重症度を受傷後の意識障害の程度により，GCS合計点14，15を軽症，9～13を中等症としている。ただし，わが国の頭部外傷診療ガイドライ

注2：わが国における4F-PCCの保険適応はINR2.0以上の患者に限られている。この際，治療に伴う血栓塞栓症の合併を考慮し，症例ごとにリスクを慎重に検討する必要がある。

第8章 頭部外傷

表8-5 軽症頭部外傷で頭蓋内病変を合併する危険因子

1. 受傷歴が不明
2. 外傷後（前向性）健忘の持続（前向性健忘の持続は，GCSでV4の混乱した会話と判断することがある）
3. 30分以上の逆向性健忘
4. 頭蓋骨（陥没または頭蓋底）骨折の臨床徴候を含む鎖骨より上の外傷
5. 激しい頭痛
6. 嘔吐
7. 局所神経症状
8. 痙攣
9. 2歳未満
10. 60歳以上（カナダのガイドラインでは65歳以上）
11. 凝固障害
12. 高リスク受傷機転（64km/時以上の自動車事故，車の大破・横転，運転席の30cm以上の圧縮，車内からの救出に20分以上かかる，6m以上の転落，車と歩行者の事故，32km/時以上の二輪車事故）
13. アルコールまたは薬物中毒

〔頭部外傷治療・管理のガイドライン作成委員会編：頭部外傷治療・管理のガイドライン．第4版，医学書院，東京，2019．/Vos PE, Battistin L, Birbamer G, et al：EFNS guideline on mild traumatic brain injury：Report of an EFNS task force．Eur J Neurol 2002；9：207-219．より転載〕

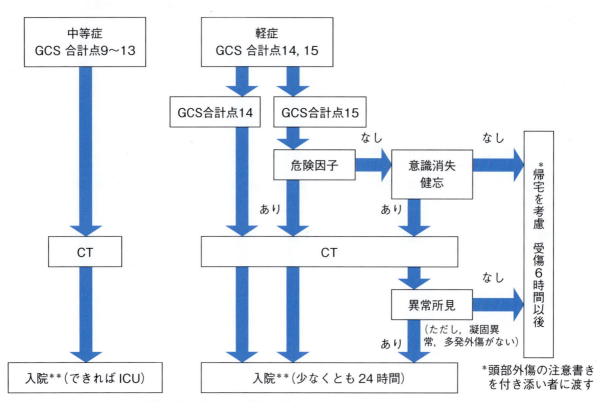

図8-16 軽症・中等症頭部外傷への対応

ンのようにGCS合計点13を軽症に含める分類もある[1]（「コラム JATECにおける中等症・軽症頭部外傷の定義の考え方」，p144参照）。

軽症頭部外傷の診断の進め方は，GCS合計点と頭蓋内病変を合併する危険因子（**表8-5**）[1)48)]の有無によって決定する（**図8-16**）。CT検査の適応は，軽症でもGCS合計点14は危険因子の有無にかかわらず必須，GCS合計点15は危険因子があれば必須とされている[1]。さらに危険因子のないGCS合計点15であっても，一過性の意識消失あるいは健忘の

ある場合はCT検査を行うことが推奨されている[1]。

中等症（GCS合計点9～13）は頭部外傷の10%程度である。そのなかで10～20%が昏睡に陥り，7%に外科的治療が必要になる。CT検査はsecondary surveyの一環として必ず撮影する。

2）治　療

CT検査で異常所見（頭蓋骨骨折，頭蓋内血腫，くも膜下出血，脳挫傷，脳浮腫，気脳症など）が認められる場合，あるいはCT検査で異常所見を認めなくても危険因子を伴う場合やGCS合計点14以下の場合は，少なくとも24時間の入院経過観察が勧められる[1]。

繰り返し神経症状をチェックし，悪化の所見があればCT検査を再撮影する。また，意識が清明になるまでは絶飲食が勧められる。一方，GCS合計点15で，意識消失，外傷性健忘，危険因子のいずれもない場合，また，CT所見に異常がなく凝固障害や多発外傷などがない場合，頭部外傷後の注意書きを付き添い者に渡し，何らかの異常が出現した場合には連絡するよう説明したうえで，付き添い者の十分な監視を条件に帰宅を許可してもよい。帰宅の許可は受傷後少なくとも6時間以降が勧められる[1]。

頭部外傷後の症状が残っている間は，外傷を繰り返すことを避けるためにも一定期間の休息が勧められる（次頁参照）。

【参考5】スポーツ脳振盪への対応

脳振盪の症状がある期間に頭部への再打撃が危険であること，脳振盪の繰り返しにより慢性的な症状がみられる場合があることから[49]，脳振盪後の活動については適切な指導が必要である。とくにスポーツ関連の脳振盪患者に対しては適切な評価「SCAT5© (Sports Concussion Assessment Tool 5th edition)」[50～52]を行い，プロトコルに基づいた競技復帰が提案されている。このSCAT5©のなかでは，即競技から離脱させるべき判断基準が"red flags"として明記されている（表8-6）[51]。離脱症状がごく軽度であっても躊躇なく試合や練習から離脱させ，受傷後最低24時間以上の十分な休息をとるように指導する。その後，運動を段階的に再開し，日常生活の活動も緩徐に復帰するように指導する[53]。

表8-6　即刻競技を離脱させる基準（red flags）

- 頸部自発痛，圧痛
- 痙攣やてんかん
- 複視
- 意識障害，意識状態の悪化
- 運動麻痺，筋力低下，四肢のチクチクする痛みや灼熱感
- 嘔吐
- 強度の頭痛，増強する頭痛
- 不穏状態，興奮状態，攻撃性の出現

〔文献51）より引用・改変〕

【参考6】子ども虐待と頭部外傷

乳幼児の虐待による頭部外傷（abusive head truama；AHT）は2歳以下の重症頭部外傷の原因として最多であり，多様な臨床像を呈する。急性硬膜下血腫に伴う脳浮腫（hemispheric hypodensity；HH）はAHT確定診断例の25～50%に認められ，病変は広範に伸展する。

硬膜下血腫，脳実質および脊髄の変化，多発・多層性の網膜出血，肋骨骨折やその他の骨折を併発し，養育者から語られた病歴がこれら所見と矛盾している場合，AHTと診断することは医学的に妥当である[54]。詳しくは「第14章 小児外傷」（p210）を参照されたい。

【参考7】頭部外傷における転院

自施設で脳外科的治療が困難な場合，速やかに転院を図る。

Primary surveyの段階では，呼吸・循環が安定化できていても「切迫するD」がある患者が対象となる。その場合，頭部CTの撮影にこだわるべきではない。Secondary surveyでは，頭部CTを撮影したうえで判断することになる。そのうえで緊急手術の適応と考えられる患者，以後の経過によっては緊急手術が必要になり得る患者，神経集中治療が必要な患者が転院の対象となる。

なお米国American College of SurgeonsのCommittee on Traumaのガイドライン[55]には，レベルⅢ外傷センターからレベルⅠまたはⅡ外傷センターへの転送の基準があり，頭部外傷に関しては以下の項目があげられている。

- 頭蓋骨の穿通性損傷または開放性骨折
- GCS合計点が14未満または片麻痺
  （これは中等症頭部外傷をGCS合計点14未満と

するJATECの考え方に沿っている）

一方，CT上頭蓋内出血を認めるか，GCS合計点13未満の患者は，積極的にレベルIまたはII外傷センターに搬送するほうが生命転帰良好であったという報告もある[56]。これは中等症頭部外傷をGCS合計点13未満としている頭部外傷診療ガイドライン[1]の考え方に沿うものである。

【コラム：JATECにおける中等症・軽症頭部外傷の定義の考え方】

JATECでの"切迫するD"の判断にもある重症頭部外傷の判断はGCS合計点8とされており，これはわが国や海外のガイドラインもほぼ共通した認識であり，世界的にもゆるぎないところである。

一方，前述したように，軽症頭部外傷と中等症頭部外傷における境界は，軽症をGCS合計点13～15とするか，GCS合計点14，15とするか，ガイドラインによりその定義が異なる現状がある。

米国のBrain Trauma Foundation（BTF）guideline（2016），ATLS[12]，世界保健機関（WHO）研究センターの診断基準[57]，またわが国の脳神経外科によって作成された『頭部外傷治療・管理のガイドライン（第4版）』[1]では，GCS合計点13～15を軽症としている。この分類は患者転帰を後ろ向きに評価し，重症度を分類したものである。

一方，GCS合計点13はCTの異常所見や開頭術が必要になる頻度が高いため中等症に入れ，軽症頭部外傷をGCS合計点14，15とするScandinavian guidelines[58]がある。また，米国CDCのGuidelines for Field Triage of Injured Patients[59]では，トラウマセンターに搬送すべきGCSのレベルをGCS合計点13以下と定義している。外傷初期診療において確定診断がつく前に検査と治療の優先順位を判断する場合や，十分な検査ができない病院前診療において搬送先を選択する場合などには，GCS合計点13を中等症として扱ったほうが安全であるという考え方に立ち，JATECでは軽症をGCS合計点14，15と定義することとした。

■ 文　献

1) 頭部外傷治療・管理のガイドライン作成委員会編：頭部外傷治療・管理のガイドライン，第4版，医学書院，東京，2019.
2) 横堀將司，齋藤研，佐々木和馬，他：我が国における高齢者重症頭部外傷の変遷；頭部外傷データバンクプロジェクト1998-2015からの検討．神経外傷 2018；41：71-80.
3) 末廣栄一，藤山雄一，小泉博靖，他：日本頭部外傷データバンクから読み解くわが国の頭部外傷診療の現状．救急医学 2014；38：746-750.
4) Levin HS, Diaz-Arrastia RR：Diagnosis, prognosis, and clinical management of mild traumatic brain injury. Lancet Neurol 2015；14：506-517.
5) 日本救急医学会監：頭部外傷．標準救急医学，第5版，医学書院，東京，2014，pp376-386.
6) Eisenberg HM, Frankowski RF, Contant CF, et al：High-dose barbiturate control of elevated intracranial pressure in patients with severe head injury. J Neurosurg 1988；69：15-23.
7) Langfitt TW：Increased intracranial pressure. Clin Neurosurg 1969；16：436-471.
8) Marmarou A, Anderson RL, Ward JD：Impact of ICP instability and hypotension on outcome in patients with severe head trauma. J Neurosurg 1991；75：S59-S66.
9) Chambers IR, Treadwell L, Mendelow AD：Determination of threshold levels of cerebral perfusion pressure and intracranial pressure in severe head injury by using receiver-operating characteristic curves：An observational study in 291 patients. J Neurosurg 2001；94：412-416.
10) 川又達朗，片山容一：Talk & deteriorate 86症例の検討；臨床像，治療，転帰について．神経外傷 2002；25：205-209.
11) 日本外傷学会，日本脳神経外傷学会：頭部外傷分類 2009.
　http://www.jast-hp.org/zouki/toubu.html
12) American College of Surgeons Committee on Trauma：Advanced Trauma Life Support：Student Course Manual. 10th ed, American College of Surgeons, Chicago, 2018.
13) Gennarelli TA：Cerebral concussion and diffuse brain injuries. In：Cooper PR, ed. Head Injury, 3rd ed. Williams and Wilkins, Baltimore, 1993, pp137-158.
14) Moenninghoff CKO, Maderwald S, Umutlu L, et al：Diffuse axonal injury at ultra-high field MRI. PLoS One 2015；10：e0122329.
15) Maas AI, Steyerberg EW, Butcher I, et al：Prognostic value of computerized tomography scan characteristics in traumatic brain injury：Results from the impact study. J Neurotrauma 2007；24：303-314.
16) Chesnut RM, Ghajar J, Maas AIR, et al：Early indicators of prognosis in severe traumatic brain injury. In：Management and Prognosis of Severe Traumatic Brain Injury. Brain Trauma Foundation, 2000, pp153-255.
17) 卯津羅雅彦，奥野憲司，小川武希，他：転帰からみた重症頭部外傷の現状；頭部外傷データバンクから．神経外傷 2008；31：107-112.
18) Kramer DR, Winer JL, Pease BA, et al：Cerebral va-

sospasm in traumatic brain injury. Neurol Res Int 2013 ; 2013 : 415813.
19) Bouma GJ, Muizelaar JP, Fatouros P, et al : Pathogenesis of traumatic brain swelling : Role of cerebral blood volume. Acta Neurochir Suppl 1998 ; 71 : 272-275.
20) Marmarou A, Signoretti S, Fatouros PP, et al : Predominance of cellular edema in traumatic brain swelling in patients with severe head injuries. J Neurosurg 2006 ; 104 : 720-730.
21) Surgical management of penetrating brain injury. J Trauma 2001 ; 51 : S16-25.
22) Brain Trauma Foundation ; American Association of Neurological Surgeons ; Congress of Neurological Surgeons : Guidelines for the management of severe traumatic brain injury. J Neurotrauma 2007 ; 24 (Suppl 1) : S1-106.
23) Stiell IG, Clement CM, Rowe BH, et al : Comparison of the Canadian CT Head Rule and the New Orleans Criteria in patients with minor head injury. JAMA 2005 ; 294 : 1511-1518.
24) Marshall LF, Marshall SB, Klauber MR, et al : A new classification of head injury based on computerized tomography. J Neurosurg 1991 ; 75 (Suppl) : S14-S20.
25) Maas AI, Hukkelhoven CW, Marshall LF, et al : Prediction of outcome in traumatic brain injury with computed tomographic characteristics : A comparison between the computed tomographic classification and combinations of computed tomographic predictors. Neurosurgery 2005 ; 57 : 1173-1182, discussion 1173-1182.
26) Powers AY, Pinto MB, Tang OY, et al : Predicting mortality in traumatic intracranial hemorrhage. J Neurosurg 2019 ; 22 : 1-8.
27) National Clinical Guideline Centre (UK) : Head injury : Triage, assessment, investigation and early management of head injury in children, young people and adults. National Institute for Health and Care Excellence (UK), 2014, p38.
28) Post AF, Boro T, Ecklund JM : Chapter 19 : Injury to the brain. In : Trauma. 7th ed, Mattox KL, Moore EE, Feliciano DV, eds, McGraw-Hill, New York, 2013, p359.
29) Harper AM, Glass HI : Effect of alterations in the arterial carbon dioxide tension on the blood flow through the cerebral cortex at normal and low arterial blood pressures. J Neurol Neurosurg Psychiatry 1965 ; 28 : 449-452.
30) Leech P, Miller JD : Intracranial volume : pressure relationships during experimental brain compression in primates : 3. Effect of mannitol and hyperventilation. J Neurol Neurosurg Psychiatry 1974 ; 37 : 1105-1111.
31) Obrist WD, Langfitt TW, Jaggi JL, et al : Cerebral blood flow and metabolism in comatose patients with acute head injury : Relationship to intracranial hypertension. J Neurosurg 1984 ; 61 : 241-253.
32) Carmona Suazo JA, Maas AI, van den Brink WA, et al : CO_2 reactivity and brain oxygen pressure monitoring in severe head injury. Crit Care Med 2000 ; 28 : 3268-3274.
33) Brain Trauma Foundation : Guidelines for the management of severe traumatic brain injury. 15. Blood pressure thresholds. 2016 ; 164-171.
34) Shibahashi K, Sugiyama K, Okura Y, et al : Defining hypotension in patients with severe traumatic brain injury. World Neurosurg 2018 ; 120 : e667-e674.
35) Diringer MN, Videen TO, Yundt K, et al : Regional cerebrovascular and metabolic effects of hyperventilation after severe traumatic brain injury. J Neurosurg 2002 ; 96 : 103-108.
36) Chesnut RM, Marshall SB, Piek J, et al : Early and late systemic hypotension as a frequent and fundamental source of cerebral ischemia following severe brain injury in the Traumatic Coma Data Bank. Acta Neurochir Suppl (Wien) 1993 ; 59 : 121-125.
37) Manley G, Knudson MM, Morabito D, et al : Hypotension, hypoxia, and head injury : Frequency, duration, and consequences. Arch Surg 2001 ; 136 : 1118-1123.
38) Berry C, Ley EJ, Bukur M, et al : Redefining hypotension in traumatic brain injury. Injury 2012 ; 43 : 1833-1837.
39) Alali AS, Mukherjee K, McCredie VA, et al : Beta-blockers and traumatic brain injury : A systematic review, meta-analysis, and Eastern Association for the Surgery of Trauma Guideline. Ann Surg 2017 ; 266 : 952-961.
40) Ley EJ, Leonard SD, Barmparas G, et al : Beta blockers in critically ill patients with traumatic brain injury : Results from a multicenter, prospective, observational American Association for the Surgery of Trauma study. J Trauma Acute Care Surg 2018 ; 84 : 234-244.
41) CRASH-3 trial collaborators : Effects of tranexamic acid on death, disability, vascular occlusive events and other morbidities in patients with acute traumatic brain injury (CRASH-3) : A randomised, placebo-controlled trial. Lancet 2019 ; 394 : 1713-1723.
42) Cheng F, Xu M, Liu H, et al : A retrospective study of intracranial pressure in head-injured patients undergoing decompressive craniectomy : A comparison of hypertonic saline and mannitol. Front Neurol 2018 ; 9 : 631.
43) Mangat HS, Chiu YL, Gerber LM, et al : Hypertonic saline reduces cumulative and daily intracranial pressure burdens after severe traumatic brain injury. J Neurosurg 2015 ; 122 : 202-210.
44) Jagannatha AT, Sriganesh K, Devi BI, et al : An equiosmolar study on early intracranial physiology and long term outcome in severe traumatic brain injury comparing mannitol and hypertonic saline. J Clin Neurosci 2016 ; 27 : 68-73.
45) Mahoney EJ, Biffl WL, Harrington DT, et al : Isolated brain injury as a cause of hypotension in the blunt trauma patient. J Trauma 2003 ; 55 : 1065-1069.
46) Watson VL, Louis N, Seminara BV, et al : Proposal for

the rapid reversal of coagulopathy in patients with nonoperative head injuries on anticoagulants and/or antiplatelet agents: A case study and literature review. Neurosurgery 2017; 81: 899-909.
47) Yanamadala V, Walcott BP, Fecci PE, et al: Reversal of warfarin associated coagulopathy with 4-factor prothrombin complex concentrate in traumatic brain injury and intracranial hemorrhage. J Clin Neurosci 2014; 21: 1881-1884.
48) Vos PE, Battistin L, Birbamer G, et al: EFNS guideline on mild traumatic brain injury: Report of an EFNS task force. Eur J Neurol 2002; 9: 207-219.
49) Weinstein E, Turner M, Kuzma BB, et al: Second impact syndrome in football: New imaging and insights into a rare and devastating condition. J Neurosurg Pediatr 2013; 11: 331-334.
50) McCrory P, Meeuwisse W, Dvořák J, et al: Consensus statement on concussion in sport: The 5th international conference on concussion in sport held in Berlin, October 2016. Br J Sports Med 2017; 51: 838-847.
51) Echemendia RJ, Meeuwisse W, McCrory P, et al: The Sport Concussion Assessment Tool 5th Edition (SCAT5): Background and rationale. Br J Sports Med 2017; 51: 848-850.
52) 中山晴雄, 荻野雅宏, 永廣信治, 他: 脳振盪・スポーツ頭部外傷の検査と対応. 脳神経外科ジャーナル 2018; 27: 4-8.
53) 日本臨床スポーツ医学会学術委員会脳神経外科部会: 頭部外傷10か条の提言, 第2版, 日本臨床スポーツ医学会, 2015.
http://www.rinspo.jp/pdf/Protect_Your_Brain_2.pdf.
54) Choudhary AK, Servaes S, Slovis TL, et al: Consensus statement on abusive head trauma in infants and young children. Pediatr Radiol 2018; 48: 1048-1065.
55) American College of Surgeons, Committee on Trauma: Resources for optimal care of the injured patient 2014.
https://www.facs.org/quality-programs/trauma/tqp/center-programs/vrc/resources
56) Adzemovic T, Murray T, Jenkins P, et al: Should they stay or should they go? Who benefits from interfacility transfer to a higher-level trauma center following initial presentation at a lower-level trauma center. J Trauma Acute Care Surg 2019; 86: 952-960.
57) Carroll LJ, Cassidy JD, Holm L, et al: Methodological issues and research recommendations for mild traumatic brain injury: The WHO Collaborating Centre Task Force on Mild Traumatic Brain Injury. J Rehabil Med 2004; 43 (Suppl): 113-125.
58) Undén J, Ingebrigtsen T, Romner B, Scandinavian Neurotrauma Committee (SNC): Scandinavian guidelines for initial management of minimal, mild and moderate head injuries in adults: An evidence and consensus-based update. BMC Med 2013; 11: 50.
http://www.biomedcentral.com/1741-7015/11/50
59) McCoy CE, Chakravarthy B, Lotfipour S: Guidelines for Field Triage of Injured Patients: In conjunction with the morbidity and mortality weekly report published by the Center for Disease Control and Prevention. West J Emerg Med 2013; 14: 69-76.

技能 8-1 頭部CT読影の基本

コースでの到達目標

- 頭部外傷の基本的なCT読影ができる。
- 重症度に応じたCT施行時期を決めることができる。

◆ 1. 重症度に応じたCTの適応

1) 重症（GCS合計点3〜8）：バイタルサインの安定を確認後，secondary surveyの最初に施行
2) 中等症（GCS合計点9〜13）：secondary surveyの一環として必ず施行
3) 軽症（GCS合計点14，15）：帰宅前に施行することが望ましい

※中等症・軽症は図8-16（p142）を参照。

◆ 2. 系統的読影

1) 頭皮：皮下血腫による腫脹
2) 頭蓋骨：骨折と縫合離開
3) 脳表：急性硬膜外血腫，急性硬膜下血腫，外傷性くも膜下出血
4) 脳実質：左右差，脳挫傷，脳内血腫
5) 脳室：左右差，圧迫所見，拡大，スリット状，脳室内出血
6) 脳槽：脳底槽の圧排消失，外傷性くも膜下出血，気脳症
7) 正中偏位：透明中隔；左右のモンロー孔の中間で計測

◆ 3. Densityの変化

1) high density：出血，骨，石灰化（松果体，脈絡叢，基底核，硬膜），造影剤
2) low density：浮腫，梗塞，髄液，空気，脂肪，異物（とくに木材）
3) mixed density：脳挫傷（salt & pepper like），活動性出血，髄液と血液の混合／副鼻腔内液体貯留，眼窩

◆ 4. 典型的所見

1) 正中偏位（脳ヘルニア所見）

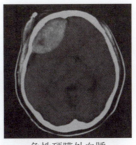
急性硬膜外血腫

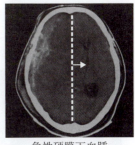
急性硬膜下血腫

2) 脳底槽圧排・消失（脳ヘルニア所見）

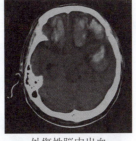
外傷性脳内出血

3) 外傷性くも膜下出血

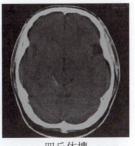
四丘体槽

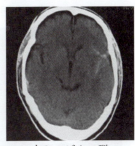
左シルビウス裂

5. 重要所見

1) 占拠性病変の性状：部位，形，大きさ（厚さ），density
2) 脳ヘルニア所見：正中偏位（5 mm 以上），鞍上槽と中脳周囲脳槽の圧排・消失
3) びまん性脳損傷の間接所見：くも膜下出血，脳室内出血，深部白質出血

6. 見落としやすい所見

1) 小脳テント（A），側頭部（B），大脳鎌（D）に沿った薄い硬膜下血腫
2) 側脳室後角の脳室内出血（C）
3) 頭頂部の外傷性くも膜下出血（E）
4) 頭蓋底骨折に伴う乳突蜂巣の液体貯留（F），頭蓋内気泡（G）

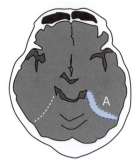 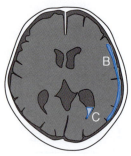  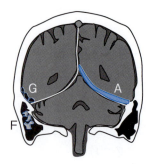

7. 参 考

1) びまん性軸索損傷との鑑別を要する病態

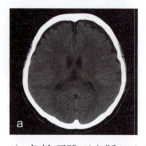 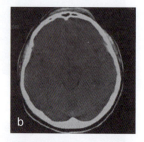 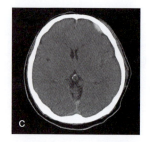

a：びまん性軸索損傷
b：びまん性脳腫脹
c：低酸素脳症

2) 急性硬膜下血腫による小脳扁桃ヘルニア（矢印）

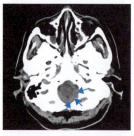 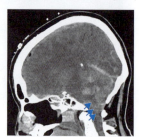 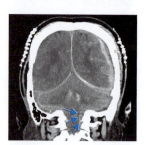

3) 急性硬膜外血腫の増大と血腫除去術後の改善（矢印）

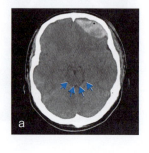 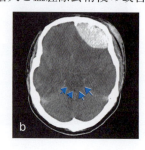 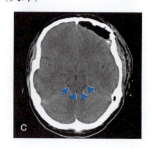

a：来院時（脳底槽あり）
b：増悪時（脳底槽消失）
c：術後（脳底槽再出現）

第9章 顔面外傷

要約

1. 顔面における緊急度の高い病態は気道閉塞と大量出血であり，その臨床所見を正しく迅速に評価し，preventable trauma death を回避する。
2. 外傷初期診療に必要な顔面の解剖と外傷形態の特徴を理解し，適切に診断を行い専門医に紹介する。

はじめに

　顔面外傷は気道閉塞，大量出血という緊急度の高い状態に陥る可能性があり，診療に際しては，その病態の十分な理解と preventable trauma death を回避する手技の習得が必要不可欠である。一方，顔面には多くの重要器官が存在し，単に皮膚軟部組織の損傷や骨傷のみにとらわれることなく，各種器官損傷の有無を調べることが必要である。さらに顔は個人の識別や感情表現の重要な部分であるため，機能的問題だけでなく整容的問題にも十分に対処しなければならない。したがって，器官損傷の見落としのないよう精査し，後遺障害を回避するため専門医へ的確に紹介する必要がある。

I 解剖

　顔面は便宜上，頭側から上中下と3区分する。上1/3は眼窩上縁から頭髪縁まで，下1/3は下顎の領域，その間が中1/3である。顔面骨には，眼窩・鼻腔を構成する前頭骨，上顎骨，頬骨，鼻骨，篩骨，涙骨など，また歯牙を有し口腔を構成する上・下顎骨がある。顎関節は開閉口・咀嚼と密接にかかわる。顔面骨の表層に位置する表情筋・軟部組織は，顔面の輪郭や眼瞼，外鼻，口唇，外耳といった顔面形態を構成する。軟部組織内には眼球・視神経，涙小管，耳下腺（管）など，重要器官が存在する。顔面は主として顔面神経が運動を，三叉神経が感覚を担っている。主要な動脈は外頸動脈系である。

II 病態

　顔面外傷において緊急度の高い病態は「気道閉塞」と「大量出血」である。下顎骨の複数部位の骨折や粉砕骨折では，仰臥位において舌が咽頭側に落ち込み気道閉塞の原因となる[1]（図9-1）。また，口腔咽頭部の組織浮腫や大量出血，凝血塊，擦断組織片，入れ歯，破損脱落歯牙なども気道閉塞の原因となり得る。さらに血液や異物の誤嚥により低酸素血症を生じ得る。

　重度顔面骨骨折では顎動脈，下歯槽動脈，舌動脈領域の損傷から大量出血をきたし，制御困難となる場合がある。頭蓋底骨折合併例では，内頸動脈や海綿静脈洞の損傷に起因した，致死的な大量出血も生じる。

　顔面上2/3の外傷では，眼球・視神経損傷，外眼筋障害などを伴いやすい。一方，顔面下2/3の外傷では，咬合・開閉口障害をきたす場合がある。頭蓋底骨折により外耳道出血，髄液耳漏，鼓膜損傷などを生じることがある。軟部組織の損傷は整容的破壊をもたらし，創の部位と深さにより涙道や耳下腺（管），顔面神経などの損傷を伴う。顔面神経の走行を図9-2に示す。

　骨折や出血が副鼻腔に及んだ場合，感染の原因となることがある。とくに頭蓋底骨折に髄液漏を伴う場合は，髄膜炎を合併しやすい。

第9章 顔面外傷

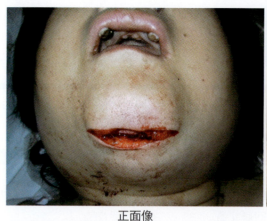
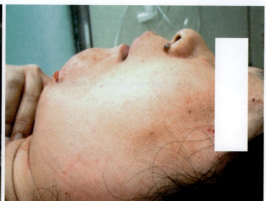

正面像　　　　　　　　　　　　　　側面像

図9-1 下顎骨の複数部位の骨折（仰臥位）
顔面下1/3が腫脹し，下顎部が陥没して気道閉塞をきたしやすくなっている

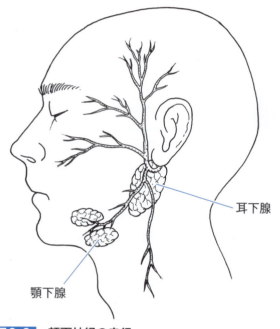

耳下腺
顎下腺

図9-2 顔面神経の走行

III Primary surveyと蘇生

顔面外傷による気道閉塞は，時に確実な気道確保が必要となる。この際，顎骨骨折や気道にかかわる軟部組織損傷により，マスク換気が困難なケースがあり，気管挿管が必要な状況下での筋弛緩薬は使用すべきではない。経口気管挿管そのものが困難なことも予想され，常に外科的気道確保の準備が必要である。

顔面骨骨折に伴う口腔・鼻腔からの大量出血は直視下での止血操作が困難であり，確実な気道確保のうえ，ガーゼパッキング，さらにはベロックタンポンやバルーンカテーテル（例：Foleyカテーテル）

を用いた止血を行う。それでも止血が得られない場合は，外頸動脈領域のTAEもしくは外頸動脈結紮を考慮する。

一方，軟部組織創出血の多くは直接圧迫でコントロール可能であるが，止血操作を行う際は，顔面神経や耳下腺管など重要器官の存在に留意する。

IV Secondary survey

十分にコミュニケーションがとれれば，まず受傷部位，外力の種類（回数），強さなどを聴取し，呼吸状態また嚥下，構音，知覚，視覚，聴覚，平衡感覚，顎運動，咬合などに関する愁訴を尋ね，これらを念頭に視診と触診および画像診断を進める。

視診では，腫脹・変形，外出血や皮下血腫，開放創の存在を確認し，外力の方向・強さを推察する。顔面の外観と運動の左右差を観察する。顔面の腫脹は，骨折変形を不明瞭にしてしまうことに注意する。並行して眼部，鼻腔・口腔内，外耳道，開閉口運動などをチェックする。触診では，顔面の骨隆起を皮膚および口腔粘膜面から指でなぞり（図9-3, 4），圧痛の有無を尋ねながら対称性，凹凸，段差，異常可動性を感じとる。表9-1に示す損傷や症候を認めた場合は，関連する診療科に相談する。

◆ 1. 骨　折

1) 診　察

Secondary surveyの一環として骨折部位に応じた診察を行う（図9-3, 4, 表9-2）が，ここでは

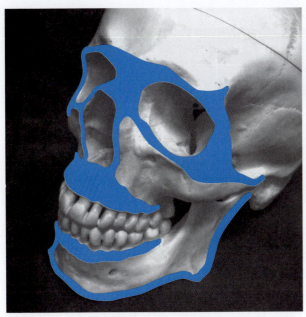

図9-3 骨折の触診を行うべき部位

表9-1	専門医にコンサルトが必要な損傷・症候

- 眼外傷，視力障害
- 眼球・眼瞼・涙小管・視神経などの損傷
- 整容的に高度な醜形が予測される損傷
  耳介損傷，鼻の欠損，眼瞼欠損，口唇断裂，広範囲の損傷など
- 骨折
- 顔面神経麻痺
- 涙道障害
- 耳下腺・耳下腺管損傷
- 鼓膜損傷，聴力障害
- 髄液鼻漏，髄液耳漏
- 舌・歯肉・咽頭損傷
- 歯牙損傷，咬合障害

位置異常（上下／左右／突出陥凹）・運動異常（複視の有無）を調べ，同時に眼窩縁を触診し，流涙の有無や眼瞼開閉運動を評価する。

（2）口腔顎骨部

まず歯牙の損傷程度，残存歯牙による咬合位の確認を行う。次いで上下歯槽骨や顎骨の触診を行う。下顎骨関節突起部の骨折は触知困難であるが，咬合の左右へのずれや開閉口障害，耳前部の圧痛などで類推できる。下顎骨骨折の診断では，患者の協力が得られる場合に感度が高く簡単に施行できる検査に，tongue blade test がある。この検査は，被検者に木製の舌圧子を片側の臼歯でしっかり噛んでもらう。次に検者が舌圧子をひねる。骨折がなければ舌圧子が割れるが，骨折があれば強く噛むことができず，舌圧子が割れることはない。これを両側の臼歯で行う（図9-5）。本検査の感度は95〜96%，特異度は64〜68%である[2)3)]。X線撮影検査前のスクリーニングとして有用である。

（3）その他

三叉神経は顔面骨骨折によって損傷されやすく，支配領域の感覚異常を生じる。顔面片側の表情筋麻痺すなわち顔面神経麻痺を認めた場合は，顔面神経管を含む側頭骨骨折の可能性を考える。

外力を受けた際の鼻出血は，鼻骨を含む副鼻腔に関与する顔面骨の骨折を強く疑う所見である。また，淡血性の鼻出血は髄液瘻の可能性があり，血液をガーゼに滴下してダブルリング試験を行い，CTで前頭洞や鼻篩骨骨折の所見の有無を詳細に確認する（第8章「頭部外傷」，p137参照）。

外耳道出血は鼓膜破裂を伴う中耳の損傷および側頭骨骨折などでみられるが，下顎骨関節突起骨折に

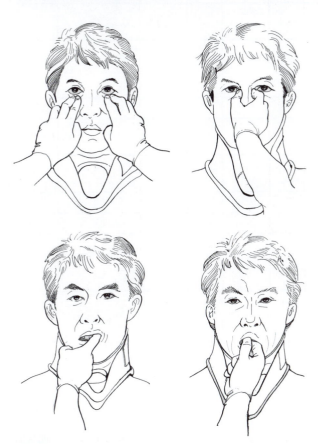

図9-4 顔面触診の実際

眼窩部と口腔顎骨部を具体的に述べる[1)]。

（1）眼窩部

眼窩周囲の皮下出血斑はパンダの眼徴候（black eye, raccoon eye）と呼ばれ，前頭蓋底骨折を示唆する。まず視力・視野，瞳孔・対光反射を確認する。異常があれば眼球・視神経損傷を疑う。次いで眼球

表9-2 顔面骨骨折の臨床症状

診察部位	診察項目	前頭骨・前頭蓋底骨折	鼻骨骨折	鼻篩骨骨折	眼窩壁骨折	頬骨骨折 体部	頬骨骨折 頬骨弓	上顎骨骨折 (Le Fort) Ⅰ	上顎骨骨折 (Le Fort) Ⅱ・Ⅲ	下顎骨骨折 オトガイ部・体部・角部	下顎骨骨折 顎関節突起部
顔面全体	腫脹変形（dish face）								○		
顔面上1/3	額部腫脹・変形	○									
	額部感覚異常	○									
顔面中1/3	眼窩部腫脹皮下出血	○		○	○	○			○		
	眉間鼻根部腫脹・変形	○	○	○					○		
	鼻部腫脹・変形		○	○							
	頬部腫脹・変形					○	○	○	○		
	眼球位置異常運動障害（複視）	○		○	○				○		
	上眼瞼下垂	○			○						
	内眼角鈍化流涙			○					○		
	鼻出血	○	○	○		○		○	○		
	髄液鼻漏嗅覚異常	○		○					○		
	外耳道出血										○
	頬部上口唇・上歯槽部感覚異常				○	○		○	○		
顔面下1/3	下顎縁腫脹・変形									○	
	口腔内出血					○		○	○	○	
	咬合異常							○	○	○	○
	開閉口障害					○	○	○	○	○	○
	下歯槽・下顎部感覚異常									○	

よる外耳道裂創で生じることもある．乳様突起部の皮下出血斑はBattle's signと呼ばれ，中頭蓋底骨折を示唆する．

2）骨折の種類

重度外傷における代表的な骨折を以下に示す．

（1）上顎骨骨折

上顎骨骨折は，体骨折と歯槽突起骨折に分けられる．歯槽突起骨折が多いが，重症化しやすいのは体骨折である．とくに両側の上顎骨にまたがる横断型骨折をLe Fort型骨折と呼び，Ⅰ，Ⅱ，Ⅲ型に分類される（図9-6）．臨床的には鼻腔・口腔からの大量出血，顔面中央の陥凹や咬合異常がみられ，触診で上顎骨の動揺を認める．実際にはⅠ～Ⅲ型が混在している場合が多い．

（2）下顎骨骨折

骨折の部位により正中部（オトガイ部），体部，角部，下顎枝，関節突起部に分類される．単純な骨折でも咬合がずれやすい．さらに正中部や体部の粉砕骨折では，気道閉塞をきたしやすい．関節突起骨折は介達外力で生じ，正中部・体部骨折と合併することが多く，見落としに注意する．骨折した関節突起は大きく転位し，開閉口障害を生じる．

（3）頬骨骨折・眼窩壁骨折

頬は突出部であり，頬骨骨折の頻度は高い．CT検査にて頬骨突起部が骨折により陥没していても，

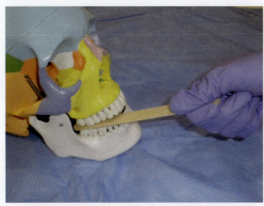
1. 被検者に木製の舌圧子を臼歯間で噛ませる

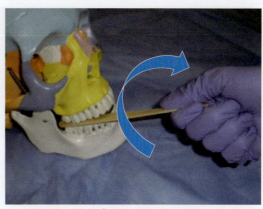
2. 舌圧子を強く噛ませたままひねる

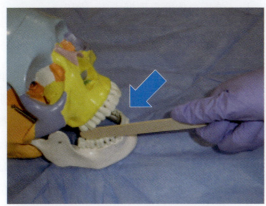
3. 下顎骨骨折があれば，骨折部の疼痛により咬合が保持できずに開口してしまう

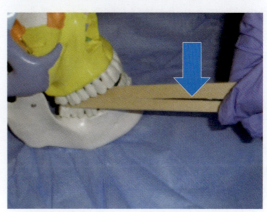
4. 下顎骨骨折がなければ咬合が保持されて，ひねりにより舌圧子が割れる

図9-5 tongue blade testの手順

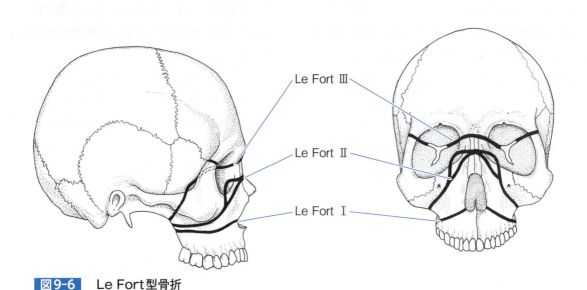

図9-6 Le Fort型骨折

軟部組織の腫脹のため陥没は目立たないことが多い。

眼窩壁骨折は吹き抜け（blowout）骨折とも呼ばれ，単独または頬骨・上顎骨・鼻篩骨骨折などに伴って発生する。骨の薄い内壁と下壁に多い。眼窩部への直接外力により発生し，線状骨折と打ち抜き骨折がある。眼窩縁の圧痛，眼球運動障害やそれに伴う複視，眼球陥没などがみられる（図9-7）。

（4）眼窩底骨折

眼窩底骨折には，緊急手術が必要となる特徴的な骨折形態があるため，緊急度の高い順に解説する。

①眼球迷走神経反射を伴う若年者眼窩底骨折[4)〜6)]

若年者の眼窩底骨折において，眼球の圧迫や眼球

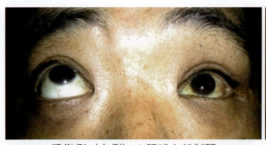
受傷側（左側）の眼球上転制限

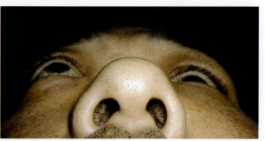
受傷側（左側）の眼球陥没

図9-7 吹き抜け骨折と眼所見

周囲組織の絞扼により迷走神経が刺激され，悪心・嘔吐，徐脈性不整脈，心静止などの眼球迷走神経反射を呈する場合がある．この場合は，緊急手術により眼球の圧迫や周囲組織の絞扼を解除する必要がある．可及的速やかに専門医にコンサルトしなければならない．

②若年者の線状，trap door型眼窩底骨折[4)～7)]

若年者の眼窩底骨折は，線状または蝶番のある下方へ開くドア様の形態（"trap door fracture"と呼ばれる）を呈することがある．この骨折では，下直筋が骨折部またはtrap doorに嵌頓して複視を生じる．そのまま放置すれば下直筋に虚血性変化による線維化や外傷性神経麻痺を生じ，下直筋は動かなくなり複視は恒久的となってしまう．この場合も可及的速やかに専門医へのコンサルトが必要である．

③受傷後早期に2mm以上の眼球陥凹がある眼窩底骨折[4)6)7)]

受傷後早期より眼球陥凹が認められる場合は，経過とともに陥凹が顕著となるため，早期手術を推奨する報告が多い．

3）骨折の画像診断

単純X線撮影については，特別な体位が必要で撮影に時間を要するため，外傷初期診療においては省略してよい．現在ではCT撮影による画像診断がスタンダードになっており[8)]，MDCTで撮影した画像のMPRの作成により診断がより簡便となった（図9-8）．加えて3D-CTにより複雑な骨折の全体像が容易に把握できる（図9-9）．また軟部組織レベルの画像により，眼窩内や副鼻腔内の軟部組織情報が得られる．ただし，眼窩壁骨折や転位の少ない骨折の診断においては3D-CTのみでは困難であり，thin sliceによる水平断，前額断，矢状断を総合的に観察し，骨折の状態を把握する（図9-8）．

4）骨折の治療

治療の原則は，失われた垂直または水平面の骨性支持を再建することにある．緊急性の高い眼窩底骨折を除いた手術時期は，原則として軟部組織腫脹の軽減する受傷1～2週後に行う．骨折の固定はプレートとスクリューを用いる．眼窩壁の再建には，自家骨や人工素材が利用される．咬合面の整復位維持のため顎間固定を行う．

転位が少ない関節突起骨折では，顎間固定が有効と考えられる．また関節突起骨折に関しては，顎間固定単独治療でも，概ね良好との結果が報告されている[9)]．幼少児の転位のない下顎骨折は保存的に治療することも可能である．

なお，脱臼脱落した歯牙は状況により生着する可能性がある．脱落歯の受傷現場での取り扱いは，歯根膜の損傷に注意し，歯根部に触れないように水道水で軽く洗浄して，歯専用の保存液（ティースキーパー），牛乳，生理食塩液に浸して，患者と一緒に搬送する．保存状態が適切であれば，再接着整復が可能なことが多い．

2．皮膚・軟部組織損傷

1）診　察

顔面の創傷に対しては，機能・整容両面からの配慮が必要である．開放創では口鼻腔との交通，顔面神経，涙管，耳下腺（管）などの損傷を丁寧に調べる．耳介や鼻尖などの完全切断でも再接着の可能性があり，組織片は湿潤を保ち冷却保存する．なお，眼の損傷は重大な後遺障害となる可能性があり，その存在を見逃してはならない[10)]（詳細は「参考　眼

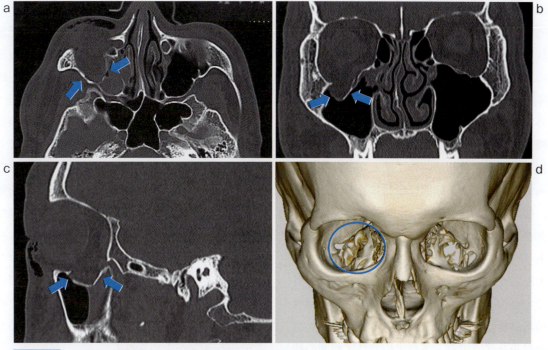

図9-8 MDCT撮影による3平面画像と3D-CT像

右眼窩底骨折患者の水平断（a），前額断（b），矢状断（c），3D-CT像（d）を示す。写真a，b，cの矢印に示す部分に上顎洞に逸脱する骨片と眼窩内容が描出されている。一方，dの3D-CT像では青丸内の部分に眼窩底骨折が存在するが，評価は困難である

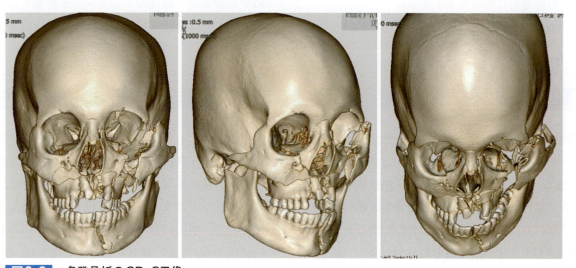

図9-9 多発骨折の3D-CT像

多方向からの全体像把握が容易となる

外傷」，p156参照）。

2）皮膚・皮下創傷

創傷処置はできるだけ愛護的操作に努める。洗浄を丁寧に行い，組織温存を優先しデブリドマンは最小限にとどめる。挫傷や擦過傷に対しては，創傷被覆材を利用するなど湿潤環境を意識したドレッシングを行う。皮膚縫合は，状況が許すかぎり愛護的に行う。整容的には真皮縫合の併用が望ましい。眉毛の生え際，眼瞼縁，赤唇縁，鼻翼縁などに段差やずれを生じないように最初に縫合（key suture）する。広範囲挫滅や組織欠損など，高度な醜形が予測される場合は，専門医にコンサルトする。

なお，特殊な損傷形態として動物咬創があり，耳介，鼻部，眼瞼部に多く認められる。組織の離断，高度の挫滅，複雑な創形状を伴うことが多く，さらに感染するリスクが高いため，徹底的な異物除去，創洗浄を行う必要がある。早期閉鎖に限っては，顔

と首で感染率・整容面ともに縫合のほうが結果がよかったという報告[11]もあり，早期に十分な洗浄が行われれば一期的に縫合してもよい。

3）神経損傷

鈍的外傷と深い裂創においては，三叉神経と顔面神経の機能を診察する。三叉神経損傷による感覚異常の把握は，顔面骨骨折診断の一助となる。顔面神経は，両側の耳下部から顔面に扇状に分布する運動神経で，顔面表情筋を支配する。神経線維間にネットワークが存在するが，側頭枝と下顎縁枝に関してはネットワークに乏しく，損傷により麻痺をきたし眉毛挙上不能や口角下制不能を生じる。一般に，外眼角部での垂線より耳側の損傷には修復（神経吻合または神経移植）が必要とされている。

側頭骨骨折を伴う場合，また末梢では広範囲の挫創および外眼角の垂線より耳側の挫創の場合，顔面神経損傷にとくに注意する。72時間以内に対処できれば機能回復が良好である可能性があるため，速やかに形成外科にコンサルトする。

4）耳下腺（管）・眼瞼・涙道損傷

耳下腺は耳前部皮下にあり，損傷時は唾液皮膚瘻を予防するため被膜を確実に縫合する。眼瞼損傷において眼瞼縁を含む全層損傷は，瞼縁を正確に再建するという特別な配慮が必要となり専門医へのコンサルトが望ましい。眼瞼の挫創は眼輪筋の作用で創が開大し，あたかも組織が欠損しているようにみえるのが特徴である。縫合は眼輪筋の収縮方向に留意して行う。頰部深達性の創傷では耳下腺管断裂の可能性を，また下眼瞼の涙点より内側の損傷では涙小管断裂を念頭に置く。いずれも早期にチュービングなどの再建修復が必要であり，専門医にコンサルトする。とくに涙道損傷は，経時的に涙囊側の退縮により断端同定が困難となり，また陳旧例での再建では機能回復が思わしくないため受傷早期のコンサルテーションが求められる。

5）鼻中隔血腫

鼻中隔の血腫は放置すると，鼻中隔が壊死するため早期の切開・血腫のドレナージが必要である。血腫ドレナージ後は耳鼻咽喉科医による診察を依頼する。

参　考　眼外傷

失明を含む高度の視力障害は社会生活における大きなハンディキャップとなる。初期診療医に求められるのは，生命危機を脱ししだい，眼損傷の存在を認知して専門医に紹介することである。眼外傷の診断と治療については専門領域の分野であるが，初期診療医に参考とすべき知識を解説する。

◆1．眼外傷における用語

専門医へコンサルトする際など，眼外傷に関する用語は共通言語として重要である。ここではThe Birmingham Eye Trauma Terminology Systemによる用語を表9-3[12]に示す。

◆2．眼科的診察

1）視　力

視力はしばしば眼球のviabilityに左右され，予後評価のためにも正確な記載が求められる。時間経過に伴い眼瞼・角膜浮腫，前房出血などが出現した場合，視力検査が制限され予後判定に影響を及ぼすため，可能なかぎり受傷直後の視力，視野に関する所見をとる。視力は対側を遮光したうえで，左右別々に評価する。文字，数字を読めない場合は，指数弁，眼前手動弁，光覚弁で判定する。球後血腫や視神経損傷の際には経時的に視力検査を行う。

2）瞳孔所見

瞳孔は視神経機能の予後判定に重要である。評価は原則として麻酔薬や散瞳薬など瞳孔の形態に影響を及ぼす薬剤の使用前に行う。室内光での瞳孔直径，形を診察し，次いで光刺激を与えた際の変化を観察，再び室内光での直径と形に戻るかどうかを診察する。再度，左右別々に同様の診察を行う。虹彩断裂，外傷性散瞳，動眼神経麻痺は瞳孔不同や瞳孔変形の原因になり得る。尖った形の瞳孔（peaked

表9-3 眼外傷における用語と定義

用語	定義	補足
眼球壁 eye wall	強膜と角膜からなる	解剖学的には眼球壁は背側から角膜縁に至るまで三層構造からなる；臨床的には眼球壁は眼球の背側（後部）5/6を占める強膜と腹側（前部）1/6を占める角膜からなる強固な組織と定義
閉鎖性眼球損傷 closed-globe injury	眼球壁全層に及ばない損傷	振盪（打撲）または角膜，強膜いずれかの全層に至らない；まれに両者の合併
開放性眼球損傷 open-globe injury	眼球壁全層に及ぶ損傷	角膜，強膜いずれかの全層に至る損傷；原因物体と損傷時の環境に依存し，破裂と挫創が特徴；脈絡膜と網膜は温存，逸脱，障害のいずれか
破裂 rupture	鈍的外力による眼球壁全層に至る損傷；眼球内圧が一瞬のうちに上昇し内側から外側へのモーメントが加わって生じる	眼球は圧縮できない液体を内包する；大きなモーメントを有する鈍的物体が眼球の広い範囲にエネルギーを伝達し眼内圧の激しい上昇をきたす；眼球内圧が一瞬のうちに上昇し眼球のもっとも弱い部位に圧が逃げる；多くは眼球内組織の逸脱を相当量認める
挫創 laceration	眼球全層に及ぶ創，通常鋭的；外から内への外力のモーメントによる	創の入口（射入口）のみ，眼球内異物なし；時に原因物体が残存すると同時に後壁に射出創を有するが，少なくとも全層には至らない
穿通性損傷 penetrating injury	眼球壁1カ所のみの挫創；通常，細く尖った物体が原因	創の出口はない。もし2つ以上の穿通創を認める場合は，それぞれ異なる物体が原因
眼内異物損傷 intraocular foreign body injury	異物の残存による	眼内異物は穿通性外傷であるが，臨床的側面（治療上の特性，時期，眼内炎発症率など）を考慮して穿通性外傷とは区別する
穿孔性損傷 perforating injury	穿通異物が眼球壁を2回貫き，創は入口と出口の2カ所を有する；通常，尖ったものや弾丸などが原因	同一物体が眼球壁を貫いた結果2つの全層性の損傷が生じるもの

〔文献12）より引用・改変〕

pupil）は眼球破裂を疑う。

3）眼球運動所見

眼球運動は8方向（左，左上，上，右上，右，右下，下，左下）への追視で運動制限，複視の有無を評価する。なお，眼瞼浮腫でも眼球運動制限が出現する。

4）視野所見

視野検査は対座法で手軽に評価でき，網膜剝離や頭蓋内病変の際の視野狭窄の検索に有用である。検査時には対側の眼球は遮閉する。

5）眼圧

外傷における低眼圧は眼球破裂所見の一つであり，一方，高眼圧は前房出血，球後出血，眼瞼・眼瞼縁腫脹でみられる。21 mmHgを超える眼圧は経過観察が必要で，一般に30 mmHgを超える場合は至急，眼科的処置を要する。なお，正常眼圧は10〜20 mmHgである。

6）画像診断

顔面（眼窩を含む）のCT検査により眼窩骨折，球後出血，眼球内異物，外傷性海綿状動静脈瘻，外眼筋損傷などを診断できる。眼窩周囲のCTは骨折の診断に有用である。急性海綿動静脈瘻は造影CTやMRA（磁気共鳴血管造影）が必要である。

◆ 3．処置と治療

1）化学損傷

眼の化学損傷は眼科的にもっとも急を要し，現場では水道水で洗浄する。初療室では点眼麻酔薬を併用し，生理食塩液を用い，重症では洗浄を30分は継続する。アルカリは酸に比較してより毒性が強く，重症例では角膜輪部疲弊症に至り，角膜上皮移植が必要なほど予後不良である。洗浄は，生理的pHに近づけるように，眼球のみならず物質の貯留しやすい結膜円蓋部も忘れずに洗浄する。

2）開放性眼球損傷

開放性眼球損傷には破裂，挫創，穿通性外傷，眼内異物などがあり，緊急に眼科専門医へコンサルトすべき損傷である。開放性眼球損傷の診断がついた時点ですべての眼科的検査を中断し，患側を保護する。眼球破裂は視力予後の悪い重篤な疾患であり，原因は転倒がもっとも多く，スポーツや作業中の事故，交通事故などがある。鈍的外傷による強膜の裂傷は外眼筋付着部近傍に生じ，CTは眼球損傷の評価でもっとも有用な検査である。CTでは，眼球壁の変形や水晶体の偏位・脱臼，眼内異物，硝子体出血，眼内気腫，網膜剥離などが診断可能である。治療は感染予防と眼球内容脱出を整復するため，可及的速やかに創閉鎖を行う。さらに，所見により水晶体切除，硝子体切除などを二期的に行う。

3）眼窩損傷

一般に眼窩内異物は，除去が容易であれば除去する。球後の小さな異物は手術による合併症の危険性を考慮した場合，視力や機能的な障害の原因とならなければ放置されることもある。

4）脳神経損傷

（1）視神経損傷

眼窩骨片，異物による直接圧迫や神経鞘血腫による圧迫が原因となる。画像診断で除去可能な原因であることが判明すれば手術を行う。

【外傷性視神経症】

外傷性視神経麻痺は視神経への間接外力によって惹起される。主に眼球の後方近傍においては急激な眼球の回転による視神経への障害が，後方では受傷時の外力が視神経管内の視神経に伝達されることによって生じる。後者では眼窩への外傷のみならず頭部単独外傷でも起こり得る。また明らかな視神経管骨折がなくても，出血や浮腫などで視神経症が発症することもある。球後神経症での大量ステロイド療法は議論が残るところである。時に視神経管開放がなされる場合もある。

（2）脳神経麻痺

眼球運動にかかわる神経麻痺は，単独あるいは複数で生じ得る。複視，外眼筋麻痺，斜視を認める。動眼神経麻痺においては眼瞼下垂，散瞳も伴う。一般的に麻痺の回復には数週間〜数カ月を要する。6カ月以上眼球運動制限が継続する場合は，手術的治療も考慮される。

文献

1) 平野明喜編：基本的な臨床診断の手順と方法．形成外科診療プラクティス；顔面骨骨折の治療の実際，文光堂，東京，2010，pp2-7．
2) Alonso LL, Purcell TB：Accuracy of the tongue blade test in patients with suspected mandibular fracture. J Emerg Med 1995；13：297-304.
3) Caputo ND, Raja A, Shields C, et al：Reevaluating the diagnostic accuracy of the tongue blade test：Still useful as a screening tool for mandibular fractures? J Emerg Med 2013；45：8-12.
4) Gart MS, Gosain AK：Evidence-based medicine：Orbital floor fractures. Plast Reconstr Surg 2014；134：1345-1355.
5) Burnstine MA：Clinical recommendations for repair of isolatedorbital floor fractures：An evidence-based analysis. Ophthalmology 2002；109：1207-1210；discussion 1210.
6) Cole P, Boyd V, Banerji S, et al：Comprehensive management of orbital fractures. Plast Reconstr Surg 2007；120 (Suppl 2)：57S-63S.
7) 日本形成外科学会，日本創傷外科学会，日本頭蓋顎顔面外科学会編：4章 眼窩底骨折．形成外科診療ガイドライン；頭蓋顎顔面疾患（主に後天性）5，金原出版，東京，2015，pp82-99．
8) Seyfer AE, Hansen JE：Facial trauma. In：Trauma. 4th ed, Mattox KL, et al eds, McGraw-Hill, New York, 1999, pp415-435.
9) Landes CA, Day K, Lipphardt R, et al：Prospective closed treatment of nondisplaced and nondislocated condylar neck and head fractures versus open reposition internal fixation of displaced and dislocated fractures. Oral Maxillofac Surg 2008；12：79-88.
10) 根本裕次：眼外傷における眼科的知識．形成外科 2006；49（Suppl）：S79-84．
11) Paschos NK, Makris EA, Gantsos A, et al：Primary closure versus non-closure of dog bite wounds：A randomised controlled trial. Injury 2014；45：237-240.
12) Kuhn F, Morris R, Witherspoon CD, et al：A standardized classification of ocular trauma. Ophtalmology 1996；103：240-243.

第10章 頸部外傷

要 約

1. 頸部外傷における緊急度の高い損傷は気道緊急と大量出血である。
2. 緊急処置の必要なhard signを理解する。
3. 穿通性外傷では、解剖学的区分ごとの治療方針を理解する。

I 解 剖

頸部とは下顎下縁、後頭骨下縁、上胸骨切痕と鎖骨上縁に囲まれた領域である。その狭い領域に気道、血管、神経、頸椎、食道など多くの重要器官を有している。とくに左右の胸鎖乳突筋、下顎骨体部下縁を三辺とする正中前面（頸部前方三角といわれる部位）に主要器官が集中している（図10-1）。

広頸筋は薄い筋層で浅筋膜に包まれており、大胸筋と三角筋を被覆する深筋膜から起始して下顎体部に停止する。広頸筋を貫く穿通性損傷は穿通性頸部損傷（penetrating neck injury）といわれ[1]、頸動脈などの血管や気管、食道などの重要臓器が損なわれやすい。損傷に対するアプローチの相違から、頸部を3つのZone（Ⅰ，Ⅱ，Ⅲ）に分ける（図10-2）[2]。

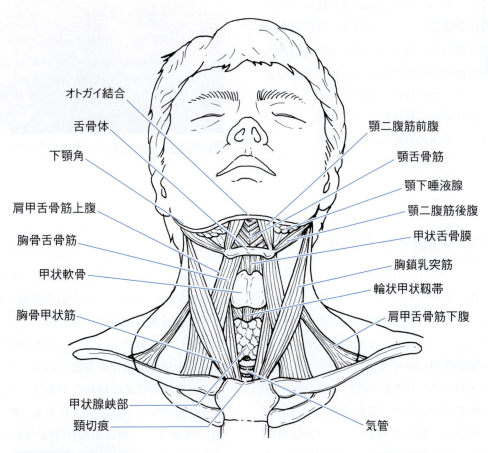

図10-1 頸部の解剖

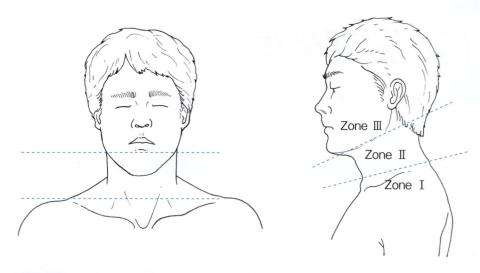

図10-2 穿通性外傷を対象とする頸部の解剖学的区分
Zone Ⅰ：鎖骨と輪状軟骨との間（椎骨動脈と総頸動脈近位側，肺，気管，食道，胸管，脊髄，主要な頸髄神経幹）
Zone Ⅱ：輪状軟骨と下顎角との間（頸静脈，椎骨動脈，頸動脈，気管，食道，脊髄，喉頭）
Zone Ⅲ：下顎角から頭蓋底までの間（咽頭，頸静脈，椎骨動脈，内頸動脈遠位部）
〔文献2）より引用・改変〕

Ⅱ 病態

喉頭・気管の損傷では気道狭窄や完全閉塞が起こる。血管損傷により血腫を形成・増大し，気道を圧排閉塞することもある。穿通性頸動脈損傷により外出血した場合は急激にショックに陥り，受傷直後に死亡する危険性が高い。頸動脈や椎骨動脈への鈍的外傷では，内膜損傷や血栓形成により脳梗塞を引き起こすことがある。そのほか，腕神経叢損傷による上肢の感覚・運動障害，筋損傷による斜頸，食道損傷による深頸部・縦隔の炎症も起こり得る。

Zone Ⅰの損傷では胸管損傷による乳び胸を起こし得る。

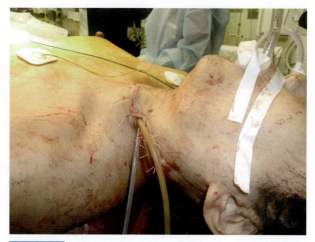

図10-3 Foleyカテーテルを用いた一時的圧迫止血

Ⅲ Primary surveyと蘇生

頸部外傷によりA・B・Cの異常を認めた場合，次のことに注意する。

高度な皮下気腫を伴う頸部外傷は，喉頭・気管断裂の可能性がある。その場合，不用意な気管挿管を行うとチューブが断裂部から逸脱し，気道を完全に閉塞させることがある。したがって，気管支ファイバーによる損傷部位の評価と，これをガイドとした気管チューブの誘導・挿管が望ましい。穿通性頸部損傷においても，気管断裂が疑われる場合はファイバースコープを用いた意識下気管挿管が推奨される[3]。緊急的に頸部前面を切開して，断裂部からの気管挿管を選択せざるを得ない場合もある。

緊急的気道確保が必要な状況下で筋弛緩薬を使用すると，その直後に気道の完全閉塞を起こし得るので，筋弛緩薬は使用すべきではなく，鎮静薬とともに喉頭に局所麻酔薬スプレーを使用する[4]。気管挿管前の十分な酸素化が重要である。

穿通性外傷による活動性出血は，指による圧迫止血またはバルーン挿入により止血を図る[5)6)]（図10-3）。戦場では，指による圧迫よりバルーン挿入のほうが死亡率を下げると報告されている[7]。

表10-1 頸部外傷のhard sign

- 気道緊急：上甲状切痕の沈下，甲状軟骨の変形・露出，輪状軟骨の変形・露出，輪状甲状靱帯の陥凹，大量喀血，開放創からの気泡
- 進行性の広範囲の皮下気腫
- 拍動性の血腫，thrill
- ショックを伴う外出血
- 閉塞性ショックの間接所見（頸静脈怒張，皮下気腫，気管の偏位など）

表10-2 頸部における神経損傷所見

脊髄神経		感覚・運動異常，四肢麻痺
横隔神経		横隔膜挙上
腕神経叢		上肢感覚・運動異常
反回神経		嗄声
脳神経	舌咽神経	嚥下障害
	迷走神経	嗄声
	副神経	肩すくめ不能，非患側への振り向き不能
	舌下神経	舌感不全麻痺
星状神経節		散瞳

主要血管および気管食道損傷を疑う所見をhard sign（表10-1）といい，これを認めた場合は，経過観察をしたり初療室でlocal wound exploration（LWE）を行うことなく，緊急に外科的な止血操作が必要となる[8]。

IV Secondary survey

意識があれば，訴えや症候から呼吸困難，嚥下痛，血痰，発声の異常（嗄声など），頸部の疼痛，上肢の感覚・運動障害などを調べる。視診，触診では，創傷，外出血，血腫，硬結，皮下気腫，喉頭・気管の位置異常，頸動脈拍動の異常〔左右差，thrill（血流による血管の振戦）など〕をチェックする。また，聴診で気管の狭窄音や血管の雑音を調べる。

頸部皮下気腫，喀血，嗄声，轢音は喉頭・気管損傷を疑わせる所見である。喉頭・気管損傷による上気道の閉塞は受傷早期に生じるだけではなく，数日かけて発症する場合もあり，継続的観察が必要である。

さらに頸部における神経損傷所見（表10-2）の有無を確認する。

穿通性外傷による血管損傷では，いったん止血していても再出血する危険があるため，診察は愛護的に行う。ゾンデや指の挿入は，血餅による再出血や空気塞栓の可能性があるため行ってはならない[4]。

循環動態が安定し，soft sign（嚥下障害，変声，喀血そして縦隔拡大）のみを認める場合は，CT，血管造影，気管支鏡，または食道損傷検索のために内視鏡や食道造影を施行し，手術適応を決定する。

マルチスライスCTを用いれば，すべての血管，気道，食道損傷に対して感度100％，特異度95.5％と報告されている[9]。

V 創傷処置と治療方針

鈍的外傷において，初期診療の後に嗄声，咽頭痛，嚥下困難などの症状があれば，その診断と治療は専門医に依頼する。

穿通性外傷の場合，広頸筋を貫いていなければ縫合処置を行ってもよい。しかし，広頸筋を越える穿通創でhard signを認める場合は外科的処置が必要なため，専門医に依頼する。ZoneⅠは胸部大血管領域であり開胸が必要となる。ZoneⅡは手術的アプローチが容易であるが，不必要な手術を避けるためにも，hard sign（表10-1）がなければ保存的に経過をみる。

VI 主な損傷の特徴

1. 喉頭・気管損傷

鈍的外傷，穿通性外傷いずれでも生じ得る。喘鳴，嗄声，自発痛・圧痛，発声困難，咽頭部腫脹，嚥下困難，喀血，吐血などの症状を呈する。気道緊急でなくても狭窄の進行が予測される場合は，確実な気道確保が必要となる。この場合は鎮静薬，筋弛緩薬の使用で症状増悪の危険があるため，ファイバースコープを用いた意識下気管挿管を試みる。いずれの場合も，挿管時に喉頭蓋を越えて抵抗があるときは無理に挿管してはならない。頸部気管損傷については，一般的には気管の1/3周までの創であれば保存的加療が可能であるとされている。経口気管挿管後も皮下気腫や縦隔気腫，呼吸状態の悪化傾向があれば，外科的修復術の適応となる。

◆ 2. 頸動脈損傷

鈍的外傷ではまれであり，多くは穿通性外傷による。穿通創からの活動性出血が続く場合は致死的である。急激に増大する皮下血腫を形成し，気道閉塞を起こす場合もある。内膜損傷や血栓形成による血管途絶では，頭蓋内側副血行路に依存し，無症状から大脳半球梗塞まで幅広い中枢神経症状を呈する。造影CT，CTアンギオグラフィ検査，超音波カラードップラーなどの検査は，患者の状態に応じて選択する。

治療は血行の温存・再建を前提とした血行修復術が原則である。

◆ 3. 頸静脈損傷

多くは穿通性外傷によるものである。内頸静脈でも外出血がコントロールできなければ，容易に出血性ショックに陥る。循環動態が安定していれば，静脈吻合，パッチグラフトなどが行われるが，不安定な場合，単純縫合術あるいは静脈結紮を考える。

◆ 4. 食道損傷

ほとんどが穿通性外傷によるものである。咽頭痛や軽微頸部皮下気腫，吐血などで，特異的症状に乏しい。食道損傷を見逃した場合は，縦隔炎を引き起こし，重篤な結果となり得る[10]。頸椎単純X線側面像あるいは頸部CT撮影での深頸部皮下気腫像で疑い，食道造影検査または食道ファイバースコープで診断する[11)~13)]。

◆ 5. 腕神経叢損傷

上肢の過伸展，第1肋骨骨折を伴うような鈍的外傷で生じる。また穿通性外傷では，直接腕神経叢が損傷される。症状として損傷神経支配領域の感覚・運動障害がみられる。

文　献

1) Herrera FA, Mareno JA, Easter D：Management of penetrating neck injuries：Zone II. J Surg Educ 2007；64：75-78.
2) Monson DO, Saletta JD, Freeark RJ：Carotid vertebral trauma. J Trauma 1969；9：987-999.
3) Demetriades D, Asensio JA, Velmahos G, et al：Complex problems in penetrating neck trauma. Surg Clin North Am 1996；76：661-683.
4) Boffard KD：Manual of Definitive Surgical Trauma Care. 4th ed, CRC Press, Boca Raton, 2015.
5) Gilroy D, Lakhoo M, Charalambides D, et al：Control of life-threatening haemorrhage from the neck：A new indication for balloon tamponade. Injury 1992；23：557-559.
6) Navsaria P, Thoma M, Nicol A：Foley catheter balloon tamponade for life-threatening hemorrhage in penetrating neck trauma. World J Surg 2006；30：1265-1268.
7) Weppner J：Improved mortality from penetrating neck and maxillofacial trauma using Foley catheter balloon tamponade in combat. J Trauma Acute Care Surg 2013；75：220-224.
8) Beall AC Jr, Noon GP, Harris HH：Surgical management of tracheal trauma. J Trauma 1967；7：248-256.
9) Inaba K, Munera F, McKenney M, et al：Prospective evaluation of screening multislice helical computed tomographic angiography in the initial evaluation of penetrating neck injuries. J Trauma 2006；61：144-149.
10) Asensio JA, Chahwan S, Forno W, et al；American Association for the Surgery of Trauma：Penetrating esophageal injuries：Multicenter study of the American Association for the Surgery of Trauma. J Trauma 2001；50：289-296.
11) Flowers JL, Graham SM, Ugarte MA, et al：Flexible endoscopy for the diagnosis of esophageal trauma. J Trauma 1996；40：261-265, discussion 265-266.
12) Arantes V, Campolina C, Valerio SH, et al：Flexible esophagoscopy as a diagnostic tool for traumatic esophageal injuries. J Trauma 2009；66：1677-1682.
13) Weigelt JA, Thal ER, Snyder WH 3rd, et al：Diagnosis of penetrating cervical esophageal injuries. Am J Surg 1987；154：619-622.

第11章 脊椎・脊髄外傷

要約

1. 病院搬入後も脊椎保護を継続し，脊髄の二次損傷を予防する．
2. Primary surveyでは，とくに呼吸・循環の異常に適切に対応する．
3. Secondary surveyで詳細な身体評価と画像診断により損傷部を特定する．
4. 脊椎損傷の画像評価はCTが主体となる．
5. 脊髄損傷は機能評価（神経学的高位の診断，麻痺の重症度評価）とMRI撮影を行う．
6. 骨傷を伴う脊髄損傷は，受傷後できるだけ早期に神経除圧・脊椎固定を実施する．
7. 頸椎カラー固定は一定の基準に従い解除する．

はじめに

　脊髄損傷は，患者に永続的で重度な神経学的後遺症をもたらすおそれがある．さらには，神経支配を受けるすべての臓器に影響を及ぼし，生命の危機を招く場合もある．防ぎ得た外傷死や後遺障害（preventable trauma death and disability）を回避するため，脊髄損傷を外傷初期診療の段階で的確に診断し，急性期から適切な治療・管理を施し，神経機能の改善と臓器障害・合併症の予防に努める必要がある．

I　疫　学

　1990年代初頭に行われた全国統計では，わが国の脊髄損傷の発生頻度は年間人口100万人当たりおよそ40人であり，受傷時年齢は20歳と59歳に二峰性のピークがあった[1]．その後，高齢患者の比率が増加し，2006年のデータでは，60歳代を中心とする一峰性の年齢分布となり，60歳以上が占める割合が40％を超えるに至っている[2]．受傷原因は，交通事故，転落，歩行時転倒，スポーツの順に多く，頸髄損傷では，転落や転倒など低エネルギー受傷機転による高齢者の非骨傷性頸髄損傷が増加している[2]．
　脊椎・脊髄損傷患者は，他部位の外傷を伴いやすい．25％に頭部外傷を合併し[3]，高エネルギー事故による胸椎損傷は，胸部外傷を含む多発外傷を呈しやすい[4,5]．腰椎損傷は，腹部外傷を伴う頻度が比較的高く，とくにシートベルト型損傷では，臓器損傷の合併に注意する[6,7]．

II　解　剖

◆ 1. 脊　椎

　脊椎は頸椎，胸椎，腰椎，仙骨および尾骨が，椎間板や靱帯でつながり構成されている．各椎体は椎間板を介して上下に連なり，上・下の関節突起は椎間関節を形成する．椎孔は頭尾側に長い脊柱管を形成し，この中に脊髄が存在する．椎間孔は脊髄神経の通路となる（図11-1）．環椎の左右の上関節窩には後頭骨（後頭顆）がおさまり，環椎後頭関節を形成する．環椎と軸椎は，正中環軸関節および左右の外側環軸関節で連結している（図11-2）．

◆ 2. 脊　髄

　脊髄の上端は大後頭孔の部位で延髄に連続する．下端である脊髄円錐は成人でL1～L2椎体の高さにあり，これより下方は馬尾となる．脊髄は頸髄，胸

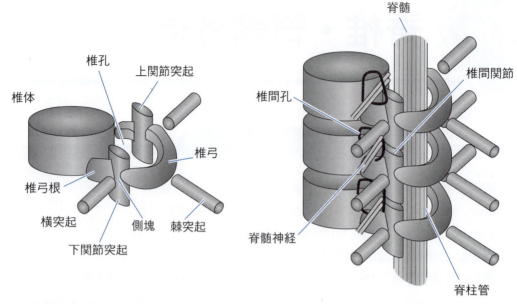

図11-1 椎骨と脊柱管の解剖シェーマ

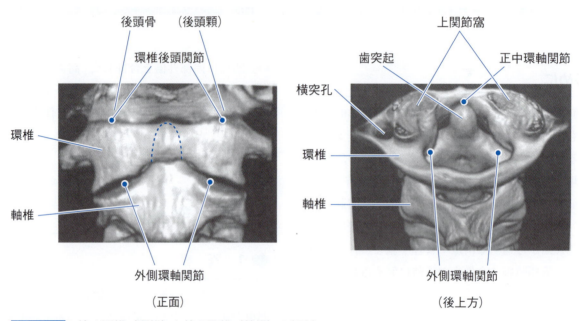

図11-2 第1頸椎（環椎）と第2頸椎（軸椎）の解剖

髄，腰髄，仙髄，尾髄に大別される（図11-3）。脊髄から各髄節に対応する31対の神経根が分岐し，脊髄神経となり四肢・体幹に分布する。各髄節は，対応する脊椎よりも上位に位置する。頸髄と頸椎は1.5椎ほど差があり，C8髄節はC6/7椎間板高位に対応する。胸髄と胸椎も同様に1.5椎ほどずれ，腰髄および仙髄は短くT11～L2椎体高位に密集している。

脊髄横断面の中央にはH字型の灰白質があり，外側には白質がある（図11-4）。灰白質の前角には運動性の神経細胞が集まり，前根を経て神経線維を骨格筋に送る。後角には後根を経て感覚神経が入る。白質は上下行する伝導路の軸索で構成される。この横断解剖は，脊髄損傷の病型の理解に役立つ。

III 病　態

◆ 1. 脊椎損傷

脊椎の損傷は，頸椎と胸腰椎移行部に多く発症する。非連続性の多発骨折もまれではなく，頸椎損傷の約10％は遠隔部位に脊椎損傷が同時に発生する[3]。

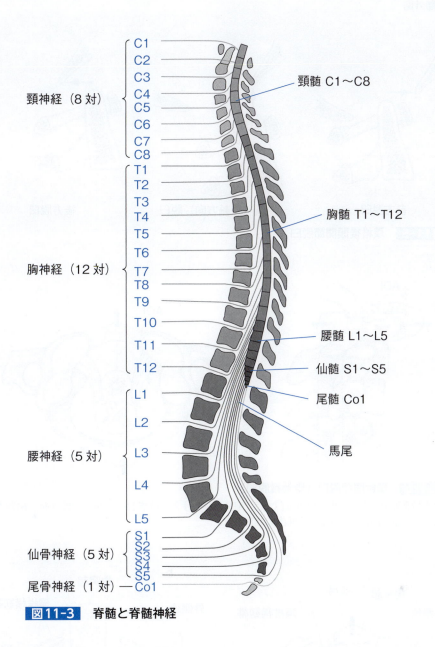

図11-3 脊髄と脊髄神経

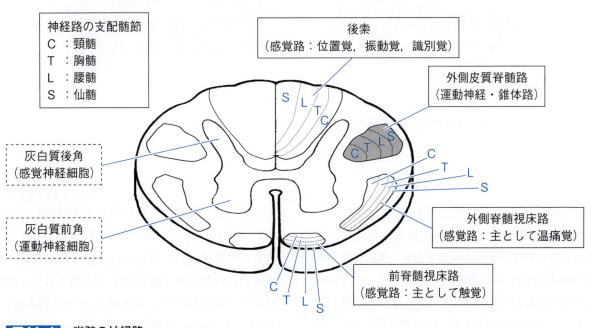

図11-4 脊髄の神経路

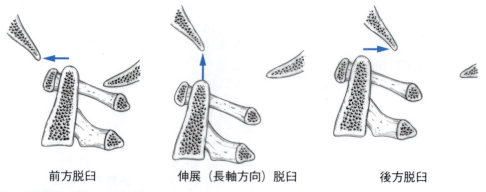

図11-5 環椎後頭関節脱臼

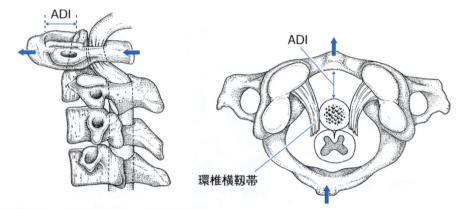

図11-6 環軸関節脱臼（環軸椎脱臼）
環椎横靱帯断裂による環椎の前方脱臼では，ADIが拡大する（技能11-1「頸椎画像診断」，p178参照）
ADI：atlanto-dens interval（環椎歯突起間距離）

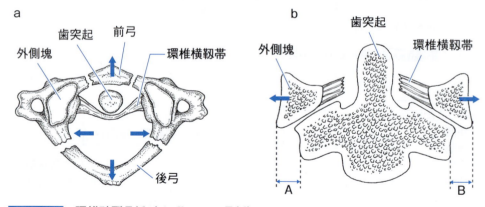

図11-7 環椎破裂骨折（Jefferson骨折）
両側の前弓・後弓が骨折して前後左右に広がる（a）．正面開口位像で環椎外側塊の側方転位の合計（A+B）が6.9 mm以上であれば環椎横靱帯断裂を伴う破裂骨折を疑う（b）

1）上位頸椎損傷（環椎後頭関節～C2/3椎間）

環椎後頭関節脱臼は，頭蓋-頸椎接合靱帯群の断裂によるきわめて不安定な損傷であり，頸椎に対する頭部の転位方向から前方脱臼，伸展脱臼，後方脱臼の3タイプがある（図11-5）．大多数は上位頸髄損傷の合併により致死的であるが，生存搬送例もあり，見逃されやすいので注意する．環軸関節脱臼は，成人では前方脱臼が多く，環椎横靱帯が断裂して生じる場合（図11-6）と歯突起骨折を伴って生じる場合がある．環椎骨折は，前弓または後弓単独骨折，外側塊骨折，破裂骨折（図11-7）に分類される．歯突起骨折は，基部骨折がもっとも多く，不安定性も強い（図11-8，Anderson分類[8]）．軸椎の上・下関節突起間の骨折は，hangman骨折とも呼ばれる（図11-9）．

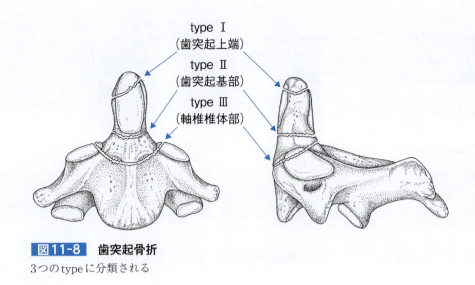

図11-8 歯突起骨折
3つのtypeに分類される

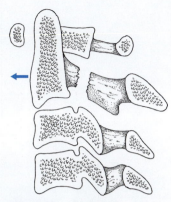

図11-9 軸椎関節突起間骨折（hangman骨折）
軸椎の両側椎弓根部（上・下関節突起間）で骨折し，椎体の前方すべりを生じる

 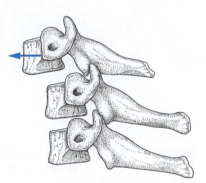 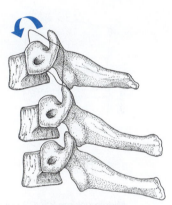

亜脱臼
椎間関節の上下関節面が一部接触を保っている状態

両側椎間関節脱臼
両側の下関節突起が尾側椎の上関節突起を乗り越えて前方に転位

片側椎間関節脱臼
片側のみの脱臼により上位椎が回旋を伴い前方に転位

図11-10 椎体の前方脱臼・亜脱臼

2) 中下位頸椎損傷

頸椎脱臼はC5/6椎間高位に多い。脱臼は隣接椎体の椎間関節が完全に離開している状態であり，多くの場合，椎間関節の骨折を伴う。上位椎体が前にずれていれば前方脱臼，後ろにずれていれば後方脱臼と呼ぶ。前方脱臼では，頭側椎の下関節突起が尾側椎の上関節突起を乗り越えて前方にはまり込んでおり，facet lockingと呼ぶ。椎間関節脱臼には両側脱臼と片側脱臼があり，片側脱臼における椎体転位は前後方向よりも回旋が主となる（図11-10）。椎体骨折は，頭頂部の強打に代表される椎体への軸圧（垂直圧縮力）で生じる。圧迫骨折は椎体前方部のみが楔状に圧潰された骨折であり，通常は神経損傷を合併しない。破裂骨折は椎体が前方部から後部まで高度に損傷されており，脊柱管内に骨片が突出して脊髄を圧迫すると神経症状を惹起するおそれがある。

3) 胸・腰椎損傷

圧迫骨折，破裂骨折，シートベルト型損傷（Chance骨折，図19-11：p254参照），脱臼骨折の4つのカテゴリーに分類される（図11-11）。また，腰椎では横突起や棘突起の骨折も多くみられる。骨粗鬆症のある高齢者が尻もちをついて転倒した際には，胸腰椎移行部で圧迫骨折を生じやすい。椎体前方部の屈曲力と後部の伸延力が作用して生じるシートベルト型損傷は，後方要素の水平断裂が特徴的であり，前方要素の椎体は時に楔状変形を生じる。

胸・腰椎損傷の脊柱安定性を評価する方法の1つにDenisのthree column theoryがある[9]（図11-11）。

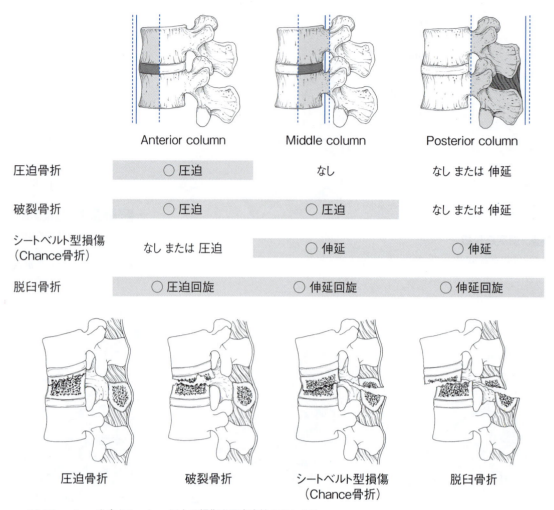

図11-11 胸・腰椎損傷のDenis分類

Middle columnを含む2 column以上の損傷を不安定性ありとする

Middle columnを含む2つ以上のcolumnが破綻すると，不安定性ありと判定する．圧迫骨折は，anterior columnのみの損傷であり，安定型損傷に分類される．破裂骨折は主にanteriorとmiddle，シートベルト型損傷は主にmiddleとposterior，脱臼骨折は3つすべてのcolumnが損傷されており，いずれも不安定型損傷に該当する．

【頸椎損傷に合併する椎骨動脈損傷】

頸椎損傷に付随する注意すべき外傷に椎骨動脈損傷（図11-12）がある．椎間関節脱臼，横突孔にかかる骨折，上位頸椎損傷に伴いやすく[10)〜13)]，これらの"high-risk"損傷における発生率はおよそ33%と報告されている[10)13)]．脳幹・小脳に梗塞を招くおそれがあり（受傷後8時間〜12日に多い）[10)14)]，"high-risk"損傷ではCTアンギオグラフィを用いたスクリーニング検査を行うことも推奨されている[11)12)]．

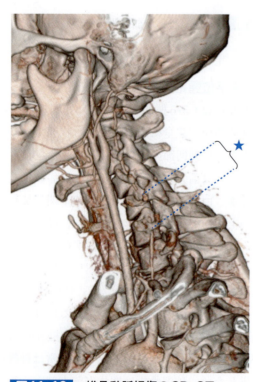

図11-12 椎骨動脈損傷の3D-CT
右椎骨動脈がC4/5で血行が途絶している（★）

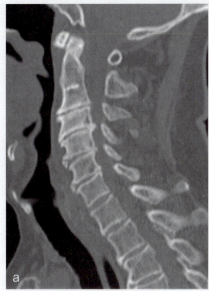
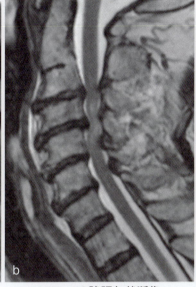
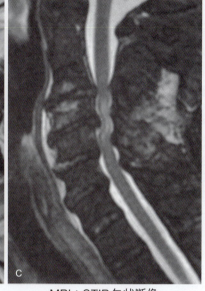

a　　CT矢状断再構成像　　　　　b　　MRI：T2強調矢状断像　　　　c　　MRI：STIR矢状断像

図11-13　非骨傷性頸髄損傷

　CT（a）では頸椎に骨棘形成を伴う変性と脊柱管狭窄を認める。MRIのT2強調矢状断像（b）とSTIR像（c）ではC3/4高位で脊髄が圧迫されて髄内に一部高信号（頸髄損傷）を認める。C2～C6椎体前面には液体貯留がみられ，STIR像（c）ではC2～C4棘突起周囲に高信号（靱帯損傷）も明瞭に描出されている

◆ 2．脊髄損傷

　脊髄が損傷されると，受傷直後より損傷レベル以下の運動，感覚，反射の障害をきたす。その他，自律神経障害，膀胱直腸障害などさまざまな障害が生じる。頸髄損傷では四肢麻痺，胸髄以下の損傷では対麻痺となる。

1）完全脊髄損傷と不完全脊髄損傷

　脊髄損傷は，横断面の損傷範囲から完全損傷と不完全損傷に大別される。

（1）完全脊髄損傷

　損傷を受けた髄節以下の感覚・運動機能は完全に麻痺する。損傷高位では帯状の感覚過敏と筋緊張低下が認められ，それ以下は弛緩性麻痺となって深部腱反射は消失する。表在感覚，深部感覚とも完全脱失し，膀胱直腸障害を合併する。自律神経系症状としては発汗消失，浮腫に加えて頻度は低いが持続勃起症がみられる。慢性期にかけては，痙性麻痺に移行し，深部腱反射の亢進やBabinski徴候などの病的反射を認めるようになる。感覚・運動障害の回復はまれで，筋は廃用性萎縮となる。

　また，胃酸分泌亢進による胃潰瘍，気管支収縮や気道分泌物増加による肺炎などの合併症も起こしやすくなる。

（2）不完全脊髄損傷

　損傷領域から，中心性損傷，半側型損傷（Brown-Séquard型），前部型損傷，後部型損傷に病型分類され，中心性損傷の頻度がもっとも高い。錐体路や脊髄視床路は，内側から頸髄，胸髄，腰髄，仙髄の順に線維が層状に配列しているため（図11-4），この中心性脊髄損傷では，下肢に比べて上肢に強い運動麻痺と，さまざまな感覚障害が出現する。これらの神経症状の多くは時間経過とともにある程度改善するが，手指の巧緻運動障害は残存することも多い。

2）非骨傷性頸髄損傷

　頸椎の退行変性や脊柱管狭窄を有する中高年者が頸椎過伸展を強制されると，骨の損傷を伴わずに脊髄が損傷を受ける場合があり，一般に非骨傷性頸髄損傷と呼ばれる（図11-13）。不完全脊髄損傷例は中心性損傷を示すことが多いが，完全脊髄損傷となる場合もある。本病態がわが国で増加している背景には，欧米人と比べて脊柱管が狭い，後縦靱帯骨化症の頻度が高いといった日本人の頸椎の形態学的特徴と，急速に進行している人口高齢化の関与が指摘されている[15]。また，小児でも脊柱構造の破壊を伴わずに脊髄が損傷されることがあり，Pangら[16]は，これをspinal cord injury without radiographic abnormality（SCIWORA）と命名している。頸椎に基

礎病変がなく，脊椎の弾力性や靱帯の緩みなどが原因で生じることから，基本的には中高年者の非骨傷性頸髄損傷とは異なる病態である。

IV 脊髄損傷の機能評価

脊髄損傷患者の機能は，残存する神経学的高位と麻痺の重症度で評価する。

1. 神経学的高位の診断

脊髄損傷の神経学的高位は，機能が残存しているもっとも尾側の髄節で表す。感覚は，身体の両側の正常な知覚を示す最尾側の皮膚分節（dermatome）（図11-14，表11-1），運動は，徒手筋力検査（manual muscle test；MMT，表12-2：p181参照）で3/5以上の機能が維持されている最尾側の筋節（myotome）（表11-2）で表現する。反射は，上肢と下肢の腱反射（表11-2）や表在反射を調べる。

2. 麻痺の重症度

神経学的重症度を表す方法にFrankel分類[17]と米国脊髄損傷協会（American Spinal Injury Association；ASIA）の機能障害スケール[18]がある（表11-3）。Frankel分類は簡便な利点があるが，最近ではASIA機能障害スケールが広く使用されている。ASIA機能障害スケールでは，最下位仙髄節（S4〜S5）の運動および感覚機能が完全に喪失している場合を完全麻痺，一部機能が残存している場合を不全麻痺と定義している。したがって，四肢の感覚・運動がまったくみられず完全麻痺にみえても，肛門周囲の感覚（S4〜S5）や肛門括約筋の随意収縮（S4〜S5）が残存している仙髄回避（sacral sparing）を認めれば不全麻痺と判定する。

V 初期診療

1. Primary surveyと蘇生

外傷患者の初期治療では，生理学的評価と蘇生処置が最優先される。この間，脊椎・脊髄は愛護的に取り扱い，二次的損傷の予防に努める。

脊髄損傷患者のprimary surveyでは，主に頸髄損傷による呼吸筋麻痺と神経原性ショックが問題となる。

障害高位がC3レベルに達する上位頸髄損傷では，横隔膜（C3〜C5）と肋間筋（T1〜T11）の機能が損なわれ，人工呼吸が必須となる。Cervical line（図11-14）より頭側に感覚障害を認める場合も，自発呼吸が消失する危険を示唆する。腹式呼吸は，横隔膜機能が温存された下位頸髄や上位胸髄の損傷でみられる。吸気時に横隔膜が下方に動いて腹部が膨隆しても，肋間筋が麻痺しているため胸部は挙上されない。この場合，自発呼吸は保たれるが，肺活量は低下する。また，頸髄損傷では，脊髄浮腫の一過性上行，強制呼出障害，横隔膜疲労，胸壁や肺実質の合併損傷などの影響から，徐々に低換気や低酸素血症に陥る例が少なくない。その他，頸椎損傷では，脊椎前腔血腫の増大により上気道狭窄症状が出現・進行することもあるので，注意深く経過を観察する[19)20]。確実な気道確保や補助換気が必要となれば，用手的な頸椎保護（正中中間位固定）下に喉頭鏡を用いた経口気管挿管を行う[3)21]。ただし，気道緊急で一刻を争うときは，頸椎保護よりも気道確保を優先した喉頭展開や輪状甲状靱帯切開を実施せざるを得ない場合もある。

ショックを呈する外傷患者で，大量出血，次いで緊張性気胸や心タンポナーデを除外しても血圧低下と徐脈をみれば，神経原性ショックを疑う。神経原性ショックに出血性ショックや閉塞性ショックが合併すると，これらを代償する働きが障害されて重篤なショックに陥るおそれがあるので注意する。脊髄損傷急性期に適度な血圧を維持することは，脊髄灌流の改善により神経学的予後の向上につながる可能性がある。初期診療時点で速やかに収縮期血圧を90 mmHg以上に保ち，受傷後7日間は平均動脈圧を85〜90 mmHg以上に維持することがオプションとして推奨されている[22)23]。神経原性ショックのみでは大量輸血や急速輸液の適応とはならず，過剰な容量負荷にならないように輸液を行い，低血圧が持続するならばドパミンを併用する。高度な徐脈例（40回/分以下）では，硫酸アトロピンを投与する。

【神経原性ショック（neurogenic shock）と脊髄ショック（spinal shock）】

神経原性ショックと脊髄ショックは別のことを意

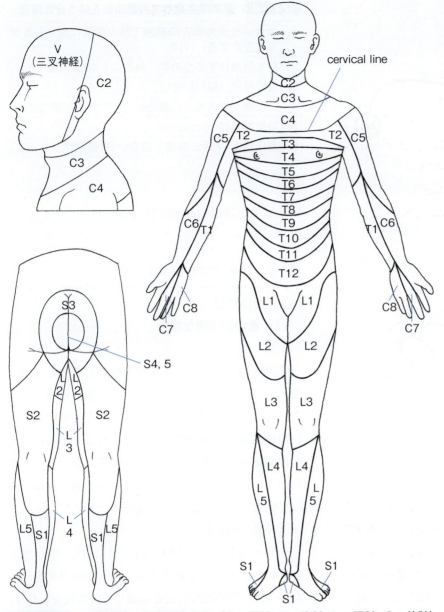

表11-1 Dermatomeの目安（Landmark）

C4	：肩鎖関節
C5	：三角筋
C6	：母指
C7	：中指
C8	：小指
T4	：乳首
T8	：剣状突起
T10	：臍
T12	：恥骨
L4	：下腿内側
S1	：足外側
S4, S5	：肛門周囲

表11-2 Myotomeおよび腱反射の目安

（myotome）

C5	：肘関節の屈曲（肩関節の外転）
C6	：手関節の伸展
C7	：肘関節の伸展
C8	：手指の屈曲
T1	：手指の外転（小指）
L2	：股関節の屈曲
L3	：膝関節の伸展
L4	：足関節の背屈
L5	：足趾の伸展
S1	：足関節の底屈

（反射中枢）

C5〜6	：上腕二頭筋反射
C6〜7	：上腕三頭筋反射
L2〜4	：膝蓋腱反射
S1〜2	：アキレス腱反射

図11-14 脊髄神経の皮膚感覚分布（C：頸髄，T：胸髄，L：腰髄，S：仙髄）
頭頂部のほぼ正中に三叉神経とC2の境界があり，後頭部以下は各脊髄神経に対応する皮膚分節が尾側に向かって分布する

表11-3 脊髄損傷の重症度評価

Grade	Frankel 分類	ASIA機能障害スケール
A	完全麻痺 損傷部以下の運動・感覚の完全麻痺	完全麻痺 S4〜5髄節まで運動・感覚が完全に喪失
B	運動喪失・感覚残存 損傷部以下の運動は完全に失われているが，仙髄域などに感覚が残存するもの	不全麻痺 損傷部以下の運動完全麻痺 感覚はS4〜5髄節を含む障害髄節で残存
C	運動残存（非実用的） 損傷部以下にわずかな随意運動機能が残存しているが，実用的運動（歩行）は不能なもの	不全麻痺 損傷部以下の運動機能は残存しているが，key muscle*の半分より多数でMMT3/5未満
D	運動残存（実用的） 損傷部以下に，かなりの随意運動機能が残存し，歩行も補助具の要否にかかわらず可能	不全麻痺 損傷部以下の運動機能は残存しており，key muscle*の半分以上がMMT3/5以上
E	回復 神経脱落症状を認めない（反射異常は残ってもよい）	正常 運動・感覚ともに正常

ASIA：American Spinal Injury Association，*key muscle：C5〜S1の10髄節を代表する筋

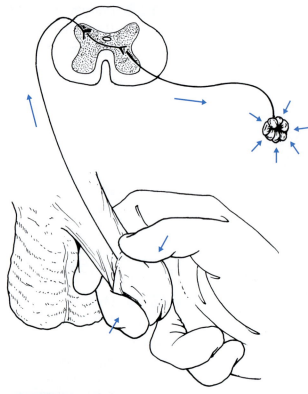

図11-15 球海綿体反射（bulbocavernosus reflex）

直腸診をしながら亀頭部または陰核をつまみ，刺激を与えると肛門括約筋が収縮する現象をいう

表11-4	意識障害患者で脊髄損傷を疑う身体所見
1.	鎖骨より上部のみの範囲で痛み刺激に顔をしかめる（反応する）：C4
2.	肘を屈曲はするものの，伸展はしない：C6
3.	腹式呼吸（横隔膜呼吸）
4.	深部腱反射消失，四肢弛緩，肛門括約筋緊張低下
5.	持続勃起症（priapism）
6.	血圧低下，徐脈，皮膚が温かい（神経原性ショック）

味する用語である．神経原性ショックの本態は，上位胸髄損傷より頭側の脊髄損傷に起因する交感神経遮断であり，末梢血管拡張による血圧低下（distributive shock）が認められる．また，交感神経系の心臓支配の遮断により徐脈となり，血圧低下に対しても頻脈のような通常の反応を示さない．しかし，各種臓器の血流は維持されていることが多く，皮膚の蒼白や冷感もみられない．一方，脊髄ショックとは，脊髄損傷によりすべての脊髄反射機能が一過性に消失する現象をいう．この時期は，損傷部位以下は弛緩性麻痺を呈し，腱反射は消失する[24)～27)]．脊髄ショックは，受傷後数時間～48時間程度（時に数週間）持続し，一般に，肛門反射（anal wink, S3～S4）や球海綿体反射（bulbocavernosus reflex, S2～S4）（図11-15）の回復をみれば，ショックを離脱したと判断する[25)]．

【D：中枢神経評価】

四肢麻痺のある脊髄損傷患者では，GCSのMスコアを四肢で評価することはできない．四肢の圧迫刺激に反応がない場合は，顔面の三叉神経領域でMスコアを評価する（図11-14）．

◆ 2. Secondary survey

1）身体所見

（1）意識が清明な場合

①局　所

意識清明な場合は，まず全脊椎の自発痛と圧痛を調べる．頸椎カラーの前面を外して頸部周囲の触診を行う．棘突起部の圧痛は骨折との関連が深い．次に四肢に神経学的異常を認めなければ，患者に自発的に回旋運動，さらに屈曲・伸展運動を促し，運動痛がないかを確認する．この際，他動的な負荷をかけてはならない（詳しくは後述）．

②神経学的徴候

全身の皮膚分節（図11-14，表11-1），筋節および反射（表11-2）を評価する．何らかの異常を認めた場合は，脊椎運動制限を継続して画像検査を行う．

（2）意識障害がある場合

意識障害が存在すると身体所見を正確に評価することは困難であるが，表11-4に示す身体所見があれば脊髄損傷を強く疑う．

2）画像診断

（1）CT検査

脊椎損傷の画像診断は，CTの活用により迅速で精密になっている．単純X線写真では詳細評価が困難な頭蓋頸椎移行部，上位頸椎，横突起，脊椎後部（椎弓根，椎弓，棘突起）も良好に描出することができる．頸椎CT検査は，①頸部に痛みや圧痛がある患者，②神経学的異常がある患者，③正確な身体所見がとれない患者，④高リスク受傷機転などが適応となり，CT撮影を行えば診断目的の単純X線撮影の追加は原則不要である．全身CT検査を行うと

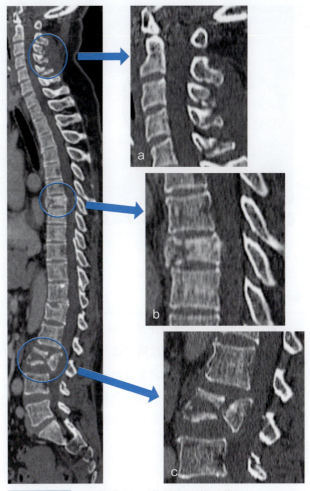

図11-16 全脊椎CT（矢状断再構成像）
a：C3〜5棘突起骨折，b：T7椎体骨折，c：L3椎体骨折

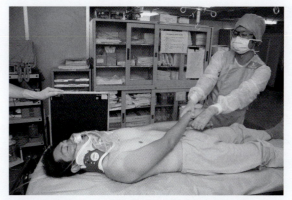

図11-17 下位頸椎側面X線撮影時の体位

きは，再構成像を作成し，単純X線撮影の代わりに脊椎損傷のスクリーニングとして用いる[28)29)]。短時間のスキャンで全脊椎レベルの損傷を一度に評価できる利点は大きく，不連続な多発脊椎骨折を検索するうえでも有用である（図11-16）。

（2）単純X線撮影

骨損傷の診断能はCTに及ばないが，通常の外来診療では単純X線写真が撮影される。

頸椎の検査では，通常は3方向撮影（正面像，側面像，開口位正面像）を撮影する。側面撮影の際は，下位頸椎が肩陰影と重ならないように上肢帯を尾側に牽引し，第1胸椎上面まで確認できるようにする（図11-17）。側面像の読影は，A：Alignment，B：Bone，C：Cartilage，D：Distance of soft tissueの順に見落としがないように確認する（技能11-1「頸椎画像診断」，p177参照）。単純X線写真で骨損傷を認めた場合や判然としない場合は，CTを追加する。

胸腰椎は，胸椎，腰椎を別々に正側2方向で撮影する。正面像では不安定な骨折に多くみられる椎体高の減少，側方転位，椎弓根間距離の増大，棘突起配列の乱れがないかに注目し，側面像では骨折や脱臼の有無を調べる。骨折を認める場合や疑わしい場合は，CT検査を追加する。

（3）MRI

脊髄や軟部組織病変の描出に優れ，脊髄損傷，靱帯損傷，椎間板損傷，血腫の診断に有用である。神経脱落症状など脊髄損傷を疑う場合は，積極的にMRI検査を行う。実施にあたっては，呼吸・循環状態の安定が前提となり，呼吸管理を要する患者では非磁性の呼吸器が必要となる。通常は，T1強調およびT2強調の矢状断像と横断像を撮像するが，脊髄内の評価にはT2強調矢状断像がもっとも有用であり，急性期には，浮腫，出血，腫脹の組み合わさった所見を認める。脂肪抑制T2強調像またはSTIR像を追加すると，軟部組織損傷も明瞭に描出できる（図11-13）。

Ⅵ 治療指針（整形外科的治療）

損傷された脊椎・脊髄に対する初期治療は，神経組織に対する圧迫の除去と損傷椎の再構築が主眼となる。骨折の部位や形態，麻痺の重症度や推移，全身状態，他部位損傷の治療などに応じて治療手段を決定する。頸椎脱臼の場合，意識下での頭蓋直達牽引による非観血的整復が推奨されている[23)]。骨傷を伴う脊髄損傷に対しては，受傷後できるだけ早期の神経除圧を行う。最近の多施設前向き研究では，24時間以内の除圧（頸椎の観血的または非観血的整復）は24時間以降の除圧に比べて麻痺の改善度が有意

表11-5 脊椎運動制限の適応（JPTEC）

1. 脊椎・脊髄損傷の可能性がある受傷機転
   例) 高速の自動車事故
       高所からの墜落事故（身長の3倍以上の高さ）
       飛び込みによる損傷
       脊椎周辺の穿通創
       頭頸部のへのスポーツ外傷
2. 脊椎・脊髄損傷を疑うべき所見
   例) 頸部・背部の疼痛や圧痛
       対麻痺・四肢麻痺などの神経学的異常
       頭部・顔面の高度な損傷
       意識消失の病歴
3. 正確な所見が得られない傷病者
   例) 事故や受傷による精神的動揺がある
       意識障害
       アルコール・薬物の摂取，中毒
       身体部位のいずれかに強い痛みを訴える

〔文献35）より引用〕

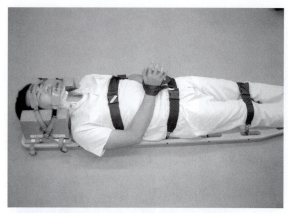

図11-18 バックボードによる全身固定

に高いことが示されている[30]。また，完全麻痺状態から劇的な回復を示した症例報告は，いずれも数時間以内の超早期除圧が達成された患者であった[31)32)]。非骨傷性頸髄損傷は，保存的治療・手術治療の有効性に関して明確なエビデンスは得られていない。脊柱管狭窄に対する除圧手術の麻痺改善効果や至適なタイミングに関する多施設臨床研究の結果が待たれる。早期の脊椎固定は，体位変換や離床を可能とし，全身合併症を予防するうえでもきわめて重要である。とくに多発外傷を呈した胸・腰椎損傷では，呼吸器合併症の減少，褥瘡予防および入院期間短縮に寄与したことが多数報告されており，受傷後24時間以内あるいは72時間以内の手術が推奨されている[33)34)]。

VII 脊椎の保護

病院前救護では，受傷機転，全身観察の所見，傷病者の状態などに基づいて脊椎運動制限の適応を決定している（表11-5）[35)]。とくに重症外傷患者の搬送体位は，頸椎を含めてバックボード上に全身固定した仰臥位が基本である（図11-18）。病院搬入後も，脊椎・脊髄損傷が否定されるまでは脊椎運動制限を継続するのが原則であり，脊椎を側屈や回旋がない正中中間位で安定化させることに努める。また，高位頸髄損傷で転院を考慮する場合には十分に呼吸状態を評価し，悪化の可能性があれば確実な気道確保を行って搬送する。

◆ 1. 頸椎装具

一般に汎用されるソフトカラーは固定性が弱い。頸椎損傷が否定できない段階では，フィラデルフィアネックカラーなど顎固定を含める器具が有用である[36)]。ただし，頸椎カラー固定の合併症として褥瘡が問題となる[37)]。サイズを適切に調整し，注意深く皮膚の状態を観察する。

◆ 2. バックボード

頸椎カラーを装着し，頭部固定具（ヘッドイモビライザー）で両側側頭部を固定後，ストラップで頭部を固定する（図11-18）。脊椎が後彎や角状変形をきたしている場合は，毛布やタオルを用いるなどして受傷前の脊椎アライメントに他動的負荷を加えないよう対処する[3)]。病院搬入後に全身固定を解除する際は，頭部から解除する。バックボードは，多くの場合，secondary surveyでlog roll法またはflat lift法（図1-18, p20参照）で背部観察をする際に外すことができるが，長時間の使用により褥瘡を生じるおそれがあるため，できるだけ早く除去することに努める。

VIII 頸椎固定解除基準

頸椎・頸髄損傷を除外し頸椎カラーの除去を行う場合は，以下の手順に従う。

まず，下記の項目に該当する場合には頸椎CTを撮影する。すなわち，GCS合計点13以下，身体所見としての後頸部痛もしくは神経障害，受傷機転と

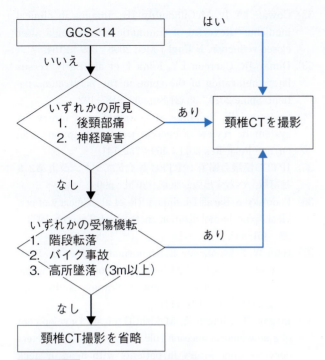

図11-19 頸椎CTの撮影基準
〔文献38)より引用・改変〕

しての階段転落・バイク事故・高所墜落（3m以上）である（図11-19)[38]。画像所見で異常を認めない場合やCTを撮る必要がないと判断した場合は，以下の手順で頸椎カラーを除去する。まず患者に能動的に頸椎を左右に45°ゆっくり動かしてもらい，痛みがあれば中止して頸椎カラーを再装着する。痛みがなければ，次に可能であれば坐位で前後屈をしてもらい，運動痛がなければカラーを除去する。

文献

1) 新宮彦助：日本における脊髄損傷疫学調査；第3報（1990-1992）．日パラプレジア医会誌 1995；8：26-27.
2) 全国脊髄損傷データベース研究会編：脊髄損傷の治療から社会復帰まで，保健文化社，東京，2010.
3) American College of Surgeons Committee on Trauma: Advanced Trauma Life Support (ATLS): Student Course Manual. 10th ed, American College of Surgeons, Chicago, 2018.
4) Hsu JM, Joseph T, Ellis AM: Thoracolumbar fracture in blunt trauma patients: Guidelines for diagnosis and imaging. Injury 2003; 34: 426-433.
5) Vialle LR, Vialle E: Thoracic spine fractures. Injury 2005; 36 (Suppl 2): 65-72.
6) Anderson PA, Henley MB, Rivara FP, et al: Flexion distraction and chance injuries to the thoracolumbar spine. J Orthop Trauma 1991; 5: 153-160.
7) Chapman JR, Agel J, Jurkovich GJ, et al: Thoracolumbar flexion-distraction injuries: Associated morbidity and neurological outcomes. Spine 2008; 33: 648-657.
8) Anderson LD, D'Alonzo RT: Fractures of the odontoid process of the axis. J Bone Joint Surg Am 1974; 56: 1663-1674.
9) Denis F: The three column spine and its significance in the classification of acute thoracolumbar spinal injuries. Spine 1983; 8: 817-831.
10) Cothren CC, Moore EE, Biffl WL, et al: Cervical spine fracture patterns predictive of blunt vertebral artery injury. J Trauma 2003; 55: 811-813.
11) Cothren CC, Moore EE, Ray CE Jr, et al: Cervical spine fracture patterns mandating screening to rule out blunt cerebrovascular injury. Surgery 2007; 141: 76-82.
12) Fassett DR, Dailey AT, Vaccaro AR: Vertebral artery injuries associated with cervical spine injuries: A review of the literature. J Spinal Disord Tech 2008; 21: 252-258.
13) Gupta P, Kumar A, Gamangatti S: Mechanism and patterns of cervical spine fractures-dislocations in vertebral artery injury. J Craniovertebr Junction Spine 2012; 3: 11-15.
14) Inamasu J, Guiot BH: Vertebral artery injury after blunt cervical trauma: An update. Surg Neurol 2006; 65: 238-245; discussion 245-246.
15) 加藤文彦，湯川泰紹，須田浩太，他：非骨傷性頸髄損傷の予防法と早期治療体系の確立に係わる研究・開発，普及；日本人の正常頸髄・硬膜管形態について．日職災医誌 2010；58：52-64.
16) Pang D, Wilerger JE: Spinal cord injury without radiographic abnormality in children. J Neurosurg 1982; 57: 112-129.
17) Frankel HL, Hancock DO, Hyslop G, et al: The value of postural reduction in the initial management of closed injuries of the spine with paraplegia and tetraplegia. Paraplegia 1969; 7: 179-192.
18) Maynard FM, Bracken MB, Creacy G, et al: International standards for neurological and functional classification of spinal cord injury. Spinal Cord 1997; 35: 266-274.
19) Kuhn JE, Graziano GP: Airway compromise as a result of retropharyngeal hematoma following cervical spine injury. J Spinal Disord 1991; 4: 264-269.
20) Al Eissa S, Reed JG, Kortbeek JB, et al: Airway compromise secondary to upper cervical spine injury. J Trauma 2009; 67: 692-696.
21) Dutton RP, McCunn M, Grissom TE: Anesthesia for trauma. In: Miller's Anesthesia. 7th ed, Miller RD ed, Churchill Livingstone, Philadelphia, 2010, pp2277-2311.
22) Macias MY, Maiman DJ: Critical care of acute spinal cord injuries. In: Neurotrauma and Critical Care of the Spine. Jallo J, Vaccaro AR, eds, Thieme, New York, 2009, pp171-181.
23) Guidelines for the Management of Acute Cervical Spine and Spinal Cord Injuries. Neurosurgery 2013; 72 (Suppl 2): 1-259.
24) Stauffer ES: Diagnosis and prognosis of acute cervical

spinal cord injury. Clin Orthop 1975 ; 112 : 9-15.
25) Hiersemenzel LP, Curt A, Dietz V : From spinal shock to spasticity : Neuronal adaptations to a spinal cord injury. Neurology 2000 ; 54 : 1574-1582.
26) Ditunno JF, Little JW, Tessler A, et al : Spinal shock revised : A four-phase model. Spinal Cord 2004 ; 42 : 383-395.
27) Frankel HL : The contribution of tetraplegic persons to our understanding of human physiology. 日パラプレジア医会誌 2000 ; 13 : 20-23.
28) Parizel PM, van der Zijden T, Gaudino S, et al : Trauma of the spine and spinal cord : Imaging strategies. Eur Spine J 2010 ; 19 (Suppl 1) : S8-17.
29) Looby S, Flanders A : Spine trauma. Radiol Clin North Am 2011 ; 49 : 129-163.
30) Fehlings MG, Vaccaro A, Wilson JR, et al : Early versus delayed decompression for traumatic cervical spinal cord injury : Results of the Surgical Timing in Acute Spinal Cord Injury Study (STASCIS). PLoS One 2012 ; 7 : e32037.
31) Brunette DD, Rockswold GL : Neurologic recovery following rapid spinal realignment for complete cervical spinal cord injury. J Trauma 1987 ; 27 : 445-447.
32) Cowan JA Jr, McGillicuddy JE : Images in clinical medicine : Reversal of traumatic quadriplegia after closed reduction. N Engl J Med 2008 ; 359 : 2154.
33) Dimar JR, Carreon LY, Riina J, et al : Early versus late stabilization of the spine in the polytrauma patient. Spine 2010 ; 35 (21 Suppl) : S187-192.
34) Cadotte DW, Fehlings MG : Spinal cord injury : A systematic review of current treatment options. Clin Orthop Relat Res 2011 ; 469 : 732-741.
35) JPTEC協議会編著：JPTECガイドブック，改訂第2版補訂版，へるす出版，東京，2020，p99.
36) Podolsky S, Baraff LJ, Simon RR, et al : Efficacy of cervical spine immobilization methods. J Trauma 1983 ; 23 : 461-465.
37) Ham W, Schoonhoven L, Schuurmans MJ, et al : Pressure ulcers from spinal immobilization in trauma patients : A systematic review. J Trauma Acute Care Surg 2014 ; 76 : 1131-1141.
38) Inagaki T, Kimura A, Makishi G, et al : Development of a new clinical decision rule for cervical CT to detect cervical spine injury in patients with head or neck trauma. Emerg Med J 2018 ; 35 : 614-618.

技能 11-1　頸椎画像診断

コースでの到達目標

- 頸椎画像から頸椎損傷を疑うことができる。

　頸椎単純X線撮影は，正面，側面，開口位の3方向が基本であるが，情報量が多いのは側面X線写真である（側面だけで情報が70〜80％あるといわれる）。わが国の現状では，ほかの損傷部位と併せてCT像撮影を行うことが多い。本項では頸椎X線像とCT矢状断像を併せて読影の基本を説明する。

◆ 1. 読影の注意点

　X線側面像では肩によって下位頸椎が覆われるので，両手を尾側に引っ張ってC7/T1まで描出できるようにする。理由は，頸椎骨折の約4割がC6，C7の下位頸椎に発症するといわれているからである。

◆ 2. 読影の手順

次のABCDに従って読影する。

A：Alignment　4つのライン（図11-1-1）

- 4つのカーブ（①〜④）が滑らかかどうかをチェックする。
- 棘突起を結ぶ線（④）は，C1は含めない。
- 脊柱管は，椎体後面ライン（②）と脊柱管後面ライン（spinolaminar line，③）の間にある（図11-1-2）。

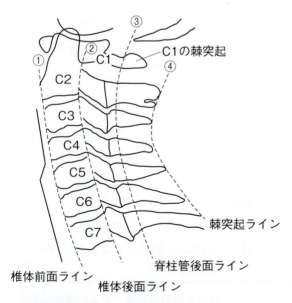

図 11-1-1　頸椎X線側面像影のポイント

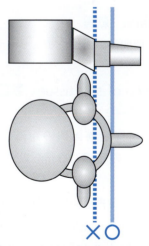

図 11-1-2　Spinolaminar line（脊柱管後面ライン）の解剖

　下位頸椎の側塊後面は，側面X線では濃い線となって写ってくる。左右に側塊があるので少し斜位になれば，二重線になってみえることもある
　Spinolaminar lineはその後ろの薄い線となって写ってくる。脊髄が走る脊柱管の後面に当たるので重要である。Spinolaminar lineを上に延長すると，大後頭孔後縁に当たる

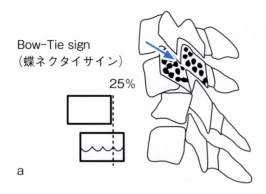
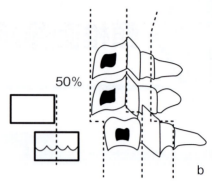

図11-1-3 椎間関節脱臼（片側，両側）

a：片側椎間関節脱臼→25%のずれ
ねじれて斜位になるため左右の側塊がずれて蝶ネクタイのように写る（椎間関節がみえなくなる）

b：両側椎間関節脱臼→50%のずれ
捻じれなく，きれいに椎体が半分ずれる

- 椎体が下位の椎体より25％以上前方へ偏位していれば異常
  25％なら片側椎間関節脱臼（図11-1-3a）
  50％なら両側椎間関節脱臼（図11-1-3b）

B：Bone　骨

- 1つずつ骨の輪郭を追う（椎体，棘突起，横突起，pedicle，laminaなど）。
- 椎体の前面の高さが後面の高さの75％以下になっていれば異常⇒椎体圧迫骨折

C：Cartilage　軟骨

椎間板，椎間関節の距離をチェックする。

D：Distance of soft tissue　軟部組織の距離（図11-1-4）

a：環椎と歯突起前面間の距離（atlanto-axial distance）の正常は3 mm以下（小児5 mm以下）
- 異常⇒環椎軸椎亜脱臼／脱臼（横靱帯損傷）

b：C2下部もしくはC3レベルでの椎体前面の軟部組織の厚みの正常は7 mm以下（成人・小児とも）
- 異常⇒椎体骨折，前縦靱帯損傷，咽頭後間隙血腫

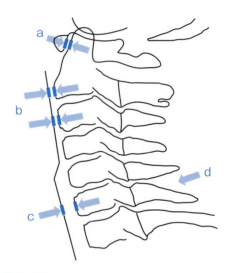

図11-1-4 軟部組織の距離

a：環椎と歯突起前面間の距離（atlanto-axial distance）
b：C2下部もしくはC3レベルでの椎体前面の軟部組織の厚み
c：C6レベルでの椎体前面の軟部組織の厚み
d：棘突起間の開き（fanning）

c：C6レベルでの椎体前面の軟部組織の厚みの正常は22 mm以下（小児14 mm以下）
- 異常⇒椎体骨折，前縦靱帯損傷，咽頭後間隙血腫

d：棘突起間の開き
- 異常⇒過屈曲・過伸展による棘間靱帯損傷

頸椎軟部組織の距離の暗記法　大人の場合
上から **3 × 7 = 2 1（22）**
（3→7→22：C1→C3→C6）と覚える

第12章 四肢外傷

要約

1. Primary surveyでは，主要な開放性血管損傷，切断肢，多発長管骨骨折など循環異常をきたす四肢外傷の発見と蘇生に努める。
2. 重篤な機能障害をもたらす四肢損傷には主要血管・神経損傷，開放骨折，脱臼・関節内骨折，筋区画症候群，広範囲軟部組織損傷などがあり，secondary surveyで積極的に診断する。
3. 骨折の合併症である脂肪塞栓症候群，長時間の殿部・四肢圧迫による圧挫症候群は，発生頻度は低いが致死的であるため，常に念頭に置き早期に診断する。

はじめに

外傷初期診療では，生命の危機的状況を回避した後に，四肢機能の温存を目的とした診断・治療を行う。したがって，切断肢や主要血管損傷による出血など蘇生の対象となる四肢外傷を除きsecondary surveyで診療する。

四肢外傷を伴う患者では，派手な開放創や著しい変形に気をとられ，致死的な臓器損傷の治療開始が遅れることがある。一方で，四肢外傷は外傷初期診療において見落としの多い損傷でもあり，早期に的確に処置されなければ永続する機能障害を残すこともある[1]。このように初期診療での見落としや不適切な治療が原因で機能障害を残すことをpreventable trauma disabilityと呼び，それを回避することは救命の次に重要とされる。したがって外傷初期診療では，致死的損傷に対する治療の優先順位を誤ることなく実施するとともに，四肢機能の温存に着目した処置を迅速に行うことが重要である。

I 解剖

四肢は，骨・関節などの支持組織と皮膚，筋，神経・血管などの軟部組織で構成される。

II 病態

四肢外傷の主たる病態は，出血による循環異常と運動器としての機能障害である。

III 初期診療

1. Primary surveyと蘇生

開放骨折も含め四肢からの外出血に対しては，まず圧迫止血を行う。切断肢や主要血管損傷，広範囲の軟部組織損傷など圧迫でコントロール不能な外出血に対しては，駆血圧が調節可能な空気止血帯を用いて四肢を駆血した後，速やかに専門医にコンサルトする。収縮期血圧以下の不十分な圧での駆血は出血を助長するため，空気止血帯使用時の圧設定は，上肢では収縮期血圧＋100 mmHg，下肢では収縮期血圧＋150 mmHgを目安にする。止血帯の安全な駆血時間は2時間までとされているが，駆血時間が延長すれば，虚血壊死による切断と虚血再灌流障害に伴う筋区画症候群に対する筋膜切開の必要性が高くなるとの報告[2]があることから，短時間（30分程度）にとどめる。近年，四肢外傷に伴う出血に対して，病院前における止血帯の使用は安全かつ有効性が高いと報告されているが[3]，不適切な止血帯の

使用は出血を助長するため駆血部位と駆血の方法や時間には注意が必要である。開放創が筋膜より深層の場合、外科的止血は外来では行わず、適切な麻酔下に、手術室で行うことが原則である。病院前で使用されたものも含め、上記環境が整うまでは止血帯の解除を安易に行わない。

開放創がなくても四肢の腫脹が著明で、拍動性や進行性に増大する血腫を認めるときは主要動脈の損傷を疑う。回転体（タイヤなど）との接触による外傷では閉鎖された剝皮創（Morel-Lavallée lesion）となったり、軟部組織が脆弱な高齢者では外力の加わった直下の筋肉内や軟部組織への出血（non-cavitary hemorrhage）が生じやすく、四肢軟部組織内への出血量を過小評価しないことが重要である。

Primary surveyでは四肢の単純X線撮影は不要である。初期治療では、骨折部の転位や動揺性が疼痛や出血を増強させ、二次的な神経・血管損傷を引き起こすことに注意する。このため外固定（副子固定）を行うが、この時点では解剖学的整復位に固執する必要はない。

◆ 2. Secondary surveyにおける診断

1) 受傷機転の聴取

受傷機転から外力の加わった方向、大きさ、部位を類推することは、合併損傷を診断する一助となる。例えば、ダッシュボード損傷ならば膝蓋骨骨折に股関節損傷を合併、高所からの墜落では、踵骨骨折や足関節周囲の骨折に骨盤骨折や脊椎損傷を合併することが多い。

2) 身体の診察

(1) 損傷部位の同定

意識清明で協力が得られる患者では、痛みの部位と程度を聴取する。次に全身を観察し変形、腫脹、皮膚の色調変化、打撲痕、擦過傷、開放創の有無、圧痛部位や関節内血腫の有無をチェックする。

明らかな変形や腫脹、強い圧痛を認める部位では骨折や脱臼を疑う。関節内血腫の存在は関節内骨折や靱帯損傷を疑う。自動運動で疼痛なく四肢を動かすことができれば、骨折、脱臼や重篤な軟部組織損傷の可能性は低い。疼痛のために自動運動が制限される場合は、再度触診し圧痛の局在部位を調べる。

意識障害のため診察時の疼痛反応がない場合、経時的に繰り返し身体所見を観察する必要がある。転位のわずかな骨折や靱帯損傷では、受傷早期には腫脹が明らかでないことがあるためである。

(2) 末梢循環の評価

四肢末梢動脈の拍動を確認し、capillary refill time（CRT）を測定する。循環動態の安定した患者での末梢動脈拍動の減弱（左右差）や消失、CRTの2秒以上の遅延は主要動脈損傷の可能性が高いが、CRTの測定に際しては、検者間の差があること、3秒未満の圧迫では正確な測定ができないこと、患者の皮膚温にも影響されることなどに注意が必要である[4]。四肢の急性阻血症状のうち、疼痛（pain）、冷感（poikilothermy）、蒼白（pallor）、脈拍の減弱あるいは消失（pulselessness）は阻血後比較的早期に認められるが、神経の虚血による感覚異常（paresthesia）や運動麻痺（paralysis）はやや遅れて出現する。動脈損傷があっても、受傷直後には前述した症状を認めない場合があるので、繰り返し評価し主要動脈損傷を見逃さないように努める。

末梢循環の異常を評価するための鋭敏な指標として、四肢の収縮期血圧を測定し、損傷肢と非損傷肢の上肢または下肢との比を計算する方法（arterial pressure index；API）がある。血圧の測定には、Doppler血流計が有用である。APIのうち、足関節部と手関節部の収縮期血圧の比（ankle-brachial index；ABI）が0.9より低値もしくは実測値で20 mmHg以上の差であれば動脈損傷を疑うが、既存の血管病変のないことが前提である。また、正常血圧の患者において患肢の収縮期血圧が50～60 mmHgより低い場合は、高度な虚血が強く疑われる[5]。

(3) 感覚・運動検査

感覚・運動障害の診察を進める場合、主要動脈損傷や筋区画症候群による虚血に起因するものか、または神経損傷によるものかの鑑別が必要である。表12-1に示した各末梢神経の感覚・運動支配に照らし合わせながら診察し、筋力については徒手筋力検査（表12-2）で評価し記載する。運動障害の原因として筋・腱損傷の合併も考慮する。

3) 画像検査

骨折や脱臼の診断には、少なくとも前後および側

表12-1 各末梢神経の代表的な感覚領域と支配筋，運動機能

	末梢神経	支配感覚領域	主な支配筋	主な運動機能
上肢	腋窩神経	肩外側部	三角筋	肩関節外転
	筋皮神経	前腕橈側部	上腕二頭筋 上腕筋	（前腕回外位での）肘関節屈曲
	橈骨神経	母指示指間背側部	指伸筋 小指伸筋 示指伸筋	指MP関節伸展
	正中神経	示指部	母指対立筋	母指対立
	尺骨神経	小指部	背側骨間筋	小指外転 示指外転
下肢	大腿神経	膝関節前面 足関節内側	大腿四頭筋	膝関節伸展
	脛骨神経	足底部	長趾屈筋 長母趾屈筋	足趾底屈
	浅腓骨神経	足背外側	長腓骨筋 短腓骨筋	足関節外反
	深腓骨神経	第一，二趾間足背部	前脛骨筋 長趾伸筋 短趾伸筋 長母趾伸筋	足関節背屈 足趾背屈

表12-2 徒手筋力検査（MMT）

5：正常
4：抵抗に抗して可動域全体で動かせるが，やや弱い
3：重力に抗して可動域全体で動かせる
2：重力の影響を除けば可動域全体で動かせる
1：視診もしくは触診にて筋の収縮活動を認めるが，動かせない
0：視診もしくは触診にて筋の収縮活動を認めない

MMT：manual muscle test

面2方向のX線撮影が必須である。2方向撮影で骨折が明らかではないが，身体所見で疑わしいときには両斜位撮影を追加する。小児は軟骨成分が多く骨端線損傷の診断が難しいため，健側の撮影を行い比較する（比較撮影）。X線検査は整復操作の前に施行するが，変形が著しく血管損傷や皮膚損傷の危険が高いと判断されれば整復を優先する。この場合，患肢はできるだけ愛護的に取り扱い，X線撮影時には医師も撮影に立ち会うべきである。

X線検査で明らかな異常所見がなくても，腫脹や強い圧痛などの身体所見がある場合は，骨傷があるものとして対処する。X線画像を過信することは禁物である。

3. 注意すべき四肢外傷

1）開放創

開放創に対しては汚染度，深達度，軟部組織損傷の程度を評価するが，損傷を受けた最深部まで直視下に汚染を確認することが原則である。筋膜を越える開放創に対する不十分な処置は，感染の危険性を高め，起因菌によっては致死的あるいは重篤な機能障害の原因となることがあるため，手術室で適切な麻酔下に行う。感染予防には，局所の十分な洗浄とデブリドマンを徹底的に行うことが重要であり，できなかった創では，一次縫合を行わずに開放療法を選択する。

抗菌薬の予防投与は受傷後早期に行い，デブリドマンが適切に施行されれば追加投与は不要である。使用する抗菌薬は汚染度によって選択する（Appendix 1「感染症対策」，p284参照）。破傷風に対する予防接種は，過去の接種状況に応じて決定する（Appendix 1「感染症対策」，p284参照）。一次縫合した開放創は経時的に観察し，感染を疑わせる所見を認めれば躊躇することなく開放療法とする。

2）剥皮創

剥皮創は回転体による巻き込みや車による轢過な

表12-3	開放骨折の重症度分類（Gustiloの分類）
Type Ⅰ	軟部組織損傷程度が低く，汚染のない1cm以内の開放創
Type Ⅱ	Type Ⅰに比較して軟部組織損傷程度の強いもの。具体的には，開放創は1cmを超えるが，広範囲の軟部組織損傷やフラップ状または引き抜かれたような軟部の損傷を伴わないもの
Type ⅢA	開放創の大きさに関係なく，高エネルギー事故による軟部組織損傷を伴うもの。一般的には，広範囲の軟部組織損傷，フラップ状または引き抜かれたような軟部の損傷を伴う。しかし，骨折部を十分な軟部組織で被覆が可能なもの
Type ⅢB	軟部組織損傷が強く，通常，重篤な骨膜剝離，骨の露出，高度の汚染を伴うことが多い。骨折部を十分な軟部組織で被覆ができず，何らかの軟部組織再建が必要になる可能性が高いもの
Type ⅢC	修復が必要な血管損傷を伴うもの

分類の最終決定はデブリドマン終了後に行うのが原則である

表12-4 動脈損傷，末梢神経損傷を合併しやすい四肢外傷

	動脈損傷	神経損傷
鎖骨骨折	鎖骨下動脈	腕神経叢
肩関節脱臼		腋窩神経
上腕骨骨幹部骨折		橈骨神経
肘関節脱臼 肘関節周囲骨折	上腕動脈	尺骨・正中・橈骨神経
肘関節後方脱臼		尺骨神経
上腕骨顆上骨折	上腕動脈	正中神経
橈骨頭脱臼（Monteggia骨折）		橈骨神経
橈骨遠位端骨折		正中神経
股関節脱臼		坐骨神経
膝関節脱臼	膝窩動脈	腓骨神経
腓骨頭脱臼・骨折		腓骨神経

どによって生じる。代表的なものは手袋状剝皮損傷（degloving injury）である。開放創がない場合でも，皮下と筋膜の間が剝離されていることがあり，closed degloving injuryと呼ばれる。これらのうち，骨盤周囲外傷に伴って発生する背部から殿部，大腿部にかけて起こるものをとくにMorel-Lavallée lesionと呼ぶ。このような創は感染や皮膚壊死に陥る危険性が高い。初期のデブリドマン時に血流が悪く壊死に陥る危険性が高い皮膚は切除するが，その見極めは困難な場合が多いため，処置は経験豊かな専門医に委ねる。

3) 開放骨折

開放骨折に対する不適切な初療は，感染を生じさせる可能性が高い。いったん感染が生じると骨髄炎となり骨癒合は起こらず，多数回の手術が必要で，入院期間は1年間を超えることも少なくない。このため，開放骨折に対する処置は専門医に委ねるべきである。早期に専門医にコンサルトできない場合は，手術が可能な施設へ転送する。

開放骨折の重症度を表す分類としてGustiloの分類[6)7)]が用いられることが多い（**表12-3**）。抗菌薬は搬入後早期に投与する必要があるが，感染率減少のためにもっとも重要なことは，早期に徹底した洗浄とデブリドマンを行うことである。

十分なデブリドマンは局所麻酔下では不可能であるため，全身麻酔・腰椎麻酔・伝達麻酔などの適切な麻酔を使用すべきである。また骨折部の不安定性は，出血による血腫形成と組織の循環障害を引き起こし感染のリスクとなるため，専門医による適切なデブリドマンに加えて骨折部の固定が必要である。

抗菌薬の予防投与における使用薬と投与期間については，Appendix 1「感染症対策」（p282）を参照されたい[8)]。

4) 動脈損傷

動脈損傷は，患肢を失うだけでなく，生命予後にも影響するため，その迅速な診断が重要である。動脈損傷は，受傷機転からガラスやナイフなどによる穿通性損傷と骨折・脱臼に合併した鈍的損傷に分けられる。鈍的損傷では，動脈の連続性が保たれているが内膜が損傷され，血栓形成により末梢の虚血症状を呈する内膜損傷に注意を要する。この場合，動脈性出血は認めず，虚血症状は受傷後数時間してから出現することもある。

転位の著しい骨折や脱臼に合併した末梢循環障害は，骨片による動脈の圧迫を考え速やかに整復する。整復後も虚血症状の改善がなければ動脈損傷を疑う。動脈損傷を合併しやすい四肢外傷を**表12-4**に示した。

動脈損傷に対する治療方針を**図12-1**[5)9)]に示す。主要動脈の損傷を積極的に疑う徴候（hard sign, **表12-5**）があればそれ以上の検査に時間をかけること

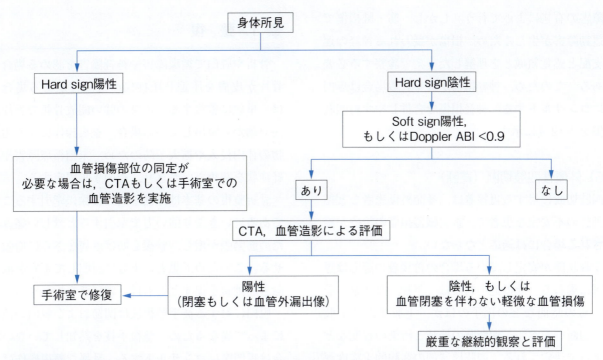

図12-1 骨折を伴う四肢の鈍的外傷による末梢血管損傷に対する治療方針
〔文献5)9)より引用・改変〕

表12-5 血管損傷のhard signとsoft sign

Hard sign：外科的介入が必要な徴候
- 拍動性の出血
- 進行性に増大する，あるいは，拍動を触れる血腫
- thrillの触知
- 血管雑音の聴診
- 局所的な虚血所見（6つのP）
  - pain　疼痛
  - poikilothermia　皮膚温の低下
  - pallor　蒼白
  - pulselessness　拍動の消失
  - paresthesia　感覚障害
  - paralysis　運動麻痺

Soft sign：追加の検査を行うべき徴候
- 出血の現病歴
- 損傷形態（骨折，脱臼や穿通性損傷）
- 拍動の減弱
- 末梢神経の脱落所見

なく修復を優先する。Soft signのみ（表12-5）を認める場合やDoppler ABI＜0.9のときには血管造影を考慮する。CTアンギオグラフィ（CTA）は，短時間に施行でき，三次元再構成を用いることで四肢の主要動脈損傷の診断に有用である。一方，血管造影検査は，側副血行路や血流遅延の評価に有用であるとともに，手術室でも施行可能であることがメリットである。四肢の穿通性動脈損傷や開放骨折で動脈損傷部が特定できる場合には血管造影は必要ないが，非開放性鈍的損傷の場合には損傷部を同定したほうが血行再建のアプローチなどの方針が立てやすい。超音波検査は術中や術後の評価に有用であるが，検者の技量にも依存するため，動脈損傷急性期診断のための検査としては一般的に用いられていない[5]。

完全阻血の場合，8時間を超えると骨格筋の不可逆性変化が完成し，末梢神経はaxonotmesis（軸索断裂）の状態となり回復の可能性が低下する。したがって，機能障害を残さず回復を望むには，完全虚血後早期（目安として4時間以内）に血行再建を完了する必要がある。

5）末梢神経損傷

神経損傷はその損傷形態により，圧迫や打撲による一過性神経麻痺（neurapraxia），神経鞘の連続性はあるが軸索が断裂し，回復に長期間を要するか完全回復には至らない場合もあるaxonotmesis（軸索断裂），そして神経線維，神経鞘の完全断裂で修復しないかぎり回復は望めないneurotmesis（神経断裂）に分けられる。

末梢神経損傷の診断は，支配神経領域の感覚・運

動障害の有無によって行う。しかし，筋・腱損傷でも運動障害が生じるため，損傷が疑われる神経の運動支配と感覚領域とを理解したうえで診察する必要がある。このため，神経損傷が疑われる場合は専門医にコンサルトする。神経損傷を合併しやすい四肢外傷を表12-4に示す。

6）外傷性四肢切断（轢断）

四肢切断に対する再接着は，多発外傷患者など循環動態の不安定な患者で，重要臓器損傷の治療が優先される場合には適応とならない。

全身状態が安定している場合の再接着の適応は専門医に委ねる。その適応判断は，年齢，既往歴，受傷からの時間などの因子のほか，上肢または下肢か，切断のレベル，切断肢の挫滅と汚染の程度などによって決定される。四肢挫滅創の客観的重症度評価のために，種々のスコアリングシステムが報告されているが，コンセンサスは得られておらず，個々の患者ごとに専門医により決定されているのが現状である。

再接着を目的に患者を他の施設へ転送する際は，切断肢を乾燥と細胞組織の凍結から防ぐために生理食塩液に浸したガーゼでくるんでビニール袋に入れ，氷に浸けて搬送する。

◆ 4. Tertiary survey

四肢外傷は初期診療において見落とされやすい。その原因としては，挿管された患者では疼痛などの症状を訴えることができないことや，いくつかの骨折を合併している場合には相対的に痛みの軽い部位の疼痛を訴えないためである。このため，繰り返し身体所見を観察する必要がある。

Ⅳ 処置の手技

骨折が診断されれば，徒手的に牽引し大まかな整復を行った後に副子による外固定を行う。その目的は疼痛の緩和，出血のコントロール，二次損傷の予防である。

◆ 1. 整 復

骨折や脱臼で循環障害や神経障害を認める場合や骨片が皮膚を圧迫し圧挫傷の危険性がある場合には，早急に整復する。汚染の強い開放骨折で骨片が開放創から脱出している場合，整復操作による汚染物の体内侵入や拡大予防のため，末梢循環障害や神経症状を認めないかぎり，そのまま固定する。

骨折整復の基本は，徒手的に緩徐に牽引することである。いきなり強い力で牽引すると激しい痛みのため筋緊張が増し，整復を妨げ疼痛をさらに増強させる。このため，患者に十分に説明して不安を取り除き筋弛緩を促すとともに，鎮痛薬を投与する。

脱臼に対する徒手整復法は関節および脱臼の種類によって異なるため，整復手技を熟知していない場合は専門医にコンサルトする。乱暴な整復操作は新たな骨折や関節軟骨の二次損傷の原因となるため，整復は愛護的に1回の操作で完了するようにする。骨片や軟部組織などが嵌入して徒手整復ができない場合は，観血的整復が必要となる。また股関節後方脱臼は，整復が遅れると大腿骨頭壊死の危険性が高くなるため，早急に整復を行う。

◆ 2. 副子による外固定

四肢骨折患者の初期診療において，疼痛の緩和，出血のコントロール，二次損傷の予防を目的とし種々のタイプの副子固定を行う。副子固定の際に注意しなければならないことは，副子の圧迫によって生じる神経障害や褥瘡形成である。

腓骨神経や尺骨神経は皮膚直下に存在するため，副子の圧迫による神経障害を起こしやすく，踵部は褥瘡を形成しやすい。このため，副子装着時には綿包帯などを使用して圧迫を緩和するとともに，装着後は経時的な観察が必要である。

◆ 3. 四肢ターニケットの解除基準

病院搬入時，まずターニケットの装着時間とそのときの状況を聴取するとともに，その止血効果を確認する。止血が不十分と判断した場合，追加のターニケット（CAT®もしくは空気止血帯）を装着する。ターニケット解除における最初の手順は，圧力調整

が可能な空気止血帯への交換である。救急外来に空気止血帯がなければ，迅速に手術室から搬入する。

ターニケット解除を開始するには，以下の条件がそろっている必要がある。

- 末梢静脈路を確保できていること（2本以上で，できるだけ太いものが望ましい）
- 輸血・輸液の準備ができている，もしくは開始している
- Primary survey（できれば損傷部位以外のsecondary survey）が終了している
- 虚血再灌流による急激な心停止（高カリウム血症による）への準備（厳重な心電図モニター，除細動器および薬剤）ができている
- 血管を展開できるスタッフ（縫合・再建のできる人が望ましい），および血管確保・止血のできる物（血管クランプなど）

【参考】病院前のターニケット装着

事故やテロの現場において，局所圧迫で十分な止血が得られない場合は四肢ターニケットが装着されて搬入される。米国外科学会外傷委員会によるガイドラインに基づき，JPTECでは，「医療機関に到着するまで，ターニケットは緩めない（2時間までは許容される）。ただし，阻血時間を短くするため，早期搬送に努める」ことが推奨されている[10]。現場で適切に装着されたターニケットによって生存搬入された患者を，医療機関での不適切な対応によって失うことはあってはならない。

V 注意すべき合併症

近年，外傷に伴う出血や外傷蘇生，組織障害，感染，疼痛などはさまざまな全身性炎症反応を引き起こすとされており[11]，四肢外傷であっても例外ではない。四肢外傷の注意すべき合併症として脂肪塞栓症候群，筋区画症候群，急性肺障害，肺血栓塞栓症などがある。脂肪塞栓症候群，急性肺障害，肺血栓塞栓症は致死的であり，筋区画症候群は重篤な機能障害の原因となる。また，特殊な受傷機転による骨格筋損傷とそれによる特徴的な全身症状を呈する外傷に，圧挫症候群がある。

1. 脂肪塞栓症候群

1）病　態

骨折患者では，ほとんどの例で脂肪塞栓が生じるが，大半は無症候性である。脂肪塞栓症候群の頻度は1～30％と報告により異なるが[12]，米国でのthe National Hospital Discharge Surveyを用いた研究では骨折患者の0.17％とされている[13]。脂肪塞栓症候群の病態は，現在でも確定していないが，いくつかの要因が重なり合って発症するものと考えられている[12]。

2）診断と治療

発症年齢は，10～39歳まで，性別は男性に多く，大腿骨骨幹部骨折に合併する頻度が高い[13]。典型例では受傷後12～72時間で呼吸不全，意識障害，前胸部の皮膚や眼瞼結膜の点状出血の三徴候を呈するが，これら3つの症状が必ずしもそろうとは限らない。呼吸器症状が初発症状としてもっとも多いとされている。診断は受傷後の臨床経過から本疾患を疑い，意識障害の原因となる頭部外傷，呼吸器症状（低酸素血症）の原因となる胸部外傷を除外していく除外診断が行われているのが現状である。したがって，頭部外傷，胸部外傷を合併した場合の診断は困難である。

画像所見として，典型例では胸部単純X線写真上"snow storm"様陰影と表現される血管透過性肺水腫を呈するが，浸潤陰影が明らかでない場合もある。頭部CT上で明らかな所見を呈することは少なく，MRI上のT2強調画像で大脳白質にびまん性の高信号域や拡散強調画像で特徴的なStarfield patternを呈する[14]。

治療は呼吸管理を中心とした対症療法であり，骨折に対する早期の適切な固定は予防につながる。中枢神経障害に対する特異的な治療法は存在せず，呼吸・循環管理が基本となる。急速な経過をたどる患者は死亡に至るが，多くの患者の予後は集中治療の進歩とともに改善し，死亡率は10％未満となっている[12]。

◆ 2. 筋区画症候群（コンパートメント症候群）

1）病　態

　筋区画症候群は，強固な骨間膜や骨，筋膜に囲まれた筋区画内圧が上昇し，筋および神経への虚血が起こることで発生する．虚血により組織の浮腫が進行し，さらに筋区画内圧が上昇するという悪循環に至る．虚血後4時間でaxonotmesis（軸索断裂）が発生し，6時間を超えると不可逆的な変化が起こるとされている．筋区画内圧の上昇は，外傷による血腫形成や筋肉の虚血による腫脹が原因となり，骨折がなくとも発生する可能性が十分にあることには注意すべきである[15]．開放創の被覆に使用する包帯や，骨折に対するギプス包帯固定が循環障害をもたらし，筋肉の腫脹を助長させる原因となることもある．筋区画症候群はいずれの部位にも起こり得るが，厚い骨間膜を有する下腿と前腕での発生頻度が高い．

2）診断と治療

　診断は臨床症状によって行い，筋区画内圧の測定により診断を確定する．臨床所見は最初に激しい痛みとしびれ感が出現し，遅れて神経の虚血症状としての感覚異常と運動麻痺が出現する．この時点でも四肢末梢の血流は保たれており，冷感や蒼白，末梢動脈の拍動消失が出現するのは筋区画症候群の末期であり，早期から冷感や蒼白，疼痛，末梢動脈の拍動消失を呈する場合は，動脈損傷を鑑別する必要がある．四肢の著しい腫脹を呈する外傷患者が激しい痛みやしびれ感を訴え，包帯やギプスを除去してもそれらの症状が軽減しないときは，直ちに専門医にコンサルトする．

　治療は筋区画症候群が完成する前に筋膜切開を行い，筋区画内圧を下げることにより循環障害を回避する．筋膜切開は，神経の虚血症状である感覚鈍麻が出現する前に行われるべきであり，6時間以内に行うことが望ましいとされているが[16]，そのタイミングを判断することは難しい．なぜなら，本症の発生時期を正確に判定することは困難であり，また，多発外傷患者や意識障害患者では，臨床症状から診断することも不可能なためである．したがって，本症を疑えば，遅滞なく筋区画内圧を測定し筋膜切開の適応を決定する．筋区画内圧からみた筋膜切開の適応は，いまだに明確な基準値は確定していない．しかし，内圧測定値のみでは偽陽性率が高いことが報告されている[16]．

◆ 3. 圧挫症候群（crush syndrome）

1）病　態

　圧挫症候群とは上肢，下肢，殿部などが長時間にわたり圧迫され（crush injury），その圧迫解除後に生じる全身的な症候群である．

　病態は，骨格筋の圧迫と虚血による筋組織傷害に圧迫解除後の虚血後再灌流障害が加わって横紋筋融解（rhabdomyolysis）が生じるもので，筋細胞内容物の血管内への流出と血管透過性の亢進による体液シフトにより説明することができる（図12-2）[17]．急性期には，急激な高カリウム血症と代謝性アシドーシスに起因する致死性不整脈による死亡例が多く，大量の体液シフトの結果として循環血液量減少性ショックを呈する．骨格筋から流失するミオグロビンによる腎毒性に脱水やアシドーシスなどが加わると急性腎不全を合併する．

　日常診療で経験するのは，意識障害のために長時間の同一体位を余儀なくされた後に生じる体位性圧挫症候群（postural crush syndrome）である．災害時では，倒壊した家屋や重量物に下肢などを挟まれて救出に時間を要した場合に発症し，阪神・淡路大震災で多くの患者が発生した[18)19]．また，止血帯を長時間使用し解除する場合にも同様の病態が起こり得る．

2）診　断

　表12-6に圧挫症候群の臨床像を示す[18]．早期には意識清明で循環動態も安定しており重篤感はなく，身体所見に乏しいのが特徴である．局所も"crush injury"という名称から抱く印象とは異なり，筋の腫脹や圧挫を疑わせるような外表上の所見は認められない場合が多い（図12-3）．末梢動脈の拍動はほぼ全例で触知され，感覚・運動麻痺が認められるために脊髄損傷や末梢神経損傷と誤診されることがある．したがって，長時間にわたる骨格筋の圧迫が疑われる患者では，圧挫症候群を念頭に置き診療にあたる．圧挫症候群の発症に必要な圧迫時間は圧迫の強さと圧迫された領域によって異なるが，2

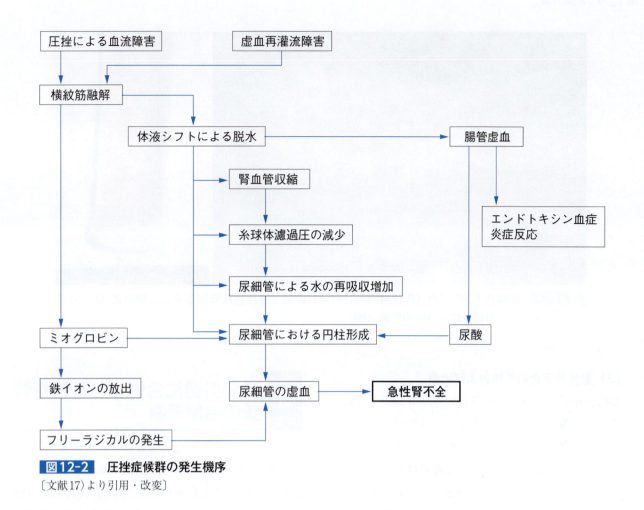

図12-2 圧挫症候群の発生機序
〔文献17)より引用・改変〕

表12-6 圧迫解除後早期における圧挫症候群の臨床像

【受傷機転】 長時間に及ぶ骨格筋の圧迫
【局所所見】
- 体表所見に乏しい：圧痕，熱傷様の表皮剥離
- 腫脹は軽度
- 四肢の感覚・運動麻痺
- 末梢動脈拍動の触知可能

【全身所見】
- 意識，バイタルサインは正常
- 軽度の血液濃縮と代謝性アシドーシス
- ミオグロビン尿と尿量の減少
- 心電図にてテント状T波：高カリウム血症

時間を超える場合は圧挫症候群を疑う。

　圧挫症候群に認められる血液検査異常としては，代謝性アシドーシス，血液濃縮，高ミオグロビン血症，高CPK血症，高カリウム血症，血清カルシウム値の低下がある。また特徴的な尿所見として，ミオグロビンによる暗褐色尿（図12-3b）がある。ミオグロビンは試験紙を用いた潜血反応で陽性を示すため，血尿やヘモグロビン尿と間違わないように注意を要する。

3）治療方針

（1）高カリウム血症

　圧迫解除後に高カリウム血症で死亡する危険があるため，救出（圧迫解除）前より末梢静脈路を確保し，等張電解質輸液（カリウムを含まない）を投与することが推奨されている。静脈路の確保が難しければ，骨髄輸液を行う[20]。心電図モニターは高カリウム血症を疑うのに有用であり，テント状T波の出現に注意する。高カリウム血症が疑われる場合は直ちに治療を開始する。

（2）体液循環動態の管理

　圧迫解除後，全身の血管透過性が亢進し循環血液量が著しく減少する。適切に治療が行われなければ圧迫解除後数時間以内にショックに陥る。ショックにより，さらに組織障害が進行し，病態を悪化させる。細胞外液補充液（乳酸・酢酸リンゲル）による大量輸液を行う。代謝性アシドーシス，カリウムやカルシウムといった電解質の定期的なモニタリングを行う[21]。

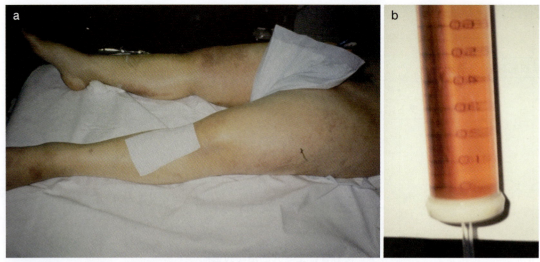

図12-3 受傷約10時間後（圧挫時間約3時間）の両下肢圧挫症候群患者の皮膚所見（a）とミオグロビンによる暗褐色尿（b）

（3）急性腎不全の予防および治療

横紋筋融解により生じる急性腎不全を回避するためには，輸液負荷が有効である[22]。最初に行うべきことは適正尿量の2倍以上を目標として十分な輸液を行うことである。なお，過剰な輸液は避けるべきである。急性腎不全の合併を回避することが不可能な場合は血液透析を導入する。CPKは横紋筋融解の程度と相関し，5,000 IU/Lを超えると急性腎不全の発生を考慮すべきであり，25,000 IU/Lを超えると，急性腎不全をきたす可能性が高いとされている[22]。なお，血中のミオグロビンは，CPKよりも迅速に代謝されるため，横紋筋融解の指標とはなりにくい[23]。

（4）二次的な筋区画症候群に対する対応

体液シフトによる急激な浮腫形成の結果，四肢の骨格筋は急激に腫脹し，二次的に筋区画症候群を生じる。圧挫症候群ではすでに感覚脱失や運動麻痺などの虚血症状を呈しており，臨床症状から筋膜切開の適応を判断することはできない。完全虚血が8時間以上持続した場合，骨格筋細胞の機能は不可逆的であり，筋膜切開を行っても回復が望めない可能性が高く，逆に，筋膜切開を行うことにより大量の浸出液に対する体液管理が必要となる。また，壊死に陥った筋組織は感染合併率が高く，全身状態を悪化させるばかりか，切断を余儀なくされる危険性もある。このため，早期の筋膜切開が推奨されている[24]一方で，時期を逸した筋膜切開の適応については，慎重な判断が求められる[24)25]。

VI 多発外傷に合併した長管骨骨折の治療戦略

多発外傷に合併した長管骨骨折の治療は，生命優先の原則により他の部位の治療が優先されるために制約を受けることが多い。多発外傷に合併した長管骨骨折の根治的治療については，早期に根本治療を行う場合（early total care；ETC）と，二期的に治療する場合（damage control orthopaedics；DCO）がある。

全身の合併症を軽減させる目的で受傷後24〜48時間以内に一期的に骨折部の固定を行うのがETCの概念である[26]。急性期には創外固定など侵襲度の低い処置にとどめ，全身性の免疫反応の消退により全身状態が改善することを待ってから根治的な固定術を行うのが，DCOの概念である[27]。一般的に，全身状態が安定している患者に対してETCを選択し，全身状態が不安定な患者に対してDCOを選択する。しかし，その中間に位置する状況の場合[28]は，個々の患者の容態と各医療機関の利用できる医療資源からどちらを選択するか決定されている。

まとめ

初期診療における四肢外傷の診断・治療のポイントは，primary surveyにおける切断肢や開放性血管損傷，多発長管骨骨折などの致死的損傷の迅速な発見と対処，次にsecondary surveyにおける主要

血管損傷・神経損傷，開放骨折，脱臼・関節内骨折の的確な発見である．四肢外傷では見逃し損傷が多いため，tertiary survey では注意深い検索が必要である．また，四肢外傷に特有な合併症である脂肪塞栓症候群や筋区画症候群の発症も念頭に置いて治療にあたる必要がある．

文献

1) Pape HC, Probst C, Lohse R, et al：Predictors of late clinical outcome following orthopedic injuries after multiple trauma. J Trauma 2010；69：1243-1251.
2) Kragh JF Jr, Walters TJ, Baer DG, et al：Practical use of emergency tourniquets to stop bleeding in major limb trauma. J Trauma 2008；64 (2 Suppl)：S38-49；discussion S49-50.
3) Schroll R, Smith A, McSwain NE Jr, et al：A multi-institutional analysis of prehospital tourniquet use. J Trauma Acute Care Surg 2015；79：10-14.
4) Pickard A, Karlen W, Ansermino JM：Capillary refill time：Is it still a useful clinical sign? Anesth Analg 2011；113：120-123.
5) Sise MJ, Shackford SR：Peripferal vascular injury. In：Trauma. 7th ed, Mattox KL, Moore EE, Feliciano DV eds, McGraw-Hill, New York, 2012, pp816-847.
6) Gustilo RB, Anderson JT：Prevention of infection in the treatment of one thousand and twenty-five open fractures of long bones：Retrospective and prospective analyses. J Bone Joint Surg Am 1976；58：453-458.
7) Gustilo RB, Mendoza RM, Williams DN：Problems in the management of type III (severe) open fractures：A new classification of type III open fractures. J Trauma 1984；24：742-746.
8) Hoff WS, Bonadies JA, Cachecho R, et al：East Practice Management Guidelines Work Group：Update to practice management guidelines for prophylactic antibiotic use in open fractures. J Trauma 2011；70：751-754.
9) Magonotti LJ, Sharpe JP, Fabian TC：Peripheral vascular injuries. In：The Trauma Mannual：Trauma and Acute Care Surgery. 4th ed, Peitzman AB, Rhodes M, Schwab CW, et al eds, Lippincott Williams & Wilkins, Philadelphia, 2013, pp427-440.
10) JPTEC協議会編著：JPTECガイドブック，改訂第2版補訂版，へるす出版，東京，2020.
11) Balogh ZJ, Reumann MK, Gruen RL, et al：Advances and future directions for management of trauma patients with musculoskeletal injuries. Lancet 2012；380：1109-1119.
12) Kosova E, Bergmark B, Piazza G：Fat embolism syndrome. Circulation 2015；131：317-320.
13) Stein PD, Yaekoub AY, Matta F, et al：Fat embolism syndrome. Am J Med Sci 2008；336：472-477.
14) Liu HK, Chen WC：Images in clinical medicine：Fat embolism syndrome. N Engl J Med 2011；364：1761.
15) Hope MJ, McQueen MM：Acute compartment syndrome in the absence of fracture. J Orthop Trauma 2004；18：220-224.
16) Wall CJ, Lynch J, Harris IA, et al：Clinical practice guidelines for the management of acute limb compartment syndrome following trauma. ANZ J Surg 2010；80：151-156.
17) Bartels SA, VanRooyen MJ：Medical complications associated with earthquakes. Lancet 2012；379：748-757.
18) Oda J, Tanaka H, Yoshioka T, et al：Analysis of 372 patients with crush syndrome caused by the Hanshin-Awaji earthquake. J Trauma 1997；42：470-475, discussion 475-476.
19) 織田順，田中裕：クラッシュ症候群．集団災害医療マニュアル；阪神淡路大震災に学ぶ新しい集団災害への対応，吉岡敏治，田中裕，松岡哲也，他編，へるす出版，東京，2000.
20) Gibney RT, Sever MS, Vanholder RC：Disaster nephrology：Crush injury and beyond. Kidney Int 2014；85：1049-1057.
21) Genthon A, Wilcox SR：Crush syndrome：A case report and review of the literature. J Emerg Med 2014；46：313-319.
22) Shimazu T, Yoshioka T, Nakata Y, et al：Fluid resuscitation and systemic complications in crush syndrome：14 Hanshin-Awaji earthquake patients. J Trauma 1997；42：641-646.
23) Zimmerman JL, Shen MC：Rhabdomyolysis. Chest 2013；144：1058-1065.
24) von Keudell AG, Weaver MJ, Appleton PT, et al：Diagnosis and treatment of acute extremity compartment syndrome. Lancet 2015；386：1299-1310.
25) Matsuoka T, Yoshioka T, Tanaka H, et al：Long-term physical outcome of patients who suffered crush syndrome after the 1995 Hanshin-Awaji earthquake：Prognostic indicators in retrospect. J Trauma 2002；52：33-39.
26) Bone LB, Johnson KD, Weigelt J, et al：Early versus delayed stabilization of femoral fractures：A prospective randomized study. J Bone Joint Surg Am 1989；71：336-340.
27) Pape HC, Tornetta P 3rd, Tarkin I, et al：Timing of fracture fixation in multitrauma patients：The role of early total care and damage control surgery. J Am Acad Orthop Surg 2009；17：541-549.
28) Nahm NJ, Moore TA, Vallier HA：Use of two grading systems in determining risks associated with timing of fracture fixation. J Trauma Acute Care Surg 2014；77：268-279.

第13章 熱傷・電撃傷

要約

1. 外傷診療と熱傷が併存していても，primary survey, secondary surveyに従い診療を行う。
2. 外傷としての評価に加え，熱傷による気道閉塞とその予見（A），CO中毒や胸郭の全周性熱傷による換気不全（B），細胞外液の大量喪失による循環不全（C），CO中毒や有毒ガス中毒に伴う意識障害（D）などの熱傷の特性に留意する。
3. Secondary surveyでは損傷の検索に加え，熱傷創について熱傷深度と熱傷面積，気道損傷（気道熱傷）の把握による重症度の評価を行い，治療方針を決定する。
4. 過剰輸液により浮腫形成および呼吸状態の悪化を招く"fluid creep"の回避を目指す。
5. 電撃傷では，生体深部に及ぶ損傷と不整脈に注意する。

はじめに

外傷と熱傷は併存することがある。衝突炎上した車内から救出された，火災現場から逃げる際に高所より飛び降りた，高圧電線に接触し墜落したなどは決して珍しいものではない[1]。本章ではこのような状況を想定して，熱傷初期診療の基本を解説する。

「熱傷」とは，熱エネルギーによる生体組織の損傷と定義される。熱による損傷程度は，熱源の温度と接触時間（熱エネルギーの総量）に依存する。受傷機転（原因）により，火炎熱傷（flame burn），高温液体熱傷（scald burn），接触熱傷（contact burn），化学損傷（chemical injury），電撃傷（electrical injury），低温熱傷（cold burn），放射線皮膚障害（radiation injury）などに区別される。わが国における疫学データ〔日本熱傷学会熱傷入院患者レジストリー（2011年4月～2019年3月）公開データ〕では，急性期入院症例の受傷原因の39.0％は火炎によるもの，続いて36.1％は高温液体，8.4％は接触，4.7％は爆発，4.0％は煙・高温気体，3.3％は化学物質，1.6％は電撃によるものとなっており，欧米に比較して高温液体によるものの割合が高いのが特徴である。

熱傷に伴う急性期死亡の主な原因は，一酸化炭素（carbon monoxide；CO）中毒，有毒ガス（シアン）中毒，循環血液量減少性ショックの遷延，合併した外傷に起因するものが大部分を占めるため，受傷機転（原因）によっては外傷患者としての評価が必要である。

以下，熱傷に焦点を当てた初期診療について解説するが，外傷と併存している場合については，そのつど注意点を付記する。なお，熱傷患者の初期診療においても外傷診療と同様に，生理学的徴候から緊急度を評価し，蘇生を優先する。熱傷そのものの重症度は，熱傷面積と深達度により評価する。

I 病院前救護と受け入れ準備

受傷直後は，熱源との接触を遮断する。熱傷面積が小さい場合は熱傷面を流水（水道水）で冷却する。一方で，熱傷面積が10％を超える熱傷〔10％TBSA（total body surface area）以上〕では，低体温症を併発しやすいため，流水による冷却は行わない。局所冷却を行う場合でも，とくに小児では，体温低下に注意する。局所に氷や氷嚢を当てることは，凍傷を生じ得るため行わない。水疱は愛護的に扱う。

II　Primary surveyと蘇生

　熱傷患者も外傷患者と同様にprimary surveyと蘇生を優先し[2]，以下のような熱傷患者の特殊性に留意する。なお，重症外傷と熱傷が併存する場合，外傷に起因する蘇生を優先する。

◆ A：気道の評価

　顔面や口腔の熱傷，煙の吸入によって咽頭や喉頭が腫脹し，上気道が閉塞することがある。気道狭窄音，嗄声などの身体所見などから気道閉塞が明らかであれば，迅速に気道確保を行う。外科的気道確保を要する場合は，頸部に熱傷があっても気道確保が優先される。なお，受傷機転によっては頸椎保護を要する。

　Primary surveyの時点で気道閉塞を認めなくても，輸液開始後に上気道の腫脹や浮腫が進行する可能性があるため，気道の評価を繰り返し行うか，気道閉塞を予見した気道確保を行っておく必要がある。気道損傷や頸部全周性の熱傷を有する場合はとくに注意する。

◆ B：呼吸の評価

　外傷診療に準じた呼吸の評価を行う。原則として高流量酸素投与を行う。CO-Hbが高値の場合は酸素投与を継続する。胸郭に全周性の熱傷がある場合，胸郭の可動が制限される。浮腫が進行するにつれて低換気となった場合，気管挿管による人工呼吸管理に加えて胸郭の減張切開が必要になる。また，輸液開始後に急速に肺水腫を生じる場合がある。

◆ C：循環の評価

　外傷診療に準じた循環の評価を行う。外力を伴う受傷があり得る状況では合併損傷が隠れていることがある。受傷機転によってはFASTや胸部・骨盤X線検査をprimary surveyで行う。広範囲熱傷患者では低容量を伴う頻脈を呈していることが多く，時に出血性の合併損傷が見逃されるため注意する。静脈路確保は，可能なかぎり熱傷創のない部分で行う。一般的に，20〜25%TBSA以上の熱傷では，受傷後数時間は毛細血管透過性が亢進するため，循環血液量が減少する。それに伴って熱傷ショックの状態に陥るため，大口径で2本以上の静脈路を確保し輸液を開始する。

　正確な輸液速度は本来，secondary surveyにおける熱傷面積算定・体重測定後でなければ決定できないが，循環異常が外傷によるものでないと判断した場合，primary surveyのC（循環の評価と蘇生）の段階までは，明らかに20%TBSA以上の症例では，輸液のボーラス投与は避け，輸液速度を500 ml/時（14歳以上），250 ml/時（6〜13歳），125 ml/時（5歳以下）とすることが推奨されている[2]。ただし，これは速やかにsecondary surveyに進んで輸液速度が決定されることを前提としたものである。外傷を合併しており速やかにsecondary surveyに進めない場合には，漫然と上記の速度で輸液を続けることがないよう留意する。

◆ D：中枢神経障害の評価

　皮膚にのみ熱傷を受傷した患者は意識清明である。意識障害を呈する場合，頭部外傷以外にショック，CO中毒，有毒ガス（シアンなど）中毒，薬物やアルコールの影響などを考慮する。なお，CO中毒が疑われる場合には，前述したとおり高流量の酸素投与を継続する。

◆ E：脱衣と体温管理

　脱衣により致死的合併症の有無を確認するとともに，衣服に付着した化学物質や高温物質による熱傷の進行を回避する。創が衣服に固着していることがあるので，皮膚を剥離することがないよう注意する。体温を測定し，乾いた滅菌ガーゼまたはシーツを使用して，創面を被覆し保温に努める。併せて指輪などのアクセサリー，コンタクトレンズは除去する。

III　Secondary survey

　熱傷創だけにとらわれないよう注意する。受傷機転と身体所見から外傷の併存の可能性を想定し，外傷による損傷検索と熱傷の重症度評価を行う。熱傷創の重症度は熱傷面積と深達度で評価する。

表13-1 熱傷深度の分類

熱傷深度	傷害組織	外見	症状	治療期間
Ⅰ度（EB）	表皮のみ	発赤	疼痛，熱感	瘢痕を残さず，数日
浅達性Ⅱ度（浅Ⅱ度，SDB）	真皮浅層まで	水疱，水疱底の真皮は赤色	とくに激しい疼痛，灼熱感，感覚鈍麻	通常1〜2週間，一般に肥厚性瘢痕を残さない
深達性Ⅱ度（深Ⅱ度，DDB）	真皮深層まで	水疱（破れやすい），水疱底の真皮は白色	激しい疼痛，灼熱感，感覚鈍麻	およそ3〜4週間，肥厚性瘢痕，瘢痕ケロイド形成が多い
Ⅲ度（DB）	皮膚全層	白色レザー様，褐色レザー様（時に炭化黒色調），羊皮紙様，脱毛，乾燥	無痛性	1〜3カ月以上，植皮術を施行しない場合は肥厚性瘢痕，瘢痕拘縮形成

EB：epidermal burn，SDB：superficial dermal burn，DDB：deep dermal burn，DB：deep burn
〔文献3）より引用・改変〕

1. 病歴などの聴取

外傷との併存を示唆する受傷機転として，火災現場での飛び降りや墜落，交通事故や工事現場での火災，爆発物による事故，電気工事での墜落・転倒事故などがある。また，身長・体重を測定しておくことは熱傷に対する治療方針の決定に有用である。

2. 重症度評価

熱傷の重症度は，熱傷深度と熱傷面積に加えて，年齢，合併損傷や基礎疾患の有無，受傷部位，各種検査結果などを総合的に判断して決定される。合併損傷としての気道損傷の有無，顔面，手，会陰部などの特殊受傷部位の評価も重要である。

1）熱傷深度の評価

熱傷深度すなわち皮膚組織の傷害の深さは，Ⅰ度，Ⅱ度，Ⅲ度に分類される。表13-1[3]に示すように，視診を中心に臨床症状から判断する。

2）熱傷面積の評価

熱傷面積は，全体表面積（TBSA）の何％を受傷したか（%TBSA）で表す。Ⅰ度熱傷は疼痛対策以外の治療対象とならないので熱傷面積には含めない。Ⅱ度熱傷とⅢ度熱傷の面積を算定する。算定方法（図13-1）[3]には，救急現場での熱傷面積の概算や初療時の迅速評価に有用な簡便な算定法と入院後の詳細な算定法（Lund & Browerの図表[4]）などがある[5]。初療時には，成人では9の法則[6]，小児では5の法則[7]を基本に，手掌法を併用して概算し，入院翌日以降にLund & Browerの図表を使用して詳細に再評価を行う。広範囲熱傷とは通常30%TBSA以上の熱傷をいう。

（1）手掌法
患者の手掌（手指まで含める）の面積は体表面積の約1%に相当することを利用した簡便法である。

（2）9の法則[6]
成人の場合に用いる。身体を11の部位に分割して，それぞれの面積が体表面積の9%あるいはその2倍の18%に当たるとして簡約化した法則である。

（3）5の法則（Blockerの法則）[7]
幼児・小児は，成人と比べて頭部の面積の比率が大きく下肢は小さいので，年齢により幼児・小児・成人に分類して身体の各部位を5の倍数で評価する。主に幼児・小児の場合に用いられる。小児のものは合計105%となるが，面積の概算に支障はない。

（4）Lund & Browerの図表[4]
面積を正確に算定する場合には，この図表を用いる。年齢階層別に身体の各部位が体表面積の何%に当たるかを示したもので，頭部・顔面と下肢をさらに細分化してある。

3）熱傷重症度の判定

重症度の判定は，熱傷深度，熱傷面積に基づき行われる。深度と面積以外に年齢，部位による整容面，気道損傷の有無，運動機能障害の可能性，基礎疾患などを考慮して，総合的に判断する。

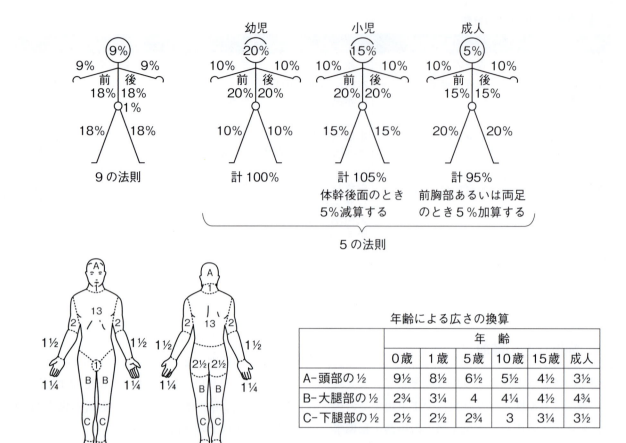

図13-1 熱傷面積の算定方法
〔文献3〕より引用〕

(1) 熱傷指数（burn index；BI）

熱傷指数＝Ⅲ度熱傷面積（％）＋
　　　　　1/2×Ⅱ度熱傷面積（％）

熱傷深度と熱傷面積を組み合わせた重症度の指標で，植皮術が必要なおよその熱傷面積と解釈される。

(2) 熱傷予後指数（prognostic burn index；PBI）

熱傷予後指数＝年齢＋熱傷指数

年齢は生命予後を左右する重要な因子である。熱傷指数に年齢を加えた値を熱傷予後指数と呼ぶ。120を超える場合は救命困難，80以下の場合は重篤な合併症がなければ救命可能という目安とされている。

(3) Artzの基準

診療にふさわしい施設選定を行うための実用的な熱傷の重症度評価である。熱傷深度と範囲だけでなく，機能的予後や整容的障害を考慮した評価項目が使われる。また，気道損傷や電撃傷・化学損傷などの特殊な状況も考慮される。わが国の医療事情に即して一部改変したArtzの基準を**表13-2**に示す。

4) 気道損傷と合併症の評価

意識障害がある場合，口や鼻周囲に熱傷がある，鼻毛が焦げている，すすの混じった痰がある場合は，気道損傷を疑うが（**表13-3**），口腔・咽頭内のすす付着，喉の痛み，嗄声，ラ音聴取を認める場合は確定的である。気管支ファイバースコープによる診断が推奨される[5]。閉鎖空間での受傷や有毒な化学物質による受傷の場合も，気道損傷を疑う。とくに室内火災では，ほとんどの場合で合成樹脂製品の燃焼によりシアン化水素中毒を合併しているといわれており，注意が必要である。また，四肢に全周性の熱傷のある場合には患肢の循環障害を評価する。

Ⅳ 熱傷初期輸液

熱傷の輸液は，受傷24時間以内とその後の24時間とでは質・量ともに異なる。一般に輸液の公式は

表13-2 重症度の判定基準（Artzの基準一部改変）

重　度：救命救急センターなど，熱傷専門治療が行える施設で入院加療を必要とする
- Ⅱ度熱傷で30%TBSA以上の患者
- Ⅲ度熱傷で10%TBSA以上の患者
- 顔面，手，足，会陰部，主要関節に熱傷のある患者
- 気道損傷が疑われる患者
- 電撃傷（雷による受傷を含む）の患者
- 化学損傷の患者
- 生命にかかわる合併損傷のある患者

中等度：一般病院で入院加療を必要とする
- Ⅱ度熱傷で15〜30%TBSAの患者
- Ⅲ度熱傷で10%TBSA以下の患者

軽　度：外来で通院治療可能である
- Ⅱ度熱傷で15%TBSA以下の患者
- Ⅲ度熱傷で2%TBSA以下の患者

表13-3 気道損傷を疑う状況・所見

受傷機転
- 閉鎖空間（とくに室内や車内など）で火災による熱気や煙を吸入した場合
- 有毒な化学物質に起因する場合

臨床所見
- 意識障害がある場合
- 口や鼻周囲に熱傷がある
- 鼻毛が焦げている
- 口腔や咽頭，鼻腔内にすすなどがある場合
- すすの混じった痰
- 喉の痛み
- 嗄声

表13-4 ABLSコンセンサス公式

	成　人（14歳以上の小児）	電撃傷（全年齢）	小　児（14歳未満）
熱傷初期輸液量	2(ml)×体重(kg)×熱傷面積(%TBSA)	4(ml)×体重(kg)×熱傷面積(%TBSA)*	3(ml)×体重(kg)×熱傷面積(%TBSA)*
速度	熱傷面積計算前の開始速度（明らかに20%TBSA以上）：500 ml/時（14歳以上），250 ml/時（6〜13歳），125 ml/時（5歳以下） 熱傷面積計算後：上記輸液量の1/2を最初の8時間で，残りの1/2を16時間で投与。尿量による補正（hourly titration）を考慮する		
尿量	0.5 ml/kg/時（30〜50 ml/時）		1 ml/kg/時

＊：体重30 kg以下の乳幼児・小児では，5%グルコースを含む輸液による維持輸液を加える
- 体重10 kgまで：体重1 kgあたり4 ml/時
- 体重11〜20 kg：体重1 kgあたり2 ml/時
- 体重20 kg超：体重1 kgあたり1 ml/時

〔文献2）を参考に作成〕

初期24時間以内の，いわゆる熱傷初期輸液を対象としている[5]。熱傷初期輸液は，少なくとも20%TBSA以上で必要とされ，細胞外液補充液（乳酸リンゲル液など）を用いて受傷後2時間以内に開始する。多くの受傷後24時間以内の輸液公式が使用されてきたが，これらの差は主に輸液の質の差による。コロイドを中心としたものと電解質を主体としたものとに分けられるが，現在の主流は電解質を主体としたParkland（Baxter）の公式[8]，ABLSの公式[2]であり，HLS（Hypertonic Lactated Saline Solution）[9]を行う施設もある。なお，気道損傷を合併する場合は，輸液量を計算値の1.5倍量と考える[10]。ただしいずれの公式も，まずは輸液開始時の投与速度の目安であり，実際の輸液速度は時間尿量をモニタリングしながら細かく調節していくことが肝要である。

過剰輸液は浮腫形成および呼吸状態の悪化を招き"fluid creep"と称される。近年では，輸液総量を抑えた，米国熱傷学会によりABLSコース（熱傷初期診療コース）に準拠した初期輸液量および輸液速度が提唱されている（**表13-4**）[2]。

輸液の公式はあくまで予測値の算出のためにあるにすぎない。受傷後48時間（熱傷ショック期）の循環動態の指標として，尿量，血圧，中心静脈圧，および肺動脈楔入圧などがあるが，もっとも重要視すべきものは時間尿量であり，その値は成人・14歳以上の小児で0.5 ml/kg/時（30〜50 ml/時），14歳未満の小児で1 ml/kg/時である。当然，輸液療法が必要となる20%TBSA以上の症例では，尿道カ

テーテルを留意したうえでの経時的な尿量モニタリングが必須である。輸液公式より算出された予測値を基本として，時間尿量により輸液設定速度をその最大1/3量ずつ増減させる（hourly titration）[2]。

V 電撃傷（electrical injury）

電撃傷は，生体内を電気が通電することによって発生する組織損傷の総称である。電撃傷の原因にはcurrent（電流），arc discharge（アーク放電），spark discharge（スパーク放電），flash（閃光），lightning strike（落雷）などがある。電撃傷の傷害メカニズムは，熱エネルギーと電気エネルギーが合わさったものである。また，受傷の際に飛ばされたり高所より墜落することもあり，外傷を伴う。通電では，生体内部に発生するジュール熱が生体深部に損傷を生じさせるため，損傷組織の程度は外観のみでは評価できない[2]。したがって，受傷時の状況，発生時間，原因となった電気の種別・電圧・接触時間などの情報は非常に重要である。また，活動電位を有する神経細胞や心筋細胞が通電されると機能障害を生じる。この重篤な合併症の一つに不整脈，とくに心室細動がある。

Secondary surveyでは，体表面における電気の流入部，流出部の有無と性状の観察を行う。電流の出入り口となった皮膚は，通常黒褐色の潰瘍性病変を呈し，電流斑と呼ばれる。電流斑を認める場合は，生体が通電された証拠となるが，時に電流斑が不明なことがある。

重度電撃傷の判断根拠は，高電圧による明らかな通電，ショック症状，CPKの異常高値，ミオグロビン尿・無尿・乏尿，広範囲な組織損傷・壊死，手関節・足関節を含む中枢関節の自他動の制限があることがあげられる。

局所管理はⅢ度熱傷に準じて行うが，通常熱傷より壊死範囲が深部に至っていて，血行障害を伴うことがある。四肢の場合には，循環障害やコンパートメント症候群を生じやすいので，減張切開や筋膜切開の必要性を判断する。

全身管理としては，受傷後最低24時間の心電図モニタリングを行う。初期輸液は一般熱傷（表13-4）の倍量が推奨される。とくに，ミオグロビン尿を認める場合の適正時間尿量は，急性腎不全発生を回避するために多めに設定する（尿の色調が正常化するまで75〜100 ml/時）。

VI 病院間搬送

熱傷治療に関して自施設での対応が困難と判断した場合は，受傷後24時間以内に専門治療可能な施設へ搬送する。この場合，外傷に起因した蘇生は完了しておくのが望ましい。搬送先選定はArtzの基準（表13-2）を参考とするが，地域の医療資源を最大限活用する。搬送中の気道・呼吸・循環管理はとくに重要である。輸液路や気管チューブは逸脱すると再確保は時にきわめて困難であるため，固定・管理には細心の注意を払う。体温管理も重要で，熱傷創は清潔で乾いたシーツで被覆する。転送元施設では，局所への軟膏使用や抗菌薬投与は原則として行わなくてよい。鎮痛はしっかりと行う。投与した輸液の種類と量は記録して申し送る。

文 献

1) Hawkins A, Maclennane PA, McGwin G Jr, et al：The impact of combined trauma and burns on patient mortality. J Trauma 2005；58：284-288.
2) American Burn Association：Advanced Burn Life Support Course Provider Manual 2018 update. American Burn Association, Chicago, 2018.
3) 一般社団法人日本熱傷学会・熱傷用語集改訂検討特別委員会編：熱傷用語集（2015改訂版），日本熱傷学会，東京，2015.
4) Land CC, Browder NC：The estimation of area of burns. Surg Gynecol Obstet 1944；79：352-358.
5) 一般社団法人日本熱傷学会学術委員会編：熱傷診療ガイドライン，第2版，日本熱傷学会，東京，2015.
6) Wallace AB, McGill Msc, Edin MB：The exposure treatment of burns. Lancet 1951；260：501-504.
7) Blocker TG：Burns. In：Reconstructive Plastic Surgery. 1st ed, Converse JM, ed, WB Saunders, Philadelphia, 1964, pp208-265.
8) Baxter CR, Shires T：Physiological response to crystalloid resuscitation of severe burns. Ann NY Acad Sci 1968；150：874-894.
9) Monafo WW, Chuntrasakul C, Ayvazian VH：Hypertonic sodium solutions in the treatment of burn shock. Am J Surg 1973；126：778-783.
10) Navar PD, Saffle JR, Warden GD：Effect of inhalation injury on fluid resuscitation requirements after thermal injury. Am J Surg 1985；150：716-720.

第14章 小児外傷

要 約

1. 小児の解剖・生理学的な特異性を理解したうえで，初期診療と蘇生を行う。
2. 小児における呼吸管理の基本を理解し，適切な気道確保を行う。
3. 小児における循環管理の基本を理解し，とくに骨髄路を含めた輸液確保を行う。
4. 初期診療の時点から子ども虐待に対する疑いをもつ。

はじめに

外傷診療の基本戦略は成人と同様であるが，小児には特有の解剖・生理学的特徴が存在するため，これらの理解に基づいて診療を進めることが求められる。

I 疫 学

わが国の人口動態調査（平成30年）によると，外傷による死亡総数23,051人のうち小児（0～14歳）の死亡数は175人（0.76％）である。その原因（外因）は，交通事故（50.9％）を含む不慮の事故（62.9％）が多い。自殺による外傷死は14.3％である。また，外傷による小児死亡者の損傷部位では，頭部が112人（64.0％），胸部が19人（10.9％），腹部が16人（9.1％）の順である。

JTDB*19（Appendix 3「外傷疫学」，p294参照）のうち，15歳未満，16,699人を対象としたデータでは，受傷部位として頭部（46.6％）がもっとも多く，これに上肢，下肢，胸部と続く。脊椎や胸部の損傷を伴うと死亡率が高い（12～13％）。単独外傷としての死亡率では胸部外傷（5.1％）が高く，次に頭部外傷（3.2％）であるが，死亡例では頭部外傷が76％を占める。

II 解剖学的特徴と生理学的特徴

◆ 1. 解剖学的特徴

1）頭 部

乳幼児は相対的に頭部が大きく，転倒・転落などにより頭部を受傷する頻度が高い。また，2歳ごろまで後頭部の突出により仰臥位で前屈位になりやすく，気道確保および頸椎保護の面で注意を要する（図14-1）。

2）頸 部

頸は太く短い。そのため頸静脈・気管・頸動脈など，頸部の観察は容易でなく，頸部からの外科的気道確保などの処置も困難である。頸椎は骨化が不完全でこれを支持する靱帯は柔軟性に富むため，過度な過伸展に対して脊柱構造の破壊を伴わずに脊髄が損傷されやすい。靱帯は弾力性に富み，裂けずに大幅に伸びることができる。大きく重い頭部を支えるため，年少児ほど支点は高い（乳幼児でC2～C3，8歳以降でC5～C6[1)2)]）。

3）上気道

口腔内容積に対し舌が相対的に大きく，容易に気道狭窄をきたす。小児の喉頭は成人に比して頭側（舌骨の高さ：2歳未満でC2～C3レベル）に位置している[3)]。また，喉頭蓋は大きく軟らかい。

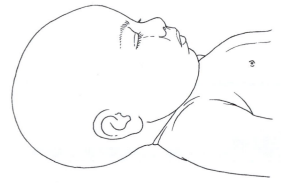

a：後頭部が突出しているため，仰臥位では前屈位となる

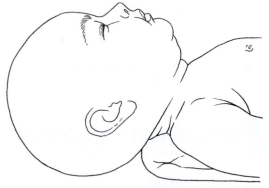

b：気道確保および頸椎保護のために，タオルなどを背面に入れて正中中間位とする

図14-1 仰臥位での乳児の姿勢

4）胸　部

筋・脂肪などの軟部組織が少ないため，外力はより直接的に胸腔内臓器に作用し肺挫傷を起こすことがある。縦隔は可動性に富み，無気肺などで大きく偏位する。気管・気管支は軟骨化が未熟で柔軟である。乳幼児期は気管支と肺実質の成長の不均衡により，末梢気道径は相対的に狭小で，末梢気道抵抗が大きい。狭い下気道は，血液や分泌物などで容易に閉塞し，無気肺や肺気腫を生じやすい。

5）腹　部

体格に比して実質臓器の体積が大きく，諸臓器を支持する結合組織や靱帯が柔軟で支持性に乏しい。肝と脾は成人より尾側かつ腹側に位置しており，肋骨に保護されず腹壁下に存在している。膀胱は頭側前方にあり，腎は後腹膜腔内に占める体積が相対的に大きい。それに加え，胸郭が柔軟で腹壁が薄いため，外力が伝達されやすく，実質臓器損傷につながりやすい。

乳幼児では啼泣などに伴う呑気（どんき）によって腹部膨満をきたしやすい

6）骨盤・四肢

乳幼児では骨化が不十分で弾性が高く骨膜が厚く，骨端線も残存している。そのため骨盤に変形を生じても，単純X線写真やCTで骨折線が認められないこともある。

また，四肢では若木骨折などの不全骨折や剝離骨折などが多い。四肢の長管骨の長軸方向への成長は，骨端部近傍の骨端線（成長板）での軟骨骨化に依存しており，この部分の損傷は長管骨の成長障害の原因となる。骨髄路確保の際にも骨端線損傷をきたすことのないよう注意を要する。

◆ 2．生理学的特徴

1）呼吸器系

乳児は鼻呼吸主体で換気しており，血液や分泌物による鼻腔の閉塞は，上気道狭窄の症状を呈する。体重当たりの酸素消費と二酸化炭素産生が多いため，分時換気量が増加している。肋骨が成人より水平に位置し，肋間筋の発達が未熟なため，年少児ほど腹式呼吸が優位であり，1回換気量の増大には制約がある。

また年少児ほど機能的残気量が少なく，低酸素に対する予備能が低い。そのため短時間の呼吸停止などでも，容易に高度の低酸素に陥り，心停止にも進行し得る。1回換気量が横隔膜の可動域に大きく依存しているため，腹腔内出血など腹部膨満による腹圧上昇で容易に換気が悪化し，機能的残気量の減少により低酸素をきたしやすい。

2）循環器系

年少児ほど体表面積当たりの酸素需要が大きい。1回拍出量の増大には制約があるため，心拍数を増加させ酸素供給を維持している。そのため循環不全を伴う徐脈は，切迫心停止と認識すべきである。

体重当たりの循環血液量は成人と比較すると多く，乳幼児で約80 ml/kgとされる。

3）中枢神経系

血液脳関門の未熟性にも起因して，容易に高度な脳腫脹へと進行する。脳血流量と脳酸素需要が大きく，低酸素や虚血に対して脆弱と考えられている。発達の過程にあるため，とくに乳児では脳内での機

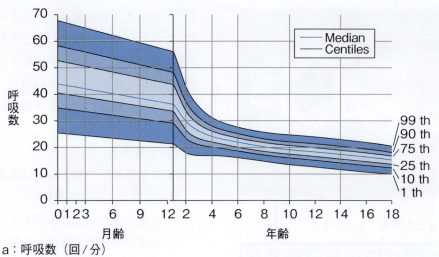

a：呼吸数（回/分）

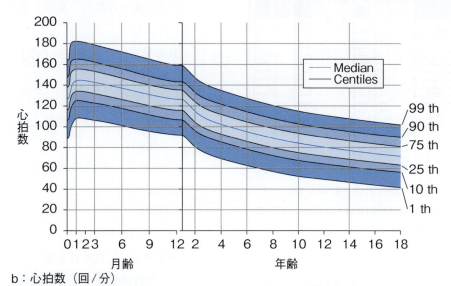

b：心拍数（回/分）

図14-2 小児のバイタルサイン
〔文献4)より引用・改変〕

能の局在に可塑性が残存しており，脳損傷よる後遺障害は成人と異なる経過をたどることがある。また乳幼児では抑制系ニューロンの未熟性から，痙攣を起こしやすい。

4) 体温調節

成人と比較して体表面積／体重比が大きく，皮下脂肪が薄いため，体表から熱を喪失しやすい。脱衣，輸液，不感蒸泄などにより容易に低体温に陥るため注意を要する。

5) 体重とバイタルサインの基準値

上記のような解剖・生理学的特徴に基づき，年齢ごとに体格やバイタルサインの基準値が異なる。概して，年少児ほど心拍数・呼吸数は大きく，血圧・身長・体重は小さい。

エラーを避けるには図14-2[4)]のようなバイタルサインの図表の常備や，length-based/color-coded resuscitation tapeの使用が有用である。患児の身長から，推定体重や薬剤投与量，気管チューブなどデバイスのサイズを指示するもので，最近は体型を考慮したより精度の高い方法も開発されているが，現在もっとも普及しているものはBroselow® Pediatric Emergency Tape（Broselow Tape）である（図14-3a）。Broselow Tapeで算出された体重は，痩せ型や肥満体型ではない標準的な体型の年少児において比較的良好な相関を示し，年齢を基にした換算式による推定体重よりも精度は高い[5)]。また，color-codeをもとに，デバイスサイズや具体的な薬剤投与方法を記載したシートを使用することの有用性も報告されている[6)]（図14-3b）。

a：患児の身長から，デバイスサイズ，体重と薬剤投与量などを知ることができる

b：デバイスサイズと薬剤投与方法を記載したシート

図14-3 Length-based/color-coded resuscitation tape

III　Primary surveyと蘇生

◆ 第一印象の把握

　成人と同様，短時間で生理学的所見から緊急度を把握する。ただし，小児の生理学的な正常像に慣れていないと評価が困難な場合もある。日常から，脈の触診・呼吸の観察など各年齢層の小児の診察に慣れておくことが望ましい。

◆ A：気道評価・確保と頸椎保護

1）気道評価・確保

　成人と同様に，100％酸素10〜15 L/分をリザーバ付きフェイスマスクで投与するとともに，上気道閉塞の有無を評価する。

　用手的気道確保は下顎挙上法を第一選択とし，頸椎の動揺を最小限とする。ただし，下顎挙上で気道確保できない場合には，頭部後屈も考慮する。乳幼児は後頭部が突出しているため前屈位になりやすく，それにより気道閉塞をきたすこともある。過伸展にならない程度にタオルなどを肩〜後頸部や背部に入れることで，前屈位を解除するとともに頸椎の正中中間位を維持する（図14-1）。

　確実な気道確保には気管挿管と外科的気道確保が含まれる。

(1) 気管挿管

　確実な気道確保の適応基準は成人と同様である。

【Aの異常：気道閉塞】
- 簡便法では気道確保が不十分
- 誤嚥の可能性（血液，吐物など）
- 気道狭窄の危険（血腫，損傷，気道損傷などによる）

【Bの異常：呼吸管理が必要】
- 無呼吸
- 低換気
- 低酸素血症（高濃度酸素投与法によっても酸素化が不十分）

【Cの異常：重症の出血性ショック（non-responder）】
- 心停止

【Dの異常：切迫するD】

①直視下経口気管挿管手技

ⅰ）気管挿管の準備

- 喉頭鏡：乳幼児では，成人と異なる解剖学的特徴のため，喉頭展開には直型ブレードの使用が望ましい。成人と同様にビデオ喉頭鏡を使用する機会が増えている。エアウェイスコープAWS®に装着可能な小児用イントロック（内径5.0 mm以下の気管チューブにも対応）が市販されている。しかし，McGRATH®に装着可能な最小ブレードはMAC2であるため，概ね4歳以降の年長児が対象となる。

- 気管チューブ：カフなし気管チューブのサイズは，気管挿管後に20〜25 cmH$_2$Oの加圧で軽度のリークが認められる程度が適切である。過度に太い気管チューブは，声門下を圧迫し医原性の声門下狭窄を引き起こす。サイズの選択は，乳児は内径3.5 mm，1〜2歳は4.0 mm，2歳以上は，

$$\text{チューブ内径（mm）} = 4 + \{\text{年齢（歳）} \div 4\}$$

を目安とする（Coleの式）。小指の太さや鼻

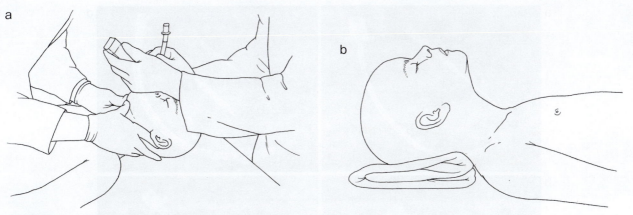

図14-4　挿管時の正中中間位固定（a）とsniffing position（b）

孔の径も目安の一つとなる。

なお，カフ付き気管チューブを用いてもよいが[7)~9)]，カフの位置と長径が製品によって異なるため，声門までカフが張り出す可能性に留意する[10)]。わが国でも，小児の気道に合わせて設計されたカフ付き気管チューブが利用可能となっている[11)]。カフ付き気管チューブのサイズ選択は，乳児3.0 mm，1～2歳3.5 mm，2歳以上は，

チューブ内径（mm）＝ 3.5 ＋ ｛年齢（歳）÷ 4｝

を目安とする[12)~14)]。

ⅱ）挿管の手技

頸椎保護の適応のある患児では成人と同様，用手的に正中中間位を確保したまま気管挿管を行うことが原則である（図14-4）。それ以外の患児では，いわゆるsniffing positionとする。小児は低酸素に対する予備能が小さいため，気管挿管前に十分に酸素化する。誤嚥防止の目的で輪状軟骨圧迫を行う場合，換気や気管挿管の妨げとならないように注意する[15)]。十分に開口し，適切な視野が得られるよう口腔内を吸引したうえで，舌を圧排しながら喉頭鏡を挿入し喉頭展開する。直型ブレードは先端で喉頭蓋自体を持ち上げるようにして使用する。先端が声門を通過するのを視認しながら，気管チューブを挿入する。

ⅲ）挿管後の位置確認と固定

位置確認の方法は成人と同様である。

経口挿管での固定長は，

固定長（cm）＝ 5 ＋ ｛身長（cm）÷ 10｝
固定長（cm）＝ ｛チューブ内径（mm）× 3｝

などを目安として，固定後に胸部X線を撮影し，気管チューブ先端が気管長の中間付近にあることを確認する。デプスマークで挿入長を規定するカフ付き気管チューブの場合は添付文書に従う。テープや市販のホルダーなどで気管チューブを固定する。

ⅳ）気管挿管後の管理

気管チューブの固定後も，頸部の伸展屈曲などにより容易に気管チューブ先端の深さが変わり，片肺挿管や事故抜管を起こしやすいので注意する。また気管チューブの内径が細く，分泌物などで容易に閉塞に至るため，加湿や吸引にも配慮が必要である。気管内吸引カテーテルは，

吸引カテーテルのサイズ（Fr）＝
　｛チューブ内径（mm）× 2｝

である。

薬剤投与量としては，以下があげられる[16)17)]。

- 硫酸アトロピン：0.02 mg/kg（最大量1 mg）
  ルーチン使用は推奨されないが，1歳未満またはショックの患児には使用してもよい。
- ミダゾラム：0.1～0.3 mg/kg（最大量4 mg）
  循環動態が不安定な患者に対しては，低容量から投与する。あるいは，頭部外傷が否定できる場合はケタミンを使用する。
- ケタミン：1 mg/kg
- フェンタニル：2～4 μg/kg
  循環動態が不安定な患児に対しては低用量

第14章 小児外傷

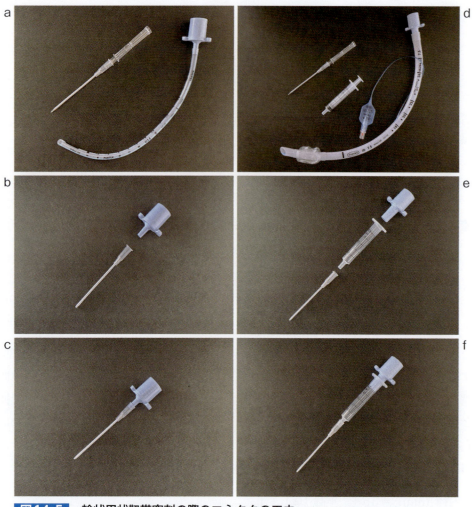

図14-5 輪状甲状靱帯穿刺の際のコネクタの工夫
a, b, c：穿刺針の外筒を, 内径3.5mmの気管チューブのコネクタに接続
d, e, f：穿刺針の外筒を, 2.5mlシリンジを介して内径7.5mmの気管チューブのコネクタに接続
この方法で, バッグ・バルブなど15mmコネクタ対応の換気装置に接続可能となる

から投与する。
- ロクロニウム：0.6〜1.2 mg/kg

②経鼻挿管法

適応・手技などは成人と同様である。

(2) 外科的気道確保

①輪状甲状靱帯穿刺

確実な気道確保の適応でありながら, 気管挿管およびバッグ・バルブ・マスク換気とも不可能な場合が適応となる。

静脈留置針は16G（内径約1.3mm）以上の太さのものを用いることが望ましい。概ね体重10kg以上の患児に対しては, 市販の小児用輪状甲状靱帯穿刺キット（内径2mm）が使用でき, 屈曲や閉塞を起こしにくいなどの利点がある。

乳児の輪状甲状靱帯は1mm程度の上下幅しか触知できないため, その固定には注意を要する。出血を避けるために, 血管の走行が少ない正中を穿刺する。また気管径が小さいため, 気管後壁を損傷しないよう十分に注意する。気管後壁の損傷は, 食道損傷や縦隔炎を引き起こす。

高流量酸素回路を用いれば成人と同様の酸素化が可能であるが, 胸郭の動きを観察しながら1回換気量を調整する必要がある。また, 静脈留置針の外筒に気管チューブのコネクタを接続することで, バッグの接続が可能になる（図14-5）。小児は1回換気量が小さいため, バッグ換気でもある程度の換気を維持することができる。

②輪状甲状靱帯切開

年少児では声門下狭窄など後遺障害の可能性に加えて血管損傷などのリスクも高いため, その適応は限定的であり, 12歳以下の小児には禁忌とされる[18]。しかし, 他の方法による気道確保が不

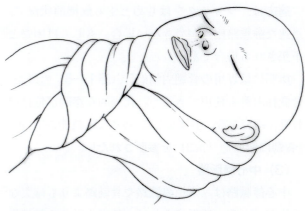

図14-6 タオルを用いた乳児の頸椎固定法の一例
頸部を締めつけないように注意する

表14-1	各年齢における収縮期血圧の下限値の目安
生後1カ月未満	60 mmHg
生後1カ月以上，1歳未満	70 mmHg
1歳以上，10歳未満	70＋2×年齢（歳）mmHg
10歳以上	90 mmHg

〔文献19〕より引用・改変〕

可能な場合には施行せざるを得ないことがある。

2）頸椎保護

後頭部の突出により，仰臥位で前屈位となりやすいため，タオルなどを肩〜後頸部や背部に入れて，頸椎の正中中間位を維持する（図14-1）。乳児などで適切なサイズの頸椎カラーがない場合は，巻いたタオルなどで代用する方法がある（図14-6）。

◆ B：呼吸評価と致死的な胸部外傷の処置

気道評価と気道確保に引き続き，呼吸の評価を行う。パルスオキシメータは酸素化を知る有用な手段ではあるが，モニター値に依存することなく，視診，聴診，触診および打診などから得られる身体所見から呼吸状態を把握することが必要である。乳幼児では呼気時にうなるような音を聴取することがあり，呻吟（grunting）と呼ばれる。その他の異常音とともに呼吸障害を示唆する所見である。声門を狭小化して呼気抵抗を高め，末梢気道および肺胞の虚脱を防いでいる。成人COPD患者における「口すぼめ呼吸」と同様の反応と考えると理解しやすい。

小児は呼吸不全から容易に心停止に陥るため，迅速な介入が求められる。呼吸不全に対しては，酸素化とともに必要に応じて補助換気を開始し，気管挿管の準備を整える。補助換気は，1回換気量7〜10 ml/kg程度もしくは吸気圧20 cmH$_2$O程度ともいわれるが，吸気ごとの胸郭の動きを確認しながら必要十分な換気を行うことが原則である。陽圧換気によって気胸が悪化することもあるため，気道抵抗や身体所見の評価も反復して行う。

年少児ほど頸部が短く太いため，気管偏位や頸静脈怒張などの観察が困難なことがある。そのため，循環動態不安定，胸郭の動きや聴診所見の左右差，皮下気腫や打診所見などから，緊張性血気胸を診断し対応する。緊張性気胸に対しては，胸腔穿刺後もしくは直ちに胸腔ドレナージを施行する。胸腔ドレーンは，

$$\text{胸腔ドレーンのサイズ（Fr）} = \text{気管チューブ内径（mm）} \times 4$$

を目安にサイズを選択し，皮膚切開の大きさを含め，成人と同様の手技で挿入する。

◆ C：循環評価および蘇生と止血

1）循環評価

成人と同様にショックの徴候は，意識変容，呼吸促迫，脈拍，毛細血管再充満時間（capillary refill time；CRT）の延長，脈圧の狭小化，皮膚の冷感・湿潤などの身体所見からとらえる。

一般的に収縮期血圧が各年齢における基準値（表14-1）[19]を下回る場合を低血圧性ショックと呼ぶが，血圧値だけにとらわれて治療介入が遅れないことが重要である。年齢ごとの脈拍数の基準値を確認し，頻脈が持続する場合や，前述した身体所見を重視する（図14-7）[20]。

2）輸液路の確保

輸液路としては，末梢静脈路，骨髄路，中心静脈路があげられるが，迅速な確保が可能な骨髄路の重要性は高い。最低でも2本の輸液路が確保されることが望ましい。

（1）末梢静脈路

手背および足背などのほか，頭皮の皮静脈も穿刺部位として選択できるが，それらから留置できる静

第14章 小児外傷

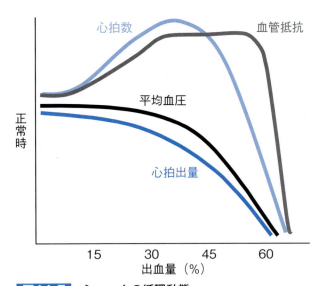

図14-7 ショックの循環動態
〔文献20）より引用・改変〕

脈留置針は概して小口径であり、蘇生には不十分である。可及的に大口径の静脈留置針を肘静脈などから確保することが望ましい。末梢静脈路の確保は、一般的には安全かつ簡便な手技の一つではあるが、年少児においては静脈が細いこともあり、ショックなどの危機的状況では、2回の穿刺を試みて確保ができない場合にはすぐに骨髄路を選択する。

(2) 骨髄路

骨髄路からの輸液療法を骨髄内輸液（intraosseous infusion；IOI）と呼ぶ。骨髄路から投与された輸液・薬剤は、骨近傍の静脈を経由して速やかに中心静脈に入る。輸液製剤のみならず、循環作動薬や輸血など、中心静脈路から投与可能な薬剤などはすべて投与できる。また、確保時に骨髄液を採取できた場合には、血糖や電解質、静脈血ガス、血液型などの測定が可能であり、採血が困難な状況では有用な検体となる。

適応は、ショックをはじめとする危機的状況で、迅速な静脈路確保ができない場合、もしくは困難と予想される場合である。

穿刺には専用の骨髄内輸液針（図14-8）のほか、骨髄採取針も使用できる[21]。代表的な穿刺部位は脛骨近位端である。手技などについては、技能3-3「IOI（骨髄内輸液）」（p63）を参照されたい。

(3) 中心静脈路

中心静脈路は、末梢静脈路や骨髄路よりも確実な輸液路である。確保できれば、循環作動薬の持続投与経路としても有用であり、また、中心静脈圧や混合静脈血酸素飽和度など、循環動態の評価に有用な指標を得ることが可能である。

緊急時の確保には、大腿静脈が第一選択とされることが多いが、ほかには外頸静脈、内頸静脈、鎖骨下静脈などが選択される。確保に時間を要することや、部位によっては確保の手技が他の蘇生処置の妨げになることなどから、緊急時の輸液路として末梢静脈路や骨髄路に優先することは少ない。また、中心静脈路用のカテーテルは全長が長いため、同口径であれば末梢静脈路や骨髄路よりも抵抗が大きく、結果として輸液流量が低下することもある。

成人と同様、ガイドワイヤーを用いたSeldinger法で確保することがほとんどであるが、成人と比較すると手技が困難であるため、習熟した術者が施行すべきである。確保に伴う合併症として、気胸、血胸や動脈穿刺などがあげられる。近年ではそれらの合併症を回避する目的で、超音波ガイド下での確保が行われる。

(4) その他の輸液路

前述した方法で輸液路が確保できない場合には、静脈切開を選択してもよい。大伏在静脈や肘静脈を

a：骨髄輸液/採取兼用のもの

b：電動で刺入する骨髄輸液針

c：バネの力で刺入する骨髄輸液針

図14-8 骨髄内輸液針

用いることが多いが，乳幼児で手技が困難な場合には外頸静脈や大腿静脈なども選択される．静脈切開のほか，直視下で血管を穿刺する方法もある．いずれにしても確保には時間を要する．

3）輸液製剤の選択と準備

ショックの重症度および原因にかかわらず，細胞外液補充液を選択する．

4）初期輸液

循環異常の重症度を判断するため，プレホスピタルでの投与を含め20 ml/kgを1回ボーラス投与後にその反応を観察する．初期輸液の投与で速やかな循環の安定化が得られない場合には，輸血と止血術が必要となる．血圧，脈圧および心拍数の改善の観察のみでは組織灌流の評価が不十分であり，尿量や乳酸値の変化が有用なモニタリング指標となる[22]．尿量の目安は1歳未満の乳児で2 ml/kg/時，1歳以上の小児で1 ml/kg/時である．

初期輸液への反応性による分類と治療方針の詳細については，第3章「外傷と循環」(p50)を参照されたい．

近年成人において，出血性ショックに対する輸液輸血蘇生戦略が，これまでの晶質液中心の輸液から，permissive hypotentionを容認し，晶質液の輸液を制限し，早期から赤血球液（RBC）/新鮮凍結血漿（FFP）/血小板を1：1：1の割合を目標にバランスよく輸血していく，いわゆるdamage control resuscitaionにシフトしている[23]．

小児外傷においても，多量晶質液輸液投与による希釈性凝固障害を生じさせないためにも，初期輸液の反応性に応じて，10〜20 ml/kgのRBCと10〜20 ml/kgのFFPを早期から投与し，その都度評価を行う．

また，成人の重症出血を伴う外傷患者におけるトラネキサム酸早期投与の有効性が示されており[24]，小児においても受傷3時間以内に10 mg/kgの投与を考慮してもよい[25]．

5）出血源の検索と止血

成人と同様，胸部および骨盤の単純X線撮影とFASTなどから出血源を検索する．小児では循環血液量が少ないため，出血源の同定と止血は成人以上に重視される．

止血を目的とした小児の開胸・開腹の適応は明確でないが，少なくともnon-responderであれば，蘇生的な手術が必要となる．

6）徐脈への対応

小児においては，循環不全を伴う心拍数60回/分未満の徐脈は致死的と考える．徐脈の原因としては低酸素や換気不全が多いので，気道確保のうえ酸素投与下に換気を開始しても改善がなければ，直ちに胸骨圧迫を開始する．

◆ D：生命を脅かす中枢神経障害の評価

Primary surveyにおける神経学的所見の評価は，成人と同様の手順で行う．乳幼児は容易に低血糖に陥り，それによる意識障害をきたすため注意する．

意識レベルの評価法は，GCS（Glasgow Coma Scale）で評価することが望ましい．幼児期を過ぎれば成人のスケールを用いることができるが，それ以下では小児用のスケールを使用する（表4-2，p66参照）．V5やM6に関しては，年齢相応の反応が認められるか否かが評価を左右する．年齢ごと，発達段階ごとの正常な反応（**表14-2**）[26]についての知識に自信がなければ，保護者などから健康時の様子との差異を聴取することも有効な手段となる．

◆ E：脱衣と体温管理

A〜Dと並行して患児の脱衣を行い，体表を観察する．低体温はアシドーシスや凝固異常とともに外傷の転帰を悪化させる因子である．とくに乳幼児では，体表面積/体重比が大きく皮下脂肪が薄いため，熱を喪失しやすい．そのため，脱衣や大量輸液などにより容易に低体温に陥る．初期診療開始時から，ブランケットや加温器を使用したうえで室温も高くするなど，成人以上に積極的な保温・加温を行い体温維持に努める．輸液製剤の加温にも十分に配慮する．

IV Secondary survey

Primary surveyと蘇生により患児の生理機能の

表14-2　乳幼児の発達マイルストーン

月齢・年齢	個人-社会	微細運動-適応	言語	粗大運動
1カ月	顔を見つめる	正中線まで追視	ベルに反応	頭を上げる
2カ月		正中線を越えて追視	「アー」「ウー」などの発声	
3カ月	あやし笑い		声を出して笑う	45°頭を上げる，首がすわる
4カ月	手を見つめる	ガラガラを握る，180°追視，両手を合わす	キャアキャア喜ぶ	90°頭を上げる，両足で体を支える
5カ月		物に手を伸ばす	音の方向に振り向く	胸を上げる，頭とともに引き起こされる
6カ月	玩具をとる		声の方向に振り向く	寝返り
8カ月	自分で食べる	両手に積み木を持つ	「パ」「ダ」「マ」などを言う	5秒以上座れる
10カ月		親指を使ってつかむ	喃語を話す	5秒以上つかまり立ち，1人で座る
12カ月	拍手をまねる，欲しいものを指す，バイバイをする		意味なく「パパ」「ママ」と言う	2秒立っていられる
1歳6カ月	コップで飲む	なぐり書きをする	「パパ」「ママ」以外に2語	上手に歩く
2歳0カ月	人形に食べさせる	4個の積み木を積む	「パパ」「ママ」以外に4語	階段を昇る，ボールを蹴る
3歳	手を洗って拭く	8個の積み木を積む	自分の名前を言う	両足で幅跳び
4歳	声かけで服を着る	○を模写できる	空腹，疲労，寒いの理解	5秒片足立ち
5歳	1人で服を着る	人物をかける	単語の定義	綱渡り歩きができる

〔文献26）より引用・改変〕

安定化を図ったうえでsecondary surveyを開始する。Secondary surveyは成人と同様の手順で行うが，乳幼児では意思の疎通が困難な場合も多く，信頼性の高い身体所見を得にくいことに注意する。

病歴の聴取はAMPLE（第1章「初期診療総論」，p14参照）を軸に行う。患児から十分な情報が得られなければ，保護者を含む周囲の大人から病歴を聴取する。また，乳幼児においては母子健康手帳で予防接種歴を確認することも重要である。

◆ 1. 検査時の鎮静

CTなどの検査や処置などを施行する際，指示に従えなければ鎮静が必要となる。ただし鎮静薬による呼吸抑制や循環抑制に注意する。また，舌根沈下などの上気道閉塞症状を起こしやすく，加えて嘔吐や誤嚥のリスクが高い。そのため鎮静の際は，①モニタリングと確実な気道確保を含む呼吸・循環管理の準備を整えたうえで，②検査および処置の施行者とは別に，小児の気道管理・全身管理に習熟した者が患児の状態を監視することが求められる[27]。状態の急変に対しては，直ちに検査・処置を中止して蘇生を行う。なお，検査・処置終了後も鎮静薬の効果が残存するため，モニタリングを継続する。

鎮静薬としては，ミダゾラム0.1〜0.2 mg/kg，ジアゼパム0.3〜0.5 mg/kgなどが用いられる。鎮痛が必要な場合は，フェンタニル1〜2μg/kgが用いられる。

◆ 2. 部位別にみた特殊性

各外傷の診断および治療方針の概要は成人と同様である。本項では小児の特殊性に絞って記載する。

1) 頭部外傷

全身に占める頭部の比率が大きいことから，小児は頭部外傷を被る頻度が高い。

乳幼児では，頭蓋骨は薄く軟らかく，骨縫合が不完全である。そのため骨折線を伴わない陥没骨折や解離性骨折，縫合離開などが多い。また外力により

表14-3 頭部CT 10,000撮影あたりの発がんリスク

年齢（歳）	平均実効線量 (mSV)	固形癌		白血病
		男児	女児	
＜5	3.5	7.4	17.5	1.9
5〜9	1.5	2.4	1.6	0.9
10〜14	14.8	2.1	1.1	0.5

〔文献28）より引用・改変〕

頭蓋冠が容易に変形するため，成人と比較すると受傷直下の直撃損傷（coup injury）の頻度が高い。小児では板間静脈や硬膜血管などが豊富であるため，急性硬膜外血腫の頻度が成人よりも高く，骨折を伴わないものもある。しかしながら硬膜と骨の癒着がとくに縫合部で強固であるため，血腫が縫合線を越えて進展する頻度は比較的低い。ただし，硬膜下血腫を認める場合は，虐待による頭部外傷を必ず鑑別にあげておく（「Ⅴ 子ども虐待」，p210参照）。

乳児では大泉門の所見も頭蓋内圧の指標となり得る。しかしながら啼泣や体位，血管内容量の変化などで容易に所見が変化することを十分に理解しておく必要がある。大泉門が開存していると頭蓋内圧亢進症状が出にくいとされるが，この緩衝機構は，腫瘍や水頭症など慢性的な頭蓋内圧亢進の際に機能すると考えられる。血液脳関門の未熟性などに起因してびまん性脳腫脹が進行しやすく，急激な頭蓋内圧亢進をきたしテント切痕ヘルニア（鉤回ヘルニア）や中心性ヘルニアを生じる。

CT撮影には，被曝による悪性腫瘍発生のリスクがある（表14-3）[28]。したがって，重大な損傷の発見という利益と放射線被曝によるリスクとの兼ね合いで適応を決める。

受傷後24時間以内かつGCS合計点14〜15の18歳未満の頭部外傷患者に対して，外傷性脳損傷による死亡，脳神経外科手術，24時間を超える人工呼吸管理または2晩以上の入院を要するciTBI（clinically-important traumatic brain injuries）を除外するための頭部CTルールが策定され（図14-9）[29]，その妥当性も検証されている[30,31]。ただし，わずかな高さからの墜落，歩行または走行中に静止した物体との衝突，頭部の擦過傷や裂傷以外の徴候や症状を認めない患者は，この頭部CTルールの対象には含まれていない。

18歳未満の頭部外傷患者に対するCT撮影の原則を表14-4[29]に示す。

乳幼児期は髄鞘形成の過程にあり，頭部単純CT上で白質と灰白質の境界が不鮮明な場合がある。またくも膜下腔の開大が認められるなど，成人の頭部単純CT所見との相違が認められるため，読影にあたっては注意が必要である。

神経学的所見の評価に際しては，時に小児の特異性への配慮を要する。乳児期は各月齢で姿勢・筋緊張の度合い・反射の出方が異なり，例えばBabinski反射は正常1歳児でも出現する。評価に迷ったら小児科医に相談する。低血糖にも注意する。

小児では，低酸素や低血糖などから急性期に痙攣を起こしやすい。痙攣は脳の酸素需給バランスを悪化させ，脳浮腫を増悪させる。痙攣に対しても，まずA・B・Cの安定化を前提として抗痙攣薬の投与や原因に対する治療を進める。抗痙攣薬は，ジアゼパム0.3〜0.5 mg/kg静注，ミダゾラム0.1〜0.2 mg/kg静注，ホスフェニトイン22.5 mg/kg（20〜30分間かけて緩徐に静注），ロラゼパム0.05 mg/kg（緩徐に静注）などが選択される。抗痙攣薬の投与は呼吸・循環状態を悪化させ得るため，十分な監視と準備のもとで使用すべきである。

なお，乳幼児では循環血液量の絶対量が少ないため，頭皮挫創や頭蓋内血腫そのものが出血性ショックの一因となり得る。

小児では，割り箸，鉛筆，ボールペンなどが眼窩周囲や側頭部，口腔内から頭蓋骨を貫いて刺入することがある。十分な現病歴聴取ができない場合には，画像での異物の所見と手元に残った異物と照合することも必要である。

2）胸部外傷

肋骨骨折を伴わない肺挫傷が多い。肺挫傷の頻度は高いが，受傷直後の胸部X線上で所見を認めず，6時間後以降に変化が現れることもある。そのため

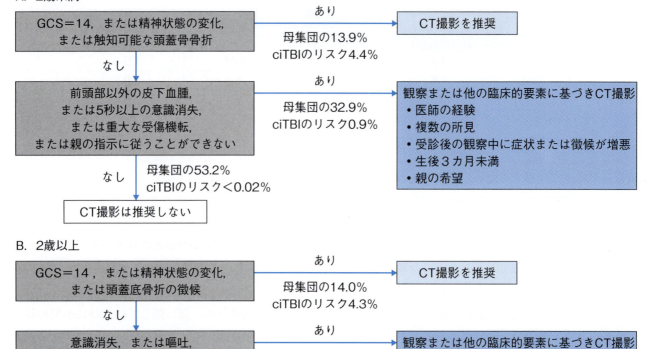

図14-9 頭部CT撮影についてのPECARNルール
臨床的に重要な外傷性脳損傷（ciTBI）を除外するための頭部CT撮影アルゴリズム
ciTBI：外傷性脳損傷による死亡，脳神経外科手術，24時間を超える人工呼吸管理，2晩以上の入院，のいずれかを満たす
適応：18歳未満，受傷後24時間以内，GCS合計点14〜15
適応外：わずかな高さからの墜落，歩行または走行中に静止した物体と衝突，頭部の擦過傷や裂傷以外に徴候や症状なし
〔文献29）より引用・改変〕

表14-4　18歳未満の頭部外傷患者に対する頭部CT撮影の原則

2歳未満	2歳以上
1．GCS合計点14以下	
2．精神状態の変化	
●興奮 ●傾眠 ●質問を繰り返す ●呼びかけへの反応が遅い	
3．触知可能な頭蓋骨骨折	3．頭蓋底骨折の徴候
4．高リスク受傷機転	
●車外放出 ●同乗者死亡 ●車両横転 ●歩行中またはヘルメット非着用で自転車走行中に自動二輪車や自動車に衝突された	
●0.9m以上の高さから墜落	●1.5m以上の高さから墜落
5．前頭部以外の皮下血腫	5．意識消失
6．5秒以上の意識消失	6．嘔吐
7．親の指示が入らない	7．重篤な頭痛

〔文献29）より引用・改変〕

受傷後早期画像所見にかかわらず，聴診上湿性ラ音を聴取し低酸素血症を認める場合には，肺挫傷が存在するものと考えて治療を行う．

前胸部に外力を受けた所見があれば，鈍的心損傷を念頭に置いて心電図と超音波検査を施行する．また，採血による心筋逸脱酵素（トロポニン，CKMB）の測定値を参考にする．

また，外傷性窒息に陥りやすい．将棋倒しや馬乗り遊びなどで下敷きとなって胸部が圧迫された場合，胸郭が柔軟なため容易に胸腔内圧が上昇し，呼吸および静脈還流が阻害されて発症する．

乳幼児で肋骨骨折を認める場合は，より強い外力が加わったことを示しており，体幹臓器損傷の検索を行う．

縦隔は可動性に富み，胸腔内圧が容易に心臓に伝わるために緊張性気胸に陥りやすい．頸部が短く太いため頸静脈怒張を観察しにくく，循環動態不安定，胸郭の動きや聴診所見の左右差，皮下気腫や打診所見，EFASTなどから緊張性気胸を診断する．小児では気管支呼吸音が大きく胸壁が薄いため，健側肺の呼吸音が患側まで伝播してしまい，気胸が存在しても正常な呼吸音と誤りやすい．そのため，聴診は腋窩線上でも行うことが必要である．

3) 腹部外傷

成人に比して実質臓器損傷を被りやすく重症化しやすい．わが国では鈍的外傷によるものが大半を占める．また，痛みや啼泣に伴う呑気によって腹部膨満が認められることが珍しくなく，腹部の身体所見や腹部超音波所見の信頼性を損なう．必要に応じて胃管から脱気を行う．

FASTは成人と同様に有用であり，腹腔内出血の存在およびその経過観察として繰り返し行う．超音波検査による臓器損傷の診断精度は低いため，成人と同様に造影CT検査を行う[32]．

乳幼児に対するTAEは体格や血管径などの問題から困難な場合が少なくない．循環動態が安定しない場合は，直ちにNOM（non-operative management）から手術療法に切り替えなければならない．そのためNOMは，小児の全身管理が可能でかつ緊急手術が常時可能な施設において，厳重なモニタリングのもとで行わなければならない．

小児では脾摘出後に肺炎球菌などによる重症感染症のリスクが高く，脾摘後敗血症（overwhelming postsplenectomy sepsis）は時に致死的である．学童以下での脾摘出は，可能であれば避けることが望ましい．やむなく施行した場合には，肺炎球菌ワクチンなどの感染予防対策について小児科医と相談する．

4) 骨盤・四肢外傷

骨盤・四肢外傷は，初期診療のなかでは出血が問題となる．対処の方針は成人と同様である．骨化や骨の癒合が不完全であるため，画像検査で骨折線や変形を判別することが困難なことがある．そのため四肢外傷の場合は健側の撮影も行い，患側と比較して評価するとよい．

四肢では若木骨折などの不全骨折や，剝離骨折などが多い．骨端線（成長板）を巻き込んだ骨折や血管損傷を伴う骨折では，将来的に骨の成長障害をきたす可能性があるため（図14-10）[33]，早期に整形外科医にコンサルトする．

機能障害や成長障害の可能性を評価し，必要な介入を早期に行うためにも，tertiary surveyで再評価するなどして損傷の見逃しを防ぐ必要がある．

5) 脊椎・脊髄外傷

脊椎損傷の発生頻度は低く，小児の入院を要する外傷の1%程度といわれる．しかしながら脊髄外傷患児のうち8割は頸髄損傷であり，神経学的予後が不良である率が高い．そのため，小児でも脊椎・脊髄外傷とくに頸髄損傷の可能性を念頭に置いて初期診療を進めなければならない．

脊椎単純X線写真上，骨の異常所見がない脊髄損傷（spinal cord injury without radiographic abnormality；SCIWORA）が多く，8歳未満では脊髄外傷の25〜50%を占めるともいわれている[34]．筋や靱帯などの支持組織が脆弱でまた関節が柔軟であるため，頸椎の過伸展，過屈曲，あるいは縦軸方向への牽引により脊髄が損傷されると推測されている．頸髄，次いで上位胸髄の損傷頻度が高い．

乳幼児や意識障害を伴う患児では神経症状の評価が困難であるが，SCIWORAの可能性を念頭に置き，脊髄損傷の評価が終了するまでは頸椎の固定を継続しなければならない（第11章「脊椎・脊髄外傷」，p169参照）．

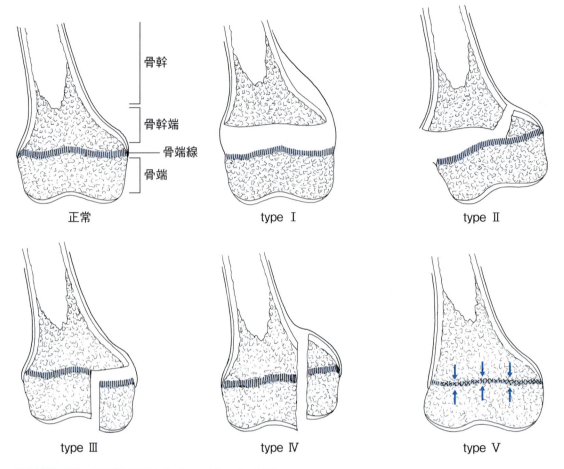

図14-10 骨端線損傷のSalter-Harris分類
type Ⅰ：骨折片を伴わない骨端線の離開。予後は良好
type Ⅱ：一側から骨端線離開し，対側の骨幹端骨折をきたす。予後は良好
type Ⅲ：骨端からの骨折が骨端線に達し，さらに一側の骨端線離開をきたす。予後は不良
type Ⅳ：骨端，骨端線，骨幹端にわたる骨折。予後は不良
type Ⅴ：骨端線の圧潰損傷。X線診断はきわめて困難。予後は不良
〔文献33）より引用・改変〕

Ⅴ 子ども虐待

1．初期診療における虐待への疑い

　小児に特有な受傷機転として，虐待がある。小児に接する機会のある医療者は，"虐待はcommon disease"と認識すべきである。
　救急部門を受診した小児患者の病歴聴取に際しては，表14-5に当てはまるものがないかを確認しなければならない[35)〜37)]。また，母子健康手帳の記載内容（周産期歴，乳幼児健診歴および予防接種歴），チャイルドシートやベビーゲートなどの安全対策の有無，社会的孤立や複雑家庭，養育者の精神疾患や薬物・アルコール依存，望まぬ出生や育てにくい子どもなどのリスク因子の有無にも留意する[38)]。
　全身診察においては，複数の異なる治癒過程の挫傷，パターン痕，熱傷，骨折（骨幹端骨折・多発肋骨骨折）なども虐待に特異性の高い所見である。虐待による外傷が疑われた場合には，secondary 〜 tertiary surveyにおいて，各種検査を進める必要がある。
　身体的虐待が疑われる2歳未満の子どもは全身骨スクリーニング撮影を行うが，児を1枚ですべてとらえるベビーグラムは，異常所見の見落としの可能性が高いため推奨されない。2歳以上の子どもは，

表14-5 虐待を疑う状況

- 問診で聴取した受傷機転と子どもの発達段階に矛盾がある
- 受傷機転などの病歴に一貫性がない
- 受傷から受診までに不要な遅れがある
- 養育者と子どものやりとりに違和感がある
- 病歴のなかで説明のないケガを負っている
- 全身観察による所見と病歴が一致しない

臨床所見から骨折を疑う部位の撮影を行うことを基本とし，説明が困難な頭部・腹部損傷を伴う場合に全身骨スクリーニング撮影を行う[39]。

意識障害や痙攣を認めた場合には，頭部CTの撮影に加えて，頭部MRIを撮影することが望ましい。頭部MRI撮影は，剪断損傷，低酸素性虚血障害および病変の時間経過について推定するのに役立つ[40]。また，眼底検査を眼科に依頼し，可能なかぎり写真撮影を行う。

◆ 2．乳幼児の虐待による頭部外傷の特徴

受傷機転が明らかではないものを含め，臨床的に虐待を疑って対応すべき乳幼児の頭部外傷は「乳幼児の虐待による頭部外傷（abusive head trauma；AHT）」と呼ばれる。AHTは2歳以下の小児の致死的頭部外傷の主要な原因となっている。AHTの診断は，病歴・身体所見・画像所見・検査所見に基づき，多機関連携チームの総合判断で行う。硬膜下血腫，脳実質および脊髄の変化，多発・多層性の網膜出血，肋骨骨折やその他の骨折を併発し，養育者から語られた病歴がこれら所見と矛盾している場合，AHTと診断することは医学的に妥当である[41]。

AHTの受診形態は軽症から重症まで多様であり，時に心肺停止例も経験される。頭囲拡大や痙攣発作，発達遅滞を主訴とする場合や，兄弟の受傷を契機に発見される場合もある。臨床所見としては，意識障害，痙攣，呼吸障害をはじめ，嘔吐，食思不振，栄養不良などが多い。運動麻痺などの神経学的異常や，全身に多発する新旧混在した紫斑といった皮膚所見は，診察時に明らかになることが多く，家族から申告されることはまれである。重症例は頭蓋骨骨折や，多発肋骨骨折，四肢長管骨骨折を伴う例もある。「低位から墜落した」「自己転倒した」と虚偽の申告をされる場合もあり，慎重な判断が必要となる。また特徴的な網膜出血を認めることが多く，早期に眼科的評価を得ることが勧められる。

◆ 3．法的な対応

虐待が疑われる患児を診療した医師は，児童虐待防止法および児童福祉法に基づいた児童相談所もしくは福祉事務所に通告しなければならず，この通告義務は医師の守秘義務に優先している（詳細はAppendix 7「外傷診療と法的知識」，p304参照）。

■ 文　献

1) Platzer P, Jaindl M, Thalhammer G, et al：Cervical spine injuries in pediatric patients. J Trauma 2007；62：389-396.
2) Khanna G, El-Khoury GY：Imaging of cervical spine injuries of childhood. Skeletal Radiol 2007；36：477-494.
3) Hudgins PA, Siegel J, Jacobs I, et al：The normal pediatric larynx on CT and MR. AJNR Am J Neuroradiol 1997；18：239-245.
4) Fleming S, Thompson M, Stevens R, et al：Normal ranges of heart rate and respiratory rate in children from birth to 18 years of age：A systematic review of observational studies. Lancet 2011；377：1011-1018.
5) Wells M, Goldstein LN, Bentley A, et al：The accuracy of the Broselow tape as a weight estimation tool and a drug-dosing guide：A systematic review and meta-analysis. Resuscitation 2017；121：9-33
6) Toida C, Muguruma T, Matsuoka T：Effectiveness of an im- proved medical care system for children in a critical care medical center：Is it possible to provide an equivalent level of trauma care for children as we do for adults? Acute Med Surg 2014；1：170-175.
7) Mhanna MJ, Zamel YB, Tichy CM, et al：The"air leak"test around the endotracheal tube, as a predictor of postextubation stridor, is age dependent in children. Crit Care Med 2002；30：2639-2643.
8) Deakers TW, Reynolds G, Stretton M, et al：Cuffed en- dotracheal tubes in pediatric intensive care. J Pediatr 1994；125：57-62.
9) Newth CJ, Rachman B, Patel N, et al：The use of cuffed versus uncuffed endotracheal tubes in pediatric inten sive care. J Pediatr 2004；144：333-337.
10) Weiss M, Dullenkopf A, Gysin C, et al：Shortcomings of cuffed paediatric tracheal tubes. Br J Anaesth 2004；92：78-88.
11) Weiss M, Dullenkopf A, Fischer JE, et al：Prospective randomized controlled multi-centre trial of cuffed or uncuffed endotracheal tubes in small children. Br J Anaeth 2009；103：867-873.
12) Salgo B, Schmitz A, Henze G, et al：Evaluation of a new recommendation for improved cuffed tracheal tube size selection in infants and small children. Acta Anaesthesiol Scand 2006；50：557-561.
13) Dullenkopf A, Gerber AC, Weiss M：Fit and seal characteristics of a new paediatric tracheal tube with high volume-low pressure polyurethane cuff. Acta Anaesthesiol Scand 2005；49：232-237.
14) Dullenkopf A, Kretschmar O, Knirsch W, et al：Comparison of tracheal tube cuff diameters with internal transverse diameters of the trachea in children. Acta Anaesthesiol Scand 2006；50：201-205.
15) 日本蘇生協議会監：JRC 蘇生ガイドライン2015，医学

書院, 東京, 2016.
16) American Heart Association : Pharmacology. In : Pediatric Advanced Life Support Provider Manual. Channing Bate, Massachusetts, 2011, pp7-29.
17) American Heart Association : Rapid Sequence Intubation. In : PALS Provider Manual. Channing Bate, Massachusetts, 2002, pp359-378.
18) Marx JA, Hockberger RS, Walls RM : Airway. In : Rosen's Emergency Medicine : Concepts and Clinical Practice, 6th ed, Vol.1, Mosby Elsevier, Philadelphia, 2006.
19) Part 14 : Pediatric Advanced Life Support 2010 American Heart Association Guidelines for Cardiopulmonary Resuscitation and Emergency Cardiovascular Care. http://circ.ahajournals.org/content/122/18_suppl_3/S876
20) Schwaitzberg SD, Bergman KS, Harris BW : A pediatric trauma model of continuous hemorrhage. J Pediatr Surg 1988 ; 23 : 605-609.
21) Halm B, Yamamoto LG : Comparing ease of intraosseous needle placement : Jamishidi versus Cook. Am J Emerg Med 1998 ; 16 : 420-421.
22) American College of Surgeons Committee on Trauma : Advanced Trauma Life Support : Student Course Manual. 10th ed, American College of Surgeons, Chicago, 2018.
23) Holcomb JB, Tilley BC, Baraniuk S, et al : Transfusion of plasma, platelets, and red blood cells in a 1 : 1 : 1 vs a 1 : 1 : 2 Ratio and mortality in patients with severe trauma : The PROPPR randomized clinical trial. JAMA 2015 ; 313 : 471-482.
24) CRASH-2 Collaborators, Shakur H, Roberts I, et al : Effects of tranexamic acid on death, vascular occlusive events, and blood transfusion in trauma patients with significant haemorrhage (CRASH-2) : A randomised, placebo-controlled trial. Lancet 2010 ; 376 : 23-32.
25) Eckert MJ, Wertin TM, Stuart D, et al : Tranexamic acid administration to pediatric trauma patients in a combat setting : The pediatric trauma and tranexamic acid study (PED-TRAX). J Trauma Acute Care Surg 2014 ; 77 : 852-858.
26) Frankenburg WK, Dodds J, Archer P, et al : The Denver II : A major revision and restandardization of the Denver Developmental Screening Test. Pediatrics 1992 ; 89 : 91-97.
27) Hazinski MF, Zaritsky AL, et al eds : Sedation Issues for the PALS Provider. In : PALS Provider Manual. American Heart Association, 2002, pp379-396.
28) Miglioretti DL, Johnson E, Williams A, et al : The use of computed tomography in pediatrics and the associated radiation exposure and estimated cancer risk. JAMA Pediatr 2013 ; 167 : 700-707.
29) Kuppermann N, Holmes JF, Dayan PS, et al : Pediatric Emergency Care Applied Research Network (PECARN) : Identification of children at very low risk of clinically-important brain injuries after head trauma : A prospective cohort study. Lancet 2009 ; 374 : 1160-1170.
30) Babl FE, Borland ML, Phillips N, et al : Accuracy of PECARN, CATCH, and CHALICE head injury decision rules in children : A prospective cohort study. Lancet 2017 ; 389 : 2393-2402.
31) Ide K, Uematsu S, Hayano S, et al : Validation of the PECARN head trauma prediction rules in Japan : A multicenter prospective study. Am J Emerg Med 2020 ; 38 : 1599-1603.
32) Holmes JF, London KL, Brant WE, et al : Isolated intraperitoneal fluid on abdominal computed tomography in children with blunt trauma. Acad Emerg Med 2000 ; 7 : 335-341.
33) Salter RB : Injuries of the epiphyseal plate. Instr Course Lect 1992 ; 41 : 351-359.
34) Cantor RM, Leaming JM : Evaluation and management of pediatric major trauma. Emerg Med Clin North Am 1998 ; 16 : 229-256.
35) Louwers EC, Korfage IJ, Affourtit MJ, et al : Accuracy of a screening instrument to identify potential child abuse in emergency departments. Child Abuse Negl 2014 ; 38 : 1275-1281.
36) Sittig JS, Uiterwaal CSPM, Moons KGM, et al : Value of systematic detection of physical child abuse at emergyency rooms : A cross-sectional diagnostic accuracy study. BMJ Open 2016 ; 6 : e010788.
37) Teeuw AH, Kraan RBJ, Rijn RRV, et al : Screening for child abuse using a checklist and physical examinations in the emergency department led to the detection of more cases. Acta Paediatrica 2019 ; 108 : 300-313.
38) 厚生労働科学研究費補助金子ども家庭総合研究事業；「子どもの心の診療に関する診療体制確保，専門的人材育成に関する研究」分担研究；虐待対応連携における医療機関の役割（予防，医学的アセスメントなど）に関する研究：一般医療機関における子ども虐待初期対応ガイド.
https://jamscan.jp/dl/download.cgi?name=ippan_manual.pdf
39) Wootton-Gorges SL, Soares BP, Alazraki AL, et al : ACR appropriateness Criteria® suspected physical abuse-child. J Am Coll Radiol 2017 ; 14 : S338-S349.
40) Vazquez E, Delgado I, Sanchex-Montanez A, et al : Imaging abusive head trauma : Why use both computed tomography and magnetic resonance imaging? Pediatr Radiol 2014 ; 44(Suppl 4) : S589-S603.
41) Choudhary AK, Servaes S, Slovis TL, et al : Consensus statement on abusive head trauma in infants and young children. Pediatr Radiol 2018 ; 48 : 1048-1065.

第15章 高齢者外傷

要 約

1. 高齢者は微細な外力や受傷機転で重篤な損傷をきたす。
2. 高齢者は若年者に比べ，侵襲に対する代償反応が鈍いため，生理学的徴候の早期変化をとらえにくい。
3. 併存疾患や服用中の薬は，生体反応を修飾しやすく治療や予後に強い影響を与える。
4. 高齢者だからといって治療開始を躊躇すべきではないが，初期診療後に改善傾向がみられない場合の侵襲的治療については慎重に考慮する。

はじめに

わが国における高齢者（65歳以上）が総人口に占める割合（高齢化率）は，2017年では27.7％である。この先，総人口が減少するなかで65歳以上の者が増加することにより高齢化率は上昇を続け，2036年には33.3％まで上昇し3人に1人が高齢者になると予測されている[1]。高齢化率の上昇に伴い高齢者の外傷も増加が予想されるため，外傷診療に従事する医療者は高齢者の特徴を理解しておく必要がある。高齢者は若年者に比較し，ISSやRTSが同等であってもICU入室率が高く，ICU滞在期間が長く，合併症が多く[2]，予測死亡率より実死亡率が高い[3]。実死亡率が高くなる原因としては，加齢による生理学的な機能の低下，解剖学的な生体構造の脆弱化，併存疾患や服用中の薬の影響などがある[4)5]。

I 疫学

JTDB*19（Appendix 3「外傷疫学」，p294参照）のうち65歳以上，154,698人では，高齢者における受傷部位としは下肢（46.2％）がもっとも多く，これに頭部，胸部と続く。頭部，胸部または腹部の損傷を伴うと死亡率が高い（20〜25％）。単独外傷としての死亡率が高いのは頭部（16.8％）であり，死亡者総数に占める頭部外傷は半数以上（58％）を占める。人口動態統計の高齢者死亡からみると，受傷機転では転倒・転落が大半で，損傷部位では下肢，頭部の順位である（図A3-5，p293参照）。

これは死亡診断書作成に当たり，頭部外傷に関して急性期死亡を外因死とするが，療養中の誤嚥性肺炎や感染症では病死の扱いとされる。一方，大腿頸部骨折などに合併する肺炎死亡などは，合併症死であっても外因死とされる傾向があるためと考えられる。

II 高齢者外傷の特殊性

加齢とともに感覚機能や運動機能は低下し，危険に対しての防御能力が低下するため，外傷が生じやすい。また，呼吸機能や循環機能の低下は，外傷後の合併症・続発症を重篤化させる危険因子である。認知症を有する場合は病歴聴取の障害となる。以下に外傷診療を行うにあたって理解しておくべき，加齢に伴う生体変化や特徴を要約する。

◆ 1. 身体の加齢による影響

加齢とともに生体構造が脆弱化する解剖学的な特徴だけでなく，生理学的な機能も低下し代償機転が働きにくくなる。例えば，加齢により胸郭コンプライアンス，1秒量，肺活量，拡散能は低下する。こ

のため，軽度の肺挫傷，肋骨骨折による疼痛といった比較的軽い侵襲で容易に酸素化障害や換気障害をきたす。また，加齢とともにカテコラミンへの感受性が低下するため，出血性ショックの状態でも頻脈・冷汗・末梢冷感などの症状が現れにくい。疼痛閾値の上昇が起こり，痛みの訴えがはっきりしないこともある。

2. 併存疾患の影響

併存疾患やフレイル[注1]は外傷を重篤化させ，外傷後の予後を悪くする。とくに外傷予後に影響を与える併存疾患として，肝硬変，凝固異常，COPD，虚血性心疾患，糖尿病があげられる[6]。また，虚血性心疾患，脳血管障害，糖尿病など意識障害をきたす基礎疾患や，老齢症候群の一つとされるフレイルが外傷の契機となる。

3. 服薬の影響

高齢者は，併存疾患の治療に際し複数の薬剤を内服している場合があり，薬剤による重症度の修飾や生体機能に与える影響を考慮する必要がある。例えば，βブロッカー，ジルチアゼムやベラパミルなどのカルシウム拮抗薬，ジギタリスなどの心拍数上昇を抑制する薬剤を内服している場合，循環血液量が減少しても頻脈にならず，循環異常を過小評価することがある。

また，抗凝固薬や抗血小板薬を内服している患者では止血困難や遅発性出血を起こしやすい。抗血栓薬内服中の患者の外傷治療については，新鮮凍結血漿や血小板製剤などの使用を考慮し，抗血栓薬に応じた最適な拮抗薬や中和剤を検討することが推奨される（第8章「頭部外傷」，p141参照）。

III 初期診療

1. Primary survey

Primary surveyでは，高齢者外傷の特徴を十分に理解して行う（**表15-1**）。侵襲に対する反応性が鈍いため，若年者と同じ基準で初期診療を行うと，臓器灌流障害を見逃す可能性がある[7)8)]。

2. Secondary survey

Secondary survey は基本的には他の年齢層に対する手技と同じである。ただし，高齢者の場合，既往歴や服薬の情報はとくに重要なため，繰り返し積極的にAMPLE聴取を行う。

3. Tertiary survey

高齢者は疼痛閾値が高く，ショック所見も現れにくいため，損傷の認識が遅延しないように，頻回なバイタルサインの測定や損傷検索の再評価を行う。

IV 高齢者に特徴的な損傷

高齢者外傷でとくに注意が必要な損傷は頭部外傷，多発肋骨骨折，骨盤外傷である[9]。外傷による死亡では，転倒・転落など日常生活の不慮の事故が圧倒的に多く，損傷部位として下肢を中心とした四肢外傷が頭部外傷を上回る（Appendix 3「外傷疫学」，p293参照）。したがって，高リスク受傷機転でない外傷であっても重症化する可能性があることを銘記しておくべきである[10]。

1. 頭部外傷

高齢者は青壮年者に比較して，びまん性脳損傷の頻度は低く，局所性脳損傷が好発する。高齢者は，若年者に比べ急性硬膜外血腫の頻度が低く，急性硬膜下血腫の頻度が高い。これは加齢による頭蓋内の解剖学的な変化に伴うものとされる。

受傷時は会話が可能でも意識レベルの急速な悪化をきたし予後が不良なtalk & deteriorateもしくはtalk & dieは，高齢者の急性硬膜下血腫や脳挫傷に多い。脳浮腫や遅発性外傷性脳内血腫の急速な進展により，ほぼ半数が死亡するとされる[11]（第8章「頭

注1：フレイル（frailty）：日本老年医学会が2014年に提唱した概念で，健康な状態と要介護状態の中間に位置し，身体的機能や認知機能の低下により環境因子に対する脆弱性が高まった状態を指す。「Frailty（虚弱）」の日本語訳。

表15-1　高齢者外傷の特徴

	観察と処置における注意点	根拠および背景
A 気道	1. 義歯や抜けた歯が気道異物となる 2. 喀痰, 吐物, 異物の喀出が悪い 3. 頸椎の愛護的な扱いと, より慎重な頸椎固定を必要とする。不用意な扱いは頸椎損傷を増悪させ, 脳虚血による意識低下を招く 4. 仰臥位での頸椎保護に際しては, 上半身に毛布などを入れ脊椎変形に応じた自然な姿勢を維持する(とくにバックボード使用時など)	1. 歯科的装具が多い一方, 自己の歯は軽微な外力で抜けやすい 2. 咳嗽反射や嚥下運動の低下が誤嚥を招き, 胸郭の硬化や呼吸筋の筋力低下は気道からの喀出力を低下させる 3. 変形性脊椎症や骨粗鬆症のため, 頸椎の可動域が小さく, また脊柱管が狭い。同時に頸動脈や椎骨動脈に動脈硬化が存在し, 血管の伸展で内腔が閉塞しやすい 4. 脊椎後彎が強くなり, しばしば円背が認められる
B 呼吸と換気	1. マスクフィットが悪く, バッグ・バルブ・マスク換気が困難な場合は, ガーゼを歯肉と頬の間に挿入するなどして調整する 2. 酸素投与は, 軽微な外傷でも適応となる 3. 外傷に限っては慢性閉塞性肺疾患(COPD)でも酸素投与を控えるべきではない。ただし, 呼吸抑制に注意し, 必要があれば補助換気を行う	1. 歯槽骨や下顎骨の萎縮, 義歯を除去すると頬部が陥凹する 2. 呼吸機能が低下しており, 軽度の外傷でも低酸素血症をきたしやすい 3. 慢性閉塞性肺疾患(COPD)の患者は, 呼吸中枢への促進刺激は高二酸化炭素血症よりも低酸素血症に依存しているので, 酸素投与により呼吸抑制を生じることがある。しかし, 外傷では出血性ショックなどによる組織への酸素供給低下を回避することがより重要であり, 酸素投与を控えるべきではない
C 循環	1. 出血性ショックの早期所見とされる頻脈を認め難い 2. このため, ショック早期認知の脈拍は90/分以上を目安とする。 3. ショックに特有な皮膚所見の観察が難しい 4. Capillary refill time, blanch test(爪など圧迫後の毛細血管再充満時間)は信頼し難い 5. 収縮期血圧の正常下限が高い 6. 収縮期血圧110 mmHg未満は危険とされる。	1. 加齢による変化としてカテコラミンに対する感受性が低下し, 低容量, 疼痛, ストレスなどに対して心拍数があまり増加しない。また, 降圧薬や抗不整脈薬の影響もある。とくにβブロッカー服用ではショックになっても頻脈を呈さない。すなわち, 警告サインを示さず, ショックに至りやすい 2. 加齢により湿潤さや張りがなく, メラニン色素が少なく白っぽい 3. 動脈硬化のため末梢循環が低下する。さらに, 閉塞性動脈疾患により局所的に循環が低下している 4. 加齢による動脈硬化のため, 日頃の収縮期血圧が高くなっている。また, 降圧薬服用者は血圧を上昇させる仕組みが抑制されている。高血圧症の傷病者(収縮期血圧150〜160 mmHg以上)が110 mmHgを示せばショックの可能性が高い
D 中枢神経	1. 認知症, 難聴などが存在する場合, 正確な意識レベルの評価が難しい 2. 白内障や眼科手術による影響のため, 瞳孔径や対光反射の評価が難しい場合がある	1. 老人性認知症やアルツハイマー病など病的変化のみならず, 加齢により見当識, 運動および感覚が低下している。向精神薬の服用者も多い。このため, 既往症と頭部外傷による新規の障害を区別することは困難である 2. 虹彩異常, 眼疾患, 中枢神経疾患により修飾されやすい
E 脱衣と保温	1. より積極的に保温に努める	1. 体温調節能力が低下し, 炎症時の発熱が起こりにくい。また, 外気温に対する代償が弱く, 容易に偶発性低体温に至る

部外傷」, p133参照)。頭部に外傷が加わった可能性がある場合には, 初療時, 軽症(GCS合計点14, 15)であっても60歳以上(カナダのガイドラインでは65歳以上)を危険因子としてとらえ, 頭部CTによる頭蓋内損傷の早期評価と継続した神経学的観察が求められる[11]。

さらに初期診療時に意識清明でCT上異常所見がなくても, 数ヵ月以内に慢性硬膜下血腫を発症することがある。慢性硬膜下血腫は, 頭痛, 片麻痺, 意識状態の変容あるいは歩行障害などの症状で発症するため, 受傷後数ヵ月間はこのような症候に注意するよう本人や家族に説明するのが望ましい。

受傷前の抗凝固薬の使用は外傷性脳内血腫の危険因子である[10]。このため，抗凝固薬を服用している高齢者の来院後早期に凝固能検査を行い，拮抗薬の投与を検討する。

◆ 2. 肋骨骨折

高齢者は加齢による胸壁の変化や骨密度低下のため肋骨骨折のリスクが高い。もっとも一般的な肋骨骨折の原因は転倒であり，交通事故がこれに続く。

高齢者の肋骨骨折の代表的な合併症は無気肺であり，高齢者では高頻度に肺炎をきたす。肋骨骨折の本数が多いほど死亡のリスクが上昇する[9]。

治療の主な目的は鎮痛と気道の浄化である。鎮痛の方法には経口内服薬，注射薬，局所麻酔などがある。換気，酸素化の改善が得られない場合は挿管・呼吸器管理への移行を躊躇しない。

◆ 3. 骨盤骨折

高齢者の骨盤骨折の原因としては，転倒がもっとも多い。骨密度低下を背景にした骨盤脆弱性骨折も増加している。骨盤骨折の死亡率は若年者と比較して高い。また入院期間も長期化し，独立した生活に戻ることが困難であることも多い。

高齢者は血管が脆弱なうえに軟部組織が粗であり，側方圧迫型や安定型の恥骨骨折単独においても出血が持続しショックをきたすことがある[12]。CT像での血腫や造影CT像での血管外漏出像を認める場合には，積極的に動脈造影を行い動脈塞栓術の考慮が必要である。抗血小板薬や抗凝固薬を使用している場合には，早期の拮抗薬投与も考慮する。さらに骨折がなくても，近接する筋肉や軟部組織への出血（non-cavitary hemorrhage）も相当量に至り，ショックとなり得るため注意が必要である[13]。

V 高齢者虐待

わが国においても高齢者虐待の増加が指摘されている。高齢者虐待は，身体的虐待，性的虐待，ネグレクト，精神的虐待などがあり，自宅内のみならず介護施設での虐待も増加傾向である[14]。

救急医療従事者は，小児虐待と同様に虐待を疑う姿勢が必要である。受傷機転と診察所見が一致しない外傷では虐待の可能性を考慮する。

高齢者虐待を疑った場合は，高齢者虐待防止法に基づいて市町村役所（介護福祉課）への通告が必要である。医学的に入院の適応はなくても緊急避難が必要と判断された場合は，養護老人ホーム，特別養護老人ホームへ緊急避難のための入所措置をとることができる（詳細はAppendix 7「外傷診療と法的知識」，p305参照）。

VI 治療目標

予備力の低下や基礎疾患の存在により，高齢者外傷は若年者に比べ予後が悪い傾向がある[9]。

そのこと自体は蘇生開始の妨げになるものではなく，高齢者だからといって初期治療開始を躊躇すべきではない[11]。しかし，初期診療終了後も回復が見込めない場合の積極的・侵襲的治療については，病前のADLや本人のリビングウィル，家族の意向などを考慮したうえで決定する[15]。

受傷前のADLは根本治療の術式にも影響してくるため，初期診療過程で十分に聴取する。

また，外傷入院を契機にADLが著しく低下し自宅退院できないことが多い。早期にリハビリテーションを開始するとともに，転院支援や在宅医療体制の整備を開始する[10]。

文献

1) 内閣府：平成30年版高齢社会白書，2019.
2) Aitken LM, Burmeister E, Lang J, et al：Characteristics and outcomes of injured older adults after hospital admission. J Am Geriatr Soc 2010；58：442-449.
3) Watts HF, Kerem Y, Kulstad EB：Evaluation of the revised trauma and injury severity scores in elderly trauma patients. J Emerg Trauma Shock 2012；5：131-134.
4) Callaway DW, Wolfe R：Geriatric trauma. Emerg Med Clin North Am 2007；25：837-860.
5) Aschkenasy MT, Rothenhaus TC：Trauma and falls in the elderly. Emerg Med Clin North Am 2006；24：413-432.
6) Glance LG, Dick AW, Mukamel DB, et al：The effect of preexisting conditions on hospital quality measurement for injured patients. Ann Surg 2010；251：728-734.
7) Martin, JT, Alkhoury F, O'Connor JA, et al：'Normal' vital signs belie occult hypoperfusion in geriatric trau-

ma patients. Am Surg 2010 ; 76 : 65-69.
8) Heffernan DS, Thakkar RK, Monaghan SF, et al : Normal presenting vital signs are unreliable in geriatric blunt trauma victims. J Trauma 2010 ; 69 : 813-820.
9) American College of Surgeons : ATLS Student Course Manual : Advanced Trauma Life Support. 10th ed, American College of Surgeons, Chicago, 2018.
10) American College of Surgeons : Trauma Quality Improvement Project Geriatric Trauma Management Guidelines, 2013.
https://www.facs.org/-/media/files/quality programs/trauma/tqip/geriatric_guidelines.ashx
11) Calland JF, Ingraham AM, Martin N, et al : Evaluation and management of geriatric trauma : An Eastern Association for the Surgery of Trauma practice management guideline. J Trauma Acute Care Surg 2012 ; 73 : S345-S350.
12) Krappinger D, Kammerlander C, Hak DJ, et al : Low-energy osteoporotic pelvic fractures. Arch Orthop Trauma Surg 2010 ; 130 : 1167-1175.
13) 日本外傷学会外傷専門診療ガイドライン改訂第2版編集委員会編：外傷専門診療ガイドラインJETEC，第2版，へるす出版，東京，2018.
14) 厚生労働省：平成29年度「高齢者虐待の防止，高齢者の養護者に対する支援等に関する法律」に基づく対応状況等に関する調査結果，2019.
https://www.mhlw.go.jp/stf/houdou/0000196989_00001.html
15) Aziz HA, Lunde J, Barraco R, et al : Evidence-based review of trauma center care and routine palliative care processes for geriatric trauma patients : A collaboration from the American Association for the Surgery of Trauma Patient Assessment Committee, the American Association for the Surgery of Trauma Geriatric Trauma Committee, and the Eastern Association for the Surgery of Trauma Guidelines Committee. J Trauma Acute Care Surg 2019 ; 86 : 737-743.

第16章 妊婦外傷

要 約

1. 女性の外傷患者は妊娠を念頭に初期診療にあたる。
2. 母体の生理学的徴候の安定化（ABCDE）および胎児の評価（F）が最優先される。
3. 妊婦の診療手順は非妊時と基本的には同じである。
4. 母体の血圧低下は胎児に対し直接的かつ重大な影響を及ぼす。
5. 妊娠後期は妊娠子宮への直接の外力が及びやすく，胎盤早期剥離，子宮破裂，胎児の損傷が起こりやすい。
6. 妊婦の診療チームに初期から産科医を加えることが重要である。

はじめに

わが国では全人口の約0.8％が妊婦である。日本産科婦人科学会の調査では，妊婦が何らかの外傷に遭遇する確率は6～7％とされており[1)2)]，米国産婦人科学会などによると産科的疾患以外の妊婦の死亡原因の第一は外傷で，受傷機転の半数以上が交通事故，約20％が落下，暴行などである。とくに交通外傷は女性の生涯のなかでもっとも遭遇する確率が高いとされている[3)]。母体が重症外傷を負った場合の胎児死亡の割合は60％以上で，母体がショックに陥った場合には80％に上る[4)]。

女性の外傷診療においてとくに留意すべき点として，以下の4点があげられる。

①10～50歳代までの女性は妊娠の可能性がある。
②妊婦の診療では胎児を含め常に複数の生命を扱っている。
③胎児にとっても母体の生理学的徴候の安定を優先させることが最良の結果をもたらす。
④母体が軽度の外傷であっても1～4％で胎児死亡が起こることを考慮し，十分すぎるほどの慎重な対処が望まれる。

女性の外傷初期診療においては，妊娠の有無を必ず確認し，蘇生は成人と同じでよいが（後述），primary surveyで胎児の生理学的徴候の把握に努め，妊娠が判明した段階で，胎児の生存可能性を含めた治療戦略を立てる必要が生じる。

妊婦の外傷初期診療は難しいといわれるが，周産期医療支援機構のBasic Life Support in Obstetrics（BLSO™），Advance Life Support in Obstetrics（ALSO®），日本母体救命システム普及協議会（J-CIMELS）による母体の救命に関する研修コース，外傷初期診療の共通言語をもとに妊産婦救急アルゴリズムを提唱しているPerinatal Critical Care Course運営協議会のPC³（ピーシーキューブ）など，近年さまざまな妊婦外傷診療に資する妊産婦救急のコースが展開されている。

I 解剖と生理

1. 妊娠期間の区分

妊娠期間は，①妊娠初期（妊娠13週6日まで），②妊娠中期（妊娠14週0日～妊娠27週6日），③妊娠後期（妊娠28週0日以降）の3期に分けられる。

妊娠週数が進むにつれて子宮は増大し，妊娠後期には横隔膜下まで達する。胎児が単胎（1人）の場合，子宮底長（恥骨から子宮底までの長さ）は妊娠週数とcompatibleで，子宮底長は妊娠週数±2cmとされている[5)]（図16-1）。

第16章 妊婦外傷

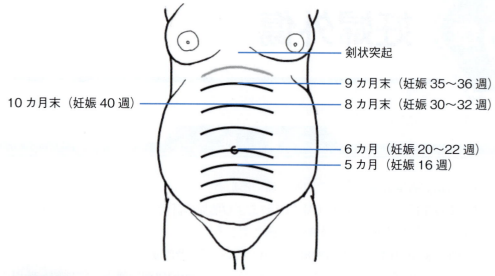

図16-1 妊娠月数と子宮底の位置
触診により，子宮底の高さを評価しておくことは，妊娠月数の把握だけでなく，その後の超音波検査時の指標ともなる

◆ 2. 解 剖

1) 妊娠初期

妊娠初期は，妊娠12週頃胎盤が形成され，胎児の身体はほぼその時期に形作られる（器官形成期）。したがって，この時期の薬剤投与は慎重を期すべきである（表16-3参照）。この時期の子宮は骨盤内にあり，鈍的外力による子宮の損傷は骨盤外傷以外ではまれであるが，重篤な多発外傷や出血性ショック，低酸素血症などにより流産につながる可能性がある。

2) 妊娠中期

子宮は小骨盤を越え，子宮底は臍上に達する。前述した子宮底長が臍高に達すれば，妊娠22週程度だと考えられる。わが国においては，妊娠22週0日以降は早産とされ，胎児が娩出した際に新生児蘇生処置が必要となる。

3) 妊娠後期

子宮底は妊娠36週でもっとも高く，剣状突起下2〜3横指に達する。腸管は上腹部に圧排され，横隔膜は最大で4cm上昇する。胎児の先進部が頭部の場合，児頭が小骨盤腔内に陥入して固定され，胎児は下降する。母体の骨盤骨折により胎児の頭蓋骨骨折を生じることがある[6]。胎盤から分泌するホルモンの影響で骨盤を構成する靱帯は弛緩し，恥骨結合や仙腸関節の間隙が広がる。また，子宮内には約3kgの胎児と600gの胎盤および700〜800mlの羊水を容れるため，子宮重量は5〜6kgに達する。

◆ 3. 生 理

妊娠中は**表16-1**[2]に示すような生理的な変化が生じる。

1) 呼吸・循環の変化

解剖の項目でも述べたように横隔膜の挙上により機能的残気量，残気量が著明に減少し予備呼吸力は減少する。

妊娠中は胎児胎盤系を維持するために血液量が40〜45%増加する。また，妊娠初期・中期では末梢血管抵抗が低下し，胎盤への血流を確保するシステムになっている。このため，心拍出量は非妊時より増加する[2]。妊娠後期には1分間に6〜7Lに達するとされている[2,7]。血液は希釈されるため，ヘモグロビンやヘマトクリットは低下し，ヘマトクリットは31〜35%となる。アルブミンは2.2〜2.8g/dlに低下するため，総タンパクも1g/dl程度低下する。血漿浸透圧に変化はない[5]。

妊娠後期には子宮の増大のため，仰臥位になることで下大静脈が妊娠子宮によって圧迫されて下肢からの静脈還流量が低下し，心拍出量は最大30%の低下をみる[2]。下大静脈の圧迫から血圧の低下をき

表16-1 妊娠による生理的な変化

	妊娠による変化	診療上，留意すべき点
気　道	・咽頭や気道が浮腫状となる	・挿管困難の可能性がある
呼　吸	・横隔膜の挙上により機能的残気量が低下（20～30％）する ・プロゲステロンの影響で気道や肺の抵抗が減少，呼吸中枢は刺激される	・呼吸回数に変化はないが，換気量増加や残気量低下により呼吸性アルカローシスを呈する ・$PaCO_2$ は約10 mmHg低下する
循　環	・末梢血管抵抗低下，心拍数増加，循環血漿量増加に伴い心拍出量は増加する ・挙上した横隔膜により心臓が頭側左方向に変位する ・増大した子宮により骨盤内および下大静脈が圧迫される	・生理的な心嚢液貯留が生じ，心陰影が拡大する ・心電図変化（左軸偏位，Ⅱ，Ⅲ，aV_F でのQ波の出現，Ⅲ，V_{1-3} でのT波の平低化）が生じる ・仰臥位で血圧低下や子宮血流が低下する ・下腿浮腫や下肢静脈血栓のリスクが増加する
凝固線溶系	・出産時の止血に備えて凝固系の活性化と線溶系の活性低下が生じる	・フィブリノーゲンは470±70（mg/dl）まで増加している ・胎盤や子宮への外力により過凝固に傾きやすい
その他	・脾腫（＋50％増大） ・腎腫大（長径＋1 cm）や腎盂拡張 ・肝のサイズは変わらないが，動脈や門脈血流は増加する	・各臓器血流が増加する ・損傷時に出血量が増える危険性がある

〔文献2）を参考に作成〕

たす場合を仰臥位低血圧症候群（supine hypotensive syndrome）といい，診療上の必要がなければ仰臥位はなるべく避けたほうが安全である。さらに心臓の軸はほぼ15°傾くため，T波は第Ⅲ誘導，aV_F, 前胸部誘導で平低化や逆転がみられることがある。

2）血液の再分配

成人では脳・腎・肝・冠動脈に血流が豊富であるが，妊婦は脳に次いで子宮血流量が多く，妊娠後期には1分間に約500 mlの血液還流があるとされる。子宮への血流を生理的に増加させることで胎児の酸素化を行っているのであるが，子宮の損傷により大出血をきたす原因になり得る。また，ショックになれば血液の再分配が起こり，子宮血流が減少することによって，深刻な胎児低酸素血症が起こることも銘記すべきである。

3）凝固系の活性化

妊娠後期では，フィブリノゲンや凝固因子は血液の希釈下にあっても増加する。プロトロンビン時間や部分トロンボプラスチン時間は若干短縮するが，出血時間や凝固時間に変化はない。しかし胎盤や子宮に外力が及ぶと，子宮血管内皮細胞の破綻によりプラスミノゲンアクチベータ，胎盤由来のトロンボプラスチンが大量に放出され，過凝固の状態になる。分娩という事象に対しては合理的であるが，妊婦が慢性のDIC状態であるといわれる所以である。

4）細胞性免疫能の低下

妊娠中胎児は同種移植片ともいえる。この免疫反応を抑えるため，妊婦は細胞性免疫能が低下しているといわれ，感染に対して脆弱である。

Ⅱ 初期診療

1. Primary surveyと蘇生

妊婦においてもprimary surveyは非妊婦と同様に，ABCDEアプローチの手順で進める。母体の生理学的徴候の安定がなければ，胎児の生命も危険にさらされるからである。非妊婦との差異はABCDEアプローチにF（fetal assessment）を追加するところである。前述したように，胎児の生理学的徴候も重要なためである。また，蘇生に反応しない場合は死戦期帝王切開という母体救命のための蘇生手術を考慮することが，非妊婦との決定的な差といえる。したがって胎児評価や死戦期帝王切開に備えて，蘇生チームへの産婦人科医の加入が望ましい。

以下に，妊婦のprimary surveyと蘇生における妊婦の留意点を簡潔に記す。

1）気道確保（A）

非妊時と同様であるが，妊娠後期では口腔内・気道の浮腫があり，バッグ・バルブ・マスク換気や気管挿管が困難な場合がある。また，妊娠中は胃の排出遅延が起きているため，誤嚥の危険性も高い。したがって，挿管は気道管理熟練者による施行が望ましい。気管チューブのサイズ選択については気道の浮腫を考慮する。

2）呼吸と換気（B）

妊娠中期以降は酸素消費量が増加しているため，十分な酸素が必要となる。したがって，十分な酸素化を心がけなければならない。また，妊娠中期以降には生理的にやや過換気になっており，$PaCO_2$は30 mmHg程度を目安に換気を維持する。

3）循環（C）

妊娠中期以降，循環血液量は増加しているため出血に対する代償としての頻脈が現れにくく，出血性ショックの予測が過小評価されやすい。循環血液量の増加を見越して十分な輸液と早期の輸血を考慮する。

また，子宮が臍高になる妊娠20週以降の妊婦では，仰臥位になった場合，その大きな子宮が下大静脈を圧迫し，心臓への血液還流を障害する可能性がある。下大静脈を圧迫しないように，治療に支障のないかぎり左側臥位ないしは右半身にタオルなどを挿入して15〜30°左に傾ける[8]。

心肺停止時の胸骨圧迫は非妊時と同様ないしはやや頭側で行うが，側臥位や半側臥位では質の高い胸骨圧迫は望めない。したがって非妊時と同じ体位にし，人工呼吸も非妊時と同様に行う。下大静脈の圧迫を解除する目的で子宮を左側に圧排することにより，下大静脈還流量の増加が期待できる[9]。ただしこの子宮左方移動に関しては，2015年の心肺蘇生ガイドライン改訂により，AHAは左方移動を推奨し，JRCは「推奨を決める十分なエビデンスがない」としている。外傷初期診療をもとに開発された妊産婦救急のセミナーPC[3]では蘇生者が3人いれば，1人を左方移動にあてることとしている[10]。

ただし，外傷による心肺停止においてはほとんどの原因が失血か閉塞性ショックであるため，蘇生のための胸骨圧迫は基本的に無効である。蘇生が望める症例においては，速やかに蘇生的開胸術を行い，場合によっては死戦期帝王切開も考慮する。

4）中枢神経（D）

非妊婦と同様であるが，妊婦がDの異常をきたす疾患は外傷以外にも多い。妊娠高血圧症候群が原因の子癇や脳出血，脳梗塞がある。Secondary surveyの早い時期に，頭部CT撮影を行うことを考慮する。ただし，子癇では脳梗塞と同様にCTでの所見が乏しいため注意が必要である。

5）体温と体表所見（E）

非妊婦と同様である。

6）胎児の評価と転送の判断（F）

（1）胎児の評価

ABCDEの評価を行いこれが安定化されたら，母体の危険は少なくなったと考えてよい。続いて胎児の生理学的徴候を評価する。はじめに胎児心拍を確認する。循環の評価の際に胎児心拍が確認されていれば，再確認を行う。胎児心拍に変化がないかを確認する。胎児心拍が110〜160回/分であれば緊急性は低いが，胎児心拍がこれより低下している場合は緊急の娩出を考慮し，必要に応じて新生児科へのコールも検討する[11]。しかし，胎児の評価は少なくとも10分程度の胎児心拍連続モニタリングが必要であり，可能であればprimary surveyのどこかで胎児心拍監視装置を装着しておくとなおよい。

（2）転送の判断

ここまでの評価において引き続き蘇生が必要で，より高度な診療が必要と判断されれば周産期母子医療センターを併設した施設への転送を検討する[11]。妊婦は胎児の生死にかかわらず産科的介入が必要な場合が多い。外傷に合併して子宮収縮や性器出血を生じたり，常位胎盤早期剥離など胎児を速やかに娩出しなければならない状況に陥りやすいからである[2]。さらに新生児蘇生を含めた新生児処置が必要な場合，現在蘇生を行っている場所が産科処置と新生児蘇生に適当かを判断し，搬送を考慮する。

周産期母子医療センターは各都道府県に設置されており，全国に総合周産期母子医療センター108施設，地域周産期母子医療センター298施設が設置されている（平成30年度現在，厚生労働省）。あらか

じめ近隣の搬送可能な施設について，情報を得ておくことも助けになる。

【参考】死戦期帝王切開

死戦期帝王切開術（perimortem cesarean delivery；PMCD）は心肺停止妊婦を蘇生する手段の一つである。胎児を娩出させることで母体循環の改善を図る蘇生術であり，基本的に胎児の生死は問わない母体蘇生手技である。外傷初期診療では，蘇生に反応しない心停止をきたした妊婦でPMCDを考慮する。

2010年の国際コンセンサス（CoSTR）に準じ，最新の2015年のAHAガイドラインでは20週以上の妊婦において，CPRにて自己心拍が再開しない場合は4分以内にPMCDを行い胎児を娩出することをClass Iの推奨度としている。わが国のガイドラインでは，4分経っても心肺蘇生に反応しない場合はPMCDを考慮することが推奨されている[11]。

妊婦が心肺停止になった場合の予後を規定する因子に関しては，Einavら[12]が1980〜2010年の症例をreviewしている。それによれば，94症例中，PMCDは92％（86例）の症例に行われており，心肺停止から分娩までの平均時間16.6±12.5分であった。54.3％の母体が生存退院しているが，神経学的予後が良好であったのは9.8％であった。母体の予後予測因子は院内発生であることと，10分以内にPMCDを行うことであった。胎児に関しては84症例を検討し，心停止からの時間は生存児（14±11分），死亡児（22±13分）であった。単胎生存率63.6％，うち神経学的予後が良好な症例は26％，多胎生存率63.1％うち神経学的予後が良好な症例は58.3％であり，胎児の予後予測因子は院内発生の心停止のみという結果であった。このレビューは，妊婦の心肺停止について可及的速やかにPMCDを含む蘇生処置を行うことが，母体の予後の改善につながるということを強く示唆している。

しかし，これらの推奨のもととなる文献は院内発生の心肺停止の解析が多く，外傷など院外発生心肺停止ではPMCDを施行すべきかどうかについてまだ明確なエビデンスはない[13)14)]。

2. Secondary Survey

受傷部位に応じたsecondary surveyを非妊婦と同様に進めるべきであるが，その際胎児の評価を継続して行う必要がある。そのためには産科医をチームに加え，専門診療を同時に行うことが望ましい。

産科的なsecondary surveyは胎児評価の結果のみならず，子宮収縮や子宮口の開大，破水の有無などを総合的に判断し，胎児を子宮内に置いたまま専門診療を進めるか，胎児を娩出させて母体と胎児を別々に管理するかを判断しなければならない。妊産婦救急のセミナーPC[3]では以下に示す「GHIJ」の手順でsecondary surveyを行っている。

1）内診・クスコ診（G：gestational state）

ここでは専門診療のための内診・クスコ診を行う。妊娠中であれば分娩がどこまで進んでいるか，出血の状況はどうか，破水していないかについての診察ということになる。

また，破水の有無も内診・クスコ診でわかる。腟内に破水羊水のpoolingないしflowを認めれば破水は確定的であり，長期にわたり子宮内に胎児をとどめておくことが困難であることを示しているといえる。

2）血圧と採血再評価（H：hypertensive disorder & hematology）

（1）血圧再評価

痙攣や不穏状態が落ち着いていれば，血圧の評価も必要である。これは妊娠高血圧症候群の存在をチェックするためで，とくに緊急降圧などの治療を必要とする重症妊娠高血圧症候群（高血圧緊急症）の診断基準は収縮期血圧180 mmHg以上，拡張期血圧120 mmHg以上のいずれかである。放置していると子癇発作などを起こす可能性があり，子癇予防のための硫酸マグネシウム（2〜4 g）を20分程度かけて緩徐に静注し，ニカルジピンなどによる緊急降圧（収縮期血圧150 mmHg，拡張期血圧100 mmHg以下を目標）を考慮する。ただし，緊急降圧することで胎児循環の悪化が懸念されるため，胎児心拍のモニタリングは行うべきである。重症高血圧（収縮期血圧160 mmHg以上，拡張期血圧110 mmHg）以上を認めた場合も，子癇予防のため

の硫酸マグネシウム静注が推奨されている[11]。

(2) 採血再評価

高血圧は妊婦の多臓器への悪影響が懸念されるため，腎・肝機能の評価が必要である。また，溶血と肝逸脱酵素の上昇を伴う妊娠高血圧の状態は，とくにHELLP症候群と呼ばれる重篤な状況であるため溶血などにも注意を要する。さらにDICの発症を覚知するための凝固・線溶検査（FDP，D-dimer，AT-Ⅲ）が推奨されている。

3）腹部診察・超音波検査（I：imaging）

(1) 腹部診察（触診）

腹部の触診をすることで子宮の硬度がわかる。子宮は平常は弾性軟であるが，陣痛が発来していれば周期的に硬化する。とくに板状硬といわれる硬くて張りつめた状態が持続しているときは，常位胎盤早期剝離が強く疑われる所見である。

可能であれば胎児心拍数陣痛図（cardiotocogram；CTG）を装着して子宮の収縮を計測してもよい。また，子宮底長を測定することで大まかな胎児の大きさがわかる。これをもとに妊娠週数を推定することも可能であり，欧米の教科書では「子宮底長＝妊娠週数±2 cm」とされている[5]。

(2) 超音波検査

腹部・胎児超音波では以下の徴候がないかを検索する。ただし，これらの項目は順不同である。

- Previa（前置胎盤）
- Presenting Part（児先進部）
- Abruption（胎盤早期剝離）
- Amniotic fluid（羊水）
- Fetal biometry（推定体重）
- Fetal assessment（胎児評価）

4）待機か分娩／帝王切開か経腟分娩 （J：judgement）

最終的に専門診療として，待機すべきか分娩すべきか，分娩モードをどうするかを決定しなければならない。

(1) 娩出の要否を決定

妊娠中のsecondary surveyの最終目的はこのまま待機するか分娩とするかを決定することにある。評価ポイントを以下に示す。

【fetal viability（胎児の生存性）】

胎児死亡が確認されれば母体優先の分娩方針になる。基本的に母体にとっては経腟分娩がもっとも侵襲が少ないが，陣痛がない状態または子宮口が分娩の準備状態にない場合は誘発・促進分娩を選択することになり，娩出まで数時間はかかる見通しになる。

母体が妊娠を継続するリスクと胎児の生存性を考慮した方針決定が望まれる。

(2) 帝王切開か経腟分娩か

胎盤位置，子宮手術歴，妊娠合併症，内診所見などは分娩モード（帝王切開か経腟分娩か）の選択には重要な情報である。AMPLE聴取のときにできるだけ情報を得ておきたい。また，救命救急センターでの新生児蘇生は新生児科にとってはきわめてストレスフルであるため，早期の準備とチーム内でのフォロー体制が必要である[11]。

3. 胎児に関する留意点

Secondary surveyののち，子宮内に胎児を置いたまま保存的に管理することになれば妊娠20週を超える場合，少なくとも6時間は胎児心拍数監視を行うことが望ましいとされる[9)15)]。その際は胎児心拍監視装置の装着も必要となり，産科チームとのコミュニケーションを緊密にとることが重要である。

4. 根本治療

産科的secondary surveyののち，胎児に対する方針が決まれば母体の根本治療を検討し得る。適応は非妊婦と同様であるが，妊娠中は鎮静や麻酔薬への感受性が高まるといわれており，麻酔薬の必要量は25～40％減少する。また，鎮静薬は胎盤へ拡散する可能性があり，胎児の評価が困難になる場合があるため産科チームに鎮静薬の使用に関しての情報を共有しておくとよい[11]。

Ⅲ 母体受傷機転と胎児の予後

外傷による母体死亡の原因として頭部外傷や臓器損傷を伴う出血があげられる。母体が出血性ショックに陥った場合には，たとえ救命できたとしても子宮への血流障害から妊娠の継続に困難を生じ，80％の胎児は死亡するといわれている。また，母体に

とっては小さな損傷でも胎盤早期剝離や循環不全が生じて胎児が死亡することがある。

以下に受傷機転と胎児の予後についてまとめる。

◆ 1. 腹部鈍的外傷

母体の腹壁への直達外力は胎児頭蓋骨骨折や頭蓋内出血の原因となるばかりでなく，胎盤早期剝離の原因になり得る。子宮破裂や肝破裂などのリスクも高いが診断が困難な場合もある。とくに交通外傷ではダッシュボードやハンドルなどにより腹壁を通して胎児へ直接外力が及び，胎児頭蓋内骨折などの原因になるばかりでなく胎盤早期剝離や子宮破裂をきたす（図16-2）。シートベルトが正しく装着されていれば，母体のみならず胎児死亡も減少させるとの報告があり[16]，正しい装着の啓発が必要である[9)11)]。

◆ 2. 腹部穿通性外傷

下腹部への刺創・銃創などの穿通性外傷による，子宮損傷における胎児の生存率は低い。皮肉なことに母体は子宮が他の臓器を保護する役目を果たすため，非妊時に比べ生存率は低い[2)]。FASTでは腹腔内に羊水が流出し，腹腔内大量出血を疑う像を結ぶ可能性がある。また，上腹部の穿通性外傷でも妊娠後期には子宮損傷を伴う可能性があり，産科医へのコンサルトを考慮する。

◆ 3. 熱傷・電撃傷

羊水は電気抵抗が少なく，母体の電撃傷ではわずかな電流でも致死的となり胎児死亡率は73％に達する。母体への対応は非妊婦と同様に扱う。

◆ 4. 転倒・転落

体重増加，高い重心，足下の視界不良，ホルモンの変化による靱帯の弛緩により妊婦は容易に転倒する。腹部を直接打撲しなくても鈍的外傷と同様の転帰をたどることがあり，注意を要する。

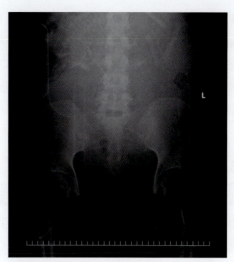

図16-2　妊婦の交通外傷
腹腔内に妊娠後期相当の胎児がみられるが骨盤内から脱出している。ハンドルによる鈍的腹部外傷によって子宮破裂をきたし，胎児は死亡していた

IV 外傷診療における妊娠に特有な病態

◆ 1. 胎盤早期剝離（早剝）

胎盤早期剝離（早剝）は，分娩前に胎盤が子宮から剝離することで胎児への酸素供給が断たれるため，胎児にとってはきわめて重篤な結果を起こす。同時に刺激により子宮は強く収縮し，胎盤より遊離したトロンボプラスチンなどが母体循環に迷入することで播種性血管内凝固症候群（DIC）を惹起し，母体にも重篤な状態をもたらす。鈍的腹部外傷による胎児死亡原因の第一は早剝である。重症外傷では約50％にみられ，軽症から中等症でも2〜4％にみられる[2)]。早剝を疑う症状は性器出血，腹痛，子宮収縮，汎発性腹膜炎に似た「板状硬」と呼ばれる腹部所見を呈するが，これらの症状を伴わない早剝もある。早剝により胎児の25〜30％が死亡する。受傷後24〜48時間経ってから発症する場合もあり，厳重な監視を必要とする所以である。胎児心拍の連続モニタリングが診断に有用である。

◆ 2. 子宮破裂

文字どおり子宮が破裂し，腹腔内に胎児が曝露する状態であり，母児ともに予後はきわめて悪い。妊

娠中期以降の腹部の圧痛，腹壁の緊張，筋性防御，反跳痛など腹膜刺激症状を呈するが，診断は困難で腹部超音波での正診率は50％足らずとされている[2]。超音波以外にも腹部X線検査で胎児の四肢伸展，位置異常，腹腔内ガス像をみることがある（図16-2）。

3. 母児間輸血症候群

妊娠女性はすべて少量の胎児血が循環に流入するといわれており[5]，正常妊娠分娩でも起こる生理的現象ともいえる。胎児は循環血漿量がきわめて少ないため，胎盤絨毛の破綻などにより胎児血が失われ胎児貧血をきたすことがある。外傷の程度にかかわらず胎児死亡をみることがあるため注意が必要である。

V 放射線

胎児に対する放射線の影響は被ばく時期と被ばく線量に依存しており，閾値があることがわかっている。したがって外傷診療においては，妊婦にであっても必要な診断的放射線被ばくは躊躇すべきではない。

日本産科婦人科学会のガイドラインでも，「受精後11日〜妊娠10週での胎児被曝は奇形を誘発する可能性があるが，50mGy未満被曝量では奇形発生と被曝量間に関連は認められない」「妊娠10〜27週では中枢神経障害を起こす可能性があるが，100mGy未満では影響しない」としている[11]。

各検査における放射線被ばく量を**表16-2**に示す。通常の診断的放射線被ばく量で問題は生じないが，乱用は避けるべきである。

なお，MRI検査に関しては現在のところ胎児への深刻な影響は報告されておらず，施行は可能である。

VI 薬 剤

妊娠中に投与禁忌の薬剤は限られている。
以下に禁忌薬剤を示す（詳細は**表16-3**[11]を参照）。

表16-2 放射線被ばく量

検査方法		平均被ばく線量（mGy）	最大被ばく線量（mGy）
単純撮影	頭部	0.01以下	0.01以下
	胸部	0.01以下	0.01以下
	腹部	1.4	4.2
	腰椎	1.7	10
	骨盤部	1.1	4
	排泄性尿路造影	1.7	10
消化管造影	上部消化管	1.1	5.8
	下部消化管	6.8	24
CT検査	頭部	0.05以下	0.05以下
	胸部	0.06	0.96
	腹部	8	49
	腰椎	2.4	8.6
	骨盤部	25	79

1. 妊娠初期

器官形成期であり比較的禁忌薬物は多い。カルバマゼピン，フェニトイン，フェノバルビタール，ワルファリンカリウムなどは使用禁忌とされている。

2. 妊娠中期以降

器官形成期以降の投薬は比較的禁忌は少ないが，妊娠中期のアンジオテンシン変換酵素阻害薬（ACE-I）やアミノグリコシド系抗菌薬などは使用を避ける。また，妊娠後期ではNSAIDsの使用が禁忌であることに留意すべきである。鎮痛・解熱薬としてはアセトアミノフェンが安全に使用できる。また，オピオイドを用いての鎮痛も可能である。

まとめ

妊婦の外傷初期診療は，基本的には非妊時と同様でよい。必要以上の配慮はかえって母児ともに予後を悪くするが，常に複数の生命を預かっているということを心にとめながら診療を進めるべきである。そのためにはできるだけ早い段階で，産科医に診療参加を依頼すべきであろう。

表16-3　妊娠中の禁忌薬剤

一般名または医薬品群名	代表的商品名	報告された催奇形性・胎児毒性
妊娠初期		
カルバマゼピン	テグレトール，他	催奇形性
バルプロ酸ナトリウム	デパケン，セレニカR，他	催奇形性：二分脊椎，胎児バルプロ酸症候群
フェニトイン	アレビアチン，ヒダントール，他	催奇形性：胎児ヒダントイン症候群
フェノバルビタール	フェノバール，他	催奇形性：口唇・口蓋裂，他
ワルファリンカリウム	ワーファリン，他	催奇形性：ワルファリン胎芽病，点状軟骨異栄養症，中枢神経異常
妊娠中期		
アンジオテンシン変換酵素阻害薬（ACE-Ⅰ）	カプトプリル，レニベース，他	胎児毒性：胎児腎障害・無尿・羊水過少，肺低形成，Potter sequence
アンジオテンシンⅡ受容体拮抗薬（ARB）	ニューロタン，バルサルタン，他	
アミノグリコシド系抗菌薬	ゲンタシン，カナマイシン，ストレプトマイシンなど	非可逆的第Ⅳ脳神経障害
テトラサイクリン系抗菌薬	アクロマイシン，レダマイシン，ミノマイシン，他	胎児毒性：歯牙の着色，エナメル質形成不全
ミソプロストール	サイトテック	子宮収縮，流早産
妊娠後期		
非ステロイド系抗炎症薬（NSAIDs）（インドメタシン，ジクロフェナクナトリウム，他）	インダシン，ボルタレン，他	胎児毒性：動脈管収縮，胎児循環遺残，羊水過少，新生児壊死性腸炎

救急現場で使用頻度の高い薬剤を抽出して掲載した
〔文献11）を参考に作成〕

文　献

1) Udekwu AO, Gammie JS, Schwab CW：Care of the pregnant trauma patient. In：The Trauma Manual. Peitzman AB, et al eds, Lippincott-Raven, Philadelphia, 1998, pp443-450.
2) Cunningham FG, Leveno KJ, Bloom SL, et al：Williams Obstetrics. 25th ed. McGraw Hill Education, New York, 2018.
3) Redelmeier DA, May SC, Thiruchelvam D, et al：Pregnancy and the risk of a traffic crash. CMAJ 2014；186：742-750.
4) Rothenberger D, Quattlebaum FW, Perry JF Jr, et al：Blunt maternal trauma：A review of 103 cases. J Trauma 1978；18：173-179.
5) 岡本愛光監：ウィリアムズ産科学，原著25版，南山堂，東京，2019.
6) American College of Surgeons Committee on Trauma：Trauma in Women. Advanced Trauma Life Support for Doctors：Instructor Course Manual. American College of Surgeons, Chicago, 2004.
7) Ueland K, Metcalfe J：Circulatory change in pregnancy. Clin Obstet Gynecol 1975；18：41.
8) Advanced Life Support Group：Pre-hospital Obstetric Emergency Training. Woollard M, Hinshaw K, Simpson H, et al eds, Wiley-Blackwell, UK, 2010.
9) Goodwin TM, Breen MT：Pregnancy outcome and fetomaternal hemorrhage after noncatastrophic trauma. Am J Obstet Gynecol 1990；162：665-671.
10) Perinatal Critical Care Course運営協議会編：周産期初期診療アルゴリズム；PC³ピーシーキューブ公式コースガイド，メディカ出版，東京，2017.
11) 日本産科婦人科学会，日本産婦人科医会編：産婦人科診療ガイドライン；産科編2017.
http://www.jsog.or.jp/activity/pdf/gl_sanka_2017.pdf
12) Einav S, Kaufman N, Sela HY：Maternal cardiac arrest and perimortem caesarean delivery：Evidence or expert-based? Resuscitation 2012；83：1191-1200.
13) Zelop CM, Einav S, Mhyre JM, et al：Cardiac arrest during pregnancy：Ongoing clinical conundrum. Am J Obstet Gynecol 2018；219：52-61.
14) Battaloglu E, Porter K：Management of pregnancy and obstetric complications in prehospital trauma care：Prehospital resuscitative hysterotomy/perimortem caesarean section. Emerg Med J 2017；34：326-330.
15) American College of Surgeons：Trauma in women. In：Advanced Trauma Life Support for Doctors. American College of Surgeons, Chicago, 2008.
16) Wolf ME, Alexander BH, Rivara FP, et al：A retrospective cohort study of seatbelt use and pregnancy outcome after a motor behicle crash. J Trauma 1993；34：116-119.

第17章 画像診断

要約

1. モダリティ選択と画像解釈は，primary survey，secondary surveyのステージで異なる。
2. 画像検査の中心はCTであるが，適応を吟味し，検索すべき部位や損傷の様式に応じた撮影条件，造影の要否および画像構築の選定を行う。
3. CTの読影は3段階で行い，第1段階（FACT）では緊急処置を必要とする損傷を迅速に把握し，続く第2段階では時間を意識して，治療方針決定に必要な所見を適切に評価する。

I X線検査

1. Primary surveyにおける評価

　X線検査は被ばくを伴う検査であり，CTと比較すると得られる情報は非常に少ない。しかしながら，CTよりも被ばく量が少ないこと，ポータブル撮影機器を用いれば患者を移動させずに検査可能であること，また経時的変化を観察する際に比較が容易であることなどから，今なお重要な画像検査の一つである。外傷診療においては，止血までの時間を短縮することが重要であり，単純X線検査の撮影に要する時間も短縮することが重要である。決められた方法はないが，各自施設での工夫が必要である。

　高リスク受傷機転において，循環動態に影響を及ぼし得る損傷の有無を評価する目的として，胸部と骨盤の単純X線撮影を行う。

2. Secondary surveyにおける評価

　Primary surveyにおいて胸部と骨盤の単純X線撮影を行っている場合，詳細な読影を行う（第5章「胸部外傷」：p81，第7章「骨盤外傷」：p119参照）。

　身体所見の結果から，追加の単純X線撮影が必要かを判断する。胸部に関しては，primary surveyですでに施行されていることが多く，詳細に読影する（技能5-1「胸部外傷のX線診断」，p91参照）。

基本的に体幹は後述のCTで評価するため，単純X線撮影の主たる検査部位は四肢となる。四肢の評価の場合，1方向からの撮影のみでは損傷をとらえにくい場合があるため，基本的に2方向以上で評価する。とくに手関節や足関節など，骨折線がわかりにくい場合は斜位像を含めた4方向で評価するとよい（第12章「四肢外傷」，p181参照）。

　造影X線検査とは，造影剤を使用してX線撮影を行う検査であり，具体的には内視鏡的逆行性胆道膵管造影（endoscopic retrograde cholangiopancreatography；ERCP），点滴静注胆管造影（drip infusion cholangiography；DIC），経静脈的排泄性腎盂造影（intravenous pyelography；IVP），膀胱造影，尿道造影などがあげられる。

II CT検査

1. CTの適応

　CT検査は機器の性能向上と撮影時間の短縮により，近年ますますその有用性が指摘されている。とくに2009年の論文[1]では，全身CT（pan-scan）を行うことにより，予測生存率を上回る実生存率が得られたと報告され，一躍外傷患者へのCT撮影に拍車がかかることになった。

　全身CTの前向き研究[2]では，当初撮影不要と思われた部位であっても17%（52/311）の症例で有

意所見が認められている。他の前向き研究でも同様の結果であり（頭部3.5%，頸部5.1%，胸部19.6%，腹部7.1%），実に18.9%の症例においてCT所見により治療方針が変更されている[3]。すべての外傷患者で全身CTを行うとnegative scanの割合が増加するが，全身CTの撮影基準を①2カ所以上の身体部位の受傷，②意識レベル低下，③循環動態不安定，④呼吸状態の悪化，⑤受傷機転とした場合，感度97%，特異度59%との報告がある[4]。わが国の多施設研究においても，中等度以上の意識障害を有する鈍的外傷患者に対する全身CTの有用性が報告されている[5]。また，部位を絞って撮影するよりも，全身CTのほうが止血術開始までの時間短縮につながるとの報告[6,7]もある。さらに熟練したスタッフのもとで全身CTを行うことで，CT室滞在時間を10分未満に短縮することも可能とされる[8,9]。

さらには，CT撮影をprimary surveyに含むように前倒しして行うという報告[10]もみられる。近年の前向き多施設研究では，循環動態不安定な患者においても，全身CTのほうが従来の選択的CT撮影に比べて有意に死亡率を改善することが報告されている[11]。

ただし，全身CTにおける多施設RCTは，これまでに1編しか報告がなく，その報告においては，従来からの標準的な画像検査と比べ死亡率に有意差がないことが示されており，むやみに施行することに警鐘が鳴らされている[8]。

機器が進歩して撮影時間が短くなったとはいえ，重症外傷患者では循環動態が安定していても撮影中に急変することがある。また，点滴類・人工呼吸器・ドレーンなど多くの付帯物があると移動には時間を要するため，その適応には十分に配慮しなければならない。したがって，primary surveyでCT検査の施行を推奨するには至っていない。もっとも，近年では，ハイブリッドER，すなわち検査（CTとX線透視）と治療（手術やIVR）とが1つの部屋で移動なく施行できる初療室が広まりつつあり，そのような環境に限っていえば，CTを前倒して施行するということも可能性としては考えられるが，エビデンスはなく今後の報告が待たれる。

◆ 2. CT撮影における注意点

移動中やCT室内での急変時に迅速な対応ができるように，医療資器材を準備しスタッフを教育する。移動中およびCT検査中には心電図，血圧，酸素飽和度などを連続してモニターし，厳重に監視する。

なお，施設の新設時には初療室とCT室との距離を短くするか，前述したようなハイブリッドERを導入するなど患者移動が最小限となるように設計することが望ましい。撮影までの準備を早く行い，撮影終了後に速やかに診療に移行できるようにする工夫が必要である。

◆ 3. CT撮影の実際

1）撮影の適応

全身CTは高リスク受傷機転，意識障害がある患者や受傷機転が明らかでない場合に適応と考えられるが，明確な適応基準はない。Primary surveyで「切迫するD」がある場合，secondary surveyのはじめに頭部CTを撮影するため，頭部CTに続けて全身CTを行うことが許容される。その時点ではsecondary surveyを行っておらず，撮影範囲を適切に絞り込むことができないためである。そして，前項の注意点に十分に配慮する必要がある。

なお，高リスク受傷機転でない患者に対する全身CTの適応は今後の検討課題であるが，被ばく線量の増加を招くおそれがあり，安易な全身CTは慎むべきである。

2）撮影の方法

出血源の検索には，造影剤を用いた撮影が基本であるが，頭蓋内損傷の評価には単純撮影が必須である。このため，部位ごとに造影の有無と撮影のタイミングを考慮しなければならず（表17-1），全身を網羅した検査法の典型例を図17-1に示す。

骨折部における骨片と造影剤の血管外漏出の鑑別には単純CTとの比較が有用であるが，被ばくの低減，撮影時間の短縮の観点からは，単純CTを省略することも考慮する。

造影剤を経静脈的に急速注入（2～4 ml/秒）し，二相（動脈優位相と実質相）で撮影することが推奨される。なお，臓器や血管損傷の有無だけであれば一相撮影（実質相のみ）でも評価可能であるが，二相撮影のほうが後述するように情報量は多い。撮影するタイミング（図17-2）に関して，固定法とボー

表17-1 外傷における部位別CT撮影条件

頭部	単純撮影は必須 頭蓋底骨折・顔面骨骨折の可能性があり，持続する出血や拡大する血腫があるなら動脈優位相が必要
顔面	水平断・冠状断を骨条件で再構成する 二相（動脈優位相・実質相）撮影を行うことにより，血管外漏出像が明瞭化する
頸部	水平断・矢状断を骨条件で再構成する 頸椎損傷が疑われるなら椎骨動脈損傷を確認するため動脈優位相が有用
体幹部	大動脈損傷や大量血胸が疑われるなら胸部を含めた二相撮影 FASTで腹腔内液体貯留があったり，不安定型骨盤骨折があるなら腹部骨盤腔を含めた二相撮影は必須 脊椎損傷の評価のために，矢状断を骨条件で再構成する

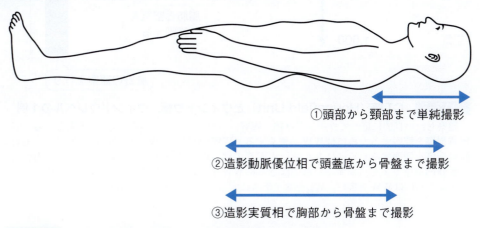

図17-1 全身CT撮影で頭部から骨盤を網羅する方法の一例

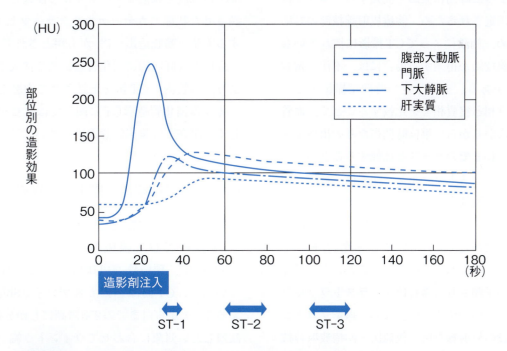

図17-2 造影剤の血中濃度の変化とCT撮影のタイミング

　造影剤の急速注入（2〜4 ml/秒）で注入に30〜40秒程度を要する．造影動脈優位相は造影剤注入開始から30〜40秒程度で撮影を開始（ST-1）し，造影実質相は造影剤注入開始から100〜120秒程度で撮影を開始（ST-3）する．オプションとして門脈からの血流を確認するために造影門脈優位相と呼ばれる時間（造影剤注入開始から60〜80秒程度）で撮影を追加する（ST-2）こともある．また，尿路系の評価を行う排泄相は5〜10分程度で撮影する

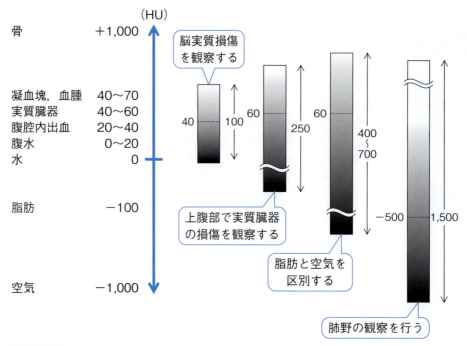

図17-3 CT値（Hounsfield Unit）とウィンドウ幅，ウィンドウレベルの1例
　観察したい目的に応じてウィンドウ幅（WW）とウィンドウレベル（WL）を調整する。脳実質損傷を観察するためにはWWは狭くする（WW100程度，WL40程度）。上腹部での実質臓器損傷を観察するためにはもう少しWWを広げ（WW250程度，WL60程度），腹腔内脂肪と腹腔内遊離ガスを区別するためにはさらにWWを広げる（WW400～700程度）。肺野を観察するためにはWWを広げ，WLをマイナスにする（WW1,500程度，WL－500程度）

ラストラッキング法があり，固定法では造影剤注入開始から決まった時間に撮影を開始する。本法では撮影条件が固定されるため，診療放射線技師の対応が容易なため，施設によってCT撮影に慣れていない診療放射線技師が担当する場合には，本法が選択されることがある。また一定の時間で撮影するため，動脈優位相と実質相とを比較することで，血管外漏出像の広がりから，単位時間当たりの出血量を自施設でのこれまでのケースと比較することができる。一方，ボーラストラッキング法では，目的とする血管（例えば腹部大動脈）のモニタリングを行いながら，CT値が上昇したタイミングで撮影を開始する。循環時間が遅くなっていても動脈優位相の至適タイミングでの撮影が可能になることから，循環動態の異常が予測される場合はボーラストラッキング法を使用するのが望ましい。なお，撮影プロトコルは，各施設の放射線科医・救急医・診療放射線技師などで決めておくのがよい。

　腎盂尿管損傷などの尿路系損傷が疑われる場合には，経静脈的造影剤を注入した5～10分後に排泄相としてCT撮影を行うことで溢尿の検出が可能である。ただし，この方法は膀胱損傷の診断率が低いため，膀胱損傷が疑われる場合には希釈した造影剤300 ml程度を尿道カテーテルから注入し，膀胱を充満させた状態でカテーテルをクランプしてCT撮影する方法（膀胱造影CT）が有用とされている[12]。

　経口・経肛門的に消化管造影剤を注入することにより，腸管内のCT値を上昇させて内腔を描出しやすくする消化管造影CTに関してはエビデンスが乏しく，現在では臨床的意義は小さい[13)～15)]。

4. 画像の描出：階調と再構成

1) ウィンドウ幅とウィンドウレベルの設定

　CT装置ではX線吸収値を水：0HU，空気：－1,000HU，硬い骨：＋1,000HUとして2,000分割しているが，CT画像をディスプレイ（8bit）で表示する際，黒から白までの256階調にしか分けられず，観察したい対象に合わせてウィンドウ幅（WW）とウィンドウレベル（WL）（ウィンドウセンター；WC）を設定する（図17-3）。中心とするCT値にWLを合わせる。通常，実質臓器のCT値は40HU前後であることから，WLを40HU前後に設定することが多い。

PACS (picture archiving and communication system) で画像を閲覧する場合は，手元でWWとWLを調節し，目的とする臓器を確認しやすい条件で読影する．

2) 多断面再構成画像 (multiplanar reconstruction ; MPR)

多列検出器CT（multidetector-row CT；MDCT）で撮影することにより，矢状断や冠状断などのMPR像での評価が可能になった．とくに顔面外傷での冠状断像は必須であり，また脊椎損傷での矢状断による評価により診断精度が向上する[16]．三次元再構成画像（3D-CT）に関しては通常MPR像で得られる以上の情報はないが，画像による説得力があるため全体像の把握や患者・家族への病状説明の際に有用である．

◆ 5. 外傷CTの読影

動画63

詳細な読影には時間がかかるため，効率的に迅速な治療に結びつける必要性から，一つの方法として，下記のような3段階で読影する方法を紹介する（詳しくは技能17-1「外傷CTの読影」，p235参照）．

第1段階は緊急処置を必要とする損傷を迅速に読影することである．第2段階は治療方針決定に必要な所見を適切に評価することである．第3段階は見逃し損傷がないかを正確に再評価することが目的であり，画像診断の専門医の読影が重要となる．

1) 読影の第1段階

読影の第1段階は，直ちに緊急処置を要する損傷を検索するために焦点を絞って（focused）評価（assessment）する．このためFACT（focused assessment with CT for trauma）と呼ばれ，これは超音波検査におけるFASTに相当するものである．第1段階の読影では，意識・呼吸・循環に影響する損傷の有無を把握するのが最優先であり，血腫に関して血管外漏出像や仮性動脈瘤の検索に時間を費やしてはならない．第1段階で見つけるべき所見（技能17-1「外傷CTの読影」，p235参照）が発見できれば，手術室や血管造影室への移動を行う．CT室から直接移動できるように，CT室のコンソール（CT操作用のモニター）で読影する．

2) 読影の第2段階

第2段階の読影では，血腫，血管外漏出像や仮性動脈瘤など小さな損傷や損傷形態を評価しなければならないため，薄いスライス（1〜3mm厚）での読影が推奨される．その際には，動脈優位相と実質相との比較も重要である．また，MPR像の読影も必要であり，常日頃から冠状断像や矢状断像に慣れておく必要がある．第1段階で陰性であれば，初療室に戻って第2段階の読影を行うことになるが，第1段階で陰性だからといって，緊急処置を要する損傷がないと診断したわけではないため，速やかに第2段階を行う必要がある．また，第1段階で陽性であった場合は，手術の準備，血管造影の準備を行いながら第2段階の読影を行う．

3) 読影の第3段階

初回読影での見落としの頻度は50〜70%という報告[17)18)]もあり，正確な再読影をすることが重要である．この際，第三者的に先入観なしに読影することが求められる．初期診療医は，患者を診療しながら画像をみているため，症状を訴えない部位に関しては損傷を見逃しやすい．また，読影の第1段階（FACT）で陽性となった所見にとらわれて，読影の第2段階がおろそかになることもある．受傷形態から損傷部位を類推して読影することは重要であるが，前向き研究では，当初撮影不要と思われた部位であっても17%に有意所見が得られたことから[2)]，先入観を除いた状態で読影することが望ましい．

全身CTによる偶発所見は3%程度の頻度で発見され，そのうち16.5%で臨床上重要と考えられる所見が認められたとの報告もあり[19)]，読影の第3段階は重要である．放射線科のレポートで記載されていてもその後のフォローが62%の症例でなされていなかったとも報告されており[20)]，診療が落ち着いた段階で早期にレポートを含めて確認するように心がけなければならない．

Ⅲ MRI検査

MRIは機器の進歩により比較的容易に撮影できるようになったものの，検査に必要な時間が長いこと，検査中の患者管理が困難であることなどの問題点から，外傷初療における適応は限定的である．他

の画像検査機器で代用できない場合は，患者の状態などを総合的に鑑みて検査を行う．

外傷でMRIを施行する頻度がもっとも高いのは，脊椎・脊髄損傷が疑われる場合である．脊髄自体の病変や靱帯を含む軟部組織損傷などを検出することができる（第11章「脊椎・脊髄外傷」，p173参照）．

頭部外傷ではびまん性軸索損傷（diffuse axonal injury；DAI）を鑑別するために施行される（第8章「頭部外傷」，p139参照）．意識障害が遷延し，かつCT検査で明らかな所見を認めない場合に行われる．その他，四肢の関節面における骨損傷，膵損傷や胆道損傷などの評価のために施行されることがある．

文 献

1) Huber-Wagner S, Lefering R, Qvick LM, et al：Effect of whole-body CT during trauma resuscitation on survival：A retrospective, multicentre study. Lancet 2009；373：1455-1461.
2) Tillou A, Gupta M, Baraff LJ, et al：Is the use of pan-computed tomography for blunt trauma justified? A prospective evaluation. J Trauma 2009；67：779-787.
3) Salim A, Sangthong B, Martin, M, et al：Whole body imaging in blunt multisystem trauma patients without obvious signs of injury：Results of a prospective study. Arch Surg 2006；141：468-473.
4) Davies RM, Scrimshire AB, Sweetman L, et al：A decision tool for whole-body CT in major trauma that safely reduces unnecessary scanning and associated radiation risks：An initial exploratory analysis. Injury 2016；47：43-49.
5) Kimura A, Tanaka N：Whole-body computed tomography is associated with decreased mortality in blunt trauma patients with moderate-to-severe consciousness disturbance：A multicenter, retrospective study. J Trauma Acute Care Surg 2013；75：202-206.
6) Wurmb TE, Frühwald P, Hopfner W, et al：Whole-body multislice computed tomography as the first line diagnostic tool in patients with multiple injuries：The focus on time. J Trauma 2009；66：658-665.
7) Wurmb TE, Quaisser C, Balling H, et al：Whole-body multislice computed tomography (MSCT) improves trauma care in patients requiring surgery after multiple trauma. Emerg Med J 2011；28：300-304.
8) Sierink JC, Treskes K, Edwards MJ, et al：Immediate total-body CT scanning versus conventional imaging and selective CT scanning in patients with severe trauma (REACT-2)：A randomised controlled trial. Lancet 2016；388：673-683.
9) Matsumoto J, Lohman BD, Morimoto K, et al：Damage control interventional radiology (DCIR) in prompt and rapid endovascular strategies in trauma occasions (PREST)：A new paradigm. Diagn Interv Imaging 2015；96：687-691.
10) Kanz KG, Paul AO, Lefering R, et al：Trauma management incorporating focused assessment with computed tomography in trauma (FACTT)：Potential effect on survival. J Trauma Manage Outcome 2010；4：4.
11) Huber-Wagner S, Biberthaler P, Haberle S, et al：Whole-body CT in haemodynamically unstable severely injured patients：A retrospective, multicenter study. PLoS One 2013；8：e68880.
12) Quagliano PV, Delair SM, Malhotra AK：Diagnosis of blunt bladder injury：A prospective comparative study of computed tomography cystography and conventional retrograde cystography. J Trauma 2006；61：410-422.
13) Stafford RE, McGonigal MD, Weigelt JA, et al：Oral contrast solution and computed tomography for blunt abdominal trauma：A randomized study. Arch Surg 1999；134：622-626.
14) Lafferty B：Oral contrast omission in the computed tomographic evaluation of blunt abdominal trauma：A literature review. J Trauma Nurs 2012；19：E1-4.
15) Allen TL, Mueller MT, Bonk RT, et al：Computed tomographic scanning without oral contrast solution for blunt bowel and mesenteric injuries in abdominal trauma. J Trauma 2004；56：314-322.
16) Wintermark M, Mouhsine E, Theumann N, et al：Thoracolumbar spine fractures in patients who have sustained severe trauma：Depiction with multi-detector row CT. Radiology 2003；227：681-689.
17) Eurin M, Haddad N, Zappa M, et al：Incidence and predictors of missed injuries in trauma patients in the initial hot report of whole-body CT scan. Injury 2012；43：73-77.
18) Agostini C, Durieux M, Milot L, et al：Value of double reading of whole body CT in polytrauma patients. J Radiol 2008；89：325-330.
19) Baugh KA, Weireter LJ, Collins JN：The trauma pan scan：What else do you find? Am Surg 2014；80：855-859.
20) Devine AS, Jackson CS, Lyons L, et al：Frequency of incidental findings on computed tomography of trauma patients. West J Emerg Med 2010；11：24-27.

技能 17-1　外傷CTの読影

1. 読影の第1段階 FACT（focused assessment with CT for trauma）

目　的：緊急処置を必要とする損傷の把握
タイミング：撮影後に患者がCT寝台からストレッチャーに移乗する（3分以内）までに判断する。血管外漏出像や仮性動脈瘤は重要な所見であるが，固執して時間をかけないようにする。

部位および画像条件	拾い上げる所見	メモ
①頭部／実質条件	緊急減圧開頭が必要な血腫	主に正中偏位をきたすような血腫の有無
②大動脈弓部遠位／実質条件	大動脈損傷，縦隔血腫	大動脈損傷の好発部位。外傷性大動脈解離の所見
③肺底部／肺野条件	広範な肺挫傷，血気胸，心嚢血腫	臥位では血気胸は肺底部でみやすい
④骨盤腔（上腹部を素通りして骨盤底に）／実質条件	腹腔内出血	大量腹腔内出血では膀胱直腸窩に血腫が及ぶ
⑤骨盤から椎体周囲（尾側から頭側に観察）／骨条件	骨盤骨折，後腹膜出血	高位後腹膜出血はprimary surveyではみつけにくい
⑥実質臓器損傷（頭側から尾側に観察）／実質条件	実質臓器（肝，脾，腎，膵），腸間膜血腫	腸間膜血腫が，腸間膜にとどまっているとFASTではわかりにくい

①頭部の単純CTをはじめに施行するため，まず頭蓋内の損傷を評価する。緊急減圧開頭術の必要性を判断する（図17-1-1）。

②次いで体幹を撮影するので，画像が表示される順に評価していく。すべての画像が表示されるまで待つ必要はない。二相（動脈優位相と実質相）で撮影されている場合は，動脈優位相がはじめに表示さ

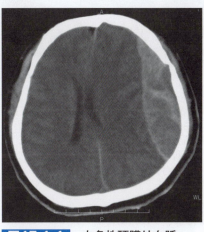

図17-1-1　左急性硬膜外血腫
左急性硬膜外血腫が認められ，右へ正中偏位が認められる。左頭頂骨に骨折が示唆されるが，第1段階の読影としては急性硬膜外血腫により正中偏位をきたしており，緊急手術が必要であることが判断できればよい

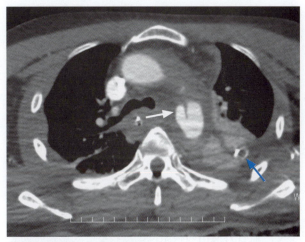

図17-1-2　大動脈損傷
大動脈弓遠位に解離が存在しており（⇒），周囲に血腫が存在している。本症例では，すでに左胸腔ドレーンが留置されている（→）。また虚脱した肺（無気肺）が認められる。損傷の程度や施設によって治療方針は変わるが，第1段階として，まずは大動脈損傷，縦隔の血腫が存在していることを認識する

れるので，その画像から読影していく。まずは，大動脈損傷の有無を確認する。大動脈の辺縁が整であるのか，周囲に血腫がないかを確認する（図17-1-2）。大動脈損傷があると循環動態の急激な変化

第17章　画像診断

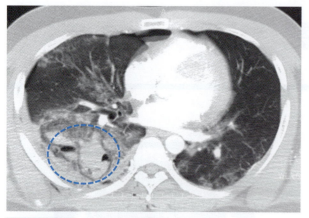

図17-1-3　広範な肺挫傷

肺挫傷は浸潤影もしくは，軟部陰影として描出される。肺胞が破壊されて血腫が貯留すると軟部陰影となり，残存した空気が肺気瘤として確認できる（破線丸印）。本症例では少量の右気胸も確認できる。第1段階としては，広範な右肺挫傷と少量の右気胸を読みとる

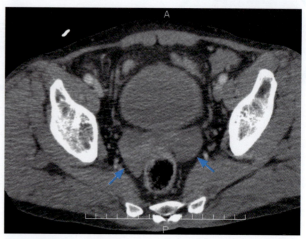

図17-1-4　直腸膀胱窩（直腸子宮窩）における液体貯留

腹腔内出血が多ければ，直腸膀胱窩まで液体貯留が及ぶ。男性の場合，前立腺につながる精囊を腹腔内出血と混同しないように注意する。膀胱前面にはレチウス腔（後腹膜腔）が存在しており，骨盤骨折の際に同部に貯留することがあるが，腹腔内出血ではないので注意する。第1段階としては腹腔内液体貯留を読影する

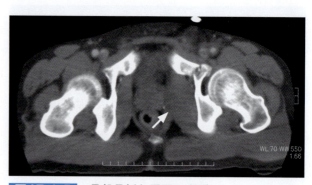

図17-1-5　骨盤骨折と周囲の血腫

左恥骨基部に骨折がみられる。同側の閉鎖筋が腫大しており（矢印），血腫の存在が示唆される。

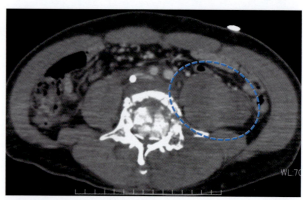

図17-1-6　後腹膜の血腫と椎体骨折

椎体骨折に関して，最終的には第2段階の読影において矢状断で確認する必要がある。本症例では横断像でも椎体骨折が明らかであり，左腸腰筋の腫大が認められる（破線丸印）。腸腰筋の腫大は血腫を反映していると考える

をきたし得る。大動脈損傷の多くは大動脈弓部遠位に生じる。

③大動脈弓部遠位まで観察したら，肺野条件に変更して肺野の評価を行う。呼吸に影響を及ぼし得る広範な肺挫傷の有無（図17-1-3），閉塞性ショックに今後発展し得る気胸や心囊血腫を確認する。広範な肺挫傷は縦隔条件であっても異常が存在していることがわかるはずであり，見逃しは緊急開胸術のタイミングを逸することにつながる。血胸や心囊液の貯留は単純X線やFASTでも確認しているが，客観的評価が可能なこと，皮下気腫があると確認困難であることなどから，CTでも確認項目と考える。また，少量の気胸でも，陽圧人工呼吸管理を行うと緊張性気胸につながる可能性があるため注意しなければならない。

④さらに循環に影響を及ぼし得る腹腔内出血を確認する。上腹部には出血をきたしやすい実質臓器が多く，血管外漏出の検索にこだわると読影に時間を要するため，骨盤底まで止めずに画像をスクロールし，直腸膀胱窩に貯留するような血腫がないかを確認する（図17-1-4）。

⑤骨盤底まで確認したら，骨が見えやすい条件に変えて骨盤骨折の有無（図17-1-5）や椎体周囲の血腫（図17-1-6）を確認しながら頭側に観察していく。骨盤骨折に関しては単純X線写真でも確認している項目であるが，後方成分の確認がしにくいこと，血腫の量を確認できることからCTでの確認項目である。とくに高位後腹膜に関しては，単純X線写真や

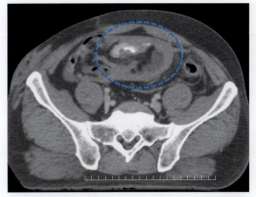

図17-1-7　腸間膜内の血腫　動画67

　腸間膜内の血腫が膜内にとどまっている。腹腔内出血にならずに直腸膀胱窩には貯留しないため、検出しにくくなる。したがって、CTで確認しておく項目の一つである

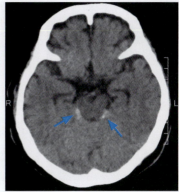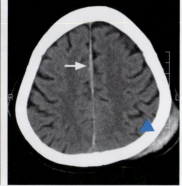

図17-1-8　外傷性くも膜下出血と急性硬膜下血腫　動画68

　外傷に伴うくも膜下腔への出血（→）や、大脳鎌に沿った少量の急性硬膜下血腫（⇒）なども確認する。本症例では左側頭後頭部に皮下血腫がみられる（矢頭）。頭蓋内損傷が存在していると組織因子の影響で、線溶系が亢進した凝固障害をきたす可能性がある

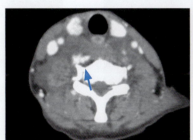
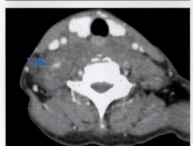
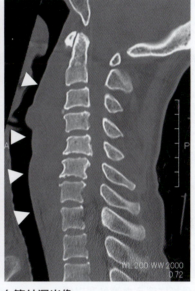

動画69

図17-1-9　後咽頭間隙の血腫と血管外漏出像

　椎体の骨折は明らかではないが、後咽頭間隙に血管外漏出像（矢印）が認められ、血腫を形成している。後咽頭間隙の血腫の貯留により気道は前方へ圧排されており（矢頭）、気道閉塞をきたす可能性があるため注意しなければならない

FASTで確認できない項目であるため重要である。

⑥横隔膜付近まで観察したら、腹部実質臓器が確認しやすい条件に変え、肝、脾、膵などの実質臓器や腸間膜内の血腫（図17-1-7）が存在しないかを確認しておく。

2. 読影の第2段階

目　的：治療方針決定に必要な所見の評価
タイミング：FACTが陽性であれば、手術やIVRの準備をしながら行い、FACTが陰性であっても初療室に戻って速やかに行う。FACTだけでは緊急処置を要する損傷をすべて否定できるわけではない。FACTでみていない部位にも緊急処置を要する損傷が存在し得るため注意が必要である。

評価項目：

1）血腫，血管外漏出像および仮性動脈瘤

　見逃してはならない重要な所見として、頭部では今後拡大するおそれがある少量の急性硬膜外血腫・急性硬膜下血腫（図17-1-8）や挫傷内血腫、顔面・頸部では気道閉塞につながり得る咽頭内の出血、後咽頭間隙の血腫（図17-1-9）や喉頭損傷、胸部で

第17章　画像診断

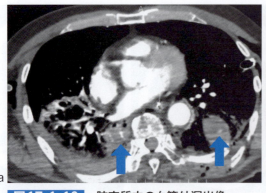
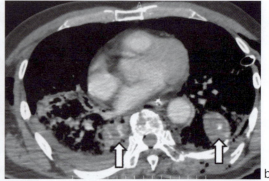

図17-1-10　肺実質内の血管外漏出像
　動脈優位相（a）と実質相（b）を比較すると動脈優位相でみられる血管外漏出像（➡）は実質相で拡大しており（⇨），現在進行形で拡大していることがわかる。肺実質内の出血は胸腔内に貯留しにくいため，胸腔ドレーンの排液量で出血を推し量ることができない。喀血につながると正常肺野の換気にも影響を及ぼし，呼吸不全に陥る可能性があるため注意しなければならない

動画70

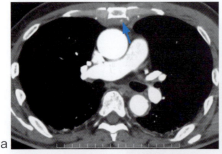
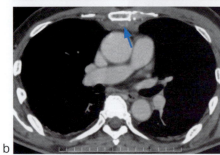
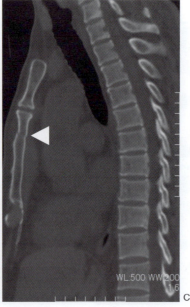

図17-1-11　胸骨骨折に伴う血管外漏出像
　胸骨背側に血腫が認められ，動脈優位相（a）では少量の造影剤が認められる（矢印）が，これが実質相（b）になると拡大していることがわかる。横断像で胸骨骨折の判断は困難であるが，矢状断では胸骨骨折が明瞭に描出されている（矢頭）。第2段階の読影では，横断像以外に矢状断像などでも評価する必要がある

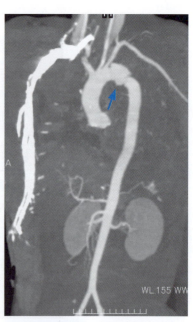

図17-1-12　大動脈損傷における3DCT
　大動脈損傷では亀裂部（矢印）が横断像でわかりにくい場合があり，第2段階の読影では矢状断像や冠状断像などでも評価が必要である。時に全体像を把握しやすい場合があるため，3Dで再構成を行うことも検討する

は少量の血胸や肺内血腫（これらはフリーのスペースに広がるため少量の血管外漏出が大量出血につながる：図17-1-10）や胸骨骨折に伴う周囲の血腫（図17-1-11）などがある。矢状断像や冠状断像などの多断面再構成画像を用いて読影することも重要である。時に3D再構成画像は，全体像を把握するうえで有用である（図17-1-12）。
　肩や大腿などの骨軟部組織の損傷や，これらに伴う血腫・血管外漏出像は，凝固障害による影響を反映している可能性があり，注意深く読影する。
　血管外漏出像の評価では，動脈優位相と実質相を比較することで，損傷血管の同定のみならず，活動性出血と仮性動脈瘤の鑑別や，活動性出血の勢いが推測でき，止血術の判断材料となる

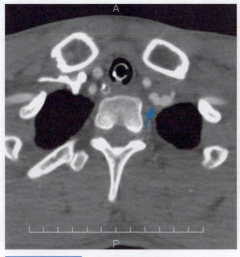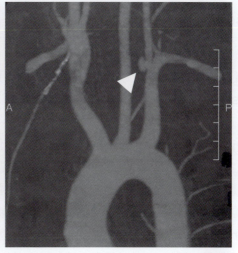

図17-1-13 椎骨動脈損傷

　左椎骨動脈基部に仮性動脈瘤が存在している（矢印）が，横断像で指摘するのは困難である。3D再構成画像を用いると，椎骨動脈の基部に仮性動脈瘤が存在していることが明瞭である（矢頭）

2）その他

具体的なその他の観察項目は以下のようになる。

頭部：外傷性くも膜下出血，頭蓋骨骨折，気脳症の有無

顔面：水平断像・冠状断像を用いた顔面骨骨折の有無

頸椎：水平断像・矢状断像を用いた脊椎骨折の有無，椎骨動脈損傷（解離や閉塞）の有無（図17-1-13）

胸部：肺挫傷の有無

腹部骨盤腔：腹腔内遊離ガスの有無（図17-1-14）など

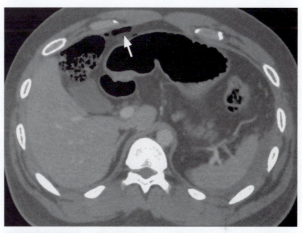

図17-1-14 腸管損傷による腹腔内遊離ガス像

　腸管損傷があっても，腹腔内遊離ガスにならないことがあるため，初回のCTで完全に否定することは困難であるが，腹腔内遊離ガスがあれば腸管損傷を強く疑うことができる

◆ 3. 読影の第3段階

目　的：見逃し損傷がないか正確に再評価すること

タイミング：診療が落ち着いた段階で，見逃しがないかを細かく確認する。画像診断の専門医の読影も必要である。

評価項目：生命および機能に影響しない，細かな損傷も確認する。

第17章　画像診断

◆ 4. 読影の第1段階（FACT）の練習

症例1　30歳代の男性；交通外傷（バイク運転手）
動画73

Primary survey
　気道：開通
　呼吸：20回/分，SpO_2 100%（酸素10 L/分リザーバ付きマスク）
　循環：脈拍100/分，収縮期血圧90 mmHgで初期輸液により脈拍90/分，収縮期血圧120 mmHgに改善
　意識：GCS合計点15（E4V5M6），瞳孔3+/3+，麻痺なし

Secondary survey
　全身CTを施行，頭部CTには異常所見なし

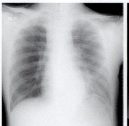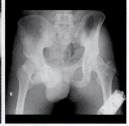

症例2　60歳代の男性；重量物落下
動画74

Primary survey
　気道：開通
　呼吸：18回/分，SpO_2 100%（酸素10 L/分リザーバ付きマスク）
　循環：脈拍120/分，収縮期血圧90 mmHgで初期輸液により脈拍100/分，収縮期血圧110 mmHgに改善
　意識：GCS合計点15（E4V5M6），瞳孔3+/3+，麻痺なし

Secondary survey
　体幹部CTを施行

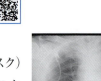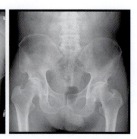

症例3　40歳代の女性；墜落外傷
動画75

Primary survey
　気道：開通
　呼吸：20回/分，SpO_2 100%（酸素10 L/分リザーバ付きマスク）
　循環：脈拍100/分，収縮期血圧90 mmHgで初期輸液により脈拍110/分，収縮期血圧118 mmHgに変化
　意識：GCS合計点15（E4V5M6），瞳孔3+/3+，麻痺なし

Secondary survey
　全身CTを施行，頭部CTには異常所見なし

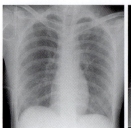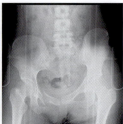

症例4　20歳代の女性；交通外傷（乗用車助手席）
動画76

Primary survey
　気道：開通
　呼吸：20回/分，SpO_2 100%（酸素10 L/分リザーバ付きマスク）
　循環：脈拍100/分，収縮期血圧120 mmHgで初期輸液により脈拍90/分，収縮期血圧130 mmHgに変化
　意識：GCS合計点15（E4V5M6），瞳孔3+/3+，麻痺なし

Secondary survey
　身体所見では腹痛あり，体幹部CTを施行

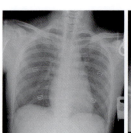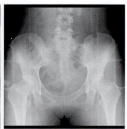

第18章 超音波検査の活用

要　約

1. 超音波検査にpoint of careの概念が導入され，臨床上の活用がpoint-of-care ultrasound（POCUS）として体系化されている。
2. 外傷初期診療の場面では，気道・呼吸・循環という生理機能に基づきPOCUSを活用することができ，骨折の評価にも有用である。
3. POCUSを用いることで，身体所見から得られない多くの生理学的・解剖学的情報をベッドサイドで迅速に得ることができる。

はじめに

外傷初期診療における超音波検査の主な役割は出血源の検索であり，focused assessment with sonography for trauma（FAST）を用いて，腹腔内出血，血胸，心囊液の評価が行われる[1]。近年は気胸の検出においても有用性が明らかになり，FASTに気胸の評価を加えたextended FAST（EFAST）も普及しつつある[2]。

今世紀に入り超音波装置の小型化が進み，さまざまな領域においてベッドサイドで行う超音波検査の有用性が明らかになった。そして超音波検査にpoint of careの概念が導入され，point-of-care ultrasound（POCUS）として体系化された[3]。POCUSは従来の画像診断としての位置づけに加え，身体診察を補う役割があり，身体診察を重視する外傷初期診療においても親和性は高いと考えられる。

本章では，POCUSの全体像を系統的に示すために，FASTやEFASTといったプロトコルをいったん離れ，生理機能に基づき気道，呼吸，循環に整理して述べる[4]。また，secondary surveyでの利用が期待できる骨折診療における有用性について触れる。

I 気道

1. 気管挿管の確認

気管や食道の観察には，高周波のリニアプローブが適している。チューブ位置の確認は，頸切痕やや頭側の横断面で食道にチューブのないことや気管内のエコー変化で評価する。一般に食道は気管の左背側に管腔像として描出される[5)6)]（図18-1a）。頸部食道内のチューブの有無を確認するのがもっとも簡便で確実であり[5]，チューブが食道に存在すると気管と同様に音響陰影を伴う像が描出され，double tract signと呼ばれる[7]（図18-1b）。一方，気管内のチューブはその動き[8]やカフで気管が広がる様子[9]，チューブの二重線の描出で観察される[10]。

前向き研究を対象としたメタ解析では，POCUSによる気管挿管の判断精度は，感度99％（95％信頼区間98～99％），特異度97％（92～99％）であった[8]。ただし，解剖学的異常，頸部腫瘤，皮下気腫，浮腫，肥満例では評価が困難になる。外傷患者に限定した臨床研究はほとんどなく[11]，今後の検討が望まれる。

2. 輪状甲状靱帯の同定

輪状甲状靱帯の同定は，通常，母指と中指で甲状

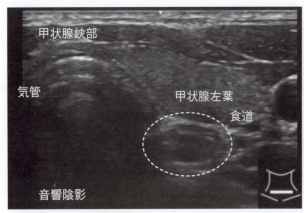

a：気管と食道の横断像

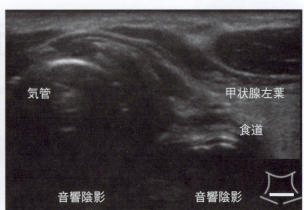

b：食道挿管で観察されるdouble tract sign

図18-1 超音波検査による気管・食道挿管の確認

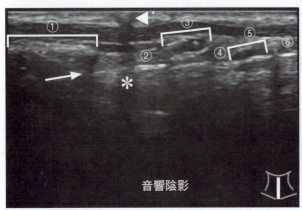

a：上気道の縦断像

b：輪状甲状靱帯部での横断像

図18-2 超音波検査による輪状甲状靱帯の同定
①：甲状軟骨，②：輪状甲状靱帯，③：輪状軟骨，④：輪状気管靱帯，⑤：気管軟骨，⑥：輪状靱帯
矢印：hyperechoic air-mucosa interface，矢頭：マーキング用の針，星印：針の音響陰影

軟骨を固定し，示指で陥凹部を探って確認する。しかし肥満などで触診による評価が困難な場合には，POCUSが有用な補助手段となる[12)〜14)]。頸部正中の縦断面を描出し，甲状軟骨，輪状甲状靱帯，輪状軟骨，輪状気管靱帯，交互に並ぶ気管軟骨と輪状靱帯を同定する。軟骨は低輝度で輪状軟骨は気管軟骨よりも厚く，軟骨をつなぐ靱帯でもっとも幅が広いのが輪状甲状靱帯である。これら軟骨と靱帯の背側は気道粘膜となり，気道粘膜と空気の境界で超音波は反射し，高輝度線状像（hyperechoic air-mucosa interface）が描出される[10)]。プローブの下に針や紙クリップを置くと輪状甲状靱帯の位置をマーキングできる[12)14)]（図18-2a）。横断面では，逆U字形の甲状軟骨を描出後にプローブを尾側にスライドさせて輪状甲状靱帯を同定する（図18-2b）。POCUSを用いれば，輪状甲状靱帯の同定に役立つだけではなく，切開・穿刺予定部位に血管や甲状腺峡部がな

いかを事前に確認できる。

なお，POCUSはコントロールされた状況下では，輪状甲状靱帯の同定に非常に有用であるが，気道緊急時の有用性は明確ではない[14)]。

II 呼 吸

1. 気胸の評価

臥位胸部単純X線では，見逃される気胸（occult pneumothorax）はPOCUSでとらえることができる[2)]。リニアプローブが適しているが，コンベックスプローブでも十分に評価できる。仰臥位患者では，鎖骨中線上の第2〜4肋間で評価されることが多い[2)]。体幹の長軸方向にプローブを当て，頭側と尾側の肋骨（肋軟骨）を同定し，そのやや深側に位置する壁側胸膜と臓側胸膜の接する部位に相当する

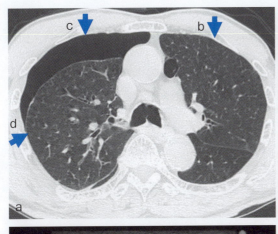
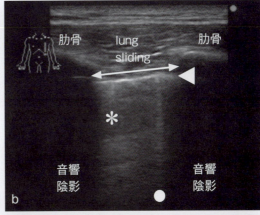

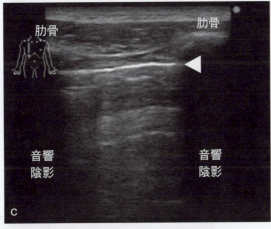
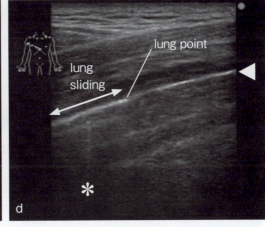

図18-3 超音波検査による気胸の評価
　右外傷性気胸例のCT像（a）と超音波像（b～d）。CT像の矢印（b～d）は超音波像（b～d）の観察部位に相当する
　矢頭：胸膜ライン，丸印：Bライン，星印：コメットサイン

高輝度線状像を同定する。この高輝度線状像は胸膜ライン（pleural line）と呼ばれる。肺が胸壁に接していれば，胸膜ライン上で壁側胸膜に対する臓側胸膜の動きであるlung slidingが観察される（図18-3a, b）。壁側胸膜と臓側胸膜の間に空気が介在する気胸ではlung slidingは観察されない（図18-3a, c）。ただしlung slidingは胸膜の癒着，肺の気腫性変化，片肺挿管でも消失する。一方，lung slidingが観察されれば，観察部位に気胸がないと断言できる。Lung slidingが観察されない場合，肺の表面部分で生じて深部に伸びる線状アーチファクトであるBラインや，コメットサインの有無を評価する。これらを認めれば，観察部位に気胸がないと断言できる（図18-3a, b）。また，心拍動によって生じる胸膜部の動きlung pulseも気胸の除外に有用である[15]。もしlung sliding，線状アーチファクト，lung pulseがいずれも鎖骨中線上で観察されない場合，中等度以下の気胸では，前胸部から側胸部にかけて，臓側胸膜が壁側胸膜と接している部分と接していない部分の境界が呼吸性に動く様子をとらえることができ，その境界はlung pointと呼ばれる[2)15)]（図18-3a, d）。このlung pointは気胸の確定診断に有用で，半定量的評価としても利用可能である[16]。図18-4でPOCUSを用いた気胸の系統的診断の一法を示す。

　13研究を対象としたメタ解析によると，POCUSによる外傷性気胸の診断精度は，感度81％（71～88％），特異度98％（97～99％）であり，臥位胸部X線よりも感度は高い[2]。バイタルサインが安定し，皮下気腫の影響がなく，CT撮像を前提とすれば，気胸の初期評価においてPOCUSはX線の代用になり得ると考えられる。

◆ 2. 肺挫傷の評価

　肺挫傷の観察にはリニアプローブやコンベックスプローブが選択される。臓側胸膜直下に肺挫傷があれば，多発Bラインや境界不整の低輝度域が描出さ

第18章 超音波検査の活用

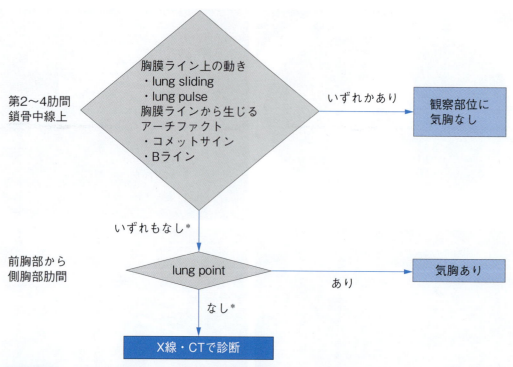

図18-4 POCUSを用いた気胸の系統的診断の一法
*胸膜の癒着や肺の気腫性変化などでも「なし」となるので，他の画像診断が必要となる

れるが（図18-5），皮下気腫や気胸があれば描出は制限される。系統的に胸部を評価すれば，感度は59〜95％，特異度は80〜98％と報告されており，感度は胸部X線より高い[17)〜19)]。

Ⅲ 循 環

1. 血胸の評価

背側の肋間にプローブを当て，横隔膜頭側を観察する。血胸ではecho-free spaceが観察され，その深部にも脊椎像を描出することができ，spine signと呼ばれる（図18-6a）。液体貯留のない横隔膜頭側では超音波ビームは脊椎に到達することができず，肝の鏡面像（アーチファクトの1種）が描出される[20)]（図18-6b）。

3研究を対象としたメタ解析によると，POCUSによる外傷性血胸の診断精度は，感度60％（31〜86％），特異度98％（94〜99％）であった。感度が低い理由として，仰臥位で評価される点があげられる。偽陰性の多くは，血胸が少量で早期介入の必要がないケースと考えられる[2)]。

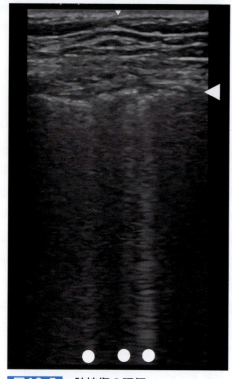

図18-5 肺挫傷の評価
多発Bライン（丸印）や不整な胸膜ライン（矢頭）が観察される

2. 腹腔内出血の評価

主にコンベックスプローブを用いて，モリソン窩，脾周囲，膀胱周囲の液体貯留の有無を検索する。

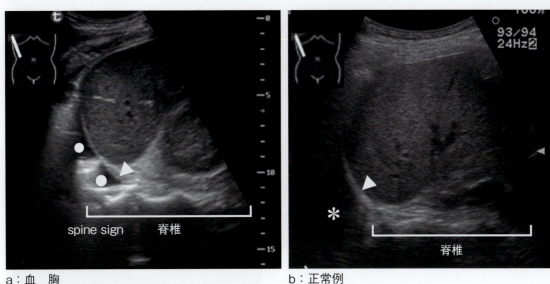

図18-6　超音波による右胸腔の評価
a：血胸　　　b：正常例
丸印：echo-free space，星印：肝の鏡面像（アーチファクト），矢頭：横隔膜

当初は出血がはっきりしなくても，繰り返し評価することが重要である[21]。

腹腔内出血の検出について，52研究，19,666例の外傷患者を対象としたメタ解析によると感度74％（73～76％），特異度98％（97～98％）と報告されている[22]。成人を対象とした無作為比較試験によれば，FASTの導入でCT施行，病院滞在日数，合併症，費用軽減につながることが示された[23)24]。

一方，前向き8研究，2,135例の循環動態の安定した小児鈍的外傷患者を対象としたメタ解析によると，感度35％（29～40％），特異度96％（95～97％）であり，感度が低いことに留意する必要がある[25]。このため，ケア改善につながらないという報告も散見されるが[26)27]，循環不安定の際の出血源検索としては成人と同様に有用である。ただし除外診断とはなりにくいため，CTの追加やFASTの繰り返しが必要である。

3. 心囊液の評価，超音波ガイド下心囊穿刺

FASTでは一般に心窩部から心囊液貯留が評価されるが，描出不良の場合は傍胸骨断面が選択される。腹腔内出血と一緒に評価されることから，コンベックスプローブが用いられるが，余裕があればセクタープローブに切り替えてもよい。9研究，1,031例の穿通性外傷患者を対象としたメタ解析によると，真陽性は228例で，感度91％（87～94％），特異度94％（92～96％）であった[22]。なお，鈍的外傷患者に限定した検討はない。

剣状突起を指標にしたランドマーク法による心囊穿刺は合併症のリスクがあり，超音波ガイド下穿刺はリスク軽減に有効であることが明らかになっている[28]。POCUSを用いれば，心囊までの距離が短く，もっとも心囊液が貯留した部位を選択することができ，心尖部や傍胸骨からも穿刺が可能となる[28)29]。

4. 簡易心臓超音波検査による循環動態の評価

循環器や超音波を専門としない臨床医が施行可能な，簡易心臓超音波検査による心臓の評価法が開発され，focused cardiac ultrasound（FOCUS）[30]やlimited transthoracic echocardiogram（LTTE）[31]などと呼ばれる。FOCUSでは，主に目測で下大静脈，左室収縮能，心囊液，右室サイズを評価する[30)31]。心臓に基礎疾患がない場合は，循環血液量減少が生じると，一般に下大静脈は虚脱し，左室は過収縮になる。外傷患者を対象とした臨床研究では，下大静脈径と呼吸性変動の評価は循環血液量減少の判断に役立つとされているが[32)～34]，初期単回評価の限界も指摘されている[35]。一方，無作為比較試験では，外傷初期診療で循環血液量減少患者にLTTEを導入すると，輸液量を減じ，手術室入室時間が短縮し，死亡率が減じることが示されている[31]。また，外傷心停止患者において，簡易心臓超

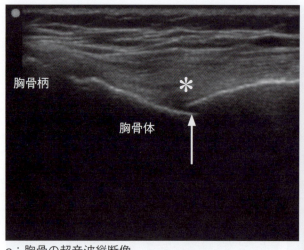
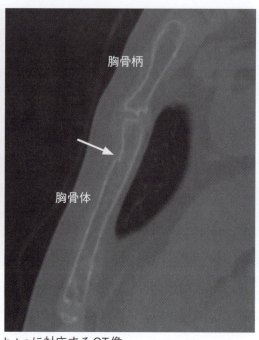

a：胸骨の超音波縦断像

b：aに対応するCT像

図18-7 胸骨骨折
矢印：骨折部，星印：血腫

音波検査による心臓の動きの確認は，予後予測や蘇生的開胸術要否の臨床決断に有用と報告されている[36)37)]。

5. 超音波ガイド下静脈路確保

従来の方法で末梢静脈路の確保が困難な場合，超音波ガイド下末梢静脈路確保が有効であることが示されている[38)39)]。深部静脈よりも皮静脈のほうが静脈路確保の成功率が高く合併症が少ないことから，肘窩や上腕の尺側皮静脈などが選択される[39)]。また，超音波ガイド下に内頸静脈に末梢静脈用カテーテルを挿入する方法が検討され，血流感染症を増加させることなく施行可能という報告が散見される[40)41)]。ただし，外傷患者に限定した超音波ガイド下静脈路確保の有効性に関する臨床研究は見当たらず，今後の検討が望まれる。

Ⅳ 骨折

単純X線で診断される骨折はPOCUSでも評価できる。通常はリニアプローブを選択し，感度を上げるために少なくとも2方向から観察する。骨折部位では，骨表面のずれや変形，周囲に血腫が観察される（図18-7）。鈍的胸部外傷ではPOCUSは肋骨骨折や胸骨骨折の評価に有用である[42)43)]。また成人の四肢骨折の診断について，26研究，2,360例を対象としたメタ解析によると，上肢骨折は感度93％，特異度92％，下肢骨折は感度83％，特異度93％であった[44)]。現時点では，骨折の診断においてPOCUSは単純X線に代わるものではないが，X線ではとらえにくい骨折について補助的診断価値は高いと考えられる。

骨折や軟部組織損傷の鎮痛目的で，麻酔科医により超音波ガイド下末梢神経ブロックが行われるが，救急医など非麻酔科医によるブロックの有用性についても検討されている[45)46)]。

まとめ

POCUSという概念の普及により，外傷初期診療における超音波検査の役割が拡大しつつある。POCUSを用いることで，身体所見からは得られない多くの生理学的・解剖学的情報をベッドサイドで迅速に得ることができる。POCUSを適切に利用するためには，一定の教育プログラムのもとで，相応のトレーニングが必要であることはいうまでもない。

文献

1) Kimura A, Otsuka T：Emergency center ultrasonography in the evaluation of hemoperitoneum：A pro-

spective study. J Trauma 1991 ; 31 : 20-23.
2) Staub LJ, Biscaro RRM, Kaszubowski E, et al : Chest ultrasonography for the emergency diagnosis of traumatic pneumothorax and haemothorax : A systematic review and meta-analysis. Injury 2018 ; 49 : 457-466.
3) Moore CL, Copel JA : Point-of-care ultrasonography. N Engl J Med 2011 ; 364 : 749-757.
4) Kameda T, Kimura A : Basic point-of-care ultrasound framework based on the airway, breathing, and circulation approach for the initial management of shock and dyspnea. Acute Med Surg 2020 ; 7 : e481.
5) Tsung JW, Fenster D, Kessler DO, et al : Dynamic anatomic relationship of the esophagus and trachea on sonography : Implications for endotracheal tube confirmation in children. J Ultrasound Med 2012 ; 31 : 1365-1370.
6) Muslu B, Sert H, Kaya A, et al : Use of sonography for rapid identification of esophageal and tracheal intubations in adult patients. J Ultrasound Med 2011 ; 30 : 671-676.
7) Chou HC, Chong KM, Sim SS, et al : Real-time tracheal ultrasonography for confirmation of endotracheal tube placement during cardiopulmonary resuscitation. Resuscitation 2013 ; 84 : 1708-1712.
8) Gottlieb M, Holladay D, Peksa GD, et al : Ultrasonography for the confirmation of endotracheal tube intubation : A systematic review and meta-analysis. Ann Emerg Med 2018 ; 72 : 627-636.
9) Ramsingh D, Frank E, Haughton R, et al : Auscultation versus point-of-care ultrasound to determine endotracheal versus bronchial intubation : A diagnostic accuracy study. Anesthesiology 2016 ; 124 : 1012-1020.
10) Adi O, Chuan TW, Rishya M, et al : A feasibility study on bedside upper airway ultrasonography compared to waveform capnography for verifying endotracheal tube location after intubation. Crit Ultrasound J 2013 ; 5 : 7.
11) Zamani M, Esfahani MN, Joumaa I, et al : Accuracy of real-time intratracheal bedside ultrasonography and waveform capnography for confirmation of intubation in multiple trauma patients. Adv Biomed Res 2018 ; 7 : 95.
12) Kristensen MS, Teoh WH, Rudolph SS : Ultrasonographic identification of the cricothyroid membrane : Best evidence, techniques, and clinical impact. Br J Anaesth 2016 ; 117 (Suppl 1) : i39-i48.
13) Siddiqui N, Yu E, Boulis S, et al : Ultrasound is superior to palpation in identifying the cricothyroid membrane in subjects with poorly defined neck landmarks : A randomized clinical trial. Anesthesiology 2018 ; 129 : 1132-1139.
14) Alerhand S : Ultrasound for identifying the cricothyroid membrane prior to the anticipated difficult airway. Am J Emerg Med 2018 ; 36 : 2078-2084.
15) Volpicelli G, Elbarbary M, Blaivas M, et al : International evidence-based recommendations for point-of-care lung ultrasound. Intensive Care Med 2012 ; 38 : 577-591.
16) Volpicelli G : Sonographic diagnosis of pneumothorax. Intensive Care Med 2011 ; 37 : 224-232.
17) Soldati G, Testa A, Silva FR, et al : Chest ultrasonography in lung contusion. Chest 2006 ; 130 : 533-538.
18) Hyacinthe AC, Broux C, Francony G, et al : Diagnostic accuracy of ultrasonography in the acute assessment of common thoracic lesions after trauma. Chest 2012 ; 141 : 1177-1183.
19) Zanobetti M, Coppa A, Nazerian P, et al : Chest abdominal-focused assessment sonography for trauma during the primary survey in the emergency department : The CA-FAST protocol. Eur J Trauma Emerg Surg 2018 ; 44 : 805-810.
20) Dickman E, Terentiev V, Likourezos A, et al : Extension of the thoracic spine sign : A new sonographic marker of pleural effusion. J Ultrasound Med 2015 ; 34 : 1555-1561.
21) Richards JR, McGahan JP : Focused assessment with sonography in trauma (FAST) in 2017 : What radiologists can learn. Radiology 2017 ; 283 : 30-48.
22) Netherton S, Milenkovic V, Taylor M, et al : Diagnostic accuracy of eFAST in the trauma patient : A systematic review and meta-analysis. CJEM ; 2019 ; 18 : 1-12.
23) Melniker LA, Leibner E, McKenney MG, et al : Randomized controlled clinical trial of point-of-care, limited ultrasonography for trauma in the emergency department : The first sonography outcomes assessment program trial. Ann Emerg Med 2006 ; 48 : 227-235.
24) Rose JS, Levitt MA, Porter J, et al : Does the presence of ultrasound really affect computed tomographic scan use? A prospective randomized trial of ultrasound in trauma. J Trauma 2001 ; 51 : 545-550.
25) Liang T, Roseman E, Gao M, et al : The utility of the focused assessment with sonography in trauma examination in pediatric blunt abdominal trauma : A systematic review and meta-analysis. Pediatr Emerg Care 2019 ; doi : 10.1097/PEC.0000000000001755.
26) Calder BW, Vogel AM, Zhang J, et al : Focused assessment with sonography for trauma in children after blunt abdominal trauma : A multi-institutional analysis. J Trauma Acute Care Surg 2017 ; 83 : 218-224.
27) Holmes JF, Kelley KM, Wootton-Gorges SL, et al : Effect of abdominal ultrasound on clinical care, outcomes, and resource use among children with blunt torso trauma : A randomized clinical trial. JAMA 2017 ; 317 : 2290-2296.
28) Tsang TS, Enriquez-Sarano M, Freeman WK, et al : Consecutive 1127 therapeutic echocardiographically guided pericardiocenteses : Clinical profile, practice patterns, and outcomes spanning 21 years. Mayo Clin Proc 2002 ; 77 : 429-436.
29) Osman A, Wan Chuan T, Ab Rahman J, et al : Ultrasound-guided pericardiocentesis : A novel parasternal approach. Eur J Emerg Med 2018 ; 25 : 322-327.
30) Via G, Hussain A, Wells M, et al : International evi-

dence-based recommendations for focused cardiac ultrasound. J Am Soc Echocardiogr 2014；27：683.e1-e33.
31) Ferrada P, Evans D, Wolfe L, et al：Findings of a randomized controlled trial using limited transthoracic echocardiogram (LTTE) as a hemodynamic monitoring tool in the trauma bay. J Trauma Acute Care Surg 2014；76：31-37.
32) Yanagawa Y, Nishi K, Sakamoto T, et al：Early diagnosis of hypovolemic shock by sonographic measurement of inferior vena cava in trauma patients. J Trauma 2005；58：825-829.
33) Yanagawa Y, Sakamoto T, Okada Y：Hypovolemic shock evaluated by sonographic measurement of the inferior vena cava during resuscitation in trauma patients. J Trauma 2007；63：1245-1248.
34) Sefidbakht S, Assadsangabi R, Abbasi HR, et al：Sonographic measurement of the inferior vena cava as a predictor of shock in trauma patients. Emerg Radiol 2007；14：181-185.
35) Çelik ÖF, Akoğlu H, Çelik A, et al：Initial inferior vena cava and aorta diameter parameters measured by ultrasonography or computed tomography does not correlate with vital signs, hemorrhage or shock markers in trauma patients. Ulus Travma Acil Cerrahi Derg 2018；24：351-358.
36) Cureton EL, Yeung LY, Kwan RO, et al：The heart of the matter：Utility of ultrasound of cardiac activity during traumatic arrest. J Trauma Acute Care Surg 2012；73：102-110.
37) Ferrada P, Wolfe L, Anand RJ, et al：Use of limited transthoracic echocardiography in patients with traumatic cardiac arrest decreases the rate of nontherapeutic thoracotomy and hospital costs. J Ultrasound Med 2014；33：1829-1832.
38) McCarthy ML, Shokoohi H, Boniface KS, et al：Ultrasonography versus landmark for peripheral intravenous cannulation：A randomized controlled trial. Ann Emerg Med 2016；68：10-18.
39) Gottlieb M, Sundaram T, Holladay D, et al：Ultrasound-guided peripheral intravenous line placement：A narrative review of evidence-based best practices. West J Emerg Med 2017；18：1047-1054.
40) Gottlieb M, Russell FM：How safe is the ultrasonographically guided peripheral internal jugular line? Ann Emerg Med 2018；71：132-137.
41) Zitek T, Busby E, Hudson H, et al：Ultrasound-guided placement of single-lumen peripheral intravenous catheters in the internal jugular vein. West J Emerg Med 2018；19：808-812.
42) Battle C, Hayward S, Eggert S, et al：Comparison of the use of lung ultrasound and chest radiography in the diagnosis of rib fractures：A systematic review. Emerg Med J 2019；36：185-190.
43) Racine S, Drake D：BET 3：Bedside ultrasound for the diagnosis of sternal fracture. Emerg Med J 2015；32：971-972.
44) Champagne N, Eadie L, Regan L, et al：The effectiveness of ultrasound in the detection of fractures in adults with suspected upper or lower limb injury：A systematic review and subgroup meta-analysis. BMC Emerg Med 2019；19：17.
45) Slade IR, Samet RE：Regional anesthesia and analgesia for acute trauma patients. Anesthesiol Clin 2018；36：431-454.
46) Pawa A, El-Boghdadly K：Regional anesthesia by nonanesthesiologists. Curr Opin Anaesthesiol 2018；31：586-592.

第19章 受傷機転

要 約

1. 受傷機転の把握は重症度の評価や損傷臓器の検索に役立つ。
2. 交通事故の場合，事故の種類，受傷の様式，および安全装置の使用状況などにより，臓器損傷の特徴がある。

はじめに

外傷とは，一般に機械的外力（エネルギー）によって生じた身体組織の損傷，もしくはその発生機序を指す。受傷機転とは，外傷の原因と発生機序を総称した医学用語であり，身体組織が受ける外力の大きさ，部位・範囲，方向，作用時間，伝播経路などの要素を含む。受傷機転の把握によって，損傷の部位と程度を推測できる。

I 緊急度・重症度評価の指標

受傷機転の情報は，緊急度・重症度評価の指標の一つである。受傷機転のみでも重症度（ISSや死亡率など）をある程度予測できるが[1]，トリアージ基準として，生理学的評価（第1段階）と解剖学的評価（第2段階）に受傷機転の評価（第3段階）を加えることで，より精度が高くなり，アンダートリアージは少なくなる[2]（図20-2, 3, p264, 265参照）。この第3段階で評価の対象となる受傷機転を「高リスク受傷機転」という。

高リスク受傷機転の評価項目にまずあげられるのは，大きな運動エネルギーが作用する鈍的外傷である。運動エネルギーは質量と速度の二乗に比例する。ある物体が衝突で静止した場合，そのエネルギーのすべてが物体に作用する。例えば，高速車両による交通事故や高所からの墜落では，相当の運動エネルギーが身体に作用するため，重症化する可能性が高い。このような高エネルギー衝撃（high-energy impact）が生じる機序を高エネルギー事故と称している。

重量物に挟まれるなど外力が持続的に作用する挟圧外傷では，外傷性窒息（traumatic asphyxia）や圧挫症候群（crush syndrome）といった特異な病態を呈する。機械に巻き込まれる事故では組織の損傷が複雑になる。したがって，わが国のトリアージ基準では第3段階の「高リスク受傷機転」に挟圧外傷や機械への巻き込まれ事故を含めている（図20-2, p264参照）。

穿通性外傷では通常，肘または膝より中枢側の四肢を含む，頸部から鼠径部の体幹に刺創（または銃創）を認める場合は，重症化する確率が高い[3]。このため，第2段階の解剖学的指標として評価する。

受傷機転による緊急度・重症度評価の臨床応用として，JPTECが指導する病院前活動では高リスク受傷機転に相当する場合はロード＆ゴーとなり[4]，その報告を受けた病院スタッフは重症外傷の可能性が高いとして備えることが推奨されている（表1-2, p12参照）。

II 損傷の発生メカニズム

運動エネルギー衝撃によって生じる身体の損傷には，外力の作用部位に生じる損傷とエネルギーが伝播されて生じる損傷とがある。

第19章 受傷機転

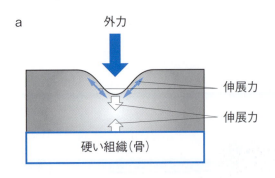

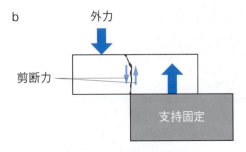

図19-1 外力の方向と組織損傷
外力の作用部位では，圧縮力や伸展力により組織破壊が生じる（a）。外力と受け止める力との軸がずれると剪断力が生じ，容易に破壊が起こる（b）

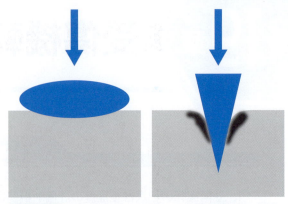

図19-2 作用面積の相違による組織破壊の相違
作用する面積が小さいと組織は破壊されやすい

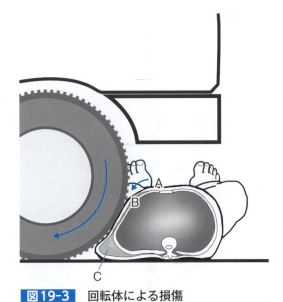

図19-3 回転体による損傷
A：伸展創，B：タイヤマーク痕　C：剝皮創

◆ 1. 外力の作用部位に生じる損傷

外力が直接作用した部位もしくはその近傍には組織破壊が生じる。作用点の皮膚は伸展され，直下に硬い骨が存在するとあいだの組織は圧縮される（図19-1a）。皮膚の連続性が保たれていても，皮下組織，筋肉などは挫滅され挫傷を形成する。外力が大きいと直下の骨そのものが破壊され，骨折となる。直下に硬い組織がない場合や鋭利な成傷器が作用する場合には皮膚の連続性が断たれやすく，開放創となる（図19-2）。

外力の方向とこれを受け止める力の軸がずれると剪断力が生じ，組織が容易に破壊される（図19-1b）。例えば，四肢が回転体に巻き込まれた場合，表面の皮膚と筋骨格との構造物の間で剪断力が作用し，剝皮創が生じる（図19-3）。この機序で生じた開放性の創傷はデグロービング（degloving）損傷と称される。開放創を有するとは限らず，閉鎖された状態の場合は，Morel-Lavallée lesionと呼ばれ，腰殿部から大腿にかけて生じやすい[5]。

◆ 2. 外力の作用部位以外に生じる損傷

外力が直接作用した部位から身体の内部構造を介してエネルギーが伝播され，作用部位から離れた部位に損傷が生じる。エネルギー伝播を惹起する代表的な機序を以下に記す。

1) 骨性要素による介達外力

体内構造でエネルギーを伝播する代表例は骨である。骨は硬いため，しなり，圧迫，牽引，捻れなどの作用（介達外力）で衝突部分以外に損傷を生じさせる（図19-4）。下肢からの墜落では，接地面の踵骨骨折だけではなく，介達外力により脛骨，大腿骨，骨盤骨折，脊椎圧迫骨折などを合併する（後掲の図19-14，p257参照）。

2) 減速作用機序（加速度の作用）

運動エネルギーを有する物体が衝突した際に，物体（身体を含む）は急激な速度変化を受ける。この

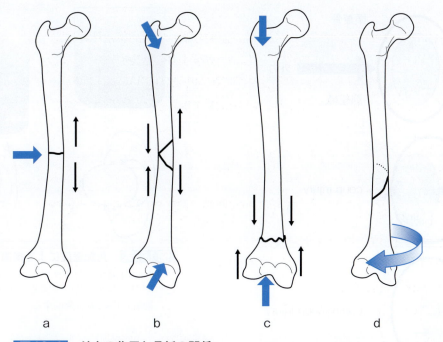

図 19-4 外力の作用と骨折の関係
aは外力の作用部位に生じる骨折であり，b〜dは介達外力による骨折である

場合，身体側では臓器の固定性の違いにより損傷が生じる。例えば，墜落により地面に着地したとき，体幹および体幹に強く固定された臓器は急激な減速度を受ける。一方，体幹への固定が疎な臓器は体幹よりも遅れて減速度を受け，両者が近接している場合，境界域に剪断力が生じる。胸部に水平方向の減速作用が働くと，固定の弱い心臓は前方に移動するが，下行大動脈は椎体に固定されているため，大動脈峡部に剪断力が作用し，胸部大動脈損傷を惹起する[6]。また，垂直方向に減速作用を受けると大動脈峡部損傷とともに，心臓が尾側に移動することにより上行大動脈が伸展され，大動脈根部での損傷も認められるという[7)8)]。同様のメカニズムにより，気管分岐部より2.5 cm以内の気管・気管支損傷[9)〜11)]や腎茎部血管損傷などが生じる（図19-5）。

脳は頭蓋骨で保護されているが，強固には固定されていない。このため，頭部に衝撃（運動エネルギー）が加わると頭蓋骨と脳組織には異なる減速機序が作用する。衝撃時には外力を受けた側の脳組織に損傷が生じ（coup injury），直後の反動で脳組織が対側の頭蓋骨に衝突し，外力を受けた部位と反対側に損傷が生じる（反衝損傷：contre-coup injury，図19-6）。

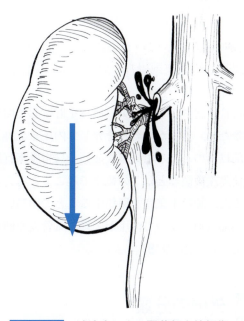

図 19-5 減速度による腎茎部血管損傷

3）角加速度の作用

急激な角加速度の変化により，回転性の剪断力が生じる。例えば，頭部は体幹と頸椎でつながっているが，頭部自体の重心は頸椎より前方にある。このため体幹に側方からの外力が加わると前頭部が回転する角加速度が生じる。この結果，頸椎に過度な回旋が加わり損傷が生じる（図19-7）。脳にも回旋性の運動が生じ，神経線維が伸展され，断裂する。びまん性軸索損傷（DAI）発症の一機序として説明

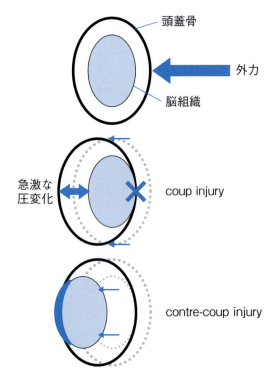

図19-6 coup injury と contre-coup injury

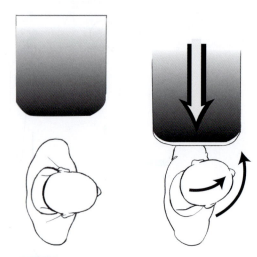

図19-7 角加速度による損傷
生体に急激な外力が作用したとき，固定軸と重心に隔たりがある部位や臓器には角加速度が発生し，回旋性の損傷が発生する

されている。

4）内圧伝播

消化管，膀胱などは空気，液体を貯留した閉鎖腔であるため，外力が内容物を介して内圧を上昇させ圧迫部以外のところで破裂する。十二指腸下行脚破裂や横隔膜破裂などはこの機序で起こると考えられる。また，肺は上気道を閉鎖することで閉鎖腔となり，胸部圧迫によって内圧が上昇し気管支や肺の破裂が生じる（図19-8）。

III 外傷の分類

外傷は，外力発生の種類，成傷器，受傷機転，損傷形態，損傷部位などでさまざまな分類がなされる（表19-1）。

成傷器の種類によって鈍的外傷と穿通性外傷に分類される。鈍的外傷は鈍的な形状の物体によって生じる外傷と定義され，わが国で経験する外傷の大半を占める。多くは交通事故，墜落，転落などが原因である。一方，穿通性外傷は刃物や銃など鋭的な物体によって生じるもので，多くは自傷・他傷行為による。

また，損傷部位数によって単独外傷と多発外傷に

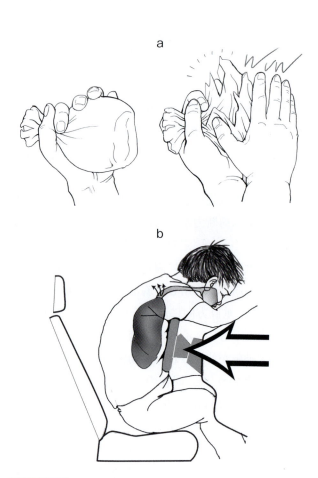

図19-8 内圧上昇による損傷
空気を充満させた袋を叩くと破れるように（a），声門が閉鎖した状態で胸部が圧迫されると，気道内圧が上昇し肺が破裂する（b）

表19-1 外傷の分類

1. 外力の種類による分類
   A. 鈍的外傷（鈍的損傷）
   B. 穿通性外傷（穿通性損傷）
2. 外傷の原因や手段
   交通外傷，労働災害，スポーツ外傷，戦傷など
3. 成傷の動機による分類
   他損（傷害），自損，不慮の事故など
4. 損傷が開放性か否かによる分類
   A. 開放性外傷
   B. 非開放性外傷
5. 損傷部位の数による分類
   A. 単独外傷
   B. 多発外傷
6. 損傷部位による分類
   A. 表在性外傷
   B. 頭部外傷
   C. 顔面外傷
   D. 胸部外傷
   E. 腹部外傷
   F. 骨盤外傷
   G. 脊椎・脊髄外傷
   H. 四肢外傷

図19-9 運転手に生じるさまざまな損傷形態

正面衝突の際，シートベルトを着用していないとハンドルに胸腹部（A）を，ダッシュボードに膝蓋部（B）を，フロントガラスに頭部（C）を，ペダル周囲に足部（D）を打ちつけ，それぞれ特徴的な損傷が生じる

分類される。多発外傷の明確な定義はないが，日本救急医学会では"AIS 3以上の損傷が身体の複数区分にある"場合としている。

IV 受傷機転からみた損傷の特徴

1. 交通事故

1) 車両乗車中の事故

（1）衝突形態による損傷の特徴

①正面衝突（フルフラップ前面衝突）

自動車には減速度（負の加速度）がかかるが，乗員は慣性の法則に従い前方に移動する。乗員のもつ運動エネルギーはシートベルトやエアバッグがあればそれらに吸収され，シートベルトやエアバッグとの接触部位に外力が加わる。

シートベルト非装着の場合，乗員は座席前部の構造物であるハンドル，ダッシュボード，フロントガラスに衝突する（図19-9）。運転手の胸腹部にハンドルが接触することにより，椎体に挟まれる肝，膵，十二指腸，横行結腸などの損傷が生じやすい（ハンドル外傷，図6-2：p100参照）。

衝突後に身体が前下方に移動する場合は，膝や下肢がダッシュボードと衝突する。膝に加えられた外力は，膝蓋骨や膝関節を損傷するとともに，介達外力により骨盤，とくに臼蓋に骨折をきたす（ダッシュボード外傷）。膝関節より末梢で衝突した場合は膝関節の後方脱臼をきたし，時に膝窩動静脈損傷を合併する。足趾や足関節がペダルや床と強く接触すると足部の損傷を生じる（ペダル外傷）。

衝突後に身体が前上方に移動する場合は，天井やフロントガラスに頭部や顔面が衝突し，頭部・顔面外傷をきたす。

②オフセット前面衝突

前面衝突のうち前面の中心よりずれた衝突をいう。外力が車体前面の一部に加わるために車体の変形が大きく，衝突時間が長くなり，減速度は軽減される。そのため，同じ速度であれば，乗員に加わる外力は，フルフラップ前面衝突より小さくなる。損傷様式はフルフラップ前面衝突に似るが，乗員への二次衝突や挟まれも多くなり，時に車両に回転運動が加わり損傷形態が複雑となる[12]。

③側面衝突

側面に自動車が衝突してきた場合，ドアや窓が室内へ嵌入し乗員に衝突する。身体の側面部位に外力が作用し，鎖骨骨折，上腕骨骨折，肋骨骨折，脾損傷，肝損傷，腎損傷，骨盤骨折，大腿骨骨折などが生じる（図19-10）。大腿骨大転子に加わった外力

第19章 受傷機転

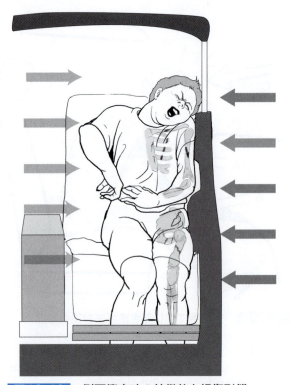

図19-10 側面衝突時の特徴的な損傷形態
生体の側面に飛び出している部位に外力が作用しやすい

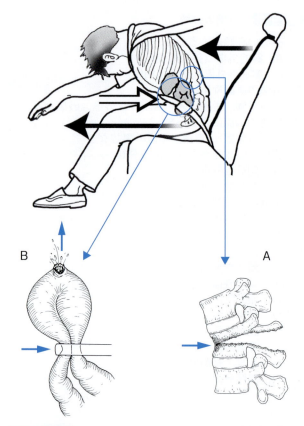

図19-11 2点式シートベルトによる特徴的な損傷
A：過度な前屈による脊椎の水平骨折
B：シーベルトが腹部に食い込んで生じる腸管損傷

は骨頭を介して臼蓋に伝達され，寛骨臼骨折や股関節中心性脱臼を合併する。また骨盤では腸骨の内旋が生じ，側方圧迫型の不安定型骨盤骨折となる。頭部は慣性の法則によりそのままの位置を維持しようとするため，頸部に側屈，回旋がかかり（図19-7），頸椎・頸髄損傷をきたす。

④後面衝突（追突事故）

停車もしくは比較的低速で前進中に後方より衝突された場合であり，衝突された車両は加速する。シートに支えられた体幹は車両とともに加速するが，頭頸部がヘッドレストと密着していない場合では，頸椎は過伸展をきたす。その結果，頸椎捻挫や頸椎骨折，脊柱管の狭い人に頸髄損傷を惹起する。

（2）安全装置と損傷の特徴

自動車の安全装置には，シートベルト，チャイルドシートなどの乗員拘束装置（restraint system；RS）と，エアバッグなどの補助拘束装置（supplemental restraint system；SRS）とがある。安全装置の多くは車両の構造物との接触を緩和し，車外放出を回避して損傷の発生を抑える[13]。その反面，生体内の臓器に強い加速度が作用し，特徴的な損傷が生じる。

①シートベルト

シートベルトによる人体傷害の軽減効果や死亡率を下げたという報告は多い。米国の最近20年間で，乗用車の運転手および助手席同乗者への致死的損傷リスクを45％，中等症重症損傷リスクを50％下げたという[14]。最近の米国でのシートベルト装着率は概ね90％であったが，交通事故死亡者の44.0％が非装着，同乗者死亡事故における生存者の装着率は78.2％であったと報告されている[15]。

シートベルト非装着の場合，乗員が車外放出される頻度が明らかに高く，その83％が死亡したとの報告がある[14]。また，車外に放出された場合，非放出の場合に比べより重症となり，ISS＞15となるリスクは27.4％となる[16]。

一方，シートベルト装着により特有の損傷が生じる。3点式シートベルトの場合，鎖骨骨折，胸骨骨折，腹腔内臓器損傷をきたすことがある。外力が大きければ鎖骨下動静脈損傷，頸動脈損傷，大動脈損傷も合併し得る。2点式シートベルトでは，腰椎に水平骨折をきたすことがある（Chance骨折，図19-11A）。シートベルト痕はシートベルトから加

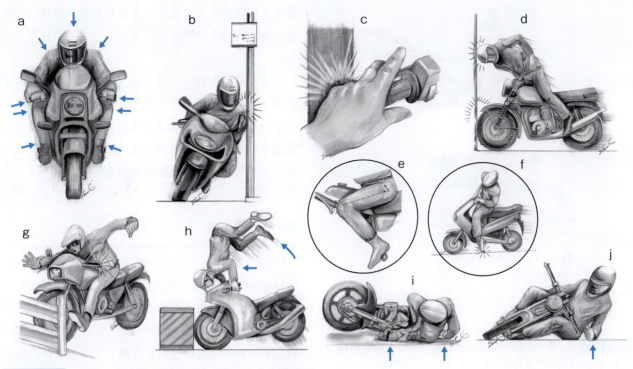

図19-12 自動二輪車乗員が受けるさまざまな損傷様式
内容は本文参照

えられた外力の部位と大きさを示唆する。広範囲にシートベルト痕があれば，相当な外力を受けたと推定できる。

ベルトが頸部にかかり頸部に損傷を被ったり，腹部ベルトが腸骨稜よりも頭側にかかり腸管損傷が生じるなど（図19-11B），乗員拘束装置は正しく装着しなければ，その効果は期待できない。

②エアバッグ

エアバッグは，主として前面衝突時に頭部・顔面への傷害を減少するよう設計されているが，シートベルト装着がなされはじめて効果を発揮する[2)13)]。エアバッグは強い圧力で瞬時に展開する（膨らむ）ため，顔面に打撲や擦過傷を受けることがあるが，シートベルト非装着や助手席同乗者が小児の場合，致死的損傷に至ることもある。また，エアバッグの展開はごく短時間かつ一度きりである。多重衝突事故など衝撃が複数回に及ぶ場合，2回目以降の衝撃に対しては乗員を保護しない[12)]。

(3) 乗員の重症度評価

重量の大きい大型車が軽自動車と衝突したような場合，軽自動車の乗員のほうが重症化しやすい。生理学的評価と解剖学的評価で重症にあたらない場合，①車内居住空間への車の凹み（12インチ），②車外放出，③同乗者死亡が重症度評価に適している

とされる[3)]。

2）自動二輪車・原動機付自転車乗員の事故

自動二輪車・原動機付自転車は，自動車と同程度のスピードを出すが，シートベルトやエアバッグなど安全装置がなく，車両の破壊が生み出す緩衝作用もない。そのため乗員に加わる外力は非常に大きく多様であり，身体突出部位にさまざまなタイプの損傷（図19-12のa〜f）を引き起こす。燃料タンクでの会陰・前部尿道・骨盤損傷（g），グリップによる腹部損傷（d），上肢過伸展による上腕神経叢引き抜き損傷（h），転倒時の地面との摩擦で生じる擦過傷（i, j）などは，二輪車に特異的な損傷といえる。外力の大きさは二輪車などと患者の離れていた距離や，他の車両との衝突であれば相手側のフロントガラスや車両の損傷程度で推測する。

なお，ヘルメット装着により頭部外傷を85％減少させる（odds ratio 0.15）という[17)]。警視庁は，二輪事故死亡者の40.9％が事故時にヘルメットが脱落しており，死亡原因の50％以上が頭部外傷であったと報告している[18)]。ただし，ヘルメットを装着していても，あご紐による頸部外傷が生じることもある。

図19-13 車との衝突により歩行者が受ける複数衝撃
歩行者は3段階の衝撃を受ける

3）自転車乗員の事故

受傷形態は，自動二輪車や原動機付自転車の事故と類似している。損傷の重症度は関係車両の速度に依存し，外力の大きさを測る目安は自転車の変形の程度と自転車と乗員の距離である。ヘルメット装着が，自転車事故による頭部外傷の80％を予防できると試算されており[19]，ヘルメット装着の有無が重症度を左右する。

小児の場合，高リスク受傷機転には相当しなくとも，ハンドルバーによる重症腹部外傷の報告はまれではなく，注意を要する[20)～22)]。

4）歩行者の事故

わが国では，交通事故死亡者数において歩行者が全体の1/3以上（35.6％）を占め，欧米諸国と比べて高い割合を示している[23]。

歩行者が車両に跳ねられた場合，①下肢，②体幹，③頭部の3部位の損傷を被る頻度が高いとされてきたが[24]，すべて受傷するのは2.4％にすぎないとの報告もある[25]。損傷部位の分布と頻度は身長と車両との接触部位の位置関係により異なる[26]。身長が高い成人の場合，最初の衝撃でバンパーが下肢に衝突し下肢骨の骨折，関節損傷や骨盤骨折をきたす（図19-13）。その後，身体がボンネットやフロントガラスに衝突し，胸腹部や頭頸部・顔面を負傷する。頸椎・頸髄損傷を合併することもある。最後に，身体が地面，路上に叩きつけられ，さらに損傷を受ける。

一方，身長が低い小児の場合，バンパーの高さが頭部・顔面や胸腹部に一致し，同部位の損傷をもたらす。衝突後，跳ね飛ばされたり，車両の下に入り轢過されたりする。轢過された場合には，デグロービング損傷や胸腹部臓器損傷が生じ得る。

◆ 2．墜　落

「墜落」とは高所からの自由落下であり，「転落」とは斜面や階段などを転がり落ちることを意味する。同じ高さからの「墜落」と「転落」は同じ位置エネルギーを有する。しかし，「墜落」では身体に外力が加わる時間は地面と接触してから身体が止まるまでの一瞬であるため，身体に作用するエネルギーは「墜落」のほうが大きい。高さ，落下地点の性状，最初に地面と接触した人体の部位，落下途中の構造物の有無が重症度を左右する[27]。高さ6m（20フィート；概ね2階分の高さ）以上でICU入室，手術頻度が高くなり，重症化の目安となっている[3]。小児の場合には3m以上または身長の2倍以上で重症化する。ちなみに，"高さ6m"の位置エネルギーは"時速40km"の運動エネルギーと同等である。

損傷する部位は地面と最初に接触した部位に多い。減速作用機序によって，大動脈損傷や心肺損傷，肝損傷，腎損傷などを合併する（図19-14）。また自殺企図の場合，薬物中毒の合併にも注意を払う。

高齢者の場合は転倒などの低エネルギー衝撃でも重症化する可能性があり，トリアージ基準の第4段階に含まれている[3]。最近では，高齢者の脆弱性骨盤骨折[28]が話題となっている。

◆ 3．刺　創

包丁やナイフなど鋭利な成傷器が刺入してできる体表の創傷を示す。傷害事件（他傷）や自傷行為によるものが多い。刺入部が小さくても内部ではより広範囲が損傷されている可能性がある（図19-15）。刃先の長さによっては胸部から刺入されていても内部損傷が腹腔内へ至ったり，逆に腹部から胸腔内に至っている可能性がある。損傷の深さを評価するた

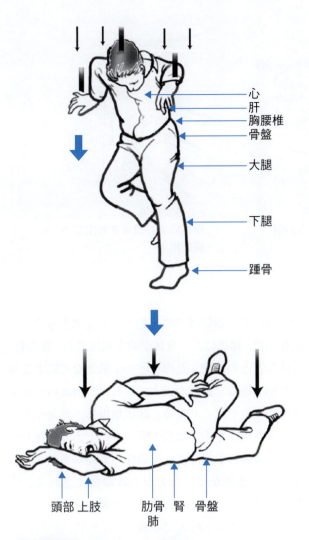

図19-14 墜落外傷と損傷部位

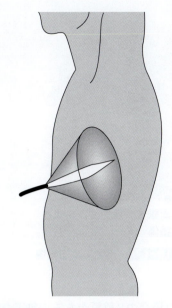

図19-15 刺創による内部損傷の広がり

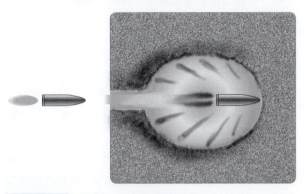

図19-16 銃創による組織破壊のメカニズム
弾丸が直接組織を破壊する場合は，組織内に空洞を形成して紡錘状の損傷を形成する．エネルギーが大きいとこの紡錘状の損傷も大きくなる

めに，成傷器の性状・長さを正確に聴取する．なお，腹部では刺入創の位置や受傷時の体位，呼吸相によって，より深部まで受傷している可能性も考慮する．

4. 銃 創

銃創は，刺創よりさらに重症化しやすい．銃器には，低速性と高速性[8)12)29)]があるが，エネルギーは大きく異なる．高速性では弾丸も重く，速度が3倍，弾丸重量が2倍であれば，エネルギーは18倍となる．そのため，弾丸の通過部だけでなく，体内では損傷の広がりが大きくなる（図19-16）．

また，体内では弾丸の軌跡を変えたり，破裂して数片に分かれたりするため，周辺をも巻き込んだ損傷が起こる．したがって，単純に射入口と射出口を直線で結んだ軌跡に損傷が限定されていると推定してはならない．射出口をもたない場合や，思わぬところに射出口が存在することがあり，注意を要する．

現在までわが国における銃創は，ほとんどは低速性の拳銃によると考えられるが，今後はテロリズムの脅威を無視できない．高速性に対しての対応も考える必要がある．

5. 杙 創

杙創とは先端が鈍である長尺物により起こる穿通性損傷である．受傷様式には，墜落，転落，転倒した際にコンクリートに固定された鉄筋などが刺さった場合と，割り箸や鉄パイプなどが偶然あるいは故

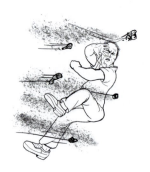

a：一次爆傷
衝撃波（圧力波）による損傷

b：二次爆傷
飛来物による損傷

c：三次爆傷
爆風により飛ばされ生じる鈍的損傷

図19-17　爆発による損傷

意に刺さった場合の2種類がある．包丁などに比べて断面積が大きく圧迫による止血効果が期待できるため，可能なかぎり成傷器を抜かずに搬送させる．

6. 爆傷

爆発を原因とする特殊な外傷形態をいう．爆傷による損傷は複数のメカニズムが作用する[30)〜33)]（図19-17）．

一次爆傷は，爆発のエネルギーによりつくられる衝撃波（圧力波）による損傷である．衝撃波は空気や水の移動を伴わずに波としてエネルギーが伝播する．音よりも早く，エネルギーによっては5,000m/秒を超える速度で，被災者に到達する．そして1,000分の1秒レベルで肺，脳，鼓膜や消化管などに損傷を与える[29)33)]．もっとも多い損傷は鼓膜の破裂である．肺では肺胞およびその血管床が破壊され，気道出血，肺水腫，肺挫傷，気胸，空気塞栓を合併し得る（爆傷肺）．脳では，記憶障害など精神症状が現れる軽度外傷性脳損傷（mild traumatic brain injury；MTBI）が発生するとされている[32)]．いずれの損傷も，受傷直後には外見所見に乏しく注意を要する．爆傷患者へのトリアージ，意識レベルの評価には，鼓膜破裂に伴う聴力障害の可能性を考慮する．

二次爆傷は，爆発により生じた飛散物による損傷である．貫通創，刺創，あるいは杙創といった穿通性損傷が多い．小さな金属片なら4,000m/秒を超える高速の飛来物となり得る．この速度は，前述の高速性ライフル銃の弾丸速度の4倍であり，重量が同じ場合16倍のエネルギーを有する．したがって，飛来物による損傷は常に重篤であると考える[12)]．三次爆傷は，爆風により身体が吹き飛ばされ，建造物・地面などとの衝突，瓦礫などの下敷きなどによる鈍的損傷である．爆風が強大であれば，四肢の轢断や体幹の離断も起こり得る．四次爆傷は，熱気や火球による熱傷や中毒性物質の吸入などであり，遅発性に発生する放射線障害や感染症（他傷病者の骨片によるHIV感染など）などが五次爆傷とされる．放射性物質や細菌などが搭載された爆弾を，いわゆるダーティ・ボムと呼んでいる[31)]．

7. 挟圧外傷

家屋の倒壊，荷崩れ，土砂崩れ，雪崩，大破した車両による挟圧などでは，一次的な衝撃による損傷以外に，身体を長時間圧迫されたことによる特徴的な外傷が発症する．

胸部が圧迫されると上半身の静脈圧が上昇し，脳循環障害による低酸素症から意識障害をきたす．顔面・頸部の浮腫，結膜の点状出血，チアノーゼを認め，外傷性窒息（traumatic asphyxia）という．早期に救出されれば後遺症なく回復するが，圧迫時間が長いといわゆる圧死となる．

殿部・四肢を中心に長時間圧迫した後に救出されると，骨格筋が融解し（横紋筋融解症），急性腎不全を発症する圧挫症候群（crush syndrome）となる（図19-18）．このとき，局所の骨格筋が筋区画内で腫脹し，末梢の血行障害と神経損傷をきたす筋区画症候群（compartment syndrome）を合併する[34)]．挟圧下には意識清明であった患者が，救出直後に心

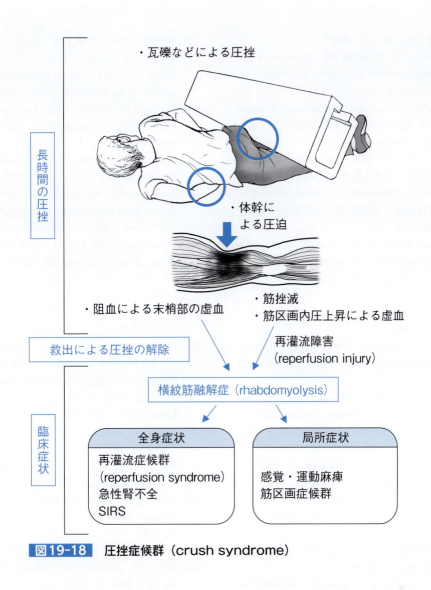

図19-18 圧挫症候群（crush syndrome）

肺停止に陥ることもある。可能であれば救出前から十分な輸液を投与し，循環不全や高カリウム血症への対策を行う[35]。

V 受傷要因となる内因性疾患

外傷を引き起こす原因として，既存の精神疾患（自殺企図）や急性発症の内因性疾患がある。とくにてんかん，脳血管障害や不整脈，急性冠症候群などは少なくない[36)〜39)]。最近では，高齢者の認知障害が関与する交通事故が頻発し社会問題となっている。

文献

1) Haider AH, Crompton JG, Oyetunji T, et al：Mechanism of injury predicts case fatality and functional outcomes in pediatric trauma patients：The case for its use in trauma outcomes studies. J Pediatr Surg 2011；46：1557-1563.
2) Brown JB, Stassen NA, Bankey PE, et al：Mechanism of injury and special consideration criteria still matter：An evaluation of the National Trauma Triage Protocol. J Trauma 2011；70：38-44.
3) Sasser SM, Hunt RC, Faul M, et al：Guideline for field triage of injured patients：Recommendations of the national expaert panel on field triage. MMWR Recomm Rep 2012；61：1-21.
4) JPTEC協議会編著：JPTECガイドブック，改訂第2版補訂版，へるす出版，東京，2020.
5) 山田元彦：皮膚・軟部組織損傷；閉鎖性デグロービング損傷を中心に．救急医学 2019；43：450-455.
6) Saukko P, Knight B：Knight's Forensic Pathology. 3rd ed, CRC Press, Boca Raton, 2004.
7) Teixeira PG, Inaba K, Barmparas G, et al：Blunt thoracic aortic injuries：An autopsy study. J Trauma 2011；70：197-202.
8) Marr AB, Stuke LE, Greiffenstein P：Kinematics. In：Trauma. 8th ed, Moore EE, Feliciano DV, Mattox KL, eds, McGraw-Hill, New York, 2017, pp3-19.
9) Huh J, Milliken JC, Chen JC：Management of tracheobronchial injuries following blunt and penetrating trauma. Am Surg 1997；63：896-899.
10) Karmy-Jones R, Jurkovich GJ：Blunt chest trauma.

Curr Probl Surg 2004；41：211-380.

11) Symbas PN, Justicz AG, Ricketts RR：Rupture of the airways from blunt trauma：Treatment of complex injuries. Ann Thorac Surg 1992；54：177-183.

12) Creel JH Jr：Scene Size-up. In：International Trauma Life Support. 8th ed, Campbell JE, Alison RL, eds, Pearson Education, Burlington, 2017.

13) 阿藤忠之，岩本竜彦，多田辰雄，他：交通外傷の発生メカニズムと評価法．工学技術者と医療従事者のためのインパクトバイオメカニクス，インパクトバイオメカニクス部門委員会編，公益社団法人自動車技術会，東京，2006，pp87-130.

14) National Highway Traffic Safety Administration, National Center for Statistics and Analysis：Traffic Safety fact 2017 Data Occupant Protection in Passenger Vehicles.
https：//crashstats.nhtsa.dot.gov/Api/Public/ViewPublication/812691

15) US Department of Transportation National Highway Traffic Safety Administration, Traffic Safety facts 2016.

16) Wang SW：Review of NASS CDS and CIREN data for mechanism criteria for field triage. National Expert Panel on Field Triage meeting, Las Vegas, Nevada, 2011.

17) Thompson RS, Rivara FP, Thompson DC：A case-control study of the effectiveness of bicycle safety helmets. N Engl J Med 1989；320：1361-1367.

18) 警視庁：二輪車の交通死亡事故統計（平成30年中），2019.
https：//www.keishicho.metro.tokyo.jp/kotsu/jikoboshi/nirinsha/2rin_jiko.html

19) Thompson DC, Rivara FP, Thompson RS：Helmets for preventing head and facial injuries in bicyclists. Cochrane Database Syst Rev 2001；4：1-37.

20) Nadler EP, Potoka DA, Shultz BL, et al：The high morbidity associated with handlebar injuries in children. J Trauma 2005；58：1171-1174

21) 廣瀬智也，小倉裕司，竹川良介，他：小児自転車ハンドル外傷の特徴に関する検討；非ハンドル外傷例との比較．日救急医会誌 2013；24：933-940.

22) 日本小児科学会こどもの生活環境改善委員会：Injury Alert（傷害速報）（No.51）キックスクーターと自転車のハンドルによる外傷．日小児会誌 2014；118：1677-1681.

23) 警視庁交通局：平成30年における交通死亡事故の特徴等について，2019.
https：//www.npa.go.jp/publications/statistics/koutsuu/jiko/H30sibou_tokucyo.pdf

24) Waddell JP, Drucker WR：Occult injuries in pedestrian accidents. J Trauma 1971；11：844-852.

25) Orsborn R, Haley K, Hammond S, et al：Pediatric pedestrian versus motor vehicle patterns of injury：Debunking the myth. Air Med J 1999；18：107-110.

26) Ivarsson BJ, Crandall JR, Okamoto M：Influence of age-related stature on the frequency of body region injury and overall injury severity in child pedestrian casualties. Traffic Inj Prev 2006；7：290-298.

27) Atanasijevic TC, Savic SN, Nikolic SD, et al：Frequency and severity of injuries in correlation with the height of fall. J Forensic Sci 2005；50：608-612.

28) 川本匡規：高齢者の脆弱性骨盤骨折への対応；総論．救急医学 2019；43：460-465.

29) Schmidt A, MacCormick L：The Physics of Trauma. In：Prehospital Trauma Life Support. 9th ed, NAEMT eds, Jones & Bartlett Learning, Burlington, 2018.

30) Wolf SJ, Bebarta VS, Bonnett CJ, et al：Blast injury. Lancet 2009；374：405-415.

31) 齋藤大蔵：爆傷．救急医学 2016；40：329-332.

32) Christine LM, Ann MJ, Elliot CN, et al：Detection of blast-related traumatic brain injury in US personnel. N Engl J Med 2011；364：2091-2100.

33) Blast injuries. In：Trauma Care Pre-Hospital Manual. Greaves I, Porter K, Wright C, eds, CRC Press, Florida, 2018.

34) 横田順一朗：挫滅症候群．日救急医会誌 1997；8：1-16.

35) 森田正則，横田順一朗：圧挫症候群．救急医学 2016；40：323-328.

36) 田熊清継，堀進悟，小池薫，他：内因性疾患による交通外傷の検討．日救急医会誌 2006；17：177-182.

37) Hansotia P, Broste SK：The effect of epilepsy or diabetes mellitus on the risk of automobile accidents. N Engl J Med 1991；324：22-26.

38) 篠原一彰，松本昭憲：運転中の急病発症；過去17年間に当院ERで経験した事例の紹介と総括．Prog Med 2012；32：1601-1604.

39) 一杉正仁，安川淳，五明佐也香，他：運転者の体調変化による事故例の検討；病死例と事故死例の比較．日交通科協会誌 2012；11：3-8.

第20章 病院前救護

要約

1. 病院前救護の活動で重要な要素は，①的確な緊急度の判断，②適正な医療機関選定，③迅速な搬送，すなわち，"The right patient, in the right time, to the right place"の言葉で代表される三原則である。
2. 病院前救護の担い手である諸機関との連携強化のため，救急隊員などにメディカルコントロールを介してJPTECの活動手順を指導する。

はじめに

受傷現場から医療機関に搬送するまでの病院前救護は，外傷診療の治療成績向上には欠かせない要素である。

本章では，わが国における病院前救護体制の状況，その担い手である救急隊員の業務範囲および，標準的な病院前救護教育コースであるJPTECで教えられている観察・処置の手順，緊急度・重症度の判断基準などを解説する。

I　医療機関の選定とメディカルコントロール

わが国ではドクターヘリやドクターカーの普及により，重症外傷については三次救急医療施設（救命救急センター）に集約されつつあるが，地域によっては長距離や長時間搬送による外傷死を防ぐため，二次救急医療機関もその役割を担わざるを得ない状況がある。平成21年の改正消防法施行後は，都道府県の消防法に基づく，実施基準に関する法定協議会により医療機関選定基準が決められ，二次医療圏ごとに緊急度・重症度に応じて収容できる医療機関のリストが策定されている。重症外傷傷病者に対しても，医療機関リストが公開されているので確認が必要である。

II　病院前救護の担い手

1. 自治体消防

わが国における病院前救護の中心的な担い手は，自治体消防の救急隊員である。救急隊員が実施する行為を応急処置といい，とくに国家資格をもつ救急救命士が実施する行為を救急救命処置という。そのうち医行為とみなされる救急救命処置は医師の具体的指示を必要とし，特定行為と称される。具体的には，①器具を用いた気道確保，②乳酸リンゲル液を用いた静脈路の確保，③アドレナリンの投与，④ショックに対する輸液，⑤低血糖傷病者へのブドウ糖溶液の投与がある。

重症外傷傷病者でショックの場合，輸液をすることができるようになったが，器具を用いた気道確保は，心肺停止前の傷病者に対しては実施できない。また，緊張性気胸に対する胸腔穿刺，気道閉塞に対する輪状甲状靱帯穿刺などの外科的気道確保の実施は救急救命士には認められていない。

2. 海上保安庁，都道府県警察，自衛隊

洋上，山岳，離島など自治体消防での対応が困難な地域からの救急搬送では，海上保安庁，都道府県警察，自衛隊などにより病院前救護が実施されることがある。病院前救護に携わる人員は，救急救命士，

（准）看護師，船舶衛生管理者などの公的な資格を有する者のほか，各組織における独自の教育課程を修了した者，消防学校の救急課程を修了した者などがいる。

◆ 3. 医療機関スタッフ（ドクターカー・ドクターヘリ）

より早期に診療を開始するために，医師や看護師がドクターカー（ラピッドカーを含む）やドクターヘリを利用して現場に出向いている。上記の諸機関と連携して，現場で診療を開始したり，ドッキング方式で傷病者を引き継いだりする。ドクターヘリについては，2020年3月現在，全国44道府県に53機が配備されており，2018年度では年間29,055件の出動実績がある[1]。

III JPTECに基づく外傷病院前救護活動

救急隊員などによって行われるわが国の病院前救護については，本書と整合性をもった『JPTECガイドブック』[2] が規範として示されている。

以下にその概要を解説する。

◆ 1. JPTECで強調されている概念

1) ロード＆ゴー

重症外傷傷病者では，迅速に医療機関での手術などの蘇生的治療を行うために，現場では生命が脅かされる可能性がある事項についての観察と処置のみを行い，速やかに適切な医療機関に搬送する。この一連の判断およびその概念を"ロード＆ゴー"といい，「ロード＆ゴーの傷病者です」「ロード＆ゴーの患者がくる」のように，病院前と病院内の"合言葉"として用いられている。

2) 脊椎運動制限

高リスク受傷機転の傷病者では，受傷時に頭部と体幹に異なった外力が加わるために，頸部にストレスがかかり頸椎・頸髄損傷を生じる可能性がある。このため，全身固定などの脊椎運動制限（spinal motion restriction；SMR）が必要となる。四肢の穿通性外傷などで出血性ショックを呈する傷病者などでは，この限りではない。

3) Trauma bypass

直近の医療機関では十分に対応できないと判断・予測される場合，対応が可能な医療機関まで遠隔搬送することを"trauma bypass"という。多少の時間を犠牲にしても，最終的に手術室や血管造影室へ入室する時間が早い医療機関を選定するほうが治療成績の向上を期待できるとされている。この方法は，パラメディックが病院前救護活動において医師が行うのと同じ程度の処置を行い得ることが可能な米国では，きわめて有効な方法として採用されているが，わが国では救急救命士であっても外傷傷病者に実施できる処置は限定されているため，緊張性気胸の患者を遠隔搬送することには異論がある。そのため，直近の医療機関でJATEC診療理論に基づいた「primary surveyと蘇生」を行い，その後速やかに三次医療機関へ病院間搬送をする方法や，ドクターヘリ，ドクターカーとのドッキングも考慮すべきである。

◆ 2. 現場活動の手順

JPTECにおける活動手順を図20-1[2]に示す。その基本原則はJATECと共通する部分が多いが，器材を用いた観察や，器具/薬剤を用いた処置に制限がある点で，医師が院内で実施することを前提としているJATECとは，異なったものとなっている。

1) 状況評価

現場到着までに①情報収集，②感染防御，③携行資器材の準備を行い，到着後には傷病者接触までに④安全確認と二次災害の防止，⑤応援要請の要否判断，⑥傷病者の状況と受傷機転の把握などを行う。

2) 初期評価

外傷傷病者に接触して最初に行う観察を"初期評価"という。意識・気道・呼吸・循環という「生理学的な観点」から傷病者の状態を15秒以内に把握するもので，JATECのprimary surveyにおける"第一印象"に相当する。初期評価で行う処置としては，用手的気道確保，口腔内吸引，補助換気，酸素投与，

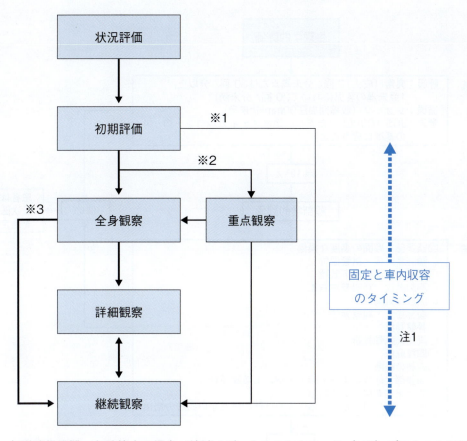

※1：気道確保困難，心肺停止の場合，地域メディカルコントロール（MC）プロトコルに従う
※2：初期評価で異常なし and 受傷機転・訴えから局所に限局 and 全身観察なしでも不安がない
※3：ロード＆ゴーで，生理学的に不安定 or 搬送が短時間
注1：ロード＆ゴーでは，全身観察終了後，直ちに傷病者の固定と収容を開始する

図20-1 JPTECの観察／処置手順
〔文献2）より引用〕

活動性外出血に対する直接圧迫止血などがあり，いずれも生命維持に必須のものである。

高リスク受傷機転，とくに脊椎・脊髄，骨盤，四肢の損傷を疑う場合は脊椎運動制限（SMR）が求められる。このため，傷病者に接触すると同時に用手的頭頸部保持を実施し，傷病者の状況に合わせ全身固定が完了するまで継続する。

3）全身観察

"初期評価"に続いて，生命にかかわる損傷について「解剖学的な観点」から行う観察である。頭部から体幹，四肢までを順次観察し，初期評価と合わせて2分以内に終了する。上肢・下腿の損傷は，活動性の外出血が制御されていれば生命には影響しないため，大まかな観察にとどめる。全身観察は，JATECのsecondary surveyに類似するが，全身すべての損傷箇所を精査するのではなく，生理学的異常をきたす可能性のある致死的な損傷に焦点を当て，身体

表20-1 TAFな開緊，血をみるぞ

T	心タンポナーデ
A	気道閉塞
F	フレイルチェスト
開	開放性気胸
緊	緊張性気胸
血	血胸・腹腔内出血・骨盤骨折・両側大腿骨骨折・大出血

TAFな3X + MAPに相当

的な観察を行う。致死的な損傷とは，表1-3（p13）に示す損傷のうちTAFな3XMAPに相当する項目であるが，救急隊員には「TAFな開緊，血をみるぞ」の暗唱法で指導している（**表20-1**）。これらの損傷の多くは，トリアージ基準の第2段階の内容に相当する（**図20-2，3**）[2)3)]。

なお，"初期評価"で異常がなく，受傷機転・訴えから局所に限局した損傷であると確信できる場合

第20章 病院前救護

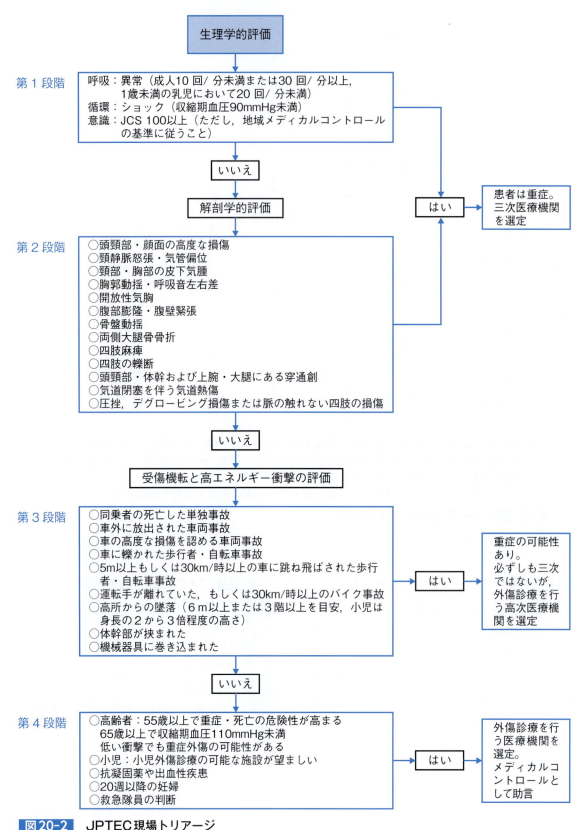

図20-2 JPTEC現場トリアージ
〔文献2)より引用〕

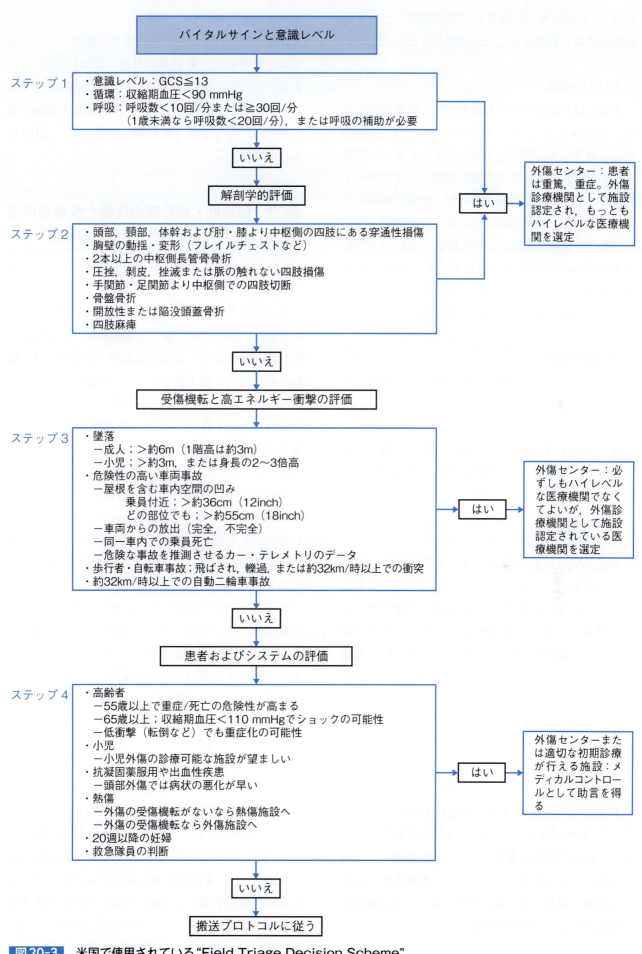

図20-3 米国で使用されている"Field Triage Decision Scheme"
〔文献3〕より引用・改変〕

には，"全身観察"に替えて"重点観察"として受傷部位のみを観察することが許容される。

4）詳細観察

生命にはかかわらない部分も含めて損傷部位の見逃しがないように，また全身観察でみつけた損傷部位をより詳しく，頭の先から爪先までを詳細に観察するものである。全身の詳細な観察とバイタルサイン，モニター評価，神経学的観察，情報の聴取を含めて実施する。医療機関に引き継ぐ前までに，傷病者の状況を把握するために行う観察である。JATECにおけるsecondary surveyに相当している。なおロード＆ゴーの傷病者では医療機関への搬送を最優先し，現場出発後に車内で必要に応じて行う。

5）継続観察

全身観察の後，医療機関に引き継ぐまでの間，繰り返し行う観察である。傷病者の変化を察知し，適切な処置，報告を行うことが目的で，①自覚症状の変化および生理学的徴候の変化，②頸部，胸部，腹部の観察，③それまでの観察結果から予測される病態の変化，④行った処置の確認を実施する。

6）病院前の輸液

認定を受けた救急救命士は，メディカルコントロールのもと，ショックもしくはショックに陥るおそれのある外傷傷病者や圧挫症候群の可能性がある外傷傷病者に対して輸液を行うことができる。対象，適応，輸液の種類や速度などについては，地域メディカルコントロール協議会にてプロトコルが作成されている。

外傷傷病者に対する病院前での輸液において，ショックにより組織への酸素供給などが破綻している傷病者に対して輸液によって循環動態を改善することは，生理学的な観点から合理的である。しかし，生存率や転帰を悪化させる可能性も指摘されており[4)5)]，その理由として，病院到着を遅延させることや，根本的な止血が完了していない病院前の段階では血圧が正常化することにより，止血血栓を遊離させ出血を助長する，血液希釈によって血液凝固能が損なわれる，などがあげられる。

7）外傷に特化した処置

脊椎・脊髄外傷が疑われる場合の頸椎カラー装着および全身固定（第11章「脊椎・脊髄外傷」，p174参照），骨盤骨折を疑う場合の簡易骨盤固定具（第7章「骨盤外傷」，p117参照），四肢出血を制御するためのターニケット（第12章「四肢外傷」，p184参照）などがある。

◆ 3. 緊急度・重症度の評価と医療機関選定（オーバートリアージの容認）

病院前における外傷傷病者の緊急度・重症度評価は，JATECで医師が行う初期診療理論とまったく同様に構成されている。すなわち，①生理学的徴候の評価，②解剖学的評価，③受傷機転，④受傷者の既往歴（病歴など）の順であるが，この順序は，現場活動の手順と若干異なることに注意しなければならない。いずれかの段階で重症以上と判断された場合には"ロード＆ゴー"として，救命救急センターなどの適切な医療機関を選定して速やかに搬送する。

判断の基準については，米国外科学会外傷委員会が1986年に提唱した"Field Triage Decision Scheme"がわが国でも修正して使用され，その一つとして救急振興財団の「救急搬送における重症度・緊急度判断基準」[6)]が本書（初版〜改訂第3版）や『JPTECガイドブック』[1)]で紹介されてきた。JPTEC（2016年改訂版）での現場トリアージのフローを図20-2[2)]に示す。CDCは"Field Triage Decision Scheme"をエビデンスに基づいた判断基準とするためにsystematic reviewや有識者会議を開き，2006年に初版のガイドライン，2011年には改訂版のガイドライン（図20-3）[3)]を出した。

現場での評価が重症であったにもかかわらず，医療機関では中等症以下と判断されることを「オーバートリアージ」，逆に現場での評価は中等症以下であったにもかかわらず，実際には重症であった場合を「アンダートリアージ」という。Preventable trauma death（PTD）を回避するにはアンダートリアージを減少させる必要があるが，現場での評価基準を厳しくしてアンダートリアージの減少を企図すると，反面オーバートリアージが増加することとなる。アンダートリアージ率を許容できる5〜10％以下にす

表20-2 MIST

M	Mechanism（受傷機転）
I	Injury（生命を脅かす損傷）
S	Sign（意識，呼吸，循環の状態）
T	Treatment（行った処置と病院到着予定時刻など）

〔文献2)より引用〕

るためには，オーバートリアージを30〜50％まで上昇させる必要があるとされており，収容側の医療機関は一定頻度のオーバートリアージを容認する姿勢が必要である。もちろんオーバートリアージは医療機関側に過分な負担となるため，地域の外傷医療資源を効率よく利用できるよう円滑な医療機関連携を構築しておくことも重要である。

4. 医療機関への連絡

　正確な情報を医療機関に伝え，速やかに現場を出発することができるよう，第1報，次いで第2報と，分割して傷病者情報を連絡することとしている。第1報は収容の依頼・許諾を第一義とするため，ロード＆ゴーの対象か否かを最初に伝え，年齢（推定も可），性別に加えて，表20-2[2)]に示す4項目（MIST）の情報を手短に伝える。

　第1報は状況評価，初期評価および全身観察までで得られた情報をもとに作成されるため，血圧などの数値は得られていないことに留意する。受け入れ側の医師は，「橈骨動脈で浅く弱い頻脈」「頻呼吸」「意識レベル2桁」といった生理学的徴候のみから緊急度・重症度を共有し，収容を判断する必要がある。その後，第2報として車内収容直後の活動や搬送中に行った詳細観察・継続観察により，正確な状態や病勢の変化の連絡が行われる。

■ 文　献

1) 日本航空医療学会編：ドクターヘリ事業　平成30（2018）年度集計結果．日航空医療会誌 2019；10：54-55．
2) JPTEC協議会編著：JPTECガイドブック，改訂第2版補訂版，へるす出版，東京，2020．
3) CDC：Guidelines for field triage of injured patients：Recommendations of the National Expert Panel on Field Triage, 2011. MMWR Recomm Rep 2012；61(RR-1)：1-20.
4) Bickell WH, Wall MJ Jr, Pepe PE, et al：Immediate versus delayed fluid resuscitation for hypotensive patients with penetrating torso injuries. N Engl J Med 1994；331：1105-1109.
5) Sampalis JS, Tamim H, Denis R, et al：Ineffectiveness of on-site intravenous lines：Is prehospital time the culprit? J Trauma 1997；43：608-615, discussion 615-617.
6) 財団法人救急振興財団：救急搬送における重症度・緊急度判断基準作成委員会報告書，2004．

第21章 複数患者への対応

要 約

1. 多数傷病者発生時には，トリアージ基準（JPTEC現場トリアージまたは米国FTDS）に従って分散搬送を指示する。
2. 複数患者の受け入れ準備として，災害時モードを発令して，人員の臨時招集や救急部門への集約とチームの役割分担，救急外来のベッド以外に手術室や入院ベッドの確保，大量の資器材の準備，混乱の制御などを行う。
3. 施設の人的・物的資源と患者数や重傷度のバランスを考えてトリアージを実施する。
4. トリアージはすべての患者のABCD評価を最優先し，続いて損傷の重症度，生存確率および利用できる医療資源も考慮する。
5. 診療の進め方は，患者ごとにprimary surveyからsecondary surveyへ進めるのではなく，全患者のprimary surveyに基づいた蘇生を優先し，その後secondary surveyへ進む。
6. 地域として対応するために，個々の患者のsecondary survey完了に固執せず，primary surveyの評価と蘇生が終了した症例から転送（病院間搬送）を考慮する。

はじめに

自動車の多重事故，電車脱線事故，イベント会場などでの事故（mass casualty incident），テロ行為などにより多数の傷病者が発生した場合などでは，患者を複数の医療機関へ分散搬送することを基本とする。そのために，JPTEC現場トリアージ（図20-2, p264参照）または米国のField Triage Decision Scheme（図20-3, p265参照）を採用するよう日頃からメディカルコントロール体制のもとで消防機関に指導しておくことが肝要である。自施設が，救命救急センターなど日頃から重症外傷を受け入れる施設であれば，JPTECの生理学的評価（第1段階）および解剖学的評価（第2段階）で対象となる患者を受け入れるようにするが，自施設が二次医療機関であれば軽症を中心に受け入れるように役割を分担する。いずれにしても全体の患者数が多ければ各施設へ複数の患者が搬送されて対応する必要が生じる可能性がある。複数患者の受け入れ準備として，災害モードを発令して平時とは異なる体制を構築する。以下，救急部門に複数患者が押し寄せることを想定した施設の対応と初期診療のあり方を解説する。

I 複数患者の受け入れ準備

複数外傷患者を受け入れる情報を把握した時点で，救急部門の長により非常事態の宣言を行い，受け入れ準備を進める。短時間に大勢の患者を受け入れる対応能力（surge capacity）をどのように高めるかについては，多数の総説からまとめられた4S（system, staff, structure, stuff）を基本とする海外の報告[1]がある。本章ではこれに災害時対応での基本コンセプトである安全確保（security）を加えた5項目に焦点を当てた準備を説明する。

◆ 1. System/Switch（組織・体制）

人的資源や物的資源を大量に必要とするうえに，院内の各部門にさまざまな協力を仰ぐことになる（後述）。災害モードに切り替えて院内職員へ周知と呼び

かけをするなど，必要であれば災害対策本部を設置して指揮命令系統を構築する．重症外傷診療にリーダーを中心とするチームを構築することの重要性が説かれている．スタッフの確保が可能であれば，あらかじめ複数のチームを構成しておくことも有用であり，各チームのリーダーと，全体の管理をするための統括リーダーとで現場組織を構築する．

◆ 2. Staff（人員）

外傷診療にかかわるスタッフ以外にも，トリアージや搬送など多くの人員が必要である．院内の人員を招集し，休日や時間外では院外の人員を緊急招集する．必要に応じて一般診療を制御して人員確保を行う．

◆ 3. Structure/Space（場所）

救急外来にすでにいた患者を入院させる，またはほかの外来診察場所へ移動させるなどして，多くの患者を収容できる準備をすぐに開始する．非常時用のベッドやストレッチャーの準備も必要であり，不足が予想される場合には院内の各部門から調達する．外傷患者に対しては緊急のIVRや手術が必要になるので放射線部門や手術部門の責任者に連絡をとり，未開始の手術を一時中止とするなど，人員と手術室などの確保を依頼する．同様に入院病床の確保が必要であり，一般病床，ICUの病床調整・空床確保を行う．複数の遺体が収容できる場所の確保も必要である．

◆ 4. Stuff/Supply（資器材）

通常の重症救急患者の受け入れと同様の器材としてモニターや蘇生資器材，輸液・薬剤，診療材料，酸素ボンベなどが必要であるが，並行して同時に複数の患者診療をできるように複数のセットを準備するとよい．不足が予想される場合には院内各部門から資器材を調達する．同様に手術室でも手術器材の準備が必要であり，器材の洗浄・滅菌を急ぐ必要がある．大量輸血の準備が必要であるなど，院内だけでは医薬品，資器材が不足することが予測される．あらかじめ日本赤十字社輸血センターや，事前の協定に基づいて卸業者やメーカーに連絡をして補充できる体制を構築する．

◆ 5. Security（保安・安全）

複数の患者を受け入れる医療機関には，情報を求めて訪ねてくる人が押し寄せるなど混乱が生じる．警備員による出入り口管理など秩序の確保に努める．多数傷病者発生の原因がテロなどの作為的な殺傷目的の場合には，医療機関や医療従事者が攻撃のターゲットになる場合もある．海外の医療機関では，武装した自前のセキュリティー部門や警察による警護が実施される場合がある．

II トリアージ

複数患者の診療では，優先的に診療を実施すべき患者を選別して順位づけに基づいて診療を開始する．これをトリアージという．判断基準は常に同一ではなく，受け入れ医療機関の施設（救急外来の規模，手術室）やスタッフの人数などの医療資源と，患者数や医学介入の必要性などの患者因子とのバランスによって柔軟に変化させる．例えば，医療機関が対応できる範囲の複数患者を受け入れる場合には，相対的に緊急度が高い患者や蘇生を必要とする患者を優先して対応し，生命にかかわらない損傷検索や根本処置は優先順位を下げて後へ回す．しかし，医療機関の対応力をはるかに超える患者が来る場合には，生存の見込みが高く，処置時間がかからず医薬品・輸血など多くの資源投入を必要としない患者を優先して，結果的により多くの患者を救う選択をする[2]．

トリアージの判断基準が傷病者と医療機関の対応能力のバランスによって変化するとはいえ，個々の患者に対する緊急度・重症度評価には一定の原則がある．優先順位の決定にもっとも反映されるのが，生命維持にかかわる生理学的徴候の評価である．まさしく，外傷初期診療の第一印象とprimary surveyであり，病院前救護におけるトリアージ基準（JPTEC現場トリアージまたは米国FTDS）の第1段階の評価に相当する．そのなかでももっとも簡易な方法が，Simple Triage And Rapid Treatment（START）[3]の変法である（図21-1）．緊急治療群（Ⅰ：赤）は，第一印象の把握において優先的な蘇生を必要とする患者の判断とほぼ同じである．緊急治療群以外を歩行の可否によって待機治療群（Ⅱ：黄）と治療不要・軽処置群（Ⅲ：緑）にさらに分けているにすぎない．

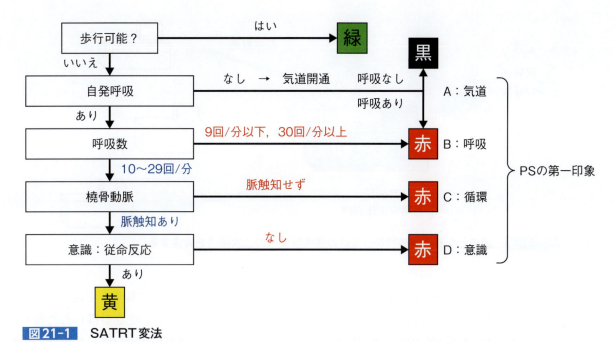

図21-1　SATRT変法
緊急治療群（Ⅰ：赤）はprimary survey（PS）の第一印象で確認しているABCD項目と同一である

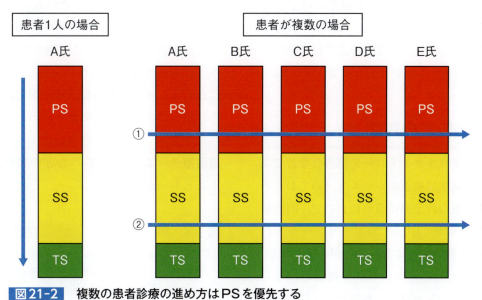

図21-2　複数の患者診療の進め方はPSを優先する
TS：tertiary survey

　最初のトリアージにて優先的診療の必要がないとされた患者も，時間経過とともに初期にはなかった生理学的異常が出現することがある。診療開始が後になる患者に対しては，トリアージを繰り返し実施し，病態が悪化したときには迅速に対処する必要がある。

Ⅲ　診療の進め方

　START変法で緊急治療群（Ⅰ：赤）と評価される患者数が多く，対応できる診療チームの数を上回る状況では，通常の診療の進め方とは異なる対応が必要である。より多くの患者数に対応するために，primary survey（PS）に相当する評価と蘇生に徹することを優先し，secondary survey（SS）以降の対応は全患者のprimary survey対応が終了した後に実施する（図21-2）。こうした考え方は事故現場の救護所などでの多数傷病者に対する医療の考え方と共通の部分があるが[4)5)]，医療資器材や清潔環境の確保などの点で，医療機関での対応はより優位な環境を提供できるといえよう。外傷診療においてCT検査は重要な位置を占める一方で，時間と移動などの手間がかかるので診療のボトルネックにな

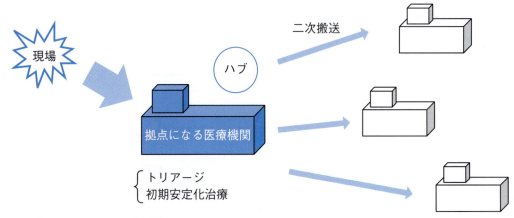

図21-3　拠点となる医療機関から複数の医療機関への二次搬送を考慮する

り得る．したがって，secondary surveyを省くか簡素にすませ，画像検査を含む損傷の検索と手術要否の判断は後へ回す．十分な解剖学的検索を後回しにすることから，病態の監視はいっそう重要である．一度primary surveyの評価や蘇生が終了して別の患者診療を開始したとしても，モニター機器や監視する担当者をつけてABCDEの異常が遅発性に生じないか常に監視する体制は欠かしてはならない．

Ⅳ　地域としての対応

平時からメディカルコントロール協議会などで災害時受け入れと病院間搬送のルールを決めておくのが望ましい．日頃の救急搬送業務において，消防機関がトリアージ基準（JPTEC現場トリアージまたは米国FTDS）を使い慣れておくことが重要である．さらに重度外傷の対応が可能な医療機関のみならず，二次救急対応の医療機関，整形外科，脳神経外科，外科などを標榜する医療機関をリスト化し，災害時でもトリアージの区分に応じて受け入れられる体制を整えておく．

発災時には，事前に取り決めた基準に従い，あるいはオンラインMCの指示に従い，医療機関への収容を図る．それでも限定された医療機関に患者が集中搬送される事態が避けられないことがある．この場合，図21-3のように集中した医療機関をハブにしてほかの医療機関へ二次搬送することで，広い地域として複数患者に対応する方法も考慮すべきである．ハブ機能を発揮するためには，そのときの患者の緊急度，重症度，医療機関の機能などから初療時にトリアージを実施し，とくにprimary surveyを中心に生理学的異常に対して蘇生を実施することが肝要である．蘇生によって安定が得られた後のsecondary surveyの結果に基づいて，自院では必要な根本治療の実施が困難な状況である場合や，人的不足からsecondary surveyそのものを実施する余力がない場合などには，すべての患者のsecondary surveyを完了することに固執することなく，他院へ二次搬送する判断が行われる．1人の患者の転院に比して，複数患者の転院搬送調整は非常に難渋する．事前に地域としての取り決めを行っておくことが重要であり，災害医療コーディネーターや災害派遣医療チーム（DMAT）[6]などの調整機能を活用することも一手である．

文　献

1) Sheikhbardsiri H, Raeisi AR, Nekoei-Moghadam M, et al：Surge capacity of hospitals in emergencies and disasters with a preparedness approach：A systematic review. Disaster Med Public Health Prep 2017；11：612-620.
2) American College of Surgeons Committee on Trauma：Advanced Trauma Life Support：Student Manual. 10th ed, American College of Surgeons, Chicago, 2018.
3) Benson M, Koenig KL, Schultz CH：Disaster triage：START, then SAVE-a new method of dynamic triage for victims of a catastrophic earthquake. Prehosp Disaster Med 1996；11：117-125.
4) 阿南英明：2災害現場での医療．大友康裕編，プレホスピタルMOOK4 多数傷病者対応，永井書店，大阪，2007，pp105-113.
5) 阿南英明：6災害現場の医療．大友康裕編，標準多数傷病者対応MCLSテキスト，ぱーそん書房，東京，2014，pp46-56.
6) 日本集団災害医学会監，日本集団災害医学会DMAT改訂版編集委員会編：DMAT標準テキスト．改訂第2版，へるす出版，東京，2015.

第22章 病院間搬送

要約

1. 外傷患者の病態と自施設の診療能力から，転院の必要性を判断する。
2. 紹介医師は，転院の要請に際して，受け入れ医師と直接交渉する。
3. 安全で迅速な病院間搬送が行えるように適切な準備をする。
4. 原則として医師の同乗により搬送中の患者管理を行う。

はじめに

外傷診療において自施設の対応能力に限界がある場合は，外傷診療に長けた医療機関へ外傷患者を安定化したうえで直ちに転院させる必要がある。そのためには外傷患者を診療する機会のある医療機関の医師は，初期診療のみならず，転院の判断と安全な病院間搬送を行うための技量を身につけることが望まれる。

本章では転院の準備，病院間搬送時の原則と注意点について述べる。

I 診療能力の把握

1. 自施設の診療能力の把握

診療にあたる医師の技量だけでなく，他の医療スタッフの量と質，画像検査を含む検査機器や医療資器材の整備状況，またそれらの通常業務時間内・外の変化など，自施設の外傷診療能力を総合的に十分に把握しておくことである。自施設の診療能力と限界とを把握したうえで搬入された外傷患者の診療にあたり，病態と照らし合わせ，患者にとってもっとも適した医療機関を選定する。

2. 他施設の診療能力の把握

他施設の外傷診療能力の把握には日頃より施設間連携の絆を密にし，外傷診療に精通した施設の診療機能情報を入手しておくことが重要である。円滑な転院先選定のための工夫を表22-1に例示する。

II 病院間の連携

日常業務のなかでの病院間連携は重要で，いわゆる「顔のみえる関係」を構築しておく。一方，通常業務時間外には，お互いが面識のない当直医師間で転院に関する調整を行わなければならないことがしばしばある。

転院の判断に迷う場合は，転院先として考えている病院の外傷に精通した医師に相談するとよい。そのなかで転院の判断だけでなく，安全に搬送するための搬送手段や処置の助言を仰ぐこともできる。

III 搬送にかかわる医師の責務

1. 紹介医師

自施設で対応が困難としても，primary surveyと蘇生は必ず行い，状態の安定を目指してから病院間搬送を行う。搬送を急ぐあまり，救急自動車内や玄関先で診療を簡単にすませて転送してはならない。外傷患者を救急自動車から院内処置室に運び入れたうえで，外傷初期診療を本ガイドラインに従って行い，そのうえで転院の判断を下す。

病院間搬送にあたって守るべき注意点を表22-2

表22-1	円滑に転院先を選定するための工夫

1. あらかじめ数カ所の医療施設をリストアップ
    - 救急部門にリストとして保管
    - 施設の名称，所在地，連絡先のみならず初療担当者や診療科，担当医師の名前や連絡方法を記載
    - 搬送に要する時間
    - 地図上に所在の記載
2. 施設間で患者搬送のための基準や業務の取り決め
3. 自施設での外傷患者の受け入れや転院に関する基準を決めておく

表22-2	転院のための病院間搬送に際して遵守すべきこと

1. 初期蘇生を行い，全身状態の安定化が図られていること
2. 自施設では行えない治療が必要との判断が存在すること
3. 搬送により紹介先の施設で最適な医療を受けることが期待され，外傷患者の転帰がよくなることが見込まれること
4. 医師または看護師が救急自動車などに同乗し，搬送時に起こり得る偶発症に対応できること
5. 紹介先の施設へ情報を事前に提供し，根本治療が行えるまでの時間を極力短縮すること

に示す。なかでも時間が重要な因子である。不必要な検査や処置により時間を浪費してはならない。

搬送中の患者管理については，原則として紹介医師に責任があり，救急自動車に同乗して搬送中の容態変化に対応する。

◆ 2. 受け入れ医師

外傷診療が十分に行えない前施設での必要最小限の検査・処置を助言し，迅速な搬送が行われるように努める。ドクターカーやドクターヘリの体制もしあれば，それらの使用を考慮し助言する。前施設からの情報をもとに，到着後速やかに治療が開始できるように受け入れ態勢を整える。例えば，手術や血管造影の施行が必要と判断すれば，到着前に部屋や人員の確保を行う。

Ⅳ 転院の判断

◆ 1. Primary surveyと蘇生の段階

1) 蘇生を完結する決定的処置が行えない場合

例えば，緊張性気胸の胸腔ドレナージ後，開胸手術が必要なほどair leakがある場合などである。あるいはショックからの離脱を図るが，止血のために手術が必要であると判断するものの緊急手術の行えない医療施設の場合である。

Primary surveyと蘇生の段階で，積極的な蘇生に努めても呼吸・循環の安定しない患者に対し，危険を承知で転院させるかどうかについては明確な基準はない。紹介する側に搬送のためのスタッフや資器材が十分でないことは，ますます搬送の危険を増す。このような場合，1つの選択肢として外傷診療に習熟した医療チームが紹介元の施設へ赴き，その場で安定化を図る方法がある。その後に病院間搬送を試みる。この場合，患者監視モニター，十分な資器材，医薬品を搭載したドクターカーあるいはドクターヘリなどの搬送手段を活用するのがよい。

2) 脳神経外科的な対応ができない場合

呼吸・循環の安定は得られたが，「切迫するD」があり，脳神経外科的な対応ができない場合である。

◆ 2. Secondary survey後の段階

全身のどこかに損傷をみつけるか，損傷の存在を疑った場合，転院させるか否かを判断する。損傷に対して診断と治療にふさわしい診療科を有していなければ，適切な医療施設に紹介しなければならない。しかし，単独の診療科を選択するより，重症化を予測させる場合は救命救急センターなど外傷診療に長けた救急医療施設を紹介する。重症化を予測させる損傷や病態は，必ずしも文章で明確に規定できないが，米国外科学会では高次の外傷センターに転送する基準として，表22-3[1]にあげるような例を示している。

注意すべきは，非手術療法の方針とする場合である。例えば，腹部鈍的外傷で，肝損傷や脾損傷のような実質臓器損傷が確認されても，循環動態の安定している患者は，非手術療法の適応となることがある。しかし，非手術療法を選択するには，集中治療管理と24時間体制で緊急手術が可能な外科系施設でなければならない。非手術療法は，一般外科医あ

表22-3　米国における転院を判断する基準の例

1. 頸動脈・椎骨動脈損傷
2. 胸部大動脈や大血管損傷
3. 心破裂
4. P/F ratioが200未満の両側肺挫傷
5. 腹部主要血管損傷
6. 6時間で6単位以上の赤血球輸血を必要とするgrade ⅣもしくはⅤの肝損傷
7. 6時間で6単位以上の赤血球輸血を必要とする不安定型骨盤骨折
8. 損傷部より遠位の脈拍が欠如した骨折または脱臼
9. 頭蓋骨の穿通性損傷または開放性骨折
10. GCS合計点が14未満または片麻痺
11. 脊椎損傷または脊髄損傷
12. 寛骨臼複合骨折
13. 肺挫傷を合併した片側3本以上の肋骨骨折または両側肋骨骨折（集中治療専門医がいない場合）
14. 高度な併存疾患（冠動脈疾患や慢性閉塞性肺疾患など）をもった体幹損傷

米国における低階層の外傷センター（レベルⅢ〜Ⅳ），または一般の医療機関から高次の外傷センター（レベルⅠ〜Ⅱ）への転送基準を示したものである．わが国でも三次救急医療施設または外傷診療に長けた施設に転院させる判断基準の例として参考にすることができる．ただし，地域の医療資源や病院の診療機能に応じて柔軟に活用するのが望ましい
〔文献1）より引用・改変〕

るいは外傷外科医の管理を必要とし，緊急手術が行えないような施設で経過観察すべきではない．このような患者は状態の変化に応じて，いつでも外科的手技が可能な施設で治療されるべきである．したがって，非手術療法を選択する場合でも，自施設の診療体制を考慮し転院の要否を判断する．

また，損傷が軽度であっても，患者の有する特殊な病的素因により転院が必要となる．例えば，小児や妊婦，慢性透析患者，抗凝固薬を服用する患者などの場合は，厳重な経過観察が必要なため，適切な医療機関へ転院させるのが望ましい．

3．入院後の経過中

集中治療を必要とする呼吸不全，敗血症，多臓器不全，広範囲な組織壊死などの合併症を併発した場合も転院を考慮する．

Ⅴ　搬送手段の選択

外傷患者の搬送には，患者の病態や地理的要因・医療事情を考慮し，安全で迅速な搬送手段を選択すべきである．それぞれの搬送手段の特徴を表22-4に示す．

1．陸路搬送

もっとも多く利用されている方法であるが，移動速度は航空機に比べて格段に落ち，交通状況に左右される．時間帯や天候による制約を受けにくく，病院の玄関先まで近づくことが可能であるため，患者をストレッチャーで移動しなければならない距離は短い．

陸路の場合，長時間持続する振動や，バックボード固定による身体への影響を考慮しなければならない．患者もしくは同乗者に異常が発生した場合には，停車し状況を確認することができ，搬送中の医療行為も航空機に比べて行いやすい．

2．空路搬送

回転翼（ヘリコプター）と固定翼がある．ドクターヘリの普及により以前よりも身近になった．陸路での搬送方法では時間がかかりすぎる場合や，離島など陸路では搬送できない場合に利用する．

救急自動車に比べて機内の活動スペースは狭いことが多く，また騒音のために同乗者間の会話は室内通話装置がなければほぼ不可能と考えたほうがよい．機体の種類によっては，大きさや重量に制限が生じることもあるため，あらかじめ必要な医療資器

表22-4　搬送手段の特徴

陸路搬送	消防機関の救急自動車	救急自動車は車内の仕様が患者搬送を目的としているため，搬送中の処置などを行いやすい．搬送中の患者管理に慣れた救急隊員が同乗しているため，もっとも利便性が高く汎用されている．しかし，救急隊員や救急救命士は一部を除き特定行為が行えないため，緊急事態に対する対応はきわめて限定される．したがって，状態の変化に応じた医療処置が行える医師が同乗しなければならない 緊急性がない場合や重症度の低い患者に対して，消防機関に救急自動車出動を安易に要請してはならない
	医療機関の救急自動車	各施設が患者搬送車や救急自動車を有する場合には簡単に利用できる 重篤な外傷患者が安全に搬送できる仕様になっていない場合や，緊急自動車に指定されていない（赤色灯をもたない）場合は選択をすべきでない
	ドクターカー	受け入れ側の医療機関が搬送能力のあるドクターカーを所有している場合，とくに重篤な外傷患者の搬送には利用価値が高い．また，自施設へ救急医療チームが来るため，ドクターヘリと同様に外傷診療に習熟した医師による処置が可能となる 日中であれば，病院間に距離がある場合には，ドクターヘリとの連携も重要となる．そのため，普段からドクターヘリとドクターカーの連携を意識した情報共有や，場合によっては病院間の協定を結んでおくとよい
空路搬送	ドクターヘリ	2020年3月現在，全国44道府県に53機のドクターヘリが配備されており，ヘリポートを有する医療機関も増え，有していなくても近くに場外着陸場を用意している機関が増えている．ヘリコプター特有の迅速性と，ドクターヘリとしての医療特殊性から，重症外傷患者の病院間搬送としては非常に有利であり，積極的に活用すべきである 呼吸・循環が不安定な場合は，ドクターヘリの医療チームを自施設へ招き，可及的に状態を安定化して搬送を開始するほうが安全である．ただし，わが国のドクターヘリは，夜間運航を行っていないこと，飛行は気象条件などにより不可能な場合があることを認識しておく
	消防防災ヘリコプター	受け入れ側の医師をピックアップすることで医師同乗の搬送を行うことができる．一般的には，ドクターヘリで使用している機体よりも大型で飛行距離も長いが，ドクターヘリに比べ要請から離陸までに時間を要することや，生体情報モニターなどがドクターヘリのように医療に特化した装備ではないこと，医師の同乗が必須であること，紹介元の医師が同乗した場合には，原則として帰路は他の交通機関を使用しなければならないことを理解しておく．ドクターヘリが重複要請などで使用できない場合や，搬送距離が長い場合などに消防防災ヘリコプターを使用する 地域によっては，転院搬送についてドクターヘリと消防防災ヘリの役割に関して取り決めがある場合があるので，あらかじめ要請基準や要請方法について確認しておく
	自衛隊機	対応する隊（航空自衛隊や陸上自衛隊など）は異なるが，要請手順は各自治体に存在する．固定翼と回転翼がある．三原則（緊急性・公共性・非代替性）を前提とした知事からの派遣要請が必要となる．そのため出動までに時間がかかる．しかし，夜間や消防防災ヘリコプターでも到達できない距離でも搬送可能であるため，最後の手段として認識しておく．機体はもちろん患者搬送用ではないため，医療設備は持ち込みになり，医師の同乗も必須である．酸素や吸引器など当たり前のように使用している医療資器材がないことにも注意が必要である 騒音や振動はドクターヘリと比較して大きくなる．振動により自動血圧計での測定ができないことがあるため注意を要する．最近のモニターであれば問題ないと考えられるが，ノイズキャンセリング機能のある機器を選択するとよい

材を確認しておく．

　ヘリコプターの場合は，与圧の必要のない高度での飛行ではあるが，気胸など体内に閉鎖腔ができるような損傷がある場合には，あらかじめドレナージチューブを挿入しておく．また，人工呼吸中の場合には，酸素ボンベや吸引器などの設備があるかを事前に確認する．

　固定翼の場合は，機内は与圧されるが海抜0mと同じ気圧ではない．機体の種類にもよるが，3,000〜6,000フィート（約900〜1,800m）の高度の気圧に設定されている．そのため，健常人でも個人差はあるが，低酸素血症が生じる．もともと慢性閉塞性肺疾患のある患者や，両側肺挫傷などで低酸素血症がある患者の場合には，注意深い観察が必要となり，地上では気管挿管の必要はなくとも，航空機搬送を選択する場合には，気管挿管を考慮すべきである．

　病院から空港またはヘリポートまでは，救急自動車などの陸路搬送を併用しなければならない．

表22-5 情報伝達のひな形（ABC-SBAR）

A（Airway）：気道	明らかになったAの異常と行った処置
B（Breathing）：呼吸	明らかになったBの異常と行った処置
C（Circulation）：循環	明らかになったCの異常と行った処置
S（Situation）：状況	患者氏名，年齢，紹介元病院名，紹介元医師名，連絡している担当者の名前，転院の適応，静脈路，輸液の内容と速度，完了した処置
B（Background）：背景	現病歴，AMPLE情報，輸液・輸血，投与した薬品，実施した画像診断，固定の状況
A（Assessment）：評価	バイタルサイン，身体的所見，考えられる病態，治療に対する反応性
R（Recommendation）：提案	搬送手段，搬送中の治療レベル，搬送中の薬物投与，アセスメントと処置に対する評価

〔文献2）より引用・改変〕

VI 病院間搬送の実際

1. 転院の説明とインフォームドコンセント

転院が必要であると判断すれば，患者本人ならびに法的に保護義務のある家族などにその趣旨を説明し，同意を得ることが必要である。説明内容として，①転院の必要性，②転院をしなかったときの転帰，③転院をしたときの転帰，④病院間搬送の危険性などを説明する。

2. 転院依頼と情報提供

紹介医師は，受け入れ側の医師に転院を必要とする理由を簡潔に伝える。そのためには，ABC-SBARの暗唱法で集約された内容のみを要約して伝える（**表22-5**）[2]。SBAR（エスバー）とは，「Situation（状況）」「Background（背景）」「Assessment（評価）」「Recommendation（提案）」の頭文字をとったもので，これに生理学的評価を示す「A（気道）」「B（呼吸）」「C（循環）」を加えたものである。

3. 搬送要員への情報提供

紹介医師は同乗して搬送中の容態変化に対応することが原則となる。医師の同乗が不要で，他の医療スタッフに搬送中の管理を要請するのであれば，搬送中に起こり得る変化とその対処について，搬送を担当する看護師または救急救命士に助言を与える。

4. 記録とチェックリスト

診療録や外来処置記録のコピー，患者情報提供用紙，検査結果，X線写真などを患者とともに送ることを原則とする。すべての用意が整わなければ，FAXなども利用する。

FAXを使用する場合は，誤送信による個人情報の流出に十分注意する。記録を一括して携行，管理しやすくするために「病院間搬送用の袋」を用いるのもよい。

外傷初期診療の場では，搬送の準備などが始まると慌ただしい雰囲気のために，搬送に必要な手配・手順などが疎かになりやすい。例えば，X線写真や検査結果を持参し忘れたりすることである。病院間搬送に必要な手順や持参するもののリストをあらかじめ作成し，救急部門に置いておくのがよい。

5. 搬送開始直前の観察と準備

外傷患者には搬送前に蘇生・処置を行い（**表22-6**），可能なかぎりその状況を安定化しておく。病態の悪化を予想し，必要となる可能性の高い処置は，搬送開始前に行っておくことが重要である。

6. 搬送中の患者管理

患者の状態と潜在的な危険性に対応すべく，原則として医師の同乗のもとで外傷患者の病院間搬送を行う。

表22-6 搬送前の準備

気道	必要があれば気道確保（気管挿管を含む）を行い，誤嚥を予防する経鼻胃管の挿入，十分な吸引とその準備をする。与圧されている航空機搬送の場合でも，気圧の低下により気管挿管チューブのカフが膨張する可能性があるため，カフ圧計をもっていくなどの配慮が必要である
呼吸	投与酸素の濃度と流量，呼吸数，SpO_2の確認を行う。さらに陽圧呼吸が必要であれば，胸腔ドレナージの要否も確かめておく。自衛隊機など医療搬送用の機体ではない場合には，酸素ボンベや吸引器などの設備を用意しなければならないこともある
循環	外出血の止血を確認する。輸液路の限定を確認し，搬送中に必要とする輸液ボトルを十分に準備する。尿道留置カテーテルによる尿量を確認する。心電図モニターは必須である
中枢神経	GCSスコアによる意識レベル，瞳孔所見を確認する。脳ヘルニアの徴候があるときは，循環血液量減少に注意したうえで，高浸透圧薬を使用する。また，頭部挙上，軽度の過換気療法なども併用する。脊椎・脊髄損傷が否定できなければ脊椎の固定も継続する
必要最小限の検査	転院の判断が下されたら，確定診断のための諸検査に時間を費やすべきではない。逆に，primary surveyで行われる画像診断，すなわち①胸部X線撮影（ポータブル），②骨盤X線撮影（ポータブル），③FASTなどの情報は提供する。Secondary surveyを行った場合は，それに付随して得られた諸検査も提供する
創傷処置	創処置は止血と洗浄にとどめる。縫合などで搬送を遅らせるべきではない
パッケージング	搬送のためのパッケージングとは，搬送に伴う移動や振動により損傷や疼痛が悪化しないように固定することである。その内容としては四肢骨折に対する副木固定，骨盤骨折に対する簡易骨盤固定具やシーツラッピング，脊髄損傷に対する全身固定などである パッケージングには，実施した処置に伴う固定も含まれる。例えば挿管チューブ，胸腔ドレーンチューブ，輸液ライン，尿道カテーテルなど，搬送の際にずれたり抜けたりする可能性のあるものはすべて固定し確認を行う
鎮痛・鎮静	鎮静薬が必要な場合は患者の気道確保のために気管挿管を考慮する。鎮静薬の投与に際しては以下の原則を再確認しておく ①その患者のprimary surveyと蘇生が適切に行われていること ②可能であれば，患者の苦痛を排除する方法（例えば四肢骨傷の正しい整復・固定，少量の麻薬の静脈内投与など）も考慮する ③精神的な不安を取り除く努力（丁寧な会話で安心させるなど） ④ベンゾジアゼピン，フェンタニル，プロポフォール，ケタミンは循環血液量減少，中毒，頸部外傷患者などの病態を悪化させ，また他の偶発的な合併症を引き起こす危険性がある。したがって，疼痛管理はもっとも慣れた医師によって行われるべきである ⑤鎮静薬の使用により神経学的所見が明らかでなくなるため，鎮静前の意識レベル（GCS），瞳孔所見，麻痺の有無と程度を確認しておくこと

搬送中の外傷患者のモニタリングと処置については，以下に列挙した5つの項目を忘れてはならない。

①バイタルサインとSpO_2のモニター
②呼吸・循環維持のための補助
③循環血液量の補正・維持
④搬送中の受け入れ先医師，あるいは施設との連絡の維持
⑤搬送中の記録

◆ 7. 偶発的な事故に対する対策

病院間の患者移動では絶えずさまざまな問題が起こる危険性がある。そのため，搬送過程では，外傷患者に対する初期診療・蘇生と同じく注意深い観察と必要な処置を行う。搬送中の問題はあらかじめ起こるものと仮定して準備しておくことが重要である（例えば，搬送中には気管挿管チューブが外れたりする危険性があり，再挿管のための器具や緊急薬品は当然搬送に携わる医師が持参する）。

VII 今後の課題

理想的な外傷システムとは，「最適な患者」が「最適な時間内」に「最適な病院」に搬送されることであるのは周知の事実である。一方で，蘇生根本治療が可能な病院へ直接搬送すべきか，直近の病院に搬送した後に転院すべきかの戦略についての論争がある。Sampalisら[3]はカナダにおいて，レベルⅠ外傷センターへ直接搬送した群と直近の下位外傷センターへ搬送の後に転送した群を比較し，直接搬送し

た群の死亡率や後遺症の発生率が低かったと報告している。一方，Pickeringら[4]，Hillら[5]は複数の論文のシステマティックレビューの検討から，両群に死亡率，在院日数に差はなかったと報告している。本テーマに関してはランダム化比較試験が困難である。また，各地域の病院前外傷救護プロトコルや発生時刻，天候，場所，病院までの搬送時間などを総合的に判断した実践の集積であり，研究手法に限界があるという問題点が指摘されている。

わが国でもドクターヘリやドクターカーの発達により，専門チームによる転院搬送が可能となってきた。Orrら[6]は小児集中治療の専門チームが病院間搬送を担当したほうが患者の転帰が良好であることを報告している。最近では携帯型超音波装置や各種の気道確保デバイス，REBOAや止血術などの技術の発達もあり，外傷診療に長けた外傷医が搬送元病院に赴き，重症外傷患者に伴って蘇生根本治療が可能な病院へ搬送する戦術の検討も今後必要と考えられる。

文献

1) American College of Surgeons Committee on Trauma：Resources for optimal care of the injured patient 2014.
https://www.facs.org/~/media/files/quality%20programs/trauma/vrc%20resources/resources%20for%20optimal%20care.ashx
2) American College of Surgeons Committee on Trauma：Advanced Trauma Life Support：Student Manual. 10th ed, American College of Surgeons, Chicago, 2018.
3) Sampalis JS, Denis R, Fréchette P, et al：Direct transport to tertiary trauma centers versus transfer from lower level facilities：Impact on mortality and morbidity among patients with major trauma. J Trauma 1997；43：288-295, discussion 295-296.
4) Pickering A, Cooper K, Harnan S, et al：Impact of prehospital transfer strategies in major trauma and head injury：Systematic review, meta-analysis, and recommendations for study design. J Trauma Acute Care Surg 2015；78：164-177.
5) Hill AD, Fowler RA, Nathens AB：Impact of interhospital transfer on outcomes for trauma patients：A systematic review. J Trauma 2011；71：1885-1900, discussion 1901.
6) Orr RA, Felmet KA, Han Y, et al：Pediatric specialized transport teams are associated with improved outcomes. Pediatrics 2009；124：40-48.

Appendix

Appendix 1

感染症対策

はじめに

　感染症対策には，適切な全身管理と汚染創に対する徹底的な洗浄およびデブリドマンなどを可及的早期に実施することが基本である[1]。加えて，受傷後の適切な抗菌薬投与も重要であり，外傷初期診療における感染症対策としての抗菌薬の予防的投与，ならびに破傷風予防について述べる。

I 外傷初期診療における抗菌薬の使用法

◆ 1. 予防的抗菌薬投与の原則

　抗菌薬の使用法は，感染に陥る前に使用する予防的投与と，発症した感染症に対する治療的投与がある。受傷直後の抗菌薬投与は予防的投与であり，受傷後数時間以上が経過し感染が成立した状態（創感染，腹膜炎，髄膜炎，骨髄炎など）に対する抗菌薬の使用が治療的投与である。予防的投与が標的とする菌は，主に環境や生体に常在している菌である。一方，治療的投与の標的は，常在菌もあるが，それまでに使用した抗菌薬に感受性のない病院内耐性菌の場合もある。

　抗菌薬投与の原則は，創部への細菌混入や常在菌による汚染の有無などで判断する。異物がなく汚染されていない創部には基本的に抗菌薬は必要ないが，そのような創部は外傷の場合ほぼ存在しない。腹部外傷で糞便に汚染され，3時間ほど経過している場合は感染が成立している可能性があり，治療的投与に準じて治療する。

　これまでの外傷症例における議論，ならびに免疫抑制剤を用いるような移植手術でさえ予防的抗菌薬の投与期間は72時間で十分であるとするガイドライン[2]を考慮すると，いかなる外傷に対しても予防的抗菌薬の投与期間は受傷後72時間を限度とするのが妥当である。受傷後4時間以上経過してからの予防的抗菌薬投与では，その恩恵を享受できないため，タイミングを逃さないよう投与する。手術を前提とした場合にも術前から抗菌薬を使用する。予防的投与は感染予防につながる反面，耐性菌が増殖しやすい環境をつくるため，無用な長期投与は避ける。

　基本的にグラム陽性菌を標的とするβラクタム系薬剤を用い，腸管損傷などを伴う場合には後述する指針に従う。使用量は，保険適用範囲で十分であり，出血性ショックにより循環障害に陥っている場合には，組織への移行が悪いため極量を用いる。βラクタム系薬剤は，作用時間の長いものを除いては，8時間ごとの投与が推奨される。一方，アミノグリコシド系やキノロン系を併用する場合には，それらの効果は投与回数より総投与量に依存することに留意する[3,4]。

　各部位別に外傷の種類や重症度によって，抗菌薬の適応や推奨が異なっている。部位別に次項より解説する（表A1-1）。

◆ 2. 頭部外傷に対する予防的抗菌薬投与

　2000年以前の文献では，穿通性頭部外傷に対しての予防的抗菌薬投与は推奨されていたが，主として戦場という状況下であったため近年は見直しが進んでおり，これにわが国の事情を考慮のうえ述べる。

　最近の穿通性外傷における感染率は7％と報告されており[5]，手術時や頭蓋内圧センサー設置，異物残存という状況下においてのみ予防的抗菌薬投与が推奨される[5-7]。

　閉鎖性頭部外傷の脳外科的手術では，第一もしくは第二世代のセフェム系抗菌薬を麻酔導入時に投与し，手術時間が長時間にわたる場合は，術中3時間ごとに同量を追加するにとどめる。副鼻腔や乳突洞などが開放された準無菌的な脳外科的手術に際しては，上記の原則に嫌気性菌に効果がある抗菌薬を追加する。嫌気性菌に効果がある抗菌薬としてはメトロニダゾールもしくはクリンダマイシンを静脈内投与する[5,7,8]。

　頭蓋底骨折に関しては，たとえ髄液漏を合併して

表A1-1 外傷の部位・種類別の予防的抗菌薬投与

部 位	外傷の種類	適 応	文 献	投与タイミング	推奨抗菌薬	備 考
頭 部	穿通性	限定的に推奨（手術やICPセンサー設置などの場合）	5)～7)	リスク因子考慮後	第一もしくは第二世代セフェム系	副鼻腔や乳突洞などが開放された場合，嫌気性菌に効果のある抗菌薬を追加
	閉鎖性	手術時	5) 8)	術前	第一もしくは第二世代セフェム系	
	頭蓋底骨折	推奨しない	9) 10)			
胸 部	胸腔ドレーン挿入時	個別に検討 重症では推奨	11) 12)	挿入直前	第一世代セフェム系	
腹 部	穿通性	推奨	15)～17)	可及的速やかに	軽症～中等症：第二世代セフェム系単剤 重症：広域抗菌薬	手術適応となった非穿通性外傷も同様
四 肢	開放骨折	推奨	18)	可及的速やかに	GⅠⅡ：ペニシリンもしくは第一世代セフェム系 GⅢ 上記にアミノグリコシドを追加	G：Gustilo分類
皮 膚	咬傷	推奨	20)	可及的速やかに	βラクタマーゼ阻害薬配合βラクタム系抗菌薬	
	広範囲損傷	投与を検討	21)	リスク因子考慮後	リスク因子に準拠	
	熱傷	一般的には推奨しない	22), 23)			広範囲熱傷周術期の場合などには投与を考慮

いても，髄膜炎を予防する効果は証明されていない[9)10)]。したがって現時点では，ルーチンの予防的投与は控え，感染徴候が出現したら，髄膜炎の治療ガイドラインに従って直ちに抗菌薬を使用する。

3. 胸腔ドレナージを必要とする胸部外傷に対する予防的抗菌薬投与

2012年のEASTガイドライン[11)]では，胸腔内感染症に対する第一世代のセフェム系抗菌薬の予防的投与について，有効性・非有効性を結論づける十分なエビデンスはないとされた。しかし，翌年発表された他の研究[12)]ではISS＞25，鈍的胸部外傷，ドレーン挿入時の「予防抗菌薬投与なし」が肺炎合併の危険因子とされた。現状では予防的抗菌薬投与の評価は定まっていないため，ルーチンに予防的抗菌薬を投与するのではなく，個々の例で判断することが適切である。

また，ドレーン挿入時の無菌的操作やドレーン挿入部の適切な創管理も感染予防には大切である[13)]。胸腔ドレーン留置期間が6日間を超えると感染合併症が増加するとの報告[14)]もあることから，ドレーンを適切な位置に留置することや入れ替えの時期を日々検討することも重要となる。

4. 腹部外傷に対する予防的抗菌薬投与

EASTによる2000年の穿通性腹部外傷に対するガイドライン[15)]は，2012年改訂版でも引き継がれている[16)]。この原則は，手術適応となった非穿通性腹部外傷に対しても適応できると考える。主な原則は次のとおりである。

- 好気性菌ならびに嫌気性菌に有効な広域スペクトラムの抗菌薬を術前に1回投与する。
- 管腔臓器損傷がなければ，それ以上予防的に抗菌薬を使用する必要はない。
- 管腔臓器損傷があれば，24時間抗菌薬投与を続行する。

出血性ショックでは，体液の希釈効果，血管透過性の亢進，抗菌薬の薬物動態の変化などのために常用量の2～3倍の投与量を必要とする。このため出血が制御されるまで，輸血10単位ごとに抗菌薬の

反復投与が推奨される。抗菌薬の選択として，Infectious Diseases Society of America（IDSA）のガイドラインでは，軽症～中等症の腹腔内感染症に対しては第二，第三世代セフェム単剤もしくはニューキノロンにメトロニダゾールの併用を推奨している。APACHE score 15点を超える重症の場合はカルバペネム，ピペラシリン・タゾバクタムの単剤，あるいは第四世代セフェムまたはニューキノロンとメトロニダゾールの併用を勧めている[17]。

5. 四肢外傷に対する予防的抗菌薬投与

開放骨折でGustilo分類のGrade ⅠもしくはGrade Ⅱの場合は，受傷後可及的早期に抗菌薬投与を開始し，24時間使用する。抗菌薬はペニシリンまたは第一世代セフェム系抗菌薬を選択する[18]。

Grade Ⅲの場合は，受傷後72時間までとし，抗菌薬は上記抗菌薬にグラム陰性菌にも有効なアミノグリコシドなどを追加する[18]。

閉鎖骨折では，原則として予防的投与は必要ではないが，緊急手術に際し，術前1回の予防的抗菌薬投与が推奨されている[19]。

6. 皮膚・軟部組織損傷に対する予防的抗菌薬投与

損傷の範囲が狭くても，動物による外傷，ヒトによる咬傷や汚染された成傷器による刺創の場合は抗菌薬投与を考慮する。ネコやイヌをはじめとする動物咬傷の起因菌はPasteurella属，ヒトの咬傷ではブドウ球菌や連鎖球菌が起因菌となることが多い。さらに嫌気性菌もカバーする必要があるため，予防的抗菌薬としてはβラクタマーゼ阻害薬配合のβラクタム系抗菌薬を受傷後可及的速やかに投与する[20]。投与期間は臨床経過によって判断する必要があるが，感染症を発症した場合は，5～10日程度必要になることが多い。

広範囲にわたる皮膚・軟部組織損傷の場合には，Surgical Site Infection（SSI）予防ガイドライン[21]における手術創分類のClass Ⅲ（不潔創）以上と判断し，SSIリスク因子の存在を参考にして，予防的抗菌薬または治療的抗菌薬の選択を検討することとなる。

熱傷による敗血症（burn sepsis）に対する予防的抗菌薬投与は有効性を認めるものは少なく，耐性菌の発生などの理由により否定的なものが多いことから一般的には推奨されない[22,23]。一方で，広範囲熱傷患者の周術期の場合[24]や，汚染創を有する熱傷面積が20～40％以上で糖尿病・免疫抑制剤投与中などの易感染宿主，大血管内留置カテーテル例，気道損傷合併例に該当する場合には予防的抗菌薬投与を考慮してもよい[25,26]。

Ⅱ 破傷風予防

1. 破傷風とは

破傷風は，偏性嫌気性桿菌である破傷風菌（Clostridium tetani）の産生する神経毒素（破傷風毒素：tetanospasmin）が原因で，急性の強直性痙攣を主症状とする感染症である。

破傷風菌は芽胞の形で土壌中に常在しているが，農作業や庭仕事の際に生体に侵入したことが明らかなのは約4割である。侵入部位は，外傷による挫創や壊死性軟部組織炎の部位などから，創爪，ハチ刺傷，ピアス穴や刺青，予定手術創，皮膚潰瘍，動物咬創，膿瘍，自ら咬んだ舌の創など多種多様であり，約3割は軽微な創傷が原因と考えられている[27,28]。参考までに図A1-1[29]では，破傷風罹患のリスクを創傷分類しており，これによると低リスク創傷は「きれいで小さい傷」で，それ以外の「すべての傷」を高リスク創傷としている。

潜伏期間は約8日（3～21日）とされている。診断は特徴的な臨床症状（経過）と他の神経疾患の除外によってなされる。

2. 破傷風予防の要点

外傷初期診療における破傷風対策は，適切な創傷処置（創洗浄，壊死組織・異物の除去）と予防的（追加）免疫療法が2つの柱である。破傷風抗体は終生獲得できる免疫ではなく，予防接種後約10年間は抗体価が保持されるが，その後は急速に低下し，長くても20年以内といわれているため[27]，欧米各国では成人以降に追加接種を推奨・実施していることが多い[30〜33]。これに対してわが国では，成人以降の追

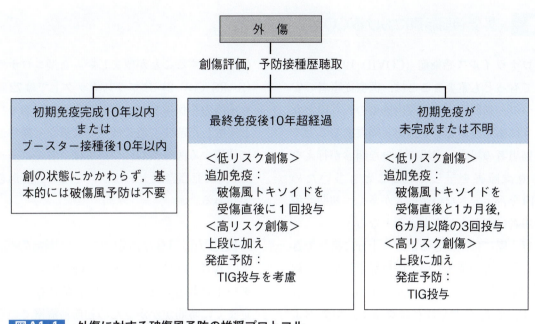

図A1-1 外傷に対する破傷風予防の推奨プロトコル
〔文献29）を参考に作成〕

加予防接種に関しての取り決めが存在しないため，個々の判断で追加接種を行っているのが現状である。

外傷後の破傷風トキソイドの接種は，詳しく接種歴を聴取し，接種をまったく行っていない場合，もしくは最終接種から10年以上経過している場合には，創傷の程度によらず施行すべきである。ただし90％以上は最終接種歴を覚えていない，もしくは10年以上経過している場合であるため，その有効性については議論も多い[34]。

受動免疫として用いる抗破傷風ヒト免疫グロブリン（tetanus immunoglobulin；TIG）は通常，発症患者に用いられる。TIGの作用機序は組織と非結合の毒素を中和するものであり，神経終末への毒素の結合を阻害するものではない。しかし，破傷風トキソイドによる能動免疫が十分に機能するまでには時間を要するため，一時的に破傷風毒素に対する抵抗性を獲得させることは意義がある。米国疾病予防管理センター（CDC）をはじめ多くの国では，破傷風になる可能性が高い汚染創に用いることを推奨している[35]。受動免疫としての投与法には，250Uの筋肉内投与製剤と静脈内投与製剤とがある。しかし，前述したように軽微なものも含めさまざまな創傷で起こるため，破傷風になる可能性が高い創を定義することは困難であり，破傷風トキソイドの接種歴がないか最終接種から10年以上経っている場合には，TIGを投与すべきとする総説[27]もある。ただし，この指針を追加免疫の取り決めのないわが国にそのまま当てはめてみると，21歳以上で創傷がある場合には破傷風トキソイドとTIGを投与するという事態となる。TIGは特定生物由来製剤であるため投与には説明と同意が必要であることに加え，費用対効果の問題やTIGの使用と破傷風のリスクの比較検討が必須となることからも，現時点ではあまり現実的ではない。

今後，予防を行うかどうかを適切に判断するためには，破傷風抗体価の測定が理想的であろう。従来の破傷風免疫抗体検査（ELISA法）では時間と費用がかかるため予防ではほとんど行われていないのが実情であったが，近年海外では破傷風免疫抗体迅速検査キットが導入されすでに十分な使用実績を上げており，予防法プロトコルに組み込んでいる国も存在する[36)～38)]。また，わが国では年齢別抗体保有率の調査においてDTPワクチンが定期接種となった1968年を境として破傷風抗体保有率に格段の差が生じていることもすでに判明しており，1967年以前の出生では抗体陽性率が低いだけではなく，抗体価自体も低い傾向にあった[34]。免疫力には個人差があり，予防接種完了後免疫力が維持されていると考えられる期間においての感染例の報告もあるため注意が必要であるが，こうした迅速検査キットをうまく活用し，今後の予防法を確立していくことが望まれる。

Appndix 1 感染症対策

> **参考** 外傷初期診療におけるCOVID-19対策

　新型コロナウイルス感染症（COVID-19）への対策においてもっとも重要なことは，医療従事者の安全を守りつつ，初期治療室が院内感染の入り口とならないように感染疑い患者を抽出・隔離することである。外傷患者の場合，現場で十分な問診が行えないことや意識障害を呈していることも多いためCOVID-19を否定できないケースが多く，初期診療では感染患者に準じた対応が必要となる。

　診療を行う際には，できるかぎり十分に換気できる個室で行うことが望ましい。医療従事者は患者到着までに個人防護具（personal protective equipment；PPE）を着用することになるが，検査および治療によるエアロゾル発生の可能性を考慮して，「標準予防策＋空気予防策＋接触予防策」を基本とする。

　基本の防護具はキャップ，ガウン，手袋，N95マスク，フェイスシールド（目の保護）に加えて，気管吸引，気管挿管，胸腔ドレーン挿入など曝露のリスクが高い処置を行う場合も想定して，首周囲に対する防護を行うことを推奨する（図A1-2）。手袋は二重に装着しておくと，血液などの体液が付着した場合に肌を露出することなく交換しやすい。

　とくに，気管挿管時には多くの飛沫が拡散し，エアロゾルが発生する危険性が高い。これに対する感染予防策として，①ビデオ喉頭鏡システムの使用（図A1-3），②アクリル透明ボックス[39]の使用（図A1-4），③RSI（rapid sequence intubation）の採用などを推奨する。

　使用する医療器材は，できるかぎり使い捨てのものを使用することが望ましい。新型コロナウイルス（SARS-CoV-2）はプラスチック上では72時間後でも感染力を保持していたと報告されており[40]，患者と接触した部位，超音波検査装置など繰り返し診療に使用する医療機器については，アルコールまたは0.05％次亜塩素酸ナトリウムを用いて消毒を行う必要がある。

【COVID-19が否定できない場合の初期診療】

　COVID-19に対する確定診断のゴールドスタンダードは現在のところPCR検査であるが，結果判定までに時間がかかるため初期治療室での意思決定には不向きである。そのため，補助診断としてリスク既往の問診や胸部CT検査，抗原検査などを用いてCOVID-19である蓋然性を判断することとなる。COVID-19の画像所見としては，胸部CTでウイルス性肺炎の所見をとる。すなわち，両側に多発する斑状の擦りガラス陰影やcrazy paving（メロンの皮様にみえる網状影）が典型的である。この所見は，末梢胸膜直下，下葉優位にみられることが多い。病状が進行するまで浸潤影は生じないことが多く，胸部X線では指摘しにくい。抗原検査は感度ではPCR検査に劣るものの迅速に結果が返ってくること，偽陽性が少ないことから[41]，入院時の感染管理に有用な情報となる。

　初期治療室から入院する患者フローの一例を図A1-5に示す。Primary surveyの間は感染患者に準じた対応を行い，secondary survey以降の問診やCT検査においてCOVID-19の蓋然性を判断する。

図A1-2 初期診療時の個人防護具

図A1-3 ビデオ喉頭鏡システム
口腔に顔を近づけることなく気管挿管を行える

図A1-4 アクリル透明ボックス
エアロゾル発生をボックス内にとどめることが可能

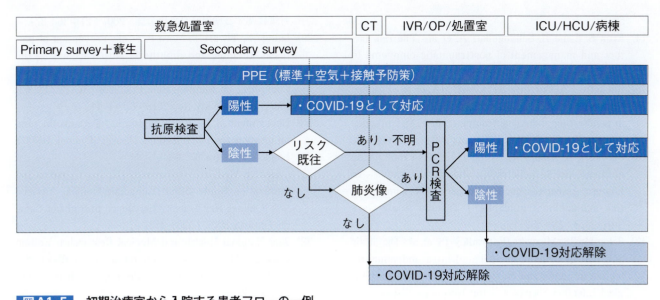

図A1-5 初期治療室から入院する患者フローの一例

抗原検査を行う場合，抗原陽性であればCOVID-19として対応し，抗原陰性かつリスク既往がなく，胸部CTでCOVID-19肺炎を疑う陰影（両側末梢優位の擦りガラス陰影が多い）がなければ一般病棟へ入室する。そうでなければ病棟で隔離を行い，PCR検査の結果を待つという手順をとる。その際には，結果判定までの間，可能なかぎり患者にサージカルマスクを着用させる。

本記述の内容は出版時点（2021年2月）での医学的根拠を背景にしたものであり，新しい知見により変更される可能性がある。

文献

1) Fry DE: Prevention, diagnosis and management of infection. In: Trauma. 5th ed. Moore EE, Felciano DV, Mattox KL eds, McGraw-Hill, New York, 2004, pp355-381.
2) American Society of Health-system Pharmacists: Therapeutic guidelines on antimicrobial prophylaxisis in surgery. Am J Health Sys Pharm 1999; 56: 1839-1888.
3) Craig W: Pharmacodynamics of antimicrobial agents as a basis for determing dosage regimens. Eur J Clin Microbiol Infect Dis 1993; 12 (Suppl 1): S6-S8.
4) Reed RL, Ericsson CD, Alan WU, et al: The pharmacokinetics of prophylactic antibiotics in trauma. J Trauma 1992; 32: 21-27.
5) Harmon LA, Haase DJ, Kufera JA, et al: Infection after penetrating brain injury: An Eastern Association for the Surgery of Trauma multicenter study oral presentation at the 32nd annual meeting of the Eastern Association for the Surgery of Trauma, January 15-19, 2019, in Austin, Texas. J Trauma Acute Care Surg 2019; 87: 61-67.
6) Loggini A, Vasenina VI, Mansour A, et al: Management of civilians with penetrating brain injury: A systematic review. J Crit Care 2020; 56: 159-166.
7) Tunkel AR, Hasbun R, Bhimraj A, et al: 2017 Infectious Diseases Society of America's clinical practice guidelines for healthcare-associated ventriculitis and meningitis. Clin Infect Dis 2017; 64: e34-e65.
8) Alotaibi AF, Hulou MM, Vestal M, et al: The efficacy of antibacterial prophylaxis against the development of meningitis after craniotomy: A meta-analysis. World Neurosurg 2016; 90: 597-603.
9) Ratial BO, Costa J, Pappamikail L, et al: Antibiotic prophylaxis for preventing meningitis in patients with basilar skull fractures. Cochrane Database Syst Rev 2015; 4: CD004884.
10) Rimmer J, Belk C, Lund VJ, et al: Immunisations and antibiotics in patients with anterior skull base cerebrospinal fluid leaks. J Laryngol Otol 2014; 128: 626-629.
11) Moore FO, Duane TM, Hu CK, et al: Presumptive antibiotic use in tube thoracostomy for traumatic hemopneumothorax: An Eastern Association for the Surgery of Trauma practice management guideline. J Trauma 2012; 73: 282-289.
12) Bradley M, Okoye O, DuBose J, et al: Risk factors for post-traumatic pneumonia in patients with retained haemothorax: Results of a prospective, observational AAST study. Injury 2013; 44: 1159-1164.
13) Laws D, Neville E, Duffy J: BTS guidelines for the insert of a chest drain. Thorax 2003; 58 (Suppl 2): ii53-

59.

14) Eren S, Esme H, Sehitogullari A, et al：The risk factors and management of posttraumatic empyema in trauma patients. Injury 2008；39：44-49.

15) Luchette FA, Borzotta AP, Croce MA, et al：Practice management guidelines for prophylactic antibiotic use in penetrating abdominal trauma：The EAST practice management guidelines. J Trauma 2000；48：508-518.

16) Goldberg S, Anand RJ, Como JJ, et al：Prophylactic antibiotic use in penetrating abdominal trauma：An Eastern Association for the Surgery of Trauma practice management guideline. J Trauma Acute Care Surg 2012；73：452-456.

17) Solomkin JS, Mazuski JE, Bradley JS, et al：Diagnosis and management of complicated intra-abdominal infection in adults and children：Guidelines by the Surgical Infection Society and the Infectious Diseases Society of America. Clin Infect Dis 2010；50：133-164.

18) Hoff WS, Bonadies JA, Cachecho R, et al：East Practice Management Guidelines Work Group：Update to practice management guidelines for prophylactic antibiotic use in open fractures. J Trauma 2011；70：751-754.

19) Gillespie WJ, Walenkamp G：Antibiotic prophylaxis for surgery for proximal femoral and other closed long bone fractures. Cochrane Database Syst Rev 2010：CD000244.

20) Stevens DL, Bisno AL, Chambers HF, et al：Practice guidelines for the diagnosis and management of skin and soft tissue infections：2014 Update by the Infectious Diseases Society of America. Clin Infect Dis 2014；59：147-159.

21) Mangram AJ, Horan TC, Pearson ML, et al：Guideline for prevention of surgical site infection, 1999：Hospital Infection Practices Advisory Committee. Infect Control Hosp Epidemiol 1999；20：250-278.

22) Durtschi MB, Orgain C, Counts GW, et al：A prospective study of prophylactic penicillin in acutely burned hospitalized patients. J Trauma 1982；22：11-14.

23) Ugburo AO, Atoyebi OA, Oyeneyin JO, et al：An evaluation of the role of systemic antibiotic prophylaxis in the control of burn wound infection at the Lagos University Teaching Hospital. Burns 2004；30：43-48.

24) Church D, Elsayed S, Reid O, et al：Burn wound infections. Clin Microbiol Rev 2006；19：403-434.

25) Hsu RB, Chu SH：Impact of methicillin resistance on clinical features and outcomes of infective endocarditis due to Staphylococcus aureus. Am J Med Sci 2004；328：150-155.

26) Rodríguez-Baño J：Selection of empiric therapy in patients with catheter-related infections. Clin Microbiol Infect 2002；8：275-281.

27) Rhee P, Nunley MK, Demetriades D, et al：Tetanus and trauma：A review and recommendations. J Trauma 2005；58：1082-1088.

28) 武内有城，薗真兼，井口光孝，他：外傷患者の破傷風対策に関する検討．日外傷会誌　2007；21：367-374.

29) Liang JL, Tiwari T, Moro P, et al：Prevention of pertussis, tetanus, and diphtheria with vaccines in the United States：Recommendations of the Advisory Committee on Immunization Practices (ACIP). MMWR Morb Mortal Wkly Rep 2018；67：1-44.

30) Department of Health：Chapter 30：Tetanus. In：Immunisation against Infectious Disease [Online]. HMSO, London, 2006, pp367-384.

31) Canadian Medical Association (2002). In：Canadian Immunization Guide. 6thed. Canadian Medical Association [Online]. Her Majesty the Queen in Right of Canada, Ontario, 2003, pp208-213.

32) The National Health and Medical Researchth Edition Council：The Australian Immunisation Handbook. 8th ed [Online]. National Capital Printers, Canberra, 2003, pp234-239.

33) Centers for Disease Control and Prevention：Recommended adult immunization schedule-United States, October 2006-September 2007. MMWR Morb Mortal Wkly Rep 2006；55：Q1-Q4.

34) 佐々木亮，木村昭夫，萩原章嘉，他：本邦における破傷風予防の検討．日外傷会誌　2012；26：314-319.

35) Centers for Disease Control and Prevention：General recommendations on immunization：Recommendations of the Advisory Committee on Immunization Practices (ACIP) and the American Academy of Family Physicians (AAFP). MMWR Morb Mortal Wkly Rep 2002；51：1-36.

36) Stubbe M, Swinnen R, Crusiaux A, et al：Seroprotection against tetanus in patients attending an emergency department in Belgium and evaluation of a bedside immunotest. Eur J Emerg Med 2007；14：14-24.

37) Stubbe M, Mortelmans LJ, Desruelles D, et al：Improving tetanus prophylaxis in the emergency department：A prospective, double-blind cost-effectiveness study. Emerg Med J 2007；24：648-653.

38) Elkharrat D, Espinoza P, De la Coussaye J, et al：Inclusion of a rapid test in the current Health Ministry Guidelines with the purpose of improving anti-tetanus prophylaxis prescribed to wounded patients presenting at French Emergency Departments. Med Mal Infect 2005；35：323-328.

39) Guan WJ, Ni ZY, Hu Y, et al：Clinical characteristics of coronavirus disease 2019 in China. N Engl J Med 2020；382：1708-1720.

40) van Doremalen N, Bushmaker T, Morris DH, et al：Aerosol and surface stability of SARS-CoV-2 as compared with SARS-CoV-1. N Engl J Med 2020；382：1564-1567.

41) 日本臨床微生物学会，日本感染症学会，日本環境感染学会：新型コロナウイルス感染症に対する検査の考え方：遺伝子診断，抗体・抗原検査の特徴と使い分け．2020．
http://www.kansensho.or.jp/uploads/files/topics/2019ncov/covid19_kensaguide_0526.pdf

Appendix 2

鎮痛・鎮静薬の使用

　外傷の初期診療において不用意な鎮痛・鎮静は交感神経の緊張を弛緩させ，その結果，血圧の低下を招き，出血性ショックの診断や治療反応性を見誤らせる原因となる。したがって，primary survey における鎮痛・鎮静薬の投与は，気道確保時（DAI）を除いて不要である。しかし，患者の痛みや不安を放置してよいというものでもない。適切な鎮痛・鎮静が患者のストレス反応の軽減，創傷治癒の促進，心的外傷後ストレス障害（post-traumatic stress disorder；PTSD）の軽減，短期・長期アウトカムの改善につながることは事実である。

　本項では，処置のための鎮痛・鎮静と小児・高齢者の鎮痛・鎮静の注意点について説明する。

I　処置時の鎮痛・鎮静

　救急外来（初療室）で行う処置時の鎮痛・鎮静である。ここでいう処置とは，脱臼・骨折の整復，汚染創の洗浄・ドレナージ，胸腔ドレーンの留置，創のデブリドマン・縫合，異物除去，痛みを伴う検査などである。また，診断に必要なCTまたはMRI検査の最中に患者の鎮静が必要な場合もある。意識レベルの変化の度合で，最小限鎮静（minimal sedation），中等度鎮静（moderate sedation），深鎮静（deep sedation）に分けられる[1]。鎮静にはこの3つ以外に，ケタミンに特有な気道反射と自発呼吸を温存しながら鎮痛と健忘作用を有する解離性鎮静がある。主な鎮痛薬を表A2-1，主な鎮静薬の薬理作用を表A2-2に示す[2]。

1. 最小限鎮静

　呼びかけに正常に反応する程度の覚醒に近い意識レベルを保ち，呼吸・循環機能には影響が及ばない程度の鎮静をいう。認知機能や協調運動は障害されることもある。主にプロポフォールが使われる。

表A2-1　鎮痛薬の薬理学的比較

		フェンタニル		モルヒネ	ケタミン*（静注）
等価鎮痛必要量（mg）	静注	0.1		10	
	経口	N/A		30	
効果発現時間（iv）		1〜2分		5〜10分	30〜40秒
排泄相半減期		2〜4時間		3〜4時間	2〜3時間
Context-sensitive half-life		200分（6時間持続静注後）	300分（12時間持続静注後）	適用不可	
代謝経路		CYP3A4/5によるN-脱アルキル化		グルクロン酸抱合	N脱メチル化
活性代謝産物		なし		6-,3-グルクロン酸抱合	ノルケタミン
間欠的静注投与量		0.5〜1時間毎 0.35〜0.5μg/kg		1〜2時間毎 0.2〜0.6mg	
持続静注投与量		0.7〜10μg/kg/時		2〜30mg/時	初期投与量：0.1〜0.5mg/kg その後 0.05〜0.4mg/kg/時
副作用など		●モルヒネより血圧降下作用が少ない ●肝不全で蓄積する		●肝/腎不全で蓄積する ●ヒスタミン遊離作用	●オピオイドに対する急性耐性の発生を制御 ●幻覚やその他の心理的障害を引き起こす可能性

*ケタミンは分類上麻薬ではないが，臨床使用上は麻薬扱いのためこの表に入れた
〔文献2）より引用・改変〕

Appendix 2　鎮痛・鎮静薬の使用

表A2-2　鎮静薬の薬理学的比較

	ミダゾラム	プロポフォール	デクスメデトミジン
初回投与後の発現	2～5分	1～2分	5～10分
活性代謝産物	あり*	なし	なし
初回投与量	0.01～0.06 mg/kgを1分以上かけて静注し，必要に応じて0.03 mg/kgを少なくとも5分以上の間隔を空けて追加投与。初回および追加投与の総量は0.3 mg/kgまで	0.3 mg/kg/時**を5分間	初期負荷投与により血圧上昇または低血圧，徐脈をきたすことがあるため，初期負荷投与を行わず維持量の範囲で開始することが望ましい
維持用量	0.02～0.18 mg/kg/時[*3]	0.3～3 mg/kg/時（全身状態を観察しながら適宜増減）	0.2～0.7 μg/kg/時[*4]
副作用	呼吸抑制，低血圧	注射時疼痛[*5]，低血圧，呼吸抑制，高トリグリセリド血症，膵炎，アレルギー反応，プロポフォールインフュージョン症候群，プロポフォールによる深い鎮静では，浅い鎮静の場合に比べて覚醒が著明に遅延する	徐脈，低血圧，初回投与量による高血圧，気道反射消失

* とくに腎不全患者では，活性代謝産物により鎮静作用が延長する
** プロポフォールの静脈内投与は，低血圧が発生する可能性が低い患者で行うことが望ましい
[*3] 可能なかぎり少ない維持用量で浅い鎮静を行う
[*4] 海外文献では，1.5 μg/kg/時まで増量されている場合があるが，徐脈などの副作用に注意する
[*5] 注射部位の疼痛は，一般的にプロポフォールを末梢静脈投与した場合に生じる
〔文献2)より引用・改変〕

2. 中等度鎮静

大きな声や軽い痛み刺激に遅れて反応する程度に意識レベルが低下し，気道は開存し，自発呼吸を温存させ，循環機能も維持されている鎮静レベルをいう。使用薬剤はプロポフォールにフェンタニルなどの麻薬を組み合わせることが多い。

3. 深鎮静

循環機能は維持されているが，気道の開存と自発呼吸は障害されている可能性があるため呼吸補助の準備が必要で，患者は繰り返しの痛み刺激でやっと反応する程度の鎮静レベルを指す。呼吸・循環モニターが必須である。プロポフォールまたはミダゾラムにフェンタニルまたはモルヒネを加えることが多い。頭部外傷を合併し，頻回に意識レベルの確認が必要な場合には，プロポフォールを選択したほうがよい。外傷患者への鎮痛・鎮静のアルゴリズムを図A2-1[3)]に示す。

II　小児・高齢者への鎮痛・鎮静の注意点

鎮静された小児は成人より気道合併症が起こりやすく，酸素飽和度低下を認めやすい。また，小児の心血管系は迷走神経系優位であり，気道操作などにより迷走神経系が刺激されると，血圧低下や徐脈をきたしやすい。さらに，小児でのプロポフォールの使用は適応外になるので注意しなければならない。プロポフォール投与に関連して生じる，心不全，不整脈，横紋筋融解，代謝性アシドーシス，高トリグリセリド血症，腎不全，高カリウム血症，カテコラミン抵抗性の低血圧を特徴とする致死的症候群をプロポフォール注入症候群（propofol infusion syndrome；PRIS）と呼ぶ[2)]。

高齢者では，加齢による肝・腎機能の低下のため鎮痛・鎮静薬の代謝・排泄に影響が生じ，血中濃度の上昇，作用の遷延が起こりやすくなる。したがって，できるかぎり浅い鎮静とし，長期間投与は避ける。また，小児と同様に，成人に比べると鎮痛・鎮静薬による呼吸器系（低酸素血症，高二酸化炭素血

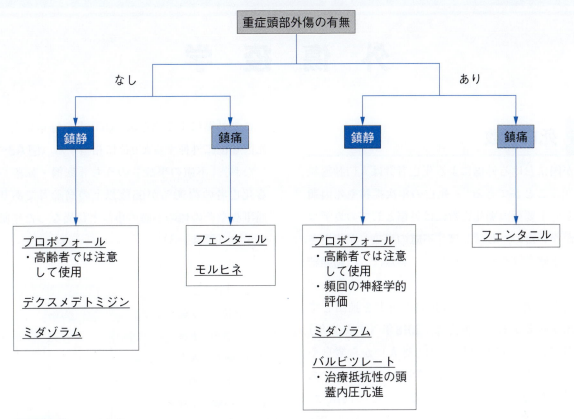

図A2-1 外傷患者に対する鎮痛・鎮静のアルゴリズム
中枢神経機能を頻回に評価する必要がある場合や，頭蓋内圧亢進がある場合に備えて，頭部外傷の有無をみる
〔文献3）より引用・改変〕

症，誤嚥性肺炎など），循環器系（徐脈，低血圧，不整脈など）の合併症を生じやすい。

文献

1) Godwin SA, John H, Burton JH, et al：Clinical policy：Procedural sedation and analgesia in the emergency department. Ann Emerg Med 2014；63：247-258.
2) 日本集中治療医学会J-PADガイドライン作成委員会：日本版・集中治療室における成人重症患者に対する痛み・不穏・せん妄管理のための臨床ガイドライン．日集中医誌 2014；21：539-579.
3) Celis-Rodríguez E, Birchenall C, de la Cal MÁ, et al：Clinical practice guidelines for evidence-based management of sedoanalgesia in critically ill adult patients. Med Intensiva 2013；37：519-574.

Appendix 3

外傷疫学

I 死亡者数

わが国における外傷による死亡者数は人口動態統計で知ることができる[1]。死亡の年次推移や死因順位などの主要死因別死亡数には外傷としてのカテゴリーがないため，しばしば「不慮の事故」が代用されるが正確ではない。外傷死亡の実数は人口動態統計のXIX章より熱傷，中毒，窒息および溺水などを除外し，外傷に相当するICDコードを抽出して割り出す必要がある。例えば，2018年（平成30年）の統計では「不慮の事故」（41,238人）から窒息や熱傷などを除外した外傷死亡者数は18,865人であり，「不慮の事故」の45.7％となる。その内訳は，交通事故4,205人，転倒・転落9,599人，その他5,058人である。また，「自殺」に占める外傷死亡は自殺総数20,031人の15.0％（3,011人），「他殺」では総数273人の52.0％（142人）を占める。これらを総計すると，外傷によるわが国の年間死亡者数は23,051人となる（図A3-1）[1]。

この外傷による死亡数23,051人を毎年発表される死因順位に外挿すると9位に相当する（図A3-2）[1]。

なお，「不慮の事故」のうち「転倒・転落」による死亡者の約90％が65歳以上の高齢者であり，交通事故やその他の不慮の事故とは異なった年齢分布を示す（図A3-3）[1]。

図A3-2 死因順位と外傷

死亡順位にICDコードより抽出した外傷死亡者数を挿入して比較

「平成30年人口動態統計：mc170000上巻　死亡　第5.17表　性・年齢別にみた死因順位〔死亡数，死亡率（人口10万対），割合（％）〕」（e-Stat）から作成[1]

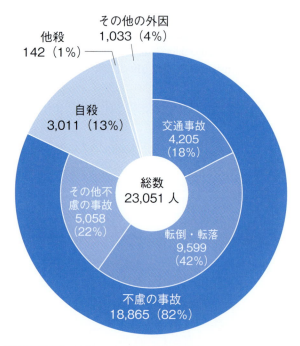

図A3-1 外傷による死亡者の外因

「平成30年人口動態統計：jc100000外因による死亡数，性・年齢（特定階級）・外因（死因簡単分類）・外因の影響別」（e-Stat）から作成[1]

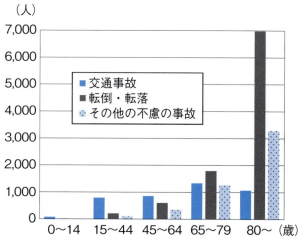

図A3-3 年齢区分別にみた不慮の事故

「平成30年人口動態統計：jc100000外因による死亡数，性・年齢（特定階級）・外因（死因簡単分類）・外因の影響別」（e-Stat）から作成[1]

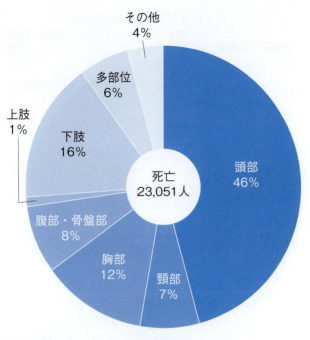

図A3-4 死亡者の傷病部位

「平成30年人口動態統計：jc100000外因による死亡数，性・年齢（特定階級）・外因（死因簡単分類）・外因の影響別」(e-Stat) から作成[1]

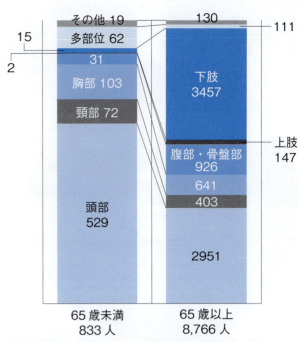

図A3-5 転倒・転落による死亡者の損傷部位（9,599人）

「平成30年人口動態統計：jc100000外因による死亡数，性・年齢（特定階級）・外因（死因簡単分類）・外因の影響別」(e-Stat) から作成[1]

表A3-1 外傷と主要な救急疾病の推計患者数（平成29年患者調査より）

傷病分類別にみた受療の実態	入院患者数の推計		外来患者数の推計			
	推計退院患者数		推計外来患者数			
			外来の総数		うち初診外来	
	千人/月	割合	千人/日	割合	千人/日	割合
総数	1,459.2	100.0%	7,191	100.0%	1,303	100.0%
「Ⅱ 新生物」	267.9	18.4%	249.5	3.5%	35.2	2.7%
「Ⅸ 循環器系の疾患」	189	13.0%	888.9	12.4%	32.4	2.5%
うち，ACS（Ⅰ20～21）	38.7	2.7%	43.7	0.6%	2.7	0.2%
うち，脳卒中（Ⅰ60～64）	60	4.1%	85.9	1.2%	7.1	0.5%
「Ⅹ 呼吸器系の疾患」	128.5	8.8%	629.9	8.8%	257.7	19.8%
「Ⅺ 消化器系の疾患」	175.1	12.0%	1,293.2	18.0%	238.5	18.3%
「ⅩⅨ 損傷，中毒及びその他の外因の影響」	140.6	9.6%	299	4.2%	59.9	4.6%
うち，外傷（S00～T14）	117.2	8.0%	273.7	3.8%	51.8	4.0%

平成29年患者調査；推計退院患者数とは平成29年10月の1カ月間に医療施設（病院，有床診療所）から退院した患者から推計したもので，データは「閲覧第45表　推計退院患者数，性・年齢階級×傷病小分類×病院－一般診療所別（e0045）」より作成。推計入院（または外来）患者数とは調査日の1日での患者数であり，データは「閲覧第6表（その1）推計患者数，性・年齢階級×傷病小分類×施設の種類・入院－外来の種別別（総数）（et0006）」より抽出した[3]

かつては交通事故が不慮の事故死の代表例であったが，近年は年々減少し，平成30年人口動態統計では4,205人，平成30年の警察庁の交通事故統計では24時間以内死亡者が3,532人，受傷後30日以内死亡が4,166人である[2]。

一方，死亡者の損傷部位は頭部（S00-S09）が10,635人と外傷死の46.1％を占める（図A3-4）[1]。

次いで下肢の損傷となっているが，これは高齢者が大半を占める「転倒・転落」によるためである（図A3-5）[1]。

Ⅱ 外傷患者数

外傷患者の発生数を正確にとらえることは困難で

Appendix 3 　外傷疫学

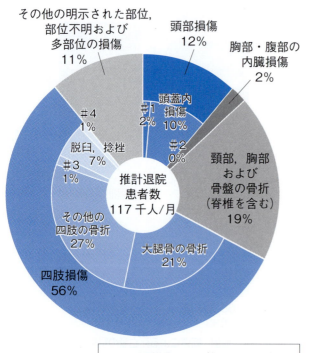

#1：頭蓋骨および顔面骨の骨折
#2：眼球および眼窩の損傷
#3：多部位および部位不明の骨折
#4：挫滅損傷および外傷性切断

図A3-6　入院患者の傷病部位（患者調査）
「平成29年患者調査：j0060推計退院患者数（外傷），外傷の原因×性・外傷分類別」（e-stat）から作成[3]

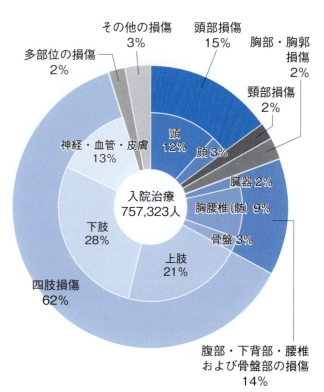

図A3-7　入院患者の傷病部位（DPC調査）
〔文献4)から作成〕

あるが，診療を要した患者数として患者調査における「推計外来患者」の初診外来数からS00〜T14を抽出すると推定できる[3]。平成29年の調査では51,800人/日である（**表A3-1**）[3]。少し乱暴な計算であるが，年換算すると約1,900万人のけが人が生じていることになる。外傷患者数を他の救急疾患である急性冠症候群（ACS；I20〜21），脳卒中（I60〜64）などと比較すると初診外来，新入院数，退院患者数，いずれにおいても外傷による患者数が多い（表A3-1）。外傷患者の入院治療や外来診療に占める割合は，1日調査である外来および入院の調査から推計できる。

外傷により入院治療を必要とした患者の数は，患者調査の「推計退院患者数」より割り出すことができる。外傷（ICD：S00〜T14）の推計退院患者数は117,200人である（表A3-1）。その入院患者の傷病部位をみると，「四肢損傷」がもっとも多く（56%），次に「頸部，胸部および骨盤の骨折（脊椎を含む）」が19%を占める（**図A3-6**）[3]。同じ調査の推計入院患者数のうち新入院でかつS00〜T14の合計は1日4,800人である。概ね1年間で約170万人の外傷によ

る患者が入院治療を受けたと推測される。

DPCデータの外傷区分であるMDC16から，入院した患者の損傷部位をみると四肢損傷がもっとも多く，脊椎・骨盤の損傷を合わせると76%であり，患者調査から推計した図A3-6のデータとほぼ同じである（**図A3-7**）[4]。

Ⅲ 救急医療と外傷患者

平成29年の救急搬送人員は年間5,736,086人であり，うち外傷患者の搬送は26.2%の約150万人である[5]。一方，患者調査の推計入院患者数の救急受診の比率を参考に，推計退院患者数を掛けると，救急の受診が約52万人，救急車搬送が約37万人と推計される。種々の統計を整理し，外傷患者の受傷状況から死亡までの人数を要約したのが図A3-8である。

Ⅳ 重症外傷の実態

わが国における重症外傷の診療実態を示すために，Japan Trauma Data Bank（JTDB）の分析結果について，各章の疫学部分に引用元を【JTDB*19】として記載した。データは，2001〜2019年までに

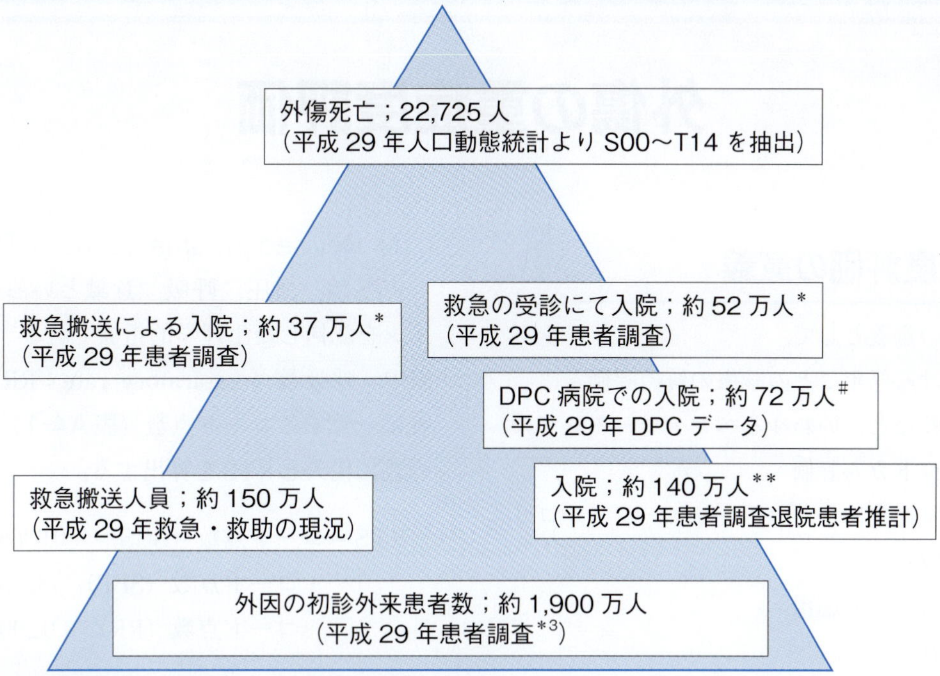

外傷死亡；22,725 人
（平成 29 年人口動態統計より S00〜T14 を抽出）

救急搬送による入院；約 37 万人*
（平成 29 年患者調査）

救急の受診にて入院；約 52 万人*
（平成 29 年患者調査）

DPC 病院での入院；約 72 万人#
（平成 29 年 DPC データ）

救急搬送人員；約 150 万人
（平成 29 年救急・救助の現況）

入院；約 140 万人**
（平成 29 年患者調査退院患者推計）

外因の初診外来患者数；約 1,900 万人
（平成 29 年患者調査*3）

図A3-8　外傷患者の診療および死亡の概要

各種データから平成 29（2017）年で比較したもの
*：平成 29 年患者調査における外傷（S00〜T14）の推計退院患者数（117.2 千人/月）に推計入院患者の救急受診の比率（救急の受診 36.7％，救急車 26.3％）を掛けて算出したもの
**：平成 29 年患者調査における外傷（S00〜T14）の推計退院患者数（117.2 千人/月）から 1 年推計したもの
*3：平成 29 年患者調査における推計外来患者数の初診外来かつ「XIX　損傷，中毒及びその他の外因の影響」から 1 年推計したもの
＃：平成 29 年度 DPC 導入の影響評価に係る調査【退院患者調査】の結果報告；診断群分類ごとの集計要員
　　一般病院 7,334（医療施設動態調査），DPC 調査病院 3,701 なので，推計退院患者数から算出した入院推計数とほぼ同じとなる

登録された症例（2019年版の公開用データセット）を用いた。登録数 361,706 例のうち，Abbreviated Injury Scale（AIS）スコア 2 以上の損傷を有する症例（322,817 例）を対象とし，損傷が AIS 身体区分の単一区分限定されるものを単独外傷とした。すなわち，単独外傷とは，AIS 身体区分のうち該当する身体区分に AIS スコア 2〜6 の損傷があり，他の身体区分に AIS スコア 2〜6，9 の損傷がないものである。損傷臓器ごとの分析では，当該臓器損傷の AIS コードを有する症例が選定されている。同一臓器損傷内の AIS コードを複数有する症例もあるが，症例数としては重複カウントしていない。なお，AIS 身体区分は ISS 計算上の部位ではない。

文　献

1) 厚生労働省：平成 30 年人口動態統計．政府統計の総合窓口 e-Stat.
https://www.e-stat.go.jp/stat-search/files?page=1&layout=datalist&toukei=00450011&tstat=000001028897&cycle=7&year=20170&month=0&tclass1=000001053058&tclass2=000001053061&tclass3=000001053065&result_back=1&cycle_facet=tclass1%3Atclass2%3Acycle

2) 警察庁：平成 30 年中の 30 日以内交通事故死者の状況．政府統計の総合窓口 e-Stat.
https://www.e-stat.go.jp/stat-search/files?page=1&layout=datalist&toukei=00130002&tstat=000001027459&cycle=7&year=20180&month=0

3) 厚生労働省：平成 29 年患者調査．政府統計の総合窓口 e-Stat.
https://www.e-stat.go.jp/stat-search/database?page=1&toukei=00450022&tstat=000001031167&cycle=7&tclass1=000001124800&tclass2=000001124803

4) 厚生労働省：平成 29 年度 DPC 導入の影響評価に係る調査「退院患者調査」の結果報告について．
https://www.mhlw.go.jp/stf/shingi2/0000196043_00001.html

5) 総務省消防庁：平成 30 年版救急・救助の現況．
https://www.fdma.go.jp/publication/rescue/post7.html

Appendix 4

外傷の重症度評価

I 重症度評価の意義

重症度評価の意義として，
①施設における経年ごとの診療の質の評価
②施設間比較など，いわゆるベンチマーキングのためのアウトカム評価
③搬送先病院選定にかかわるトリアージアルゴリズムの作成
④外傷疫学研究への応用
などがあげられる。

重症度を評価する方法として生理学的指標，解剖学的指標，生理学的指標と解剖学的指標を統合した指標などがある。本項では，そのなかの代表的な指標を解説する。

II 重症度評価の指標

1. 生理学的指標

心拍数（heart rate；HR）および収縮期血圧（systolic blood pressure；SBP）は，それだけでは重症度指標としては弱いが，それらを組み合わせた「shock index（SI）＝ HR ÷ SBP」は，簡単に計算でき，より感度の高いショックの重症度指標として使用されている[1)〜3)]。また，その逆数である「reverse SI（rSI）＝ SBP ÷ HR」のほうが臨床的に用いやすいとの報告がある[4)5)]。55歳以上の外傷患者では，「SI × 年齢（SIA）」のほうが早期病院死亡のよりよい予測因子のようである[6)7)]。

一方，Glasgow Come Scale（GCS）[8)]は意識障害の尺度であるのみならず，生死を予測する識別能が高い指標であることが知られている。さらにこれらのバイタルサイン指標を統合・発展させた「rSI × GCS score（rSIG）」が，成人外傷患者の生死をより的確に予測する重症度指標として，有用性が高いとの報告もある[9)10)]。

1) Revised Trauma Score（RTS）

RTSは，血圧，呼吸，意識といったバイタルサインを総括した生理学的指標である[11)]。GCS合計点，SBP，呼吸数（respiratory rate；RR）からコード表に一致するコード点数（表A4-1）を求め，以下の式に代入しRTSを算出する。

$$RTS = コード点数（GCS）× 0.9368 \\ + コード点数（SBP）× 0.7326 \\ + コード点数（RR）× 0.2908$$

点数は0点（最重症）〜7.8648（最軽症）まで分布し，RTS 4点未満では救命率が50％以下とされている。

2) Pediatric Trauma Score（PTS）[12)]

厳密には純粋な生理学的指標ではないが，前述したRTS同様，生理学的パラメータを中心として救急現場で評価可能な解剖学的観察項目を加えた，小児用の指標である。成人と異なり呼吸数の測定やGCSの評価がしにくい点などを考慮して，体重，気道（正常か，必要な処置は何か），SBP，意識レベル，骨折の有無と多発・開放骨折の有無，体表の傷の有無と性状の6項目から構成され，各項目は2点，1点，−1点の三段階評価で12点満点である（表A4-2）[12)]。

2. 解剖学的指標

解剖学的指標は，重症度がコンセンサスによって規定されたものとデータから算定されたものに大別される。前者の例がAbbreviated Injury Scale（AIS）[13)]，Injury Severity Score（ISS）[14)15)]，New Injury Severity Score（NISS）[16)]などであり，後者の代表がInternational Statistical Classification of Diseases-ISS（ICISS）[17)]である。

1) Abbreviated Injury Scale（AIS）[13)]

AISは人体への損傷を形態や重症度によって分類

表A4-1 RTS (Revised Trauma Score)

GCS合計点	収縮期血圧（SBP）(mmHg)	呼吸数（RR）(回/分)	コード値
13〜15	>89	10〜29	4
9〜12	76〜89	>29	3
6〜8	50〜75	6〜9	2
4〜5	1〜49	1〜5	1
3	0	0	0

32RTS = 0.9368 ×（GCS）+ 0.7326 ×（SBP）+ 0.2908 ×（RR）
上記にそれぞれの値を代入しRTSを求める

表A4-2 PTS (Pediatric Trauma Score)

評価項目	スコア +2	スコア +1	スコア −1
体重	>20 kg	10〜20 kg	<10 kg
気道（必要な処置）	正常	口咽頭・鼻咽頭エアウエイ，酸素	気管挿管，輪状甲状靱帯切開，気管切開
収縮期血圧	>90 mmHg；末梢の脈の触知と還流良好	50〜90 mmHg；頸動脈・大腿動脈触知可	<50 mmHg；脈微弱または触れず
意識レベル	清明	活発でない・鈍い（obtunded）またはその他の意識障害	昏睡・無反応
骨折	みた目では「ない」，または「疑われない」	閉鎖骨折，単発骨折	開放骨折または多発骨折
体表	みた目で損傷なし	打撲，擦過傷，筋膜まで達していない7 cmより小さい裂傷	組織欠損，銃創，または筋膜を貫く刺創
計			

〔文献12) より引用・改変〕

表A4-3 AISの小数点前6桁の表す意味

【例：大腿骨骨折　詳細不明】
外傷の種類：大腿骨骨折
小数点前のコード番号：851800
・8 ＝身体の部位
・5 ＝解剖学的構成の種類　　　　　　　　　　−骨格
・18＝解剖学的構成の特定　　　　　　　　　　−大腿骨
・00＝身体の特定部位や解剖学的構成内の損傷程度　−詳細不明
AIS重症度番号 ＝ 3

表A4-4 AISの小数点以下第1位の重症度を示した数字

小数点以下が重症度を表す
・1＝軽症
・2＝中等症
・3＝重症
・4＝重篤
・5＝瀕死
・6＝救命不能

するためのコードで，現時点で損傷形態と重症度をコード化できる唯一の国際的分類である。AISは何度かの改訂を経て，現在はAIS 2015まで更新されているが，日本外傷データバンク（Japan Trauma Data Bank；JTDB）では，2018年まではAIS 90 Update 98を，2019年からはAIS 2005 Update 2008[13]）が用いられている。

コードの構造は小数点前と小数点以下に分けられ，小数点前の6桁のコードは身体の部位，解剖学的構成の種類，解剖学的構成の特定，身体の特定部位や解剖学的構成内の損傷程度を表す。小数点以下第1位は損傷の重症度を示し，AISスコアと呼ばれる。AIS 2005 Update 2008では，小数点以下が最大で5桁まで表示でき，2位から5位は，部位をより詳細に示すローカライザー1と2が2桁ずつ表記される（表A4-3, 4）。

表A4-5　ISSにおける6つの身体部位

1.	頭頸部	脳，頭蓋骨，頸椎（頸髄），頸部臓器
2.	顔面	口，耳，目，鼻，顔面骨
3.	胸部	胸腔内臓器（肺，心など），横隔膜，胸郭，胸椎（胸髄）
4.	腹部と骨盤内臓器	腹腔内臓器，腰椎（腰髄）
5.	四肢と骨盤	四肢と骨盤の捻挫，骨折，脱臼，切断（胸郭，脊椎を除く）
6.	体表	体表の裂創，挫創，擦過創，熱傷（AISの身体部位によらない）

近年，AIS 90 Update 98とAIS 2005 Update 2008の比較において，前者から後者に変換できないコードや，算出されるISSやNISSの差に関する検討が報告[18)19)]されており，評価者は使用するversionによって結果に差異が生じることを認識すべきと強調している。

2) Injury Severity Score（ISS）[14)15)]

AIS（小数点以下の番号）が単一の外傷の重症度を表現しているのに対し，ISSはAISをもとにした多発外傷を評価する方法である。身体を6つの部位に分け，その3つの部位の損傷でもっとも重症度の高い最大AISの平方和をISSとする（表A4-5）。ISSは死亡率と比例関係（すなわち，ISSが高いほど死亡率が高い）にあるが，同じISSでも死亡率が異なることがある。例えばISSが17点で同じでも，最大AISが大きいほうの死亡率が高い[20)21)]。

$$ISS = 17 = 4^2 + 1^2 + 0^2 （死亡率18.1\%）$$
$$ISS = 17 = 3^2 + 2^2 + 2^2 （死亡率2.6\%）$$

このため予測死亡率を計算しようとすると他の予後予測因子，例えば入院時の生理学的重症度なども加味する必要がある。またAIS 2005では，AIS 90 Update 98で問題になっていた胸部損傷に関するコード選択ルールの簡略化，頭部損傷に関する重症度評価の見直しなどがなされている。しかし，コード数の増加などによりコード選択が煩雑化するとの意見もある。

ISSには，①同一身体部位に複数の損傷があっても単一のAISスコアとしか扱われない（体幹部の穿通性損傷など），②ISS算出の際の6つの身体部位区分の根拠が乏しい，などの問題点があった。ISSの問題点を解決すべく1997年に提唱されたNew Injury Severity Score（NISS）[16)]は，AIS身体区分にかかわらず値の高いほうから3つのAISの二乗の和で求められるものであるが，その有用性に関し評価は一定していない。

◆ 3. 統合指標

生理学的指標や解剖学的指標，およびその他の指標をロジスティック回帰などの数理モデルで統合することにより，よりよく重症度を反映した多くの指標が開発されている。ここではその代表的なものについて言及する。

1) Trauma and Injury Severity Score（TRISS）[22)]

解剖学的重症度を表すISSと，生理学的重症度を表すRTSを組み合わせて生存確率を計算する方法がTRISS法である。このTRISSで用いられる係数は，北米の130を超える施設が参加したMajor Trauma Outcome Study（MTOS）のデータももとにして算出された。TRISS法では以下のロジスティック回帰式によって予測生存確率（probability of survival；Ps）を計算できる。

$$Ps = \frac{1}{(1 + e^{-b})}$$

$$b = b_0 + b_1 \times RTS + b_2 \times ISS + b_3 \times （年齢）$$

AIS 90を用いてMTOSをもとに導き出した係数を表A4-6に示した。この係数は，使用したAISのversionやもとのコホートデータごとで異なることに留意する。原法のMTOSをもとにしたものをMTOS-TRISS，National Trauma Data Bank（NTDB）をもとにしたものをNTDB-TRISSと区別して記載する場合もある[23)]。

また，TRISS法の問題点として，以下があげられる。

表A4-6 TRISS係数（AIS 90を使用）

	b_0	b_1	b_2	b_3
鈍的外傷	0.4499	0.8085	0.0835	−1.743
穿通性外傷	2.5355	0.9934	0.0651	−1.136

①ISS自体が解剖学的指標として適切であるかどうか
②年齢区分が適切であるかどうか（若年者および高齢者）
③算出のための項目が欠損しやすい（とくに呼吸数：それから算出されるRTS）
④他の重要な生理学的指標が欠損している
⑤受傷時併存症が加味されていない

これらを解決すべく，A Severity Characterization of Trauma（ASCOT）[24]，Pediatric Age Adjusted TRISS（PAAT）[25]，TRISS + comorbidities（TRISS-COM）[26]，TRISS + SAPS II（TRISS-SAPS）[27]，ヨーロッパのThe Trauma Audit and Research Network（TARN）[28] などが提唱されてきた。さまざまな問題点の指摘はあるものの，現時点では，TRISS法が「防ぎ得た外傷死」（PTD）の客観的評価の根幹をなす指標であることに揺るぎはない。

最近わが国からも，JTDBのコホートを用いてTRISSに代わる統合指標によるPsの検討など[29)30)]が行われるようになってきた。さらに，日本の実情に合うTRISS係数の設定や年齢を名義変数から連続変数に変更したロジスティック回帰式が報告され，JTDBにおいて欠損頻度の高い呼吸数データがなくても，Psを算出できる簡易式の提案もなされている[31)32)]。

文 献

1) Rady MY, Smithline HA, Blake H, et al：A comparison of the shock index and conventional vital signs to identify acute, critical illness in the emergency department. Ann Emerg Med 1994；24：685-690.
2) King RW, Plewa MC, Buderer NM, et al：Shock index as a marker for significant injury in trauma patients. Acad Emerg Med 1996；3：1041-1045.
3) Cannon CM, Braxton CC, Kling-Smith M, et al：Utility of the shock index in predicting mortality in traumatically injured patients. J Trauma 2009；67：1426-1430.
4) Chuang JF, Rau CS, Wu SC, et al：Use of the reverse shock index for identifying high-risk patients in a five-level triage system. Scand J Trauma Resusc Emerg Med 2016；24：12.
5) Kuo SC, Kuo PJ, Hsu SY, et al：The use of the reverse shock index to identify high-risk trauma patients in addition to the criteria for trauma team activation：A cross-sectional study based on a trauma registry system. BMJ Open 2016；6：e011072.
6) Zarzaur BL, Croce MA, Fischer PE, et al：New vitals after injury：Shock index for the young and age x shock index for the old. J Surg Res 2008；147：229-236.
7) Zarzaur BL, Croce MA, Magnotti LJ, et al：Identifying life-threatening shock in the older injured patient：An analysis of the National Trauma Data Bank. J Trauma 2010；68：1134-1138.
8) Teasdale G, Jennett B：Assessment of coma and impaired consciousness：A practical scale. Lancet 1974；2：81-84.
9) Kimura A, Tanaka N：Reverse shock index multiplied by Glasgow Coma Scale score（rSIG）is a simple measure with high discriminant ability for mortality risk in trauma patients：An analysis of the Japan Trauma Data Bank. Crit Care 2018；22：87-93.
10) Wu SC, Rau CS, Kuo, SCH, et al：The reverse shock index multiplied by Glasgow Coma Scale score（rSIG）and prediction of mortality outcome in adult trauma patients：A cross-sectional analysis based on registered trauma data. Int J Environ Res Public Health 2018；15：2346-2258.
11) Champion HR, Sacco WJ, Copes WS, et al：A revision of the trauma score. J Trauma 1989；29：623-629.
12) Aprahamian C, Cattey RP, Walker AP, et al：Pediatric trauma score：Predictor of hospital resource use？ Arch Surg 1990；125：1128-1131.
13) Gennarelli TA, Wodzin E eds：The Abbreviated Injury Scale 2005 - Update 2008. Association for the Advancement of Automotive Medicine, Barrington, IL, 2008.
14) Baker SP, O'Neill B, Haddon W Jr, et al：The injury severity score：A method for describing patients with multiple injuries and evaluating emergency care. J Trauma 1974；14：187-196.
15) Copes WS, Champion HR, Sacco WJ, et al：Progress in characterizing anatomic injury. J Trauma 1990；30：1200-1207.
16) Osler T, Baker SP, Long W：A modification of the injury severity score that both improves accuracy and simplifies scoring. J Trauma 1997；43：922-925.
17) Osler T, Rutledge R, Deis J, et al：ICISS：An interna-

tional classification of disease-9 based injury severity score. J Trauma 1996 ; 41 : 380-386.
18) Tohira H, Jacobs I, Mountain D, et al : Validation of a modified table to map the 1998 abbreviated injury scale to the 2008 scale and the use of adjusted severities. J Trauma 2011 ; 71 : 1829-1834.
19) Tohira H, Jacobs I, Matsuoka T, et al : Impact of the version of the abbreviated injury scale on injury severity characterization and quality assessment of trauma care. J Trauma 2011 ; 71 : 56-62.
20) Baker SP, O'Neil B, Haddon W, et al : A method for describing patients with multiple injuries and evaluating emergency care. J Trauma 1974 ; 14 : 187-196.
21) Baker SP, O'Neil B : The Injury Severity Score : An update. J Trauma 1976 ; 16 : 882-885.
22) Champion HR, Copes WS, Sacco WJ, et al : The major trauma outcome study : Establishing national norms for trauma care. J Trauma 1990 ; 30 : 1356-1365.
23) Schluter PJ, Nathens A, Neal ML, et al : Trauma and injury severity score (TRISS) coefficients 2009 revision. J Trauma 2010 ; 68 : 761-770.
24) Champion HR, Copes WS, Sacco WJ, et al : Improved predictions from a severity characterization of trauma (ASCOT) over Trauma and Injury Severity Score (TRISS) : Results of an independent evaluation. J Trauma 1996 ; 40 : 42-48.
25) Schall LC, Potoka DA, Ford HR : A new method for estimating probability of survival in pediatric patients using revised TRISS methodology based on age-adjusted weights. J Trauma 2002 ; 52 : 235-241.
26) Bergeron E, Rossignol M, Osler T, et al : Improving the TRISS methodology by restructuring age categories and adding comorbidities. J Trauma 2004 ; 56 : 760-767.
27) Reiter A, Mauritz W, Jordan B, et al : Improving risk adjustment in critically ill trauma patients : The TRISS-SAPS Score. J Trauma 2004 ; 57 : 375-380.
28) Bouamra O, Wrotchford A, Hollis S, et al : A new approach to outcome prediction in trauma : A comparison with the TRISS model. J Trauma 2006 ; 61 : 701-710.
29) Kondo Y, Abe T, Kohshi K, et al : Revised trauma scoring system to predict in-hospital mortality in the emergency department : Glasgow Coma Scale, Age, and Systolic Blood Pressure score. Crit Care 2011 ; 15 : R191.
30) Fujita T, Morimura N, Uchida Y, et al : M-study from an urban trauma center in Tokyo. J Trauma 2010 ; 69 : 934-937.
31) Kimura A, Chadbunchachai W, Nakahara S : Modification of the Trauma and Injury Severity Score (TRISS) method provides better survival prediction in Asian blunt trauma victims. World J Surg 2012 ; 36 : 813-818.
32) Suzuki T, Kimura A, Sasaki R, et al : A survival prediction logistic regression model for blunt trauma victims in Japan. Acute Med Surg 2016 ; 4 : 52-56.

Appendix 5

外傷症例登録制度と日本外傷データバンク（JTDB）

　Trauma registry（外傷症例登録制度，TR）の目的は，外傷症例の標準的なプロセスとアウトカムを収集したデータベースを構築し，集積されたデータと自施設のデータを比較することによって評価を行い，外傷診療の質を向上させることにある。

　わが国において，日本外傷データバンク（Japan Trauma Data Bank；JTDB）が2003年11月に発足し，2004年1月より正式に運用を開始した。さらに，2005年10月にはJATECとJTDBの運営が統合されて，特定非営利活動法人日本外傷診療研究機構（Japan Trauma Care and Research；JTCR）が誕生した。この研究機構の誕生は，日本の外傷医療の質向上と外傷学の発展に大きく貢献したと考える。

　JTDBの各症例におけるデータ入力項目は，患者初期情報，病院前情報，転送情報，来院時病態，初療時の検査と処置，診断名と損傷重症度，および入院・退院情報と詳細にわたっているが，2019年8月の時点で280施設が参加しており，約40万症例のデータが集積されている。

　2005年から毎年アニュアル・レポートを邦文・英文ともに作成しており，JTDBのウェブサイトに直近5年間の症例による記述統計データを収録して，誰でもダウンロードできるようにしている。また2008年から毎年，JTDBの2004年から前年までのデータをクレンジングして，JTCRの団体施設に開示してきた。2019年は36万1,706症例を外傷疫学研究用として開示した。これらのデータを活用した研究成果を2013年に成書[1]としてまとめた。その後も外傷診療に関する新たな知見を見出し，英語論文にて世界に向けて研究成果を発信している（図A5-1）。なお，これまでの研究業績については，JTDBのウェブサイトで公開されている[2]。

　2019年4月より15年ぶりにJTDBの項目を改訂し，新システムの運用を開始した。また，日本救急医学会の救急統合データベース活用管理委員会が指定した東京大学のMcDoctersにサーバーを移行した。さらに，JTDBの中核となる外傷のコーディングについて，今まで用いていたAIS 90 Update 98に加えてAIS 2005 Update 2008を新たに追加した。新システムでは入力不備のデータに対してアラート機能を強化したため，今後はJTDBのデータの質が向上するはずである。運営母体であるJTCRのみならず，日本外傷学会や日本救急医学会と連携し，学術的な医学研究が世界に向けて今後も発信されていくことを期待する。

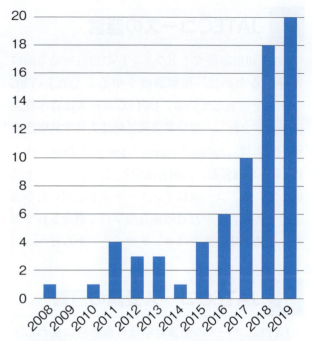

図A5-1　JTDBを用いた英文原著論文数の推移

文　献

1) 日本外傷学会トラウマレジストリー検討委員会：外傷登録，へるす出版，東京，2013.
2) 日本外傷データバンクホームページ．
http://jtcr-jatec.org/traumabank/index.htm

Appendix 6

JATECコースの概要

I JATECコースの運営

『外傷初期診療ガイドライン』の内容を効果的に習得するために，模擬診療を中心としたJATECコースを開催している。JATECコースは日本救急医学会が企画し，特定非営利活動法人日本外傷診療研究機構（Japan Trauma Care and Research；JTCR）が運営し，全国各地で年間合計30回以上開催している。コースはインターネットを用いた事前学習と実技習得のための集合型学習で構成されており，受講の申し込みはウェブサイト[1]から行う。

II JATECコース受講の意義

JATECコースの受講対象は外傷診療に携わるすべての医師であり，防ぎ得た外傷死を回避するための知識と手技を習得することを目標としている。JATECコースの受講履歴は日本専門医機構の救急科専門医更新のための単位や，外科専門医取得のための外傷修練の単位としても認められている。

III JATECコースインストラクター取得までの流れ

JATECコースを受講した後，JATECコースにテスト参加することで知識レベルの確認と模擬診療の技能の再確認を行う。筆記試験と実技試験に合格した場合，インストラクターコース受講資格が得られる。インストラクターコースにおいては，診療実習の指導法を標準化しているものを教材として，上手に受講生を指導するポイント，受講生を指導するうえでの適切なフィードバックを行うポイントを身につける。受講後はJATECコースにモニター参加し，インストラクターの指導のもと実際に受講生たちを指導，その評価によりインストラクターの資格取得が可能となる（図A6-1）。

インストラクター資格は永続的なものではなく，更新のためには一定期間内に定められた回数以上コースに参加し，指導することが必要である。

文献

1) JATECコースウェブサイト．
   http://www.jtcr-jatec.org/index_jatec.html

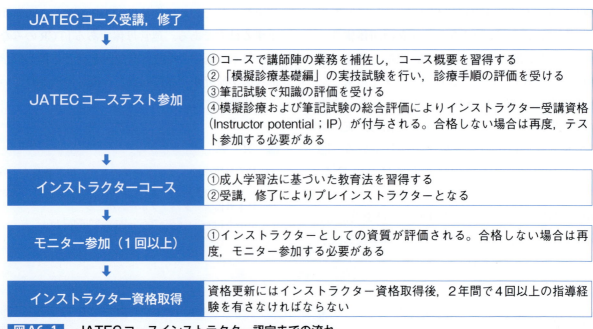

図A6-1　JATECコースインストラクター認定までの流れ

Appendix 7

外傷診療と法的知識

I 診療の法的根拠

1. 緊急事務管理

通常，患者が受診すれば，法的には準委任契約という形で診療契約がなされていると解釈される（民法第656条）。患者の意思を代弁できる人が診療を望んだ場合も診療の契約が成立している。しかし，自殺企図者のような本人の意思とは無関係に救急搬送された患者や意識障害を伴う外傷患者とは契約を結べず，契約上の義務がないのに診療することになる。この場合，法的には「事務管理」（同第697条）または「緊急事務管理」（同第698条）に該当する行為とみなされ，実際には診療契約が成立している場合と同様に最善の医療を提供しなければならない（善管注意義務：同第644条）[1)～4)]。

2. 診療の義務

診療に従事する医師は，応召義務があり，診察治療の求めがあった場合には，正当な理由がなければ，これを拒んではならない（医師法第19条）。正当な理由とは，医師が不在または病気，酩酊もしくは，他の緊急性のある患者を診療中などにより事実上診療が不可能な場合に限られる。緊急性がなく患者が他の医療機関を利用できる状況では，時間外診療や専門外も正当な理由とされる。しかし，専門外であっても患者が危急の状態にある場合には，診療する義務があるとされる判例が多い。このため，初期診療を行い，可能なかぎりの蘇生処置をしたうえで転院を図るなどの対応をすべきである[1)～4)]。

3. 患者の承諾

医療行為の合法化の要件として，患者への説明と本人の承諾が重要である。意識障害を伴う場合には患者家族，小児では親権者（親）が本人の意思決定の代理人とみなされる。院外心停止（out of hospital cardiac arrest；OHCA）や救命処置を優先しなければならない切迫した状況では，緊急避難として承諾を省略せざるを得ない（民法第698条，刑法第37条）[1)～4)]。いわゆる日本版「よきサマリア人法」がなく，現段階ではインフォームドコンセントが不十分となることがあるが，原則として医学的に正しいことを行うことが望ましい[5)]。

II 医師の届出義務

1. 異状死体の届出

1) 異状死体とは

病気になり診療を受け，診断されているその病気で死亡することが「自然死（natural death）」であり，それ以外はすべて「異状死（unnatural death）」である。医師は，医師法の定めるところにより，死体または妊娠4月以上の死産児を検案して異状があると認めたときは，24時間以内に所轄警察署に届け出なければならない（医師法第21条）。外傷患者の死亡はOHCAのみならず，治療経過中の死亡も異状死体に該当するため事故発生地の所轄警察署へ速やかに電話で届け出なければならず，外因死の扱いとなる[4)6)]。なお，交通事故の場合は交通課に届け出る。

2) 異状死体への対応

異状死体の届出が行われた場合は，司法警察員が検視を行う。検視は刑事訴訟法第229条に規定された検察官の業務であるが，一般にはその第2項に規定されているように司法警察員による代行検視が行われている。その結果，①犯罪死体，②犯罪死体の疑い，③非犯罪死体（明らかな病死，自殺，自己過失死と判断される死体）の3つに区別されるが，犯罪性の強いものについては司法検視を行い，犯罪性のないものについては死体取扱規則第4条に基づく行政検視を行う[4)]。検案は医師の業務であり，死因診断を行い，検案書を作成する。検視・検案を経て，

表A7-1　解剖の種類

司法解剖	刑事訴訟法（第168，223，225条）の規定に基づく解剖。犯罪死体あるいはその疑いのある死体に対して行われる。裁判所の許可（鑑定処分許可状の発行）を受け，警察署長により嘱託された医師（通常，大学法医学教室の医師）が鑑定人として行う
行政解剖	死体解剖保存法第8条に基づく解剖。監察医制度のある地域において非犯罪死体に対し，監察医が死因究明などを目的として行う。遺族の承諾を必要としない
「新法」解剖*	警察等が取り扱う死体の死因又は身元の調査等に関する法律（通称「身元調査法」）第6条1項に基づく解剖のこと。警察署長が死因を明らかにするために必要であると認めるとき実施することができる。遺族へ解剖が必要である旨を説明しなければならないが，承諾は必要ない
承諾解剖	死体解剖保存法第7条に基づく解剖。病理解剖と根拠法令は同じであるが，監察医制度のない地域において警察署長の委託を受け，死因究明を目的として行うもので，遺族の承諾が必要である

＊死因究明2法による解剖のため，いわゆる「新法」解剖と呼んでいる地域が多い。正式名称ではない

表A7-2　虐待に関する法律

対　象	法　　令	通報の条文
児童	児童虐待の防止等に関する法律	第5，6条
高齢者	高齢者の虐待防止，高齢者の養護者に対する支援等に関する法律	第7条
配偶者	配偶者からの暴力の防止及び被害者の保護に関する法律	第6条
障害者	障害者虐待の防止，障害者の養護者に対する支援等に関する法律	第6，7条

必要に応じて解剖が行われる。法医解剖は4種類あり（表A7-1），司法解剖は主として大学の法医学教室で行われる。死因究明2法と呼ばれる「警察等が取り扱う死体の死因又は身元の調査等に関する法律」および「死因究明等の推進に関する法律」が平成25年4月から施行され，前者の第6条に基づく解剖が行われるようになった。後者は時限立法であり平成26年9月に失効したが，この法律に基づく推進計画は継続され，令和元年に「死因究明等推進基本法」が成立した（令和2年4月1日から施行）。交通事故死体は，轢き逃げ事件や多重轢過事件の場合は，犯罪死体として司法解剖に付される。交通事故と死亡との因果関係がはっきりしており被疑者が確保されている場合は，必ずしも解剖となるわけではない。

◆ 2. 虐待患者の届出（表A7-2）

外傷患者の受傷機転で虐待が疑われる場合は，患者の早期発見と保護を規定する法律により届出が必要である。児童虐待を受けたと思われる児童を発見した者は，一般市民であっても福祉事務所もしくは児童相談所に通告しなければならず，医師，保健師および児童の福祉に業務上関係のある職員は児童虐待の早期発見に努めなければならない（児童虐待の防止等に関する法律第5，6条）。自分の子どもの病気やけがの程度が重症であるにもかかわらず，親が医療機関にあえて連れていかない場合や，医療機関には連れていくものの親が治療を拒否するといった医療ネグレクトに対し，親の意思に反して強制的に治療を実施することは，親権や自己決定権の観点から介入が難しいことがある。しかし，医療ネグレクトは児童虐待の一類型とされ，医療関係者は早期発見，通告が課されている。医療機関が通告を行う場合は本人の同意を得ることなくできる。また，通告に関して刑法上の守秘義務違反に問われることもない。虐待ならびに医療ネグレクトの通告は，児童虐待の防止等に関する法律に基づく行為であり，個人情報の第三者提供の例外を示す条項に該当する（個人情報の保護に関する法律第23条第1項第1号）。子どもの状態が重篤，死亡の場合には警察にも届け出る。必要な情報を児童相談所に伝えることは必須であり，当然ながら，このことを診療録に記載しておくべきである[5]。

高齢者虐待に関しては，重症であれば通報の義務があり，重症でなければ通報に努めなければならない（努力義務）。一方，養介護施設従事者による虐待は，重症度にかかわらず市町村に通報する義務がある（高齢者虐待の防止，高齢者の養護者に対する支援等に関する法律第7条）。配偶者による暴力をみつけた者は，配偶者暴力相談支援センターまたは警察官に通報するよう努めなければならない（配偶者からの暴力の防止及び被害者の保護等に関する法律第6条）。

また，養護者による障害者への虐待については，その早期発見に努め，虐待を発見した場合は市町村に通報しなければならない（障害者虐待の防止，障害者の養護者に対する支援等に関する法律第6，7条）。

◆ 3. 乱用薬物に関する届出

麻薬及び向精神薬取締法により，麻薬を常用している場合（麻薬中毒者）は，知事への届出が必要である（麻薬及び向精神薬取締法第58条第2項）。覚醒剤については覚醒剤取締法に届出の義務は規定されていない（覚醒剤取締法第13～15条など）が，明らかな不法行為のため，届出や通報は妨げられない。平成17年7月19日の最高裁判決で，担当医師が診断・治療の目的で救急患者から採取した尿について薬物（覚醒剤）の検査を行ったことに関し，その入手過程に違法性はないと判断している。第一審，第二審では国立病院医師であることから刑事訴訟法第239条（第2項公務員の告発義務）を適用させていたが，最高裁では，通報自体の当否を直接争っていない。尿を採取したことと尿検査の結果を警察官へ通報したこと，いずれの行為にも違法性はなく，守秘義務違反にあたらないとしている。これは国公立病院の医師と民間病院の医師に分けて守秘義務の有無を論じておらず，民間病院の医師も含めてすべての医師に対して判断したものと解釈される。たとえ通報義務のない覚醒剤事犯でも社会的には取り締まらなければならない犯罪であり，通報行為が医師の守秘義務に違反する違法行為として非難されないということが明示されたものである[5]。

その他の乱用薬物の所持や使用は禁じられているが，診療にあたっての通報義務が規定されていない（大麻取締法第3条，毒物及び劇物取締法第3条）[3)7)]。最近問題となっている危険ドラッグについては，実際に救急外来で分析することができないため証明することができず，法に定められているような届出の義務はない。検体の提出については，裁判所の求めがあれば対応しなければならない。任意の提出については刑法の定める守秘義務違反にあたる可能性を考慮し，慎重に扱うべきである。

◆ 4. その他の届出

公衆衛生上の目的で，感染症患者を取り扱った場合，速やかに保健所へ届け出なければならない。外傷患者のなかには肺結核を有している場合がある。この場合，「感染症の予防及び感染症の患者に対する医療に関する法律（以下，感染症法）」に基づき保健所長に報告する。なお，結核予防法は平成19年に廃止され，結核そのものは感染症法に組み込まれ二類感染症に位置づけられている。

III 守秘義務

医師など他人の秘密を知り得る職種については，その職を離れても，職業上知り得た他人の秘密を，正当な理由なく漏らすことは禁じられている（刑法第134条など）。また，刑法以外の衛生法規（感染症法，母体保護法や精神保健及び精神障害者福祉に関する法律など）においても，医師の秘密保持が明記されている。秘密とは受傷機転，既往歴，病名，症状，検査結果や処置の内容など診療によって知り得たすべての情報であり，患者や家族が他人に知られたくないと思っている内容を指す。刑法での守秘義務違反は親告罪であるが，公務員は秘密を漏示した事実だけで罪が構成される。

虐待などのように法的に届出義務が課せられている場合は，前述したとおり刑法上の秘密漏示にはあたらない。また，裁判所での証言や犯罪捜査への協力については，患者の秘密より社会的利益のほうが大きいと判断した場合は秘密漏示にあたらないとされるが，その一方で，刑事訴訟法第149条により証言を拒むことができる[1)～4)]。前述した薬物犯罪に限らず，救急隊からの受入れ要請を受けた時点で，その内容から交通事故，傷害事件であることが明らか

である場合には，警察から直接問い合わせがあることが一般的であるので，通報するか否かで迷うことはほとんどないと考えられる。

前述したとおり，感染症法第12条，第69条第1号等の場合には関係機関への届出義務が公衆衛生の観点から定められており，守秘義務違反には該当しない。

このように患者自身の生命の危機と直面しながら，患者自身の個人情報の少ない救急医療において，患者のプライバシーと医師の守秘義務の調和の問題は常に存在する。時に犯罪捜査への協力が求められることもあるため，判断はきわめて難しい。感染症あるいは犯罪情報などの公益の保護の観点から通報や届出義務が課せられているが，通報義務のない事案でも前述したとおり，明らかに取り締まるべき違法行為・犯罪については，社会通念上，通報は妨げられないものと考えられる。

救急医が守秘義務違反に問われることなく捜査機関などへ通報する事案かどうかの基準は，①治療上の必要性から得られた情報かどうか，②通報することによって公共の利益が得られるものと思料してなされたものかどうか，にあると考えられている[5]。なおかつ，これらの事実を診療録に記載しておくことが重要とされる。

IV 救急における妨害行為

医療者が患者側から暴言・暴力などを被る機会が増えている。まして，臨床情報が少ない状況で患者と医師の信頼関係を作っていく時間のない救急医療現場では，外傷診療に限らず妨害行為と思われる行為を被りやすい状況といえる。それぞれの内容と，関連する法規・条項を以下に示す[5]。

◆ 1. 暴　言

医療者側に対し患者側から暴言がなされ，その内容が生命，身体，自由，名誉または財産に対して危害を加えるものである場合には，脅迫罪（刑法第222条第1項）に該当する可能性がある。繰り返し行われた結果，耳鳴りや精神的疾患など，治療を要する症状が出現した場合にはその程度により傷害罪（刑法第204条）が，他の患者に影響を及ぼし正常な診療活動が損なわれる状況になった場合には，威力業務妨害罪（刑法234条）が成立する可能性もある。

◆ 2. 暴　行

殴る，蹴る，引っ張るなどの身体に対する物理力を行使した場合には，暴行罪（刑法第208条）が適用され，痰や唾を吐くなどの軽微な物理力の場合は侮辱罪（刑法第231条）となる。暴行によって，診療機器，家具などが損壊された場合には器物損壊罪（刑法第261条）が適用され，状況によっては前項と同様に威力業務妨害罪が成立することもある。

◆ 3. 暴行・脅迫による金品要求など

暴行または脅迫により，治療費を免れる，金品を要求するような場合は，恐喝罪（刑法第249条），受診の順位を優先させる，入院を優先させるなどの義務なきことを無理に強いられた場合には，強要罪（刑法第223条）が成立する可能性がある。

このほか，嫌がらせ電話，虚偽事実の流布については業務妨害罪（刑法第233条）や信用毀損罪（刑法第233条）が成立する可能性がある。また，セクシャルハラスメント行為に対しては，各都道府県の迷惑防止条例が適用され，度が過ぎている場合には強制わいせつ罪（刑法第176条）も適用され得る。

こうした行為に際しては，被害者である医療側に何らかの原因あるいは誘因行為がないかどうかについても考察する必要がある。ただでさえ患者や患者家族は非日常に置かれ，精神状態が安定しているとは言い難く，ちょっとしたミスや説明不足，受け入れ難い診療態度などは，前述した妨害行為の誘因となり得る。また，妨害行為を受けた場合には，個人で対応せず医療機関の問題として組織で対応することが重要で，事後の対応や同種事案の防止のためにも，その被害状況に応じて捜査機関に届け出ることが必要である。

V 証拠の保管と警察への情報や資料の提供

犯罪捜査や事故処理の目的で，警察から患者に関

する情報や資料の提供が求められた場合，医師は守秘義務の観点から情報や資料の提供を拒否しても処罰されることはない。したがって，患者の承諾がないかぎり，求めに応じる必要はない。患者の拒否や意識障害のために承諾が得られない場合は，法的手続きを踏んだうえで証言や資料の提供を行う。社会的利益の観点から，捜査に協力する必要性が生じてくる場合があり，安易に提出を拒否するのではなく，必要に応じて適切な方法で保管しておき，しかるべき法的手続きがなされた場合に提供することが望ましい。なお，裁判官が鑑定処分許可状を交付した場合，その試料の提出，採取（採血，採尿など）を求められればこれを拒むことはできない。

◆ 1．記録と写真

外傷例では犯罪が関与している場合，証拠保全が望まれる。カルテに図示された創傷は証拠となり得るので，損傷の部位，創の大きさ，性状，深さなどの記載はもちろんのこと，初診時の創傷，術前後の処置部分などの写真撮影は貴重な情報となる。創を切開延長して治療を行うときは，処置前の正確な所見を記録しておくことが必要である。

◆ 2．着衣や所持品など

交通事故（とくに轢き逃げ事件）では，車体の塗装片・ガラス片が着衣に付着していることがあり，それらは被疑車両の推定に重要である。また，着衣の傷は受傷機転の理解に役立つ。一括して清潔なビニール袋などに入れて保管するとよい。むろん，着衣や所持品などは本人所有のものなので，本人（意識障害時は家族）の同意を得るか，法的手続きを確認しないかぎり，警察へ提供できない。

◆ 3．血液・尿など

初診時に採取した血液・尿・胃内容などは，中毒の疑いがある事例ではきわめて重要である。救急搬送時の吐物も中毒では有力な証拠になる。しかし，診療目的でない採血・採尿には，患者本人の同意が必要である。承諾しない患者からの強制的な採血・採尿には法的手続きが必要である。例えば，犯罪被疑者に対する強制採血（採尿）には警察の採血（採尿）嘱託書とともに，裁判官の鑑定処分許可状と身体検査令状を必要とする。

◆ 4．病状照会への対応

警察からの病状の照会には，基本的には病状の説明を受けた患者の家族に対応してもらうほうがよい。少なくとも電話による照会は相手の身分が確認できないため，対応すべきではない。事後対応のためにも文書による照会・回答として，すべて診療録に記録しておくことが望ましい。警察以外で保険会社などからの依頼により対応する必要があるものについては，患者や家族の委任状や同意書のもとに文書で回答することがある[2]。

Ⅵ 診療にかかわる書類

◆ 1．診療録

診療内容を記載し，5年間保管することが医師法第24条で義務づけられている。診療経過を示す重要な記録であるため，時刻とともに内容を正確に記載する。

◆ 2．診断書

診察した医師には，診断書交付の義務があり，正当な理由なくこれを拒むことはできない（医師法第19条第2項）。様式および記載事項は法的に規定されていない。診断書の記載については，①虚偽の記載はしない，②医師の良心に基づいた記載を行う，③目的に応じた記載を心がける。基本的には患者あるいは家族の求めに応じて記載し発行するものである。警察署へ提出する診断書は，加害者の刑事上の責任の有無を判断するときなどに必要とされる。治療日数に基づき判断され，全治7日間以下を軽傷，全治30日未満を中等傷，全治30日以上90日未満を重傷，全治90日以上を重体として処理されるので，推定治療日数の記載が必要である。初診時に診断書を要求されることが多いが，外傷などの傷病名，治療期間を判断するには初診時の診察だけでは不十分なことが多い。そこで，その旨を説明し，病名と現

在のところの予後について説明したうえで急性期治療後に診断書を発行したほうがよい．どうしても初診時に診断書を交付する必要がある場合は，初診時の交付であり，見込みを含んだ診断書である旨を明記し交付する．

死亡診断書（死体検案書）も診断書に含まれる．死亡診断書は患者の死に立ち会い，死亡診断をしたときに交付する書類であり，死体検案書は死体を検案したときに交付する書類である．

◆ 3．医療照会に対する回答文書

医療照会については，診療した医師しかわからない事実があるため，適正な社会制度の運用を図るうえで回答することは医師の社会的使命ともいえる．保険会社などの私的機関からの照会については，必ず患者自身または患者の家族が交付した承諾書や委任状などを得ることが前提条件で，文書回答に際しては診療録に記録することが望ましい．承諾書のない公的機関からの文書照会に，法的強制力はなく，担当医師や病院の裁量に任される．診療録そのものが証拠となり得るため診療経過や患者家族への説明を遅滞なく記載するだけでなく，作成した文書についても記録しておく必要がある．文書料は請求できる[2]．

文　献

1) 判例六法編修委員会：模範六法2007，三省堂，東京，2007．
2) 若杉長英：救急医療と法律．救急医学　1994；18：127-132．
3) 金川琢雄：医療スタッフのための実践医事法学，金原出版，東京，2002．
4) 石津日出雄，高津光洋監：標準法医学，第7版，医学書院，東京，2013．
5) 橋本雄太郎：救急活動をめぐる喫緊の法律問題，東京法令出版，東京，2014．
6) 日本法医学会：異状死ガイドライン．日法医誌 1994；48：357-358．
7) 若杉長英：中毒に関する法的問題（上）．中毒研究　1995；8：293-298．

Appendix 8

重要な用語・略語

用 語

Primary survey
蘇生の要否を判断する観察。邦訳はない。正しくは「外傷診療のprimary survey」「JATEC primary survey」と表現する。

Secondary survey
根本治療を必要とする損傷の検索。

Tertiary survey
見落とし損傷，潜在する損傷の再検索。

蘇生
Resuscitationの訳。生命を危うくする生理学的機能の破綻を回復させ，正常な機能を維持すること。具体的には呼吸・循環を安定化させ，頭蓋内圧を制御し，復温に努めることなどを指す。仮死状態に対して行うCPRより，はるかに幅の広い意味をもつ。

気道緊急
基本的な気道確保では気道の閉塞が解除できず，直ちに高度な気道確保が必要な状態。

確実な気道確保
気管挿管や外科的気道確保など気道をチューブで確保する方法。Definitive airwayの意味。

輪状甲状靱帯切開（穿刺）
Cricothyroidotomy, needle cricothyroidotomyの意味であり，気管を経由する気管切開（tracheostomy）とは異なる。

DAI
Drug-assisted intubationの略。筋弛緩薬使用の有無によらず，咽頭反射を有する患者に対する鎮静・鎮痛薬などを用いた気管挿管手技をいう。

RSI
Rapid sequence intubationの略。迅速気管挿管という。確実な気道確保として，薬剤投与によって入眠，筋弛緩，気管挿管をひと続きに（連続して）施行する方法を指す。

ショック
重要臓器の有効な血流が維持できず，組織灌流の低下のため細胞機能が保てなくなる状態を指す。具体的には，個々の細胞に対し好気的エネルギー産生に必要な酸素需要量を満たすだけの酸素を供給できなくなる結果，エネルギー不足のために組織や臓器の機能に障害が生じる症候群をいう。

血胸
胸腔内に血液の貯留した病態。

大量血胸
ショックの原因となるほどの血液量が胸腔内に貯留した血胸のこと。出血量で定義されるものではない。

気胸
胸腔内に空気が貯留している病態。

緊張性気胸
ショックまたは心拍出量低下をきたすほど胸腔内圧が高くなる気胸。

開放性気胸
胸壁の欠損により胸腔が大気と交通した病態。

心嚢液貯留
心膜腔内（心嚢内）に液体が貯留した状態。

Appendix 8　重要な用語・略語

心タンポナーデ
心膜腔内（心囊内）に液体が貯留し，この液体が心拡張を制限し，心拍出量低下，低血圧をきたす病態を指す。

フレイルチェスト（flail chest）
1本につき2カ所の肋骨・肋軟骨が複数本連続して骨折する場合や胸骨骨折を伴う連続した肋骨骨折の場合に，吸気時に陥没し，呼気時に膨らむ奇異性胸郭運動を示す胸郭損傷を指す。

非出血性ショック
出血性ショック以外のショックの総称であるが，外傷では主として閉塞性ショックと神経原性ショックを指す。

閉塞性ショック
外傷では，主に緊張性気胸と心タンポナーデを指す。

神経原性ショック
脊髄損傷によって生じる循環の異常であり，頻脈を伴わない低血圧を呈する。

脊髄ショック（spinal shock）
脊髄損傷によって生じる障害以下の運動麻痺（筋弛緩）と脊髄反射消失をいう。神経原性ショックを伴うことがあるが，神経原性ショックとは同一でない。

骨髄内輸液（intraosseous infusion；IOI）
骨髄路からの輸液療法を骨髄内輸液と呼ぶ。骨髄路から投与された輸液・薬剤は，骨近傍の静脈を経由して速やかに中心静脈に入る。

初期輸液
ショック時に急速な輸液負荷を行い，その反応をみて循環を評価すること。

FAST
超音波診断装置を心囊内，胸腔および腹腔の液体貯留の検索に焦点を絞って使用する方法。Focused assessment with sonography for traumaの頭文字を組み合わせ，英語の「迅速に」行うという意味をかけている。

EFAST（extended FAST）
FASTの本来の目的に加えて，気胸の存在を評価する超音波検査法をいう。

FACT
読影の第1段階として，緊急処置を要する損傷を検索するために焦点を絞って読影する方法。focused assessment with CT for traumaを略してFACTと呼ばれる。FACTでは直ちに生命に影響する損傷の有無をまず把握する。

Shock index
脈拍数と収縮期血圧の比（脈拍数／収縮期血圧）であり，循環異常を表現する指標の一つである。

Capillary refill time（CRT）
爪床または小指球を圧迫し，圧迫解除後に再び赤みを帯びるまでの時間をいう。全身の循環動態または局所循環の状態を調べるために行う身体検査法で，通常2秒以上を異常とする。

GCS
Glasgow Coma Scaleの略語で，国際的に普及する意識レベルの評価法。

JCS
Japan Coma Scaleの略語で，古くよりわが国の医療機関，病院前救護で普及している意識レベルの評価法。

脳ヘルニア
占拠性病変の出現や脳腫脹により，大脳鎌の縁，テント切痕や大孔を介して脳組織が偏位することをいう。大脳組織がテント切痕を下降するテント切痕ヘルニアは，脳幹を圧迫し致死的となり得る。また側頭葉内側が偏位し，テント切痕に嵌入すると（鉤回ヘルニア），同側の動眼神経と大脳脚が圧排され，同側の瞳孔散大と対側の片麻痺をきたす。小脳扁桃が

大孔に嵌入して延髄を圧迫する小脳扁桃ヘルニア（大孔ヘルニア）では呼吸停止が生じる。

頭蓋内圧

頭蓋内環境の圧力をmmHgで示した値である。圧トランスデューサーを用いた脳室内圧測定や光ファイバープローブを用いて測定する。治療を開始する閾値は20 mmHg前後とされている。また，平均血圧からICPを減じたものを脳灌流圧（cerebral perfusion pressure；CPP）とし，頭蓋内圧が亢進する場合，脳組織を正常に機能させるためには，CPPを50〜70 mmHgに維持することが推奨されている。

頸椎固定解除

治療を必要とする頸椎・頸髄損傷の存在を否定するための診察手順。具体的には頸椎カラーを除去してよい基準。頸椎・頸髄損傷を診断するプロセスとは異なる。

根本治療

損傷に対する専門的な標準治療。Definitive therapyの意味。

Preventable trauma death（PTD）

「防ぎ得た外傷死」という。外傷後，適切な診療を受けられないために死亡すること。通常の医療技術，例えば気道確保，緊張性気胸の減圧などが施行されれば助かっていたはずの死亡例をいう。

Preventable trauma disability

初期診療において見落としがなく適切な治療がなされていれば，機能障害を残さずに治癒する損傷のことをいう。

開放骨折

開放創を有する骨折で，骨折部と外界との交通性を認めるものをいう。複雑骨折ともいう。

トリアージ

複数患者の緊急度・重症度を評価し，救護・搬送および治療の優先順位を決定する手法あるいはその行為をいう。

高エネルギー事故

高エネルギー衝撃（high-energy impact）により生体に重篤な損傷を引き起こす可能性の高い事故を指す。

高リスク受傷機転

生体に重篤な損傷を引き起こす可能性の高い機序として，高エネルギー事故に重量物などによる挟圧や圧挫による機序を含めた受傷機転を指す。現場トリアージ基準の第3段階での評価項目に相当する。

ロード＆ゴー

生命維持に関係のない部位の観察や処置を省略し，生命維持に必要な処置のみを行って，一刻も早く外傷治療が可能な医療機関（救命救急センターなど）へ搬送するための判断と行為の全体的な概念をいう。

脊椎運動制限（spinal motion restriction；SMR）

用手や器具により，脊椎の運動を制限すること。救出や搬送の際に生じるおそれがある，脊椎・脊髄の二次的損傷を防ぐのが目的である。

全身固定

脊椎運動制限において，頸椎を含む全脊柱を器具によって固定することを，他の脊椎運動制限と区別するうえで用いている。例えば，頸椎カラーを装着してバックボード上にベルトとヘッドイモビライザーで固定された傷病者の状態をいう。

外傷における全身CT

外傷患者に対して頭部から骨盤までほぼ全身をスクリーニングするCT検査を指す。Trauma pan-scanの訳。

POCUS

Point-of-care ultrasoundの略。検査室で行う系統的超音波検査と対比して，ベッドサイド

Appendix 8 重要な用語・略語

でポイントを絞って行う超音波診療をいう。

ABC-SBAR

Team STEPPS（チームステップス）で提唱されている情報伝達技能SBARを基本に，患者・傷病者の急変時には，まず生理学的機能の障害程度を最優先して情報を伝えることを表現した用語である。SBARは「Situation（状況）」「Background（背景）」「Assessment（評価）」「Recommendation（提案）」の頭文字であり，これに生理学的評価を示すA（気道）B（呼吸）C（循環）を加えたものである。

略語と暗記法

JATEC

Japan **A**dvanced **T**rauma **E**valuation and **C**areの略。ジェイ・エイテックと読む。

ABCDEのA：気道。Airwayの頭文字。

ABCDEのB：呼吸。Breathingの頭文字。

ABCDEのC：循環。Circulationの頭文字。

ABCDEのD：中枢神経障害。Dysfunction of CNSの頭文字（Disabilityでもよい）。

ABCDEのE：脱衣と体温管理。Exposure and Environmental controlの頭文字。

ABCDEアプローチ

上記略語を集合させ，ABCDEができている。生理学的な徴候の異常を観察し，並行して蘇生を行うことを意味している。

ABCDEFアプローチ

妊婦の場合，母体のABCDEアプローチに引き続いて，胎児の生理学的評価（Fetal assessment）と専門施設への転院（Forward transfer）を判断することを意味している。

「切迫するD」

Primary surveyで観察し，これに該当すればsecondary surveyの最初に頭部外傷の精査・治療を優先する診療上の申し合わせ。具体的には，①GCS合計点が8以下，②意識レベルの急激な低下（GCS合計点で2以上の低下），③瞳孔不同やCushing現象などから脳ヘルニア徴候が疑われる意識障害のときとする。

ABCDE & II（ダブルアイ）

複数損傷に対する治療の優先順位を決定する際の原則を略語で示したものである。緊急度の高い病態生理の順で，A・B・Cの安定化を最優先し，それに引き続いて頭蓋内圧の制御（D），体温対策（E），虚血の改善（I：Ischemia），炎症・感染への対策（I：Inflammation, Infection）の順であることを意味する。

MIST

Mechanism（受傷機転），Injury（生命を脅かす損傷），Sign（意識，呼吸，循環の状態）およびTreatment（行った処置と病院到着予定時刻など）の頭文字からとった暗記法。救急隊員から医師への患者情報，また転送依頼時の医師間の情報を，迅速かつ簡潔に伝達する要領の一つ。

AMPLE

受傷機転や病歴聴取の項目を記憶する方法。Allergy：アレルギー歴，Medication：服用中の治療薬，嗜好品，Past history & Pregnancy：既往歴，妊娠，Last meal：最終の食事，Event：受傷機転や受傷現場の状況の英語頭文字の列挙。

FIXES

Finger & tube（耳鏡，直腸診など，胃管，カテーテル挿入とその性状），iv, im（輸液路，破傷風予防などの注射），X線（各種画像診断），ECG（心電図モニター，12誘導記録），Splint（骨折に対するシーネ固定）など，初期診療の終了時に，抜け落ちたことがないかどうかを再確認する記憶法。各英語の頭文字を並べたもの。

改訂第6版
外傷初期診療ガイドライン　JATEC

索　引

＊太数字は当該用語が詳述されているページを示す。

索引

記号・ギリシャ文字・数字

%TBSA 193
βブロッカー 140, 214
βラクタム系抗菌薬 284
βラクタム系薬剤 282
2点式シートベルト 254
3D-CT 233
3D再構成画像 238
3点式シートベルト 254
4F-PCC 141
4因子プロトロンビン複合体濃縮製剤 141
5の法則 193
9の法則 193
12誘導心電図 16, 86

A

A Severity Characterization of Trauma → ASCOT
Abbreviated Injury Scale → AIS
abbreviated surgery 54, 55
ABCDE & II 22
ABCDEアプローチ **3**, 6
ABC-SBAR 277
abdominal compartment syndrome 55
ABI 180
ABLSの公式 195
ABO異型適合血 50
ABO同型血 50
abruption 224
abusive head trauma → AHT
ACE-I 226
active core rewarming 11
active external rewarming 11
ADI 166
Advance Life Support in Obstetrics → ALSO
advanced airway 28
Advanced Trauma Life Support (ATLS) Student Course Manual 78
AHT 143, 211
AIS 75, 295, 296
　――90 Update 98 297, 301
　――2005 Update 2008 297, 301
　――2015 297
　――スコア 297
alignment 177
ALSO 219
American College of Surgeonsの分類 48
American Spinal Injury Association → ASIA
amniotic fluid 224
AMPLE 14, 26, 206
　――聴取 224
anal wink 172
Anderson分類 166
ankle-brachial index → ABI
anterior column 168
anterior rim 124
anterior to posterior compression → APC
aortic disruption 16
aortic knob 83
aortic zone I 56
aortic zone II 56
aortic zone III 56
APACHE 284
APC 116
API 180
apnoeic oxygenation 31
ARAS 65, 131
arc discharge 196
arterial pressure index → API
Artzの基準 194
ascending reticular activating system → ARAS
ASCOT 299
ASIA 170
　――機能障害スケール 170
AT-III 224
atlanto-axial distance 178
atlanto-dens interval → ADI
ATLS 4, 144
autoregulation 68
axonotmesis 183, 186

B

Babinski徴候 169
Babinski反射 207
BAI 84
band sign 104
barcode sign 62, 82
base excess → BE
Basic Life Support in Obstetrics → BLSO
Battle's sign 15, 152
Baxterの公式 195
BBB破綻 136
BE 53
Beckの三徴 81
best motor response 67
　――の覚え方 73
BI 194
black eye 15, 151
Blanch test 46
Blockerの法則 193
blowout骨折 153
BLSO 219
blunt aortic injury → BAI
blunt cardiac injury 16
blush 104
bone 178
Bow-Tie sign 178
Brain Trauma Foundation → BTF
bridging vein 130
Broselow Pediatric Emergency Tape 199
Broselow Tape 199
Brown-Séquard型脊髄損傷 169
BTF 69, 144
bulbocavernosus reflex 172
burn index → BI
burn sepsis 284
Bライン 243

C

cardiotocogram → CTG
carotid-cavernous fistula 136
capillary refill time → CRT
cardiogenic shock 43
cartilage 178
CAT 184
CBF 140
CCF 136, 137
cerebral perfusion pressure 131
cervical line 170
Chance骨折 167, 254
chemical injury 191
ciTBI 207
CKMB 209
clinically-important traumatic brain injuries 207
closed degloving injury 182
Clostridium tetani 284
CO_2ナルコーシス 28
cold burn 191
Coleの式 200
comet tail artifact 82
commotio cordis 76
compartment syndrome 258
complicated hematoma type 134
contact burn 191
contre-coup injury **132**, 134, 251
controlled resuscitation 50
COPD 28
coup injury **132**, 134, 207, 251
COVID-19 286
　――の画像所見 286
CO中毒 191
CP angle 91
CPP 50, 131
crazy paving 286
CRT 8, **46**, 180, 203
　――の延長 19
crush injury 186
crush syndrome **186**, 249, 258
CTA 139, 183
CTG 224
CTアンギオグラフィ 183
CT検査 82, 229
CT撮影のタイミング 231
CT室滞在時間 230
CTの役割 52
current 196
Cushing現象 65, **68**, 134

D

DAI 7, 30, 32, 234, 251
damage control orthopaedics → DCO
damage control resuscitation → DCR
damage control surgery → DCS
DB 193
DCO 188
DCR **54**, 140, 205
DCS 54, **55**, 109
　――の判断基準 55
DDB 193
D-dimer 138, 224
deep burn → DB
deep dermal burn → DDB
deep sedation 289
deep sulcus sign 88, 91

definitive airway　28
definitive therapy　4
degloving injury　182
delayed traumatic intracerebral
　　hematoma →DTIH
Denis の three column theory　167
dermatome　170
diagnostic laparoscopy →DL
diagnostic peritoneal aspiration　107
diagnostic peritoneal drainage　107
diagnostic peritoneal lavage →DPL
diagnostic peritoneal tap　107
diaphragmatic injury　16
DIC　225
diffuse axonal injury　234
diffuse brain injury　133
distance of soft tissue　178
distributive shock　43, 172
DL　**107**
DMAT　272
Doppler 血流計　180
double tract sign　241
DPL　**106**
　　──の適応　107
drip infusion cholangiography　229
drug-assisted intubation　7, 30, 32
DTICH　135
DTP ワクチン　285

E

early seizure　137
early total care →ETC
EAST ガイドライン　283
EB　193
echo-free space　80, 244
EC テクニック　36
EFAST　12, 16, 62, 77, 241
electrical injury　191, 196
ELISA 法　285
endoscopic retrograde
　　cholangiopancreatography →ERCP
endoscopic retrograde pancreatography
　　→ERP
epidermal burn →EB
ERCP　229
ERP　**105**
esophageal rupture　16
ETC　188
evaluate the 3-3-2 rules　40
extended FAST →EFAST
extracardial obstructive shock　43
eye opening　67

F

facet locking　167
FACT　233, 235
fallen lung sign　85
false negative　107
false positive　107
FAST　9, 12, 18, 44, **52**, 61, 77, 80, 81,
　　88, 209, 241
　　──の適応　103
FDP　224
fetal assessment　221, 224
fetal biometry　224

fetal Viability　224
FFP　50
Field Triage Decision Scheme →FTDS
finger thoracostomy　80
FIXES　21
flame burn　191
flash　196
flat lift 法　19, **20**, 174
fluid creep　195
focal brain injury　133
FOCUS　245
focused assessment with CT for trauma
　　→FACT
focused assessment with sonography
　　for trauma →FAST
focused cardiac ultrasound →FOCUS
fogging　95
Foley カテーテル　150
frailty　214
Frankel 分類　170
FTDS　265, 266, 269, 270, 272

G

GCS　10, 65, **66**, 205, 296
　　──合計点　66, 68, 133, 141
　　──の限界　69
Gennarelli らの分類　133
Glasgow Coma Scale →GCS
grunting　203
Guidelines for Field Triage of Injured
　　Patients　144
Gustilo 分類　182, 284

H

hangman 骨折　166
hard sign　161, 182
HELLP 症候群　224
hemispheric hypodensity →HH
hemodynamic stroke　69
hemostatic resuscitation　55, **56**, 140
hemothorax　16
HH　143
high density　147
high-energy impact　249
HLS　195
hourly titration　196
HTS　140
hump sign　104
hyperechoic air-mucosa interface　242
hypertonic lactated saline solution
　　→HLS
hypertonic saline →HTS
hypotensive resuscitation　50
hypovolemic shock　43

I

ICISS　296
ICP　130
IDSA　284
ilioischial line　124
iliopectineal line　124
immediate seizure　137
Infectious Diseases Society of America
　　→IDSA
inflammation　22

Injury Severity Score →ISS
interloop fluid　105
internal pneumatic stabilization　79
International Statistical Classification of
　　Diseases-ISS →ICISS
intracranial pressure　130
intraosseous infusion →IOI
intravenous pyelography →IVP
IOI　63, 204
ischemia　22
ISS　296, 298
IVP　229

J

Japan Coma Scale →JCS
Japan Trauma Care and Research
　　→JTCR
Japan Trauma Data Bank →JTDB
JATEC コース　302
（JATEC）インストラクターコース
　　302
JATEC における中等症・軽症頭部外傷
　　の定義の考え方　144
J-CIMELS　219
JCS　65, **66**
Jefferson 骨折　166
jet　104
JETEC　55
JPTEC　5, 118
　　──ガイドブック　262
　　──活動手順　262
　　──現場トリアージ　264, 269, 270,
　　　　272
JTCR　301, 302
JTDB　294, 297, 301

K

Kernohan's notch　68, 130
key muscle　171
key suture　155
Kussmaul サイン　81

L

Larry's point　96
laryngeal mask airway →LMA
laryngeal tube airway →LTA
late seizure　137
lateral compression →LC
LC　116
Le Fort Ⅰ　153
Le Fort Ⅱ　153
Le Fort Ⅲ　153
Le Fort 型骨折　152
LEMON　40
length-based/color-coded resuscitation
　　tape　199
lightning strike　196
limited transthoracic echocardiogram
　　→LTTE
LMA　35
local wound exploration →LWE
log roll 法　19, **20**, 174
look externally　40
low density　147
LTA　35

索 引

LTTE 245
lucid interval 134
Lund & Browder の図表 193
lung point 243
lung pulse 243
lung sliding 62, 82, 243
LWE 22, **107**, 161

M

magnetic resonance cholangiopancreatography → MRCP
Mallampati classification 40
manual muscle test → MMT
mass casualty incident 269
massive transfusion → MT
massive transfusion protocol → MTP
mass-like density 92
MDCT 104, 138, 233
mesenteric infiltration 105
middle column 168
mild traumatic brain injury → MTBI
minimal sedation 289
MIST 5, 267
MMT 170, 181
moderate sedation 289
Morel-Lavallée lesion 180, 182, 250
MPR 104, 233
MRA 139
MRCP **105**
MRI 検査 139, 233
MR 胆管膵管造影 **105**
MT 50
MTBI 258
MTOS-TRISS 298
MTP 9, 50, 56
multidetector-row CT → MDCT
multiplanar reconstruction 233
myotome 170

N

natural death 303
NCSE 137
neck mobility 40
needle cricothyroidotomy 34
negative pressure wound therapy → NPWT
negative scan 230
neurapraxia 183
neurogenic shock 170
neurotmesis 183
New Injury Severity Score → NISS
NISS 296, 298
NOM **109**, 209
non-cavitary 50
non-cavitary hemorrhage 180, 216
non-convulsive status epilepticus → NCSE
non-operative management → NOM
non-responder **50**, 52, 205
NPWT 55, 56
NSAIDs 226
NTDB-TRISS 298

O

obstruction 40

obstructive shock 43
occult pneumothorax 88, 91, 242
OHCA 303
open abdomen management 55
open book 116
out of hospital cardiac arrest → OHCA
overwhelming postsplenectomy sepsis 209

P

PA window 92
PAAT 299
PACS 233
pain 19, 180
pain stimulation 67
pallor 19, 180
pan-scan 229
paradoxical bradycardia 46
paralysis 19, 180
paresthesia 19, 180
Parkland の公式 195
passive external rewarming 11
Pasteurella 属 284
PATBED2X 16
PBI 194
PC 50
PC^3 219, 222, 223
PCR 検査 286
peaked pupil 156
Pediatric Age Adjusted TRISS → PAAT
pediatric Glasgow Coma Scale 67
Pediatric Trauma Score → PTS
penetrating neck injury 159
perimortem cesarean delivery → PMCD
Perinatal Critical Care Course 運営協議会 219
permissive hypotension 50, 55, **56**, 205
personal protective equipment → PPE
physical examination 4
physical stimulation 67
picture archiving and communication system → PACS
planned reoperation 55
pleural line 243
PMCD 223
pneumothorax 16
POCUS 103, 241
poikilothermy 19, 180
point-of-care ultrasound → POCUS
posterior column 168
posterior rim 124
post-traumatic stress disorder → PTSD
postural crush syndrome 186
PPE 286
presenting part 224
pressure stimulation 67
preventable trauma death → PTD
preventable trauma disability 163, 179
previa 224
priapism 172
primary survey 4
——と蘇生 3, **6**, 25
PRIS 290
probability of survival → Ps

prognostic burn index → PBI
propofol infusion syndrome → PRIS
Ps 298
PTD 27, 101, 149, 163, 266, 299
PTS 296, 297
PTSD 289
pulmonary contusion 16
pulselessness 19, 180

R

raccoon eye 15, 151
radiation injury 191
rapid sequence intubation → RSI
RBC 50
REBOA 56, **119**
red flags 143
responder **50**
restrictive fluid resuscitation 55, **56**
resuscitation 4
resuscitative endovascular balloon occlusion of aorta → REBOA
resuscitative thoracotomy → RT
reverse SI → rSI
Revised Trauma Score → RTS
rhabdomyolysis 186
Rotterdam スコア 138
rSI 296
RSI 32, 286
rSIG 296
RT 56, **57**
RTS 296, 297

S

sacral sparing 170
salt & pepper like appearance 134
Salter-Harris 分類 210
SARS-CoV-2 286
Sauer's danger zone 76
SBAR 13, 277
scald burn 191
Scandinavian guidelines 144
SCAT5 143
SCIWORA 169, 209
SDB 193
seashore sign 62, 82
secondary survey 3, 4, 26
産科的な—— 223
Seldinger 法 81, 204
sentinel clot sign 105
shock index → SI
SI 47, 296
SIA 296
simple hematoma type 134
Simple Triage And Rapid Treatment → START
SMR 262, 263
sniffing position 201
snow storm 様陰影 185
soft sign 161, 183
spark discharge 196
spinal cord injury without radiographic abnormality → SCIWORA
spinal motion restriction → SMR
spinal shock 170
spine sign 244

索 引

spinolaminar line 177
Sports Concussion Assessment Tool 5th edition → SCAT5
SSI 予防ガイドライン 284
Starfield pattern 185
START 270
START 変法 271
STIR 像 173
sucking chest wound 79
superficial dermal burn → SDB
supine hypotensive syndrome 221
surge capacity 269
surgical cricothyroidotomy 34
Surgical Site Infection 予防ガイドライン 284
susceptibility-weighted image 画像 → SWI 画像
SWI 画像 135

T

T2*(star) 強調画像 135
T2強調矢状断像 173
TAE 10, 47, 52, 109, **119**, 150
talk & deteriorate **133**, 140, 214
talk & die 133, 214
TARN 299
TBSA 191, 193
TCDB 138
tear drop 124
tertiary survey 4, **23**
tetanospasmin 284
tetanus immunoglobulin → TIG
The Birmingham Eye Trauma Terminology System 156
The Trauma Audit and Research Network → TARN
thrill 161
TIG 21, 285
tongue blade test 151
　──の手順 153
total body surface area → TBSA
towne 撮影 133, 138
T-POD 117
TR 301
tracheobronchial tree injury 16
transcatheter arterial embolization → TAE
transient responder **50**, 52
trap door fracture 154
trap door 型眼窩底骨折 154
Trauma and Injury Severity Score → TRISS
trauma bypass 262
Trauma Care 4
trauma pan-scan 20
trauma registry → TR
traumatic asphyxia 249, 258
Traumatic Coma Data Bank → TCDB
triangle of safety 80, 95
TRISS 298
　──系数 299
TRISS + comorbidities 299
TRISS + SAPS Ⅱ 299
TRISS-COM 299
TRISS-SAPS 299

U

unnatural death 303

V

VATS 88
verbal response 67
vertical shear → VS
video-assisted thoracic surgery → VATS
VS 116
VT 72

W

WC 232
WL 232
WW 232

X

X 線検査 229
X 線膀胱造影 106

あ

アーク放電 196
アイジェル 35
アクリル透明ボックス 286
あご先挙上法 29
アセトアミノフェン 226
圧挫症候群 185, **186**, 249, 258
　──の発生機序 187
　──の臨床像 187
圧痛 16, 17
圧迫骨折 167
圧迫刺激 67
アトロピン 53
アミノグリコシド 284
アミノグリコシド系抗菌薬 226
アミラーゼ 103
アルブミン 49, 220
暗褐色尿 187
アンジオテンシン変換酵素阻害薬 226
アンダートリアージ 266
安定型骨盤骨折 **116**, 120

い

胃管の挿入 12
胃酸分泌亢進 169
意識下気管挿管 160, 161
意識障害 **65**
　──の評価法 65
　外傷による── 65
意識清明期 134
意識の変調 47
意識レベル評価の実際 71
異状死 303
異状死体 303
　──の届出 303
　──への対応 303
痛み刺激 67
イダルシズマブ 141
一次性脳損傷 11, 69, **132**, 136
一時的閉腹法 55
一次爆傷 258
一過性神経麻痺 183
一酸化炭素中毒 191

一相撮影 230
異物 14
　眼窩内── 158
医療照会 308
医療ネグレクト 304
威力業務妨害罪 306
陰圧閉鎖療法 55
院外心停止 303
インストラクターコース 302
咽頭後間隙血腫 178
インフォームドコンセント 277, 303

う

ウィンドウセンター 232
ウィンドウ幅 232
ウィンドウレベル 232
打ち抜き骨折 153
運動エネルギー 249
運動性言語中枢 131
運動麻痺 19, 180

え

エアウエイ **29**
　経口── 29
　経鼻── 28, 30
　口咽頭── 29
　鼻咽頭── 30
　ラリンゲアルマスク── 35
エアウェイスコープ 31
腋窩アプローチ 80, 94
円蓋部骨折 **133**

お

横隔膜挙上 87
横隔膜呼吸 172
横隔膜損傷 16, 81, **87**, 104
横隔膜破裂 107, 252
横隔膜疲労 170
応召義務 303
横靱帯損傷 178
横断型骨折 152
横紋筋融解 186
横紋筋融解症 258
オーバートリアージ 266
オピオイド 226
オフセット前面衝突 253

か

ガーゼパッキング 55, 150
開眼 67
外眼筋障害 149
外眼筋麻痺 158
開胸止血術 80
開胸術 83
外頸動脈系 149
外頸動脈結紮 150
開口障害 14
外固定 180
外耳道出血 149, 151
外出血 **44**
　──の止血 **8**, 49
外傷 CT の読影 233, 235
外傷疫学 292
外傷急性期の病態 2
外傷死の三徴 55, 109

317

索引

外傷死亡者数　292
外傷症例登録制度　301
外傷性くも膜下出血　**135**, 147
外傷性四肢切断　**184**
外傷性四肢轢断　**184**
外傷性視神経症　158
外傷性視神経麻痺　158
外傷性頭蓋内血管損傷　**137**
外傷性窒息　209, 249, 258
外傷性てんかん　**137**
外傷性動静脈瘻　137
外傷性脳内血腫　**134**, 216
外傷性皮下剥離　21
外傷性左横隔膜破裂　103
外傷専門診療ガイドラインJETEC　55
外傷による意識障害　65
外傷の診療　2
外傷の分類　253
回旋不安定型　116
外側塊骨折　166
外側孔　131
介達外力　250
回転翼　275
外腹膜腔　99
開閉口障害　152
解剖学的指標　296
解剖学的評価　249
開放骨折　18, 21, **182**
　　――の重症度分類　182
開放性眼球損傷　158
開放性陥没骨折　133
開放性気胸　27, **79**
開放創　19, 20, **181**, 250
解剖の種類　304
開放療法　21, 181
解離性骨折　206
解離性鎮静　289
火炎熱傷　191
下顎挙上法　29, 200
下顎骨骨折　151, 152
化学損傷　191
　　眼の――　157
下顎引き上げ法　29
過換気療法　140
架橋静脈　130
角加速度　251
顎間固定　154
拡散テンソル画像　135
確実な気道確保　28, 30
　　――のアルゴリズム　38
　　――の適応基準　39
覚醒剤取締法　305
角膜輪部疲弊症　157
下肢牽引整復　118
下肢感覚・運動障害　117
仮性動脈瘤　235
画像診断　52, 229
　　骨折の――　154
括約筋緊張　103
カテコラミン　52
　　――過剰状態　140
カプノグラム　36
カルシウム拮抗薬　214
カルバペネム　284
カルバマゼピン　226

眼圧　157
簡易骨盤固定具　126, 266
　　――の解除基準　127
簡易固定法　**117**
簡易心臓超音波検査　245
眼外傷　14
感覚異常　180
感覚過敏　19
感覚脱失　19
感覚鈍麻　19
眼窩損傷　158
眼窩底骨折　153
　　trap door型――　154
　　線状――　154
　　若年者――　153
眼窩内異物　158
眼窩壁骨折　153
換気障害　79
眼球運動異常　14
眼球運動所見　157
眼球運動制限　157, 158
眼球・視神経損傷　149
眼球陥凹　154
眼球破裂　157, 158
眼球迷走神経反射　154
管腔臓器損傷　18, 21, 99, 101
観血的整復　184
　　――固定術　79
眼瞼下垂　158
眼瞼腫脹　71
眼瞼損傷　156
寛骨臼骨折　18, 113, **117**, 119, 120
寛骨臼の読影　124
環軸関節脱臼　166
環軸椎脱臼　166
間接対光反射　67
関節突起骨折　152, 154
関節内血腫　19, 180
感染症対策　282
感染症の予防及び感染症の患者に対する医療に関する法律　305
感染症法　305
完全脊髄損傷　169
完全阻血　183
完全不安定型　**116**
　　――骨盤骨折　120
完全麻痺　170
感染予防　21
肝損傷　87, 113
環椎横靱帯　166
環椎後頭関節脱臼　166
環椎骨折　166
環椎軸椎亜脱臼　178
環椎軸椎脱臼　178
環椎歯突起間距離　166
環椎破裂骨折　166
眼底検査　211
冠動脈損傷　45
簡便な気道確保　28
陥没骨折　133, 206
顔面外傷　149
顔面骨骨折　14
　　――の臨床症状　152
顔面神経　149, 156
　　――の走行　150

　　――麻痺　151

き

気管・気管支損傷　16, 75, 78, 81, **84**
気管支鏡検査　82, 85
気管支ファイバースコープ　194
気管支ブロッカー付きチューブ　77
気管切開　30, 35
気管挿管　30
　　――の確認　241
　　経口――　30, **31**, 170
　　経鼻――　30, **33**
　　迅速――　32
　　意識下――　160, 161
気管チューブ　31
　　――イントロデューサーを使った経口気管挿管　33
気管偏位　203
気胸　16, 77, 81, 82, **88**, 241
　　――の評価　242
　　開放性――　27, **79**
危険ドラッグ　305
希釈性凝固障害　48, 50, 56, 205
気道確保　7, **28**
　　確実な――　28, 30
　　簡便な――　28
　　緊急的――　160
　　外科的――　30, **34**, 38, 150, 202
　　高度な――　28
　　声門上器具による――　28, 35
　　用手的――　28, **29**, 200
気道緊急　7, **27**, 38
気道出血　77, 78
気道閉塞　7, 27, 76, 77, 78, 149
気道連続性破綻　78
気脳症　133
機能的残気量　198
ギプス包帯固定　186
器物損壊罪　306
奇脈　81
虐待　304
　　――による頭部外傷　207
　　高齢者――　216, 305
　　子ども――　210
　　児童――　304
　　障害者――　305
　　身体的――　210, 216
　　精神的――　216
　　性的――　216
虐待患者の届出　304
虐待による頭部外傷　207
逆行性尿道造影　106, 119
逆行性膀胱造影　119
臼蓋後縁　124
臼蓋前縁　124
球海綿体反射　172
救急救命処置　261
救急搬送における重症度・緊急度判断基準　266
球後血腫　156
球後神経症　158
急性胃拡張　17
急性海綿動静脈瘻　157
急性硬膜外血腫　130, **134**, 207, 214
急性硬膜下血腫　130, **134**, 214

急性腎不全　186, 188
急性肺障害　185
急性閉塞性水頭症　131
挟圧外傷　249, 258
仰臥位低血圧症候群　221
胸郭左右差の増大　30
胸郭腹部　99
胸郭膨隆　79
恐喝罪　306
胸管損傷　160
胸腔穿刺　52, 79, 80, **94**
胸腔ドレーン留置期間　283
胸腔ドレナージ　52, 79, 80, 88, **94**
凝固異常　50
凝固因子　221
凝固線溶系反応　56
凝固・線溶検査　224
胸骨圧迫刺激　67
胸骨圧迫（妊婦）　222
胸骨角　75
胸骨骨折　78, 246
頬骨骨折　152
強心薬　53
胸髄　164
行政検視　303
強制呼出障害　170
強制採血　307
強制採尿　307
強制わいせつ罪　306
強直性痙攣　284
胸椎　164
脅迫罪　306
胸部X線　12, 16, 51
　　――写真　77, 80, 81
胸部外傷　75
　　小児――　207
　　穿通性――　75
　　致死的――　8, 27, **77**, 78
胸部刺創　22
胸部造影CT検査　16, 83
胸部大動脈損傷　16, 75, 81, **83**
　　――の診断と治療のアルゴリズム　83
胸部単純X線撮影　229
胸部の触診　17
胸膜ライン　243
業務妨害罪　306
強要罪　306
胸・腰椎損傷　167
棘間靱帯損傷　178
局所性脳損傷　133, **133**, 214
局所麻酔薬スプレー　160
局所麻酔薬の使用　32
虚血後再灌流障害　186
虚血再灌流障害　179
緊急開胸止血術　10
緊急開胸術　52
緊急開腹止血術　10, 101
緊急減圧開頭術　235
緊急止血術　10, 54
緊急事務管理　303
緊急時輸血規約　51
緊急治療群　270
緊急的気道確保　160
緊急度　2
緊急度・重症度評価の指標　249

筋区画症候群　18, 179, 180, 185, **186**, 188, 258
筋区画内圧　186
筋弛緩薬　150, 160
　　――の使用　32
筋性防御　17, 18, 100, 102, 225
筋節　170
筋組織傷害　186
緊張性気胸　10, 27, 36, **44**, 52, 77, 78, **79**, 84, 94, 203, 209
緊張性血気胸　203
筋膜切開　179, 186, 188

く

空間認知中枢　131
空気止血帯　179, 184
空路搬送　275
駆血時間　179
クスコ診　223
口すぼめ呼吸　203
くも膜下出血　113, 129
　　外傷性――　**135**, 147
グラム陽性球菌　21
グラム陽性菌　282
クリンダマイシン　282

け

計画的再手術　55
経カテーテル動脈塞栓術　10, 47, **119**
経胸壁超音波検査　53
経口エアウエイ　29
経口気管挿管　30, **31**, 170
　　気管チューブイントロデューサーを使った――　33
脛骨アプローチ　63
警察等が取り扱う死体の死因又は身元の調査等に関する法律　304
軽症頭部外傷　144
軽症脳振盪　135
頸静脈損傷　**162**
経静脈的排泄性腎盂造影　229
頸静脈怒張　79, 203
頸髄　164
頸髄損傷　72, 163, 169, 170, 209
　　上位――　170
　　非骨傷性――　163, 169, 174
　　高位――　174
痙性麻痺　169
継続観察　266
経腟分娩　224, 224
頸椎　164
頸椎CT　15, 174
　　――検査　172
　　――の撮影基準　175
頸椎X線3方向　16
頸椎過伸展　169
頸椎カラー　15, 16, 174, 266
　　――固定の合併症　174
　　――の除去　174
頸椎固定解除基準　174
頸椎装具　174
頸椎損傷　170
　　上位――　166
　　中下位――　167
頸椎脱臼　167, 173

頸椎単純X線撮影　177
頸椎の固定　209
頸椎保護　7, 27, 203
系統的な身体検査　14
頸動脈海綿静脈洞瘻　137
頸動脈損傷　15, **162**
　　穿通性――　160
軽度外傷性脳損傷　258
経鼻エアウエイ　28, 30
経鼻気管挿管　30, **33**
経鼻挿管法　202
経皮的膀胱瘻　120
頸部外傷　159
頸部気管損傷　161
頸部前方三角　159
頸部における神経損傷所見　161
頸部の解剖　159
頸部の触診　16
痙攣発作　211
外科的気道確保　30, **34**, 38, 150, 202
ケタミン　32, 201, 289
血圧　47
血液製剤　**52**
血液透析　188
血液脳関門　207
　　――破綻　136
血液濃縮　187
血液分布異常性ショック　43, **45**
結核予防法　305
血管外漏出像　235, 238
血管収縮薬　53
血管損傷　18
血管透過性肺水腫　185
血胸　16, 81, **88**
　　――の評価　244
血腫　14
　　関節内――　18, 180
血漿浸透圧　220
血小板濃厚液　50
血清カルシウム値の低下　187
血清乳酸値　53
血中ヘモグロビン値　51
ゲロタ筋膜内血腫　101
検案　303
言語音声反応　67
言語中枢　131
検視　303
剣状突起下心膜開窓術　52, 81, 97
減速作用機序　250
減張切開　192
原動機付自転車乗員の事故　255
見当識　67, 72
見当識障害　67
現場・病院前死亡　1
腱反射　170
　　――消失　172

こ

高CPK血症　187
広域スペクトラム抗菌薬　283
高位頸髄損傷　174
高位後腹膜　236
口咽頭エアウエイ　29
口・咽頭外傷　14
高エネルギー事故　163, 249

索引

高エネルギー衝撃　249
高温液体熱傷　191
鉤回ヘルニア　130, 207
高カリウム血症　186, 187
高眼圧　157
高輝度線状像　242
抗凝固薬　56, 214, 216
抗菌薬　282
　　——治療的投与　282
　　——の早期予防投与　21
　　——の予防的投与　21, 282
　　——の予防投与　181
　　広域スペクトラム——　283
航空機搬送　276
抗痙攣薬　207
高血圧緊急症　223
抗血小板薬　56, 214, 216
抗血栓薬　214
抗原検査　286
咬合・開閉口障害　149
交差試験　50
高酸素症　28
後縦靱帯骨化症　169
高体温　65
高張食塩液　140
高張ナトリウム液　49
交通外傷　219
喉頭・気管損傷　15, **161**
喉頭・気管断裂　160
喉頭鏡　31
　　——による直視下経口気管挿管手技　31
喉頭損傷　30
喉頭部分断裂　30
高度な気道確保　28
高二酸化炭素血症　34, 68, 79, 132
高濃度酸素投与　**28**
抗破傷風ヒト免疫グロブリン　21, 285
広範囲熱傷　193
　　——患者　192
後部型脊髄損傷　169
後腹膜腔　**100**
後腹膜血腫　100
後腹膜出血　10, **44**, 52
後腹膜穿破　17
後腹膜臓器　100
後腹膜パッキング　119
後部尿道損傷　18
後方脱臼　166, 167
硬膜外血腫　129
　　急性——　130, **134**, 207, 214
硬膜外針　63
硬膜下血腫　129, 207
　　急性——　130, **134**, 214
　　慢性——　215
高ミオグロビン血症　187
後面衝突　254
肛門括約筋緊張低下　172
肛門括約筋弛緩　119
肛門括約筋の緊張度合　18
肛門反射　172
高リスク受傷機転　2, 12, 77, 229, 230, 249
高流量酸素回路　202
高流量酸素投与　192

高齢者外傷　213
　　——の特徴　215
高齢者虐待　**216**, 305
高齢者虐待の防止，高齢者の養護者に対する支援等に関する法律　→高齢者虐待防止法
高齢者虐待防止法　216, 305
高齢者への鎮痛・鎮静　290
鼓音　103
呼気二酸化炭素分圧　36
呼吸筋麻痺　170
呼吸系に対する蘇生　3
呼吸障害　76
呼吸生理学　28
呼吸不全　77
五次爆傷　258
個人情報の保護に関する法律　304
個人防護具　286
骨幹端骨折　210
骨髄液　204
骨髄炎　21, 182
骨髄採取針　204
骨髄穿刺　49
　　——針　63
骨髄内輸液　63, 204
　　——針　49, 63, 204
骨髄輸液　187
骨髄路　204
　　——確保の手技　64
骨性胸壁　75
骨折整復　184
骨折の画像診断　154
骨損傷　234
骨盤X線　12, 51
骨盤外固定　119
骨盤外固定法　117
骨盤外傷　113
骨盤開放骨折　**120**
骨盤骨折　18, 44, 113, 236
　　——に対する止血アルゴリズム　126
　　——の診断　117
　　——の分類　125
　　安定型——　116, 120
　　完全不安定型——　120
　　高齢者——　216
　　脆弱性——　256
　　前後圧迫型——　118
　　不安定型——　19, 44, **116**, 119
　　母体の——　220
骨盤・四肢外傷（小児）　209
骨盤周囲の血行　115
骨盤周囲の神経走行　115
骨盤床　113
骨盤脆弱性骨折　216
骨盤単純X線撮影　229
骨盤単純X線写真　18
　　——の読影手順　124
骨盤動揺性検査　117
骨盤内臓器　**115**
骨盤パッキング　**119**
骨盤腹部　99
骨盤部の診察　119
骨盤輪　113
　　——骨折　113
　　——の靱帯構造　114

骨膜下血腫　138
固定瞳孔　67
固定法　230
固定翼　275
古典的脳振盪　135
子ども虐待　**210**
鼓膜損傷　149
コメットサイン　243
混合静脈血酸素飽和度　204
コンパートメント症候群　→筋区画症候群
コンビチューブ　36
コンベックスプローブ　242, 243, 244, 245
根本治療　4, **22**

さ

災害医療コーディネーター　272
災害対策本部　270
災害派遣医療チーム　272
最小限鎮静　289
細胞外液補充液　49, 187, 195, 205
細胞性免疫能　221
最良の運動反応　67
酢酸リンゲル　187
酢酸リンゲル液　49
坐骨腸骨線　124
サムスリングⅡ　117
酸塩基平衡　53
産科的なsecondary survey　223
三叉神経　149, 151
三次元再構成画像　233
三次爆傷　258
酸素代謝失調　53
散瞳　158
三辺テーピング法　79

し

ジアゼパム　137, 206, 207
シアン化水素中毒　194
シアン中毒　191
シーツラッピング法　117
シートベルト型損傷　163, 167
シートベルト痕　102, 254
死因究明2法　304
死因究明等推進基本法　304
死因究明等の推進に関する法律　304
視覚中枢　131
耳下腺（管）損傷　156
歯牙損傷　14
子癇　222
　　——発作　223
弛緩性麻痺　169, 172
時間尿量　195
ジギタリス　214
子宮血流量　221
子宮左方移動　222
子宮収縮　222, 225
子宮底長　219, 224
子宮破裂　225
軸索断裂　183, 186
軸椎関節突起間骨折　167
止血　**9**
止血術　205
　　緊急——　10, 54

止血帯 186
　空気—— 179, 184
四肢外傷 179
　動脈損傷を合併しやすい—— 182
　末梢神経損傷を合併しやすい——
　　182
四肢弛緩 172
四肢穿通創 22
四肢末梢動脈の拍動 19
四肢麻痺 169
支持療法 3
視神経管開放 158
視神経損傷 156, 158
死戦期帝王切開 221, 222, 223
自然死 303
児先進部 224
刺創 22, 249, **256**
歯槽突起骨折 152
持続硬膜外ブロック 79
持続するアシドーシス 53
持続する頻脈 46
持続勃起症 169, 172
死体検案書 308
実質臓器損傷 44, 104
湿性ラ音 209
自転車乗員の事故 256
児童虐待 304
児童虐待の防止等に関する法律
　→児童虐待防止法
児童虐待防止法 211, 304
児童相談所 211, 304
自動調節能 68
自動二輪車乗員の事故 255
児童福祉法 211
歯突起骨折 166
篩板穿通損傷 30
司法解剖 304
司法警察員 303
司法検視 303
死亡診断書 213, 308
脂肪塞栓症候群 **185**
脂肪抑制 T2強調像 173
事務管理 303
視野狭窄 157
若年者眼窩底骨折 153
斜頸 160
斜視 158
視野所見 157
縦隔炎 162
縦隔気腫 40, 84
縦隔血腫 91
縦隔ドレナージ 88
周産期母子医療センター 222
収縮期血圧 47, 50
　——の低下 47
重症外傷性脳損傷管理のガイドライン
　69
重症度 2
銃創 21, 249, **257**
重点観察 266
十二指腸下行脚破裂 252
手指の巧緻運動障害 169
受傷機転 1, 249
　——の評価 249
　　低エネルギー—— 163

手掌法 193
主膵管損傷 104
出血 14
　——による生体反応 53
　——量 47
出血源の検索 9
出血性ショック 8, 9, **43**, 207
　——の重症度 48
守秘義務 211, 305
腫瘤様高濃度陰影 86
循環異常 46
循環管理のためのモニター 53
循環系に対する蘇生 3
循環血液量減少 245
循環血液量減少性ショック 9, 43, 76,
　186
循環の生理学 53
循環のモニタリング 8
循環不全 68
上位頸髄損傷 170
上位頸椎損傷 166
常位胎盤早期剝離 222, 224
上位多発肋骨骨折 84
傷害罪 306
障害者虐待 305
障害者虐待の防止，障害者の養護者に対
　する支援等に関する法律 305
消化管造影 CT 232
消化管損傷 17
上顎骨骨折 152
上気道狭窄症状 170
状況評価 262
上行性網様体賦活系 65, 131
小骨盤 115
詳細観察 266
晶質輸液 56
小児のバイタルサイン 199
小児への鎮痛・鎮静 290
小児用イントロック 200
小児用輪状甲状靭帯穿刺キット 202
小脳扁桃ヘルニア 130, 148
静脈灌流障害 133
静脈切開 204
静脈路の確保 8
正面衝突 253
除外診断 185
初期評価 262
初期輸液 9, **49**, 205
　——による生体の反応 50
　——の実際 49
　——の投与速度 49
　——の投与量 49
　——の目的 49
　熱傷—— 194
食道挿管 31
食道損傷 16, 81, **87**, 162
ショック 43
　——状態 1
　——の原因検索 51
　——の循環動態（小児） 204
　——の定義 **43**
　——の認知 8, **46**
　——の認知と対応 60
　——の評価と対応 48
　——の病態 **43**

血液分布異常性—— 43, **45**
出血性—— 8, 9, **43**, 207
循環血液量減少性—— 9, 43, 76, 186
心外閉塞・拘束性—— 43
神経原性—— 10, **46**, 170
心原性—— 43, **45**, 76
脊髄—— 170
低血圧性—— 203
非出血性—— 10, **44**
閉塞性—— 8, 43, **44**, 76
除脳肢位 67, 72
除皮質肢位 67, 72
徐脈 69
　迷走神経反射による—— 46
自律神経障害 169
視力検査 156
視力障害 14
ジルチアゼム 214
シルビウス裂 136
腎盂尿管損傷 232
心外閉塞・拘束性ショック 43
新型コロナウイルス 286
新型コロナウイルス感染症 286
呻吟 203
心筋逸脱酵素 209
心筋挫傷 45
心筋穿刺 97
神経学的局在症状 65
神経学的高位の診断 170
神経学的所見 10
神経学的診察 19
神経原性ショック 10, **46**, 170
神経除圧 173
神経損傷 120
　仙骨—— 119
神経脱落症状 173
神経断裂 183
深頸部気腫 84
深頸部皮下気腫像 162
心原性ショック 43, **45**, 76
人工血管置換術 83
人工肛門造設 120
人工呼吸器 36
人工被覆材 21
心室細動 196
新生児蘇生処置 220
真性腹部 99
新鮮凍結血漿 50
心臓振盪 76
迅速簡易超音波検査法 12, 52
迅速気管挿管法 32
心損傷 75
　鈍的—— 16, 81, **86**, 209
身体刺激 67
身体診察 4
身体的虐待 210, 216
診断書 307
診断的腹腔鏡検査 18, **107**, 109
診断的腹腔穿刺 **107**
診断的腹腔洗浄法 18, **106**
診断的腹腔ドレナージ **107**
心タンポナーデ 10, **45**, 52, **81**, 96
深鎮静 290
心的外傷後ストレス障害 289
伸展脱臼 166

索 引

浸透圧利尿薬　140
心囊液貯留　77
心囊液の評価　245
心囊穿刺　52, 81, **96**
　　　超音波ガイド下——　245
真皮縫合　155
深部加温　11, 52
深部腱反射亢進　169
深部腱反射消失　169, 172
深部静脈血栓症　117
心膜切開　52, 81
信用毀損罪　306
診療録　307

す

髄液　131
髄液耳漏　149
膵損傷　17, 18, 234
垂直圧縮力　167
垂直剪断型　116, 118
推定体重　224
髄膜炎　149, 283
頭蓋外因子　132
　　　による二次性脳損傷　11
頭蓋骨陥没骨折　14
頭蓋骨骨折　**133**
　　　胎児——　220, 225
頭蓋直達牽引　173
頭蓋底骨折　15, **133**
頭蓋内圧　130
頭蓋内圧亢進　65, 68, 207
　　　症状　11, 65
頭蓋内因子　132
　　　による二次性脳損傷　11
頭蓋内血腫　207
頭蓋内出血　65
頭蓋内占拠性病変　10
スガマデクス　32
スキサメトニウム　32
ステロイド療法　140
ステントグラフト内挿術　83
スパーク放電　196
スポーツ脳振盪　143
擦りガラス陰影　286

せ

性器出血　222, 225
脆弱性骨盤骨折　256
生殖器損傷　120
精神的虐待　216
精巣損傷　120
正中孔　131
正中中間位固定　170, 201
正中偏位　147
性的虐待　216
整復固定　52
生命維持の仕組み　2
声門上器具による気道確保　28, 35
生理学的凝固線溶反応　56
生理学的指標　296
生理学的評価　249
世界保健機関（WHO）研究センターの診断基準　144
脊髄　163
　　　の神経路　165

脊髄ショック　170
脊髄損傷　18, 46, 72, **169**
　　　の重症度評価　171
　　　Brown-Séquard 型——　169
　　　完全——　169
　　　後部型——　169
　　　前部型——　169
　　　中心性——　169
　　　半側型——　169
　　　不完全——　169
脊髄反射　72
脊柱管後面ライン　177
脊椎　163
　　　アライメント　174
脊椎運動制限　262, 263
　　　の適応　174
脊椎固定　174
脊椎・脊髄外傷（小児）　209
脊椎・脊髄損傷　234
脊椎前腔血腫　170
脊椎損傷　**164**
セクタープローブ　245
赤血球液　50
接触熱傷　191
切断肢　18
切迫心停止　198
切迫するD　10, 14, 19, 25, 137, 143, 230, 274
　　　の判断　**68**
　　　への対応　68
善管注意義務　303
前後圧迫型　116
前後圧迫型骨盤骨折　118
閃光　196
仙骨神経損傷　119
前縦靱帯損傷　178
洗浄　21, 181, 182
線状眼窩底骨折　154
線状骨折　133, 153
全身CT　20, 52, 138, 229, 233
　　　の撮影基準　230
全身観察　263
全身骨スクリーニング撮影　210, 211
全身固定　174, 263, 266
仙髄　164
仙髄回避　170
全脊椎CT　173
全層植皮　21
全体表面積　193
剪断損傷　211
剪断力　250
前置胎盤　224
仙腸関節　113
仙腸関節離開（脱臼）　113
穿通性外傷　21, 87, 107, 252
穿通性胸部外傷　75
穿通性頸動脈損傷　160
穿通性頸部損傷　159
穿通性損傷　182
穿通性頭部外傷　139
穿通性脳損傷　**137**
前部型脊髄損傷　169
前腹部　99
前方脱臼　166, 167
線溶亢進期　56

線溶抑制期　56
前立腺高位　103
　　　浮動　12, 18, 119

そ

造影CT検査　209
造影X線検査　229
創外固定　**118**, 119
臓器灌流障害　214
早期死亡　1
臓器不全　101
早期発作　137
早期輸血　54
総合周産期母子医療センター　222
早産　220
巣症状　65
総タンパク　220
創の試験的切開　**107**
蒼白　19, 180
早剝　225
側頭骨骨折　151
側方圧迫型　116
側面衝突　253
組織酸素代謝　53
蘇生　2, 4
蘇生的開胸術　**57**, 222
蘇生的手術　55

た

ダーティ・ボム　258
ターニケット　184, 266
　　　解除条件　185
　　　解除手順　184
第5腰椎横突起骨折　114
体位性圧挫症候群　186
第一印象　25
　　　の把握　**6**
第一世代セフェム系抗菌薬　21, 282, 283, 284
体温管理　**10**
　　　療法　140
体温測定　11
待機治療群　270
大血管損傷　44
大孔ヘルニア　130
体骨折　152
大骨盤　115
胎児心拍監視装置　222, 224
胎児心拍数監視　224
胎児心拍数監視陣痛図　224
胎児心拍連続モニタリング　222
胎児頭蓋骨骨折　220, 225
胎児頭蓋内骨折　225
胎児低酸素血症　221
胎児の生存性　224
胎児の評価　222
胎児評価　224
胎児貧血　226
代謝性アシドーシス　53, 186, 187
帯状回ヘルニア　130
大泉門の所見　207
対側片麻痺　68
大腿骨骨幹部骨折　185
大腿骨頭壊死　184
大動脈弓部遠位　236

大動脈遮断法 **56**
大動脈損傷 235
　鈍的―― 83
第二世代セフェム系抗菌薬 282
大脳鎌ヘルニア 130
大脳半球梗塞 162
胎盤早期剝離 224, 225
体表加温 11, 52
体表保温 11, 52
大麻取締法 305
大量血胸 43, 52, 77, **80**
大量出血 149
大量輸液 50
大量輸血 50
　――プロトコル 9, 50
唾液皮膚瘻 156
多断面再構成画像 233, 238
脱衣 **10**
脱臼 19
脱臼骨折 167
ダッシュボード外傷 253
ダッシュボード損傷 180
脱落歯 154
多発外傷 253
多発肋骨骨折 75, 77, 113, 210
ダビガトラン 141
ダブルリング試験 15, 137, 151
ダメージコントロール戦略 **54**
多列検出器CT 233
炭酸水素ナトリウム 53
単純X線撮影 51
　胸部―― 229
　頸椎―― 177
　骨盤―― 229
　頭部―― 138
単純縫合術 83
胆道損傷 234
単独外傷 295

ち

地域周産期母子医療センター 222
チーム医療 5
チームワーク 4
遅延相撮影 104
チオペンタール 137
恥骨結合離開 113
恥骨腸骨線 124
致死性不整脈 186
致死的胸部外傷 8, 27, **77**, 78
腟鏡検査 120
腟損傷 119, 120
腟内診 103
遅発性外傷性脳内血腫 135, 214
中下位頸椎損傷 167
中隔破裂 45
中心静脈圧 53, 204
中心静脈穿刺 49
中心静脈路 204
中心性脊髄損傷 169
中心性ヘルニア 130, 207
中枢神経障害の評価 10
中性温域 52
中等症頭部外傷 144
中等度鎮静 290
超音波ガイド下心囊穿刺 245

超音波ガイド下末梢静脈路確保 246
超音波ガイド下末梢神経ブロック 246
超音波検査 77, 80, 82, 241
　簡易心臓―― 245
　経胸壁―― 53
　腹部―― **103**
長管骨骨折 188
　――による出血 **44**
腸管損傷 105
腸管脱出 109
腸間膜損傷 44
腸雑音 102
蝶ネクタイサイン 178
直撃損傷 207
直後発作 137
直視下経口気管挿管手技 200
直接反射 67
直達牽引 120
直腸鏡検査 120
直腸診 12, **18**
　――の適応 18
直腸損傷 18, 119, 120
直腸膀胱窩 236
治療不要・軽処置群 270
鎮静薬 224, 206, 289
　――の使用 32
鎮痛・鎮静 289
　――のアルゴリズム 291
　高齢者への―― 290
　小児への―― 290
鎮痛薬 289

つ

椎間関節脱臼 167
　片側―― 178
　両側―― 178
椎骨動脈損傷 168
椎体圧迫骨折 178
椎体骨折 167, 178
椎体転位 167
追突事故 254
対麻痺 169
墜落 **256**

て

ティースキーパー 154
低エネルギー受傷機転 163
帝王切開 224
低温熱傷 191
低眼圧 157
低血圧性ショック 203
低血糖 69
低酸素血症 68, 79, 209
低酸素性虚血傷害 211
低体温 11, 48, 52, 65, 205
低体温症 191
低二酸化炭素血症 68, 132
デグロービング損傷 250
テトラサイクリン系抗菌薬 226
手袋状剝皮損傷 182
デブリドマン 21, 181, 182
転院の判断 274
てんかん発作 69
電撃傷 191, 196
点滴静注胆管造影 229

転倒 216
転倒・転落 213, 292
テント状T波 187
テント切痕ヘルニア 67, 130, 207
転落 256
電流 196
電流斑 196

と

頭囲拡大 211
動眼神経麻痺 158
瞳孔異常 67
瞳孔散大 67
瞳孔所見 **67**, 156
瞳孔不同 65, 67, 156
瞳孔変形 156
同種移植片 221
等張電解質輸液 49, 187
疼痛 19, 180
　――閾値の上昇 214
頭皮挫創 207
頭部CT検査 68, 138
　――のタイミング 139
　――の優先 13
頭部CT撮影についてのPECARNルール 208
頭部CT読影 147
頭部外傷 129
　――に関する手術適応 141
　――に起因する凝固障害 140
　虐待による―― 207
　軽症―― 144
　穿通性―― 139
　中等症―― 144
　乳幼児の虐待による―― 143, 211
　小児―― 206
　高齢者―― 214
頭部外傷治療・管理のガイドライン 68, 129, 144
頭部・顔面の触診 15
頭部単純X線撮影 138
動物咬傷 284
動物咬創 155
動脈血ガス分析 47
動脈損傷 **182**, 186
　――を合併しやすい四肢外傷 182
読影の第1段階 233, 235
読影の第2段階 233, 237
読影の第3段階 233, 239
ドクターカー 274
ドクターヘリ 274
特定行為 261
特定非営利活動法人日本外傷診療研究機構 301, 302
特発性食道破裂 87
毒物及び劇物取締法 305
徒手筋力検査 19, 170, 180
徒手整復 184
ドパミン 170
トラネキサム酸 51, 140, 205
トランスアミナーゼ 103
トリアージ **270**
努力義務 305
トルコ鞍近傍 137
トロポニン 209

索引

トロンボプラスチン　221
呑気　198, 209
鈍的外傷　87, 252
鈍的心損傷　16, 81, **86**, 209
鈍的損傷　182
鈍的大動脈損傷　83

な

内圧伝播　252
内頸動脈海綿静脈道洞瘻　136
内視鏡下（経口）気管挿管　32
内視鏡下（経鼻）気管挿管手技　33
内視鏡的逆行性胆道膵管造影　229
内視鏡的膵管造影　**105**
内診　223
内膜損傷　182
軟部胸壁　75
軟部組織感染症　21
軟部組織損傷　18, 21
　　――に伴う出血　44

に

ニカルジピン　223
二次性脳損傷　10, 69, **132**, 136
　　――をきたす原因　132
二次爆傷　258
二次搬送　272
二相撮影　230
日本外傷データバンク　297, 301
日本救急検査技師認定　12
日本熱傷学会熱傷入院患者レジストリー　191
日本脳神経外傷学会頭部外傷データバンク　129
日本母体救命システム普及協議会　219
ニューキノロン　284
乳酸リンゲル液　49, 195
乳児の頸椎固定法　203
乳児の輪状甲状靱帯　202
乳び胸　160
乳幼児の虐待による頭部外傷　143, 211
乳幼児の発達マイルストーン　206
尿道造影　229
尿道損傷　119, 119, 120
尿道・膀胱損傷　113
尿道留置カテーテル　18
　　――の挿入　12
尿量　53, 205
尿路損傷　17
妊娠後期　219, 220, 222
妊娠高血圧　224
妊娠高血圧症候群　222, 223
妊娠初期　219, 220
妊娠中期　219, 220
妊娠中の禁忌薬剤　226
妊娠による生理的な変化　221
妊婦外傷　219

ね

ネグレクト　216
熱傷　191
　　――の重症度　193
　　火炎――　191
　　高温液体――　191
　　広範囲――　193
　　接触――　191
　　低温――　191
熱傷指数　194
熱傷重症度の判定　193
熱傷初期輸液　194
熱傷ショック期　195
熱傷深度　193
　　――の分類　193
熱傷面積　193
　　――の算定方法　194
熱傷予後指数　194

の

脳灌流圧　50, 131
脳虚血　69
脳血管撮影　139
脳血管障害　69
脳血管攣縮　136
脳血流量　140
脳挫傷　113, 129, **134**
脳神経損傷　158
脳神経麻痺　158
脳振盪　**135**
　　軽症――　135
　　古典的――　135
脳底槽圧排・消失　147
脳浮腫　214
脳ヘルニア　**130**
　　――所見　147
　　――徴候　10, 65

は

肺炎球菌ワクチン　209
配偶者からの暴力の防止及び被害者の保護等に関する法律　305
配偶者暴力相談支援センター　305
敗血症　101
　　脾摘後――　209
肺血栓塞栓症　185
肺挫傷　16, 75, 77, 78, 81, 82, **86**, 113, 207
　　――の評価　243
肺水腫　192
排泄相　104
排尿障害　117
背部穿通創　22
ハイブリッドER　230
排便障害　117
爆傷　**258**
　　一次――　258
　　二次――　258
　　三次――　258
　　四次――　258
　　五次――　258
爆傷肺　258
剝皮創　21, **181**, 250
剝離骨折　209
播種性血管内凝固症候群　225
破傷風　21, 284
　　――に対する予防接種　181
　　――予防接種歴　21
破傷風菌　284
破傷風抗体　284
破傷風トキソイド　21, 285
　　――接種歴　21
破傷風毒素　284
破傷風免疫抗体検査　285
破傷風免疫抗体迅速検査キット　285
破水　223
パターン痕　210
パッキング　52
バッグ・バルブ・マスク換気法　**36**
バックボード　174
発達遅滞　211
バルーンカテーテル　150
破裂骨折　166, 167
晩期死亡　1
晩期発作　137
斑状陰影　86
板状硬　224, 225
反衝損傷　**132**, 251
斑状・網状陰影　86
搬送手段の特徴　276
搬送前の準備　278
半側型脊髄損傷　169
パンダの眼徴候　15, 151
反跳痛　17, 100, 102, 225
ハンドル外傷　253
汎発性腹膜炎　225

ひ

ピーシーキューブ　219
鼻咽頭エアウエイ　30
皮下気腫　84
比較撮影　181
皮下血腫　137, 162
皮下創傷　155
非観血的整復　173
非痙攣性てんかん重積　137
非骨傷性頸髄損傷　163, 169, 174
非手術療法　**109**
鼻出血　151
非出血性ショック　10, **44**
非侵襲的陽圧換気　79
ビタミンB_1欠乏　69
鼻中隔血腫　156
ビデオ喉頭鏡　31
ビデオ喉頭鏡システム　286
脾摘後敗血症　209
泌尿・生殖器損傷　104
皮膚所見　**46**
皮膚創傷　155
皮膚分節　170
皮膚縫合　155
ピペラシリン・タゾバクタム　284
びまん性軸索損傷　**135**, 139, 234, 251
びまん性脳腫脹　129, **136**, 207
びまん性脳損傷　129, 133, **135**, 214
病院間搬送　13, 23, 273
病院間連携　273
病院前救護　261
病院前輸液　266
病院内耐性菌　282
表在反射　170
標準予防策　**6**
表情筋麻痺　151
病的凝固線溶反応　56
病歴聴取　14
ピンク針　63
頻脈　46

索　引

持続する—— 46

ふ

不安定型骨盤骨折　19, 44, **116**, 119
　　——の骨折型と出血量　123
　　完全——　120
　　部分——　118, 120
フィブリノゲン　221
フィラデルフィアネックカラー　174
フェニトイン　137, 226
フェノバルビタール　137, 226
フェンタニル　32, 201, 206, 290
不完全脊髄損傷　169
吹き抜け骨折　153
腹腔　**100**
腹腔内高血圧症　55
腹腔内出血　16, 18, **44**, 52
　　——の評価　244
腹腔内臓器損傷　87
腹腔内貯留液　52
複視　154, 158
腹式呼吸　170, 172
副子固定　180, 184
福祉事務所　211, 304
腹部CT検査　**103**
　　——の適応　104
腹部外傷　99
　　——の緊急度　101
　　小児——　209
腹部外傷評価アルゴリズム　101, 108
腹部刺創　22
　　——の診断・治療アルゴリズム　108
腹部造影CT検査　17
腹部臓器損傷　44, 80
腹部・胎児超音波　224
腹部超音波検査　**103**
腹部の触診　17
腹部膨隆　102
腹膜炎　17, 18, 99, 101
　　汎発性——　225
腹膜刺激症状　18, 100, 102, 225
腹膜穿通　107
侮辱罪　306
防ぎ得た外傷死　163, 299
防ぎ得た後遺障害　163
不全麻痺　170
ブドウ球菌　284
部分トロンボプラスチン時間　221
部分不安定型　**116**
　　——骨盤骨折　118, 120
プラスミノゲンアクチベーター　221
不慮の事故　292
フルフラップ前面衝突　253
フレイル　214
フレイルセグメント　78
フレイルチェスト　27, 77, **78**
プロトロンビン時間　221
プロポフォール　137, 289, 290
プロポフォール注入症候群　290

へ

平均動脈圧　50
米国外科学会外傷委員会　266
米国西部外傷外科学会　109
米国脊髄損傷協会機能障害スケール
　　170
閉塞性ショック　8, 43, **44**, 76
ペースメーカー　48
ペダル外傷　253
ヘッドイモビライザー　174
ペニシリン　21, 284
ベビーグラム　210
ヘマトクリット　220
ヘモグロビン　220
ベラパミル　214
ヘリコプター　275
ペルビッキー　117, 126
ベロックタンポン　150
片側椎間関節脱臼　178
弁損傷　45
片麻痺　**68**
　　対側——　68

ほ

法医解剖　304
暴言　306
暴行　306
暴行罪　306
膀胱造影　229
　　——CT　106, 232
膀胱損傷　119, 120, 232
膀胱直腸障害　169
縫合離開　206
放射線皮膚障害　191
帽状腱膜下血腫　138
ボーラス投与　49
ボーラストラッキング法　230
保温　52
歩行者の事故　256
母児間輸血症候群　226
母子健康手帳　206, 210
補助換気　203
補助的な止血療法　51
ホスフェニトイン　137, 207
母体の骨盤骨折　220
勃起不全　117

ま

マジャンディ孔　131
麻酔薬　224
末梢静脈路　203
末梢神経障害　19
末梢神経損傷　**183**
　　——を合併しやすい四肢外傷　182
マニュアルジェットベンチレーター　40
麻薬及び向精神薬取締法　305
麻薬中毒者　305
マランパティ分類　40
マルク針　63
マルチスライスCT　161
慢性硬膜下血腫　215
慢性閉塞性肺疾患　28
マンニトール　140

み

ミオグロビン　186
ミダゾラム　137, 201, 206, 207, 290
脈　**46**
脈拍の減弱　19, 180
脈拍の消失　19, 180

む

無気肺　216

め

迷走神経反射による徐脈　46
メディカルコントロール協議会　272
メトロニダゾール　282, 284
眼の化学損傷　157

も

毛細血管再充満時間　**46**, 203
毛細血管透過性　192
網膜出血　211
盲目的経鼻気管挿管　34
モニタリング　12
モルヒネ　290
モンロー孔　131, 147

ゆ

優位半球前頭葉　131
有毒ガス中毒　191
誘発・促進分娩　224
輸液　**9, 52**
　　——制限　54
　　——の種類　49
　　——負荷　188
　　——量　50
　　等張電解質——　49, 187
　　病院前——　266
輸液療法　**49**
輸液路の確保　49
　　——優先順位　**49**
輸血　**9**, 205
輸血療法　**50**

よ

陽圧換気　36, 45, 77, 79, 203
　　非侵襲的——　79
溶血反応　50
用手的気道確保　28, **29**, 200
用手的頭頸部保持　263
羊水　224, 225
腰髄　164
よきサマリア人法　303
杙創　**257**
四次爆傷　258
予測生存確率　298
予防接種歴　206

ら

落雷　196
ラリンゲアルチューブ　35
ラリンゲアルマスクエアウエイ　35

り

陸路搬送　275
リザーバ付きフェイスマスク　28
リニアプローブ　241, 242, 243
リビングウィル　216
硫酸アトロピン　170, 201
硫酸マグネシウム　223
両斜位撮影　181
両側椎間関節脱臼　178
輪状甲状靱帯切開　30, **34**, 40, 170, 202

索引

――の手技　41
輪状甲状靱帯穿刺　**34**, 40, 202
　　――の手技　42
輪状甲状靱帯穿刺専用キット　34
輪状甲状靱帯の同定　241
輪状軟骨圧迫　201

る

涙痕　124
涙道損傷　156
ルシュカ孔　131

れ

冷感　19, 180
レベチラセタム　137
レベルⅠ外傷センター　143
レベルⅡ外傷センター　143
レベルⅢ外傷センター　143
連鎖球菌　284

ろ

ロード＆ゴー　5, 249, 262

ロクロニウム　32, 202
肋骨横隔膜角の鋭化　88
肋骨骨折　246
　高齢者――　216
ロラゼパム　207

わ

若木骨折　198, 209
ワルファリンカリウム　226
腕神経叢損傷　16, 160, **162**

> JCOPY 〈(社)出版者著作権管理機構 委託出版物〉
> 本書の無断複写は著作権法上での例外を除き禁じられています。
> 複写される場合は，そのつど事前に，下記の許諾を得てください。
> (社)出版者著作権管理機構
> TEL.03-5244-5088 FAX.03-5244-5089 e-mail：info@jcopy.or.jp

※本書にはe-ラーニングを利用するためのアクセス権（巻末添付）が付いています。これは特定非営利活動法人 日本外傷診療研究機構（JTCR）によって運営されているJATECコース受講に際してのプレラーニング用教材であり，本書の内容の理解を深めるためのものです。
具体的な利用方法については，本書巻末の「JATEC™コースの受講にあたって」をご覧ください。

改訂第6版 外傷初期診療ガイドライン　JATEC

定価（本体価格 15,000円＋税）

2002年12月24日	第1版第1刷発行
2003年11月14日	第1版第3刷発行
2004年10月28日	第2版第1刷発行
2008年5月12日	第2版第6刷発行
2008年10月15日	第3版第1刷発行
2011年6月19日	第3版第4刷発行
2012年11月15日	第4版第1刷発行
2016年3月10日	第4版第8刷発行
2016年11月18日	第5版第1刷発行
2019年7月5日	第5版第6刷発行
2021年2月19日	第6版第1刷発行
2021年5月20日	第6版第2刷発行
2022年5月24日	第6版第3刷発行
2023年6月12日	第6版第4刷発行
2025年2月1日	第6版第5刷発行

監　修　一般社団法人日本外傷学会，一般社団法人日本救急医学会
編　集　日本外傷学会外傷初期診療ガイドライン改訂第6版編集委員会
発行者　長谷川　潤
発行所　株式会社　へるす出版
　　　　〒164-0001　東京都中野区中野2-2-3
　　　　電話　（03）3384-8035（販売）　（03）3384-8155（編集）
　　　　振替　00180-7-175971
印刷所　広研印刷株式会社

©2021 Printed in Japan　　　　　　　　　　　　　　　　〈検印省略〉
落丁本，乱丁本はお取り替えいたします。
ISBN 978-4-86719-014-2

シリアル番号
一度はがすと再貼付できません。

JATEC™コースの受講にあたって

　JATEC™コースの受講にあたっては，JATECホームページ（https://www.jtcr-jatec.org/index_jatec.html）において，以下に示す事前学習と手続きが必要となります。
①動画教材を用いた事前学習（eラーニング）
②プレテスト（eラーニング）
③ID・パスワード取得のための受講予備登録（アカウント作成）
　各システムへログインする際には，本ページのシリアルナンバーを使用してください。
　JATEC™コース受講の申し込みなどの詳細については，下記URLより，「JATECコース お申込み/受講の流れ」をご覧ください。

https://www.jtcr-jatec.org/jatec_stu_nagare.html

　なお，上記①②のeラーニングは，JATECコースを受講しない場合もJATECホームページよりご利用いただけます。同じくシリアルナンバーを使ってアクセスしてください。

＊将来的にシステムは変更される可能性がございます。
＊詳細はJATECホームページにてご確認ください。